复杂工程系统管理理论
与港珠澳大桥工程管理实践

盛昭瀚　苏权科　高星林　梁　茹　时茜茜　著

科 学 出 版 社

北 京

内 容 简 介

　　复杂系统管理是当前全球管理学界广泛关注的重大科学问题，具有重要的学术引领性、前沿性、交叉性与厚重感。近年来，中国学者首次以具有中国特色的复杂系统管理思想为思维原则，运用自主性构建的复杂工程系统管理理论，深入开展我国港珠澳大桥工程管理实践的理论凝练与升华研究，本书即这一研究的主要成果。本书许多内容在工程管理领域突破了基于本体论与还原论相结合的项目管理思维和知识体系，形成了复杂工程系统管理理论与重大工程管理实践紧密结合的新的学术主张和知识变革。

　　本书可供工程管理领域工作者、研究人员以及复杂工程系统管理领域的相关人员参考使用，也可作为相关专业研究生教材。

图书在版编目（CIP）数据

复杂工程系统管理理论与港珠澳大桥工程管理实践 ／ 盛昭瀚等著. —北京：科学出版社，2023.4

ISBN 978-7-03-074167-7

Ⅰ. ①复… Ⅱ. ①盛… Ⅲ. ①跨海峡桥－桥梁工程－工程管理 Ⅳ. ①U448.19

中国版本图书馆CIP数据核字（2022）第 235897 号

责任编辑：王丹妮／责任校对：王晓茜

责任印制：张　伟／封面设计：有道设计

科 学 出 版 社 出版

北京东黄城根北街 16 号

邮政编码：100717

http://www.sciencep.com

北京中科印刷有限公司 印刷

科学出版社发行　各地新华书店经销

*

2023 年 4 月第　一　版　　开本：720×1000　1/16

2023 年 4 月第一次印刷　　印张：24 1/4

字数：489 000

定价：268.00 元

（如有印装质量问题，我社负责调换）

前　言

一

　　在过去的几十年里，全世界特别是中国大规模地开展了重大基础设施工程（以下简称重大工程）的建设热潮。中国是当今世界上最大的发展中国家，其地域广、人口多，为了推动社会经济发展和城市化等战略，必然要在一段相当长的时期内大力发展住房建设，修建公路、铁路、桥梁、机场、通信等基础设施，同时还要通过修筑水利、环保工程以改善自然环境等。当代中国，无论是重大工程建设的总数还是重大单体工程的规模都在全世界首屈一指。

　　在丰富的重大工程建设与管理的实践基础上，我国工程界不但收获了大量杰出的工程建设成果，而且取得了丰富的工程管理经验，并进行了深层次的理论思考；同时，我国学术界紧紧抓住这一难得的机遇，以各类重大工程实践为依托，一边向工程界学习，为工程界服务，一边开展重大工程管理理论的探索与研究。在各个领域和方向上都取得自主性的进展。

　　港珠澳大桥是我国境内一座连接香港、广东珠海和澳门的桥隧工程，位于中国广东省珠江口伶仃洋海域内。港珠澳大桥东起香港国际机场附近的香港口岸人工岛，向西横跨南海伶仃洋水域接珠海和澳门人工岛，止于珠海洪湾立交；桥隧全长 55 千米，其中主桥 29.6 千米、桥中海底隧道长 5.6 千米；桥面为双向六车道高速公路，设计速度 100 千米/时；工程项目总投资额 1 269 亿元。港珠澳大桥于 2009 年 12 月 15 日动工建设，于 2017 年 7 月 7 日实现主体工程全线贯通，2018 年 2 月 6 日完成主体工程验收，同年 10 月 24 日上午 9 时开通运营。

　　可以预见，环境如此复杂、规模如此宏大、技术如此先进、质量标准如此之高、许多方面均属于世界首创的南海大洋中的桥隧路岛集群工程，不仅严重缺乏现成的知识与经验，也缺乏一系列必要的新技术、新理论支撑。特别是大桥工程建设与管理中的如"一国两制"体制、重大工程深度不确定性决策、如何实现 120 年工程质量标准等工程管理难题不但超出了传统项目管理体系的范围，而且需要超越在传统的过程技术范围内思考和解决问题的范式，提升至工程管理理论与管理哲学高度，形成系统性的思维范式转移，确立关于港珠澳大桥工程的科学认知，并以一种科学的哲学思维为原则形成引领性的重大工程管理理论。

可以认为，港珠澳大桥工程建设者想把港珠澳大桥建设管理好，不但需要一般项目管理和一般工程建设管理的基本知识，而且需要创造更具基础性与引导性的新的管理哲学和管理理论，并且将这些管理哲学和管理理论与港珠澳大桥建设管理实践紧密融合在一起，使科学管理思想与理论在工程管理实践中转化为巨大的物质力量。

基于港珠澳大桥建设管理面临的现实挑战与上述思考，从 2008 年开始，南京大学工程管理学院的专家就与港珠澳大桥前期工作协调小组办公室（港珠澳大桥管理局前身）专家共同组成了一体化的工程管理联合团队，深度研究港珠澳大桥建设管理的系列性新问题、新挑战，从大桥工程管理组织结构与职能岗位设计到工程竣工后的基于人工智能的大桥运维规划，历时 12 年之久。

在这 12 年中，联合团队在港珠澳大桥南海海上工地、长江边钢箱梁生产基地、港珠澳大桥管理局会议室里共同研讨管理难题、谋划解决方案，取得了以下三个方面的成果与经验。

（1）工程管理理论研究要实实在在地以工程建设管理重要需求为导向，不脱离当今国情、不脱离过程实践，从工程管理现实情景中提炼管理科学问题，并且深度贴近工程现实独特性而不是概念化地分析问题和设计解决问题方案；没有现成路子时坚持创新，牢牢铭记工程管理学术创新的根本检验标准是工程实践的适用性和可行性，决不能以空洞、内卷式"创新"充当学术水平。

（2）在解决工程管理现实问题挑战过程中，充分关注重大工程建设管理实践提供给我国学者的宝贵实践资源，以我国一系列重大工程为背景开展源于中国重大工程管理实践的管理哲学与管理理论思考，争取取得与我国重大工程建设世界强国地位相称的工程管理理论先进成果。

具体来说，通过自主构建重大工程管理理论，以形成具有原创性和中国特色、同时又具有普适意义的重大工程管理理论体系和话语体系。由于在哲学思维上，重大工程是工程领域内一类复杂系统，故重大工程为一类复杂工程系统，工程界的重大工程管理理论与学术界的复杂工程系统管理理论在学理上是同一的。进一步地，由于复杂系统管理是更具普适性和更高层次的管理学新领域，而复杂工程系统管理是它在工程领域中的子领域，故重大工程管理及其理论就是复杂系统管理及其理论在工程领域的子系统。经过坚持不懈地探索，我国学者初步构建了复杂系统管理学术思想体系，并基于此在重大工程领域形成了具有中国特色的复杂工程系统管理基础理论体系，即重大工程管理基础理论，这不仅为港珠澳大桥建设管理，也为我国重大工程建设管理需求直接提供了理论支撑。

（3）以上情况表明，南京大学工程管理学院工程管理团队与港珠澳大桥管理局通过十多年长期、稳定、务实的紧密合作，充分体现了我国重大工程管理学术界和实践界在实践与理论研究两个领域的深度融合、相互促进、共同提高的创新历程。弥足珍贵的是，一方面，上述许多相关理论成果直接源于港珠澳大桥等我国重大工程管理实践；另一方面，许多理论观点又在第一时间被运用于港珠澳大桥等我国重大工程管理实践，充分体现了我国学术界与工程界融通一体的创新机制所释放出的巨大能量。在这个意义上，此项合作可以说是我国近年来同类案例中的一个成功示范。

本书正是这样一次难得的历史性"交汇"的记录，如果没有港珠澳大桥建设工程界与我国工程管理学术界在中国新时代某个历史时间窗口的一次难得的合作，也不可能有本书的诞生。

二

下面围绕着本书形成的"缘分"做一点回顾。

2002~2008 年，南京大学工程管理学院工程管理团队一直在江苏省苏通大桥从事大型工程管理研究，我们先做学生，老老实实向江苏省桥梁工程界的专家、工程师和工人们学习，然后再和他们一起组成联合团队开展大型工程管理研究。

正因为如此，在取得苏通大桥这座当年拥有四个世界第一的重大工程建设优异成果的同时，我们组成的联合团队也取得了基于复杂系统综合集成思维的工程管理理论研究成果，出版了一系列著作，获得了省部级科技进步一等奖，在当时我国交通工程行业具有一定的影响。

也正因为如此，才使我们以严谨的工作态度与基本能力获得了参与港珠澳大桥工程管理研究与顾问工作的初步"资格"。2008 年夏天，我们接到一个来自广州的陌生电话，来电者是广东省交通厅人士。他们听说了我们在苏通大桥的工作情况，所以想邀请我们去广州做一些交流，介绍一下关于苏通大桥工程管理研究的基本思想与观点。回来后，他们又专程来江苏实地考察了苏通大桥的建设与管理情况，还"顺便"了解了我们对苏通大桥 6 年左右的管理研究的科学性与实用性。回去不久，一天，我接到一个非常重要的电话，对方告诉我，他们就是之前邀请我们去做交流的单位，具体单位是港珠澳大桥前期工作协调小组办公室（这是我第一次听到有这么一个很独特的单位）。在简要说明港珠澳大桥工程的概况与意义后，下面一段话令我记忆犹新：我们目前负责港珠澳大桥工程的前期论证工作，这座大桥是一定要建的，中央是下了决心的。港珠澳大桥工程太复杂，所以，我们在技术、法律和财务方面都聘请了国际性的专家来协助我们，管理方面我们也要请人协助。因为管理与国情和文化关系很密切，所以我们想请国内单位。我们办公室的人员没有一个是南京大学毕业的，甚至原来我们也不认识。许多熟悉的单位与人士找到我们，希望能有参与大桥项目的方便。我们非常明确地回答说，大家想找工程项目，要看机会是否适合，程序很严格。在这个问题上，港珠澳大桥工程我们不能随意，它太重要了，我们做港珠澳大桥工程责任太大，即使是导师或是师兄弟，也不能轻易把工程的管理担子交出去，所以，管理顾问至今没有落实。前段时间，我们了解到你们在江苏省苏通大桥的研究工作，请你们来做过交流，也去过江苏进行了实地考察，经过慎重考虑，今天我们正式打电话给你，是想聘请你们做我们的管理顾问单位。记得当我在电话里听到上面这样的话时，一种使命感、责任感与荣誉感油然而生，让人心潮澎湃，我当即一口答应承担这一托付，并表示不谈经费多少。不久，我们第一批小分队就去了广东，开始了港珠澳大桥工程管理组织的机构设计与人员岗位配置的规划工作。

从 2008 年起，历史的机缘在茫茫人海中把南京大学工程管理学院工程管理团队与港珠澳大桥建设管理团队紧密地结合在一起。一晃十多年过去了，港珠澳大桥工程竣工通车了，我们还继续参与了基于人工智能的港珠澳大桥运营管理体系的规划工作，而本书的写作问世则是我们这十多年紧密合作、共同探索重大工程管理实践规律与理论内涵的一个重要见证和结晶。

本书在目前众多的关于港珠澳大桥工程管理学术出版物中有着它的独特个性，具体体现在以下两个方面。

第一，本书作者是由学术界人员与工程界人员共同组成的，作者群实际上就是这十多年来一直共同开展港珠澳大桥工程管理研究与实践工作团队的主要成员。

第二，本书的主旨正如书名所示：复杂工程系统管理理论与港珠澳大桥工程管理实践。顾名思义，本书主要是运用我国学者自主性构建的复杂工程系统管理理论来设计、诠释和梳理港珠澳大桥工程管理的若干重要实务；同时，也用这一举世瞩目的重大工程实践来验证、检验复杂工程系统管理理论的科学性与生命力。这样，本书关于重大复杂工程系统管理理论与实践的融合，无论是实践形态、理论内涵还是两者结合所迸发出的新的管理思想火花，都具有中国重大工程管理思想与实践的特色与知识变革的风格，同时又深刻而生动地反映出港珠澳大桥工程管理实践的思维原则与理论逻辑的深度和韧性，说明了我国学者率先构建的复杂工程系统管理理论学理品质的典型性与普适性。

三

前面我们指出，复杂工程系统管理理论即重大工程管理理论，这不是语义上的人为规定性，而是有着深刻的学术内涵，必须在学理上梳理和辨析清楚。港珠澳大桥具有环境复杂、规模宏大、技术先进、工程建设与生命周期长、对社会经济环境影响深远等特征，是人们对重大工程形成的直观感知。

　　根据系统科学思想，具有关联性与功能性的整体称为系统，系统类型中一类具有复杂整体性特征的系统称为复杂系统。任何工程与工程管理都是系统的实践，又是实践的系统，而重大工程与重大工程管理都是复杂系统的实践与实践的复杂系统。

　　在这个意义上，港珠澳大桥等重大工程及工程管理都是具有复杂整体性特征的复杂系统，如果要突出其所在领域，则可称为复杂工程系统。这样，重大工程管理与复杂工程系统管理在学理上具有本质属性的同一性。一般情况下，重大工程管理常直接用于工程建设或工程管理语境中并在表述过程中多使用工程化话语体系，而复杂工程系统管理常用于系统科学学术话语体系与语境中。其实，两者之间并无本质属性的区别，所以，我们可以认为重大工程管理理论与复杂工程系统管理理论在学理上是等价的。具体来说，港珠澳大桥管理对象中有一类复杂整体性问题，因此，港珠澳大桥工程管理属于复杂工程系统管理，简称一类复杂系统管理。

　　本书书名为《复杂工程系统管理理论与港珠澳大桥工程管理实践》，同时兼顾了工程化语境与系统科学语境，我们在阅读本书过程中，可以方便地把两者切换到一种工程化语境中，如理解为"重大工程管理理论与港珠澳大桥工程管理实践"并无大碍。

　　还有重要的一点：重大工程管理理论包括一般理论元素、单个理论问题、理论专题、理论问题群等。基础理论是人们在重大工程管理实践活动与思维活动中建立起来的以知识为基本要素的系统化与逻辑化体系，具有完整的科学内涵，如理论的思维原则、核心概念、基本原理、典型科学问题及相应的方法论与方法体系等。在这一体系的帮助下，人们更容易描述和理解重大工程管理实践活动中的各种现象，也更容易揭示管理活动的本质特征与一般规律，因为该体系已经被赋予系统化与逻辑化研究对象本质属性的"品质"。具有这一"品质"的重大工程管理基础理论，在揭示重大工程管理问题与活动固有的属性时，能够深刻阐明重大工程管理区别于其他领域管理的实质以及它自身存在与发展的根据，即其具有理论的根本性。因此，该体系在理论范畴内处于渊源性与起源性地位，即它的逻辑框架与基本要素对于重大工程管理理论的发展是根本性和原始性的，而其他理论则是这一体系的局部化。

　　这意味着，该理论体系因具有根本性与起源性学术品质，故属于重大工程管理基础理论。本书的复杂工程系统管理理论（重大工程管理理论）即属于重大工程管理基础理论。

四

从社会建制视角看，虽然复杂工程系统管理理论体系形成的时间、道路和重要的里程碑事件可能有着这样或那样的历史偶然性；虽然在同一时期，一项世界级超级工程——港珠澳大桥建设成功有其现实偶然性；虽然本书作者群在一个十多年的时间窗口期能够相聚在一起，分别从工程界和学术界两条路径出发，更在两条路径的交汇点一起共同向着重大工程管理实践与理论创新的目标前行有其逻辑偶然性，但由以上分析可以看出，重大工程管理理论的幼芽在当今这一时刻从中国重大工程管理实践的土壤中"破土而出"的总体趋势是必然的，重大工程管理理论与中国实践的紧密结合更是必然的。

因此，本书在重大工程管理领域所表现出的实践自觉与理论自觉，反映了当前我国工程界与学术界的新的风貌和进取精神，它的意义是多方面的。特别重要的意义是以一个案例告诉我们：复杂工程系统管理理论创新研究主要是在中国重大工程管理实践基础上提炼理论再到实践中运用，这一过程要能够保证对中国实践的尊重、对中国经验的深度解读、对理论抽象的精准提炼；将最初的问题设定、问题情景与价值观的表述，代入中国人对问题的哲学思辨和文化逻辑，以及对重大工程管理经验的中国式思维与总结方式等，要在讲好中国故事的基础上以富有感染力、说服力的中国式话语来表达好我们自主性的学术主张，并努力以系统性知识变革与学术成果让世界听到中国学术的声音。

在这个意义上，在复杂工程系统管理理论联系实践的肥沃土壤中，本书如同刚破土的幼芽，虽然稚嫩，却是人们最期盼的，因为在这之后，心中那郁郁葱葱、森林成片的梦就有了希望。

盛昭瀚

2022 年 2 月 2 日

目　　录

上篇　复杂系统管理概论

中篇　复杂工程系统管理理论概论

下篇　港珠澳大桥工程管理实践

上篇

复杂系统管理概论

第 1 章　管理与复杂的管理

1.1　管理的本义

人类为了生存与繁衍，自古以来就在一定环境中打猎捕鱼、采集果实、从事种养业和建房修路等生产造物实践活动。不言而喻，任何生产造物活动都有其目的性，如种植谷类是为了收获饱腹的粮食、打猎除了获取肉食还可以用动物的皮毛缝制御寒的衣裳、建造最简单的草棚是为了遮风挡雨等。因此，人类生产造物活动是一类具有明确目的性的活动，这一目的是通过创造对人类有着某种功能的完整的"人造物"来实现的。整体性与目的性就成为人类生产造物活动的基本品质。

在人类生产造物活动中，为使活动过程有序或有效，人们学会了如何筹划、组织和配置资源、安排和协调活动中各类关系，这类活动称为管理活动，简称管理。人类不可没有生产造物活动，生产造物活动不可没有管理。

管理活动既然服务于生产造物活动，而任何生产造物活动既具有特定的目的并且表现为一个完整的过程，那整体性与目的性也是任何管理活动的两个最基本的品质。

1.2　复杂的管理活动

随着人类生产造物活动的范围与规模越来越大、涉及的方面越来越多、活动内部的关联形态越来越多样性，人们通过各种感觉器官与这些具体现象与事物的直接接触，在头脑中产生"简单的生产造物"与"复杂的生产造物"的直接感受。

我们对"复杂的生产造物"的认识一般要经过以下两个阶段：第一阶段是人

们运用感官对"复杂的生产造物"活动的外部联系和表面现象的认识，具有直接性、形象性的特点，属于认识的"生动的直观"阶段；第二阶段即运用抽象思维对"复杂的生产造物"活动的内部联系和本质规律的认识，具有抽象性、间接性的特点，属于认识的"抽象的思维"阶段，这一阶段需要运用概念、判断和推理等形式来完成。

我们可以通过对生产造物活动几个基本要素（如环境、主体、目标）的新的形态与特征来体验在我们头脑里是怎样形成"复杂的生产造物"这一感知的。

不难理解，这些新的形态与特征必然会以不同的方式和机理深刻影响到所对应的管理活动的各个方面中去，从而使服务于该"复杂的生产造物"的管理也变得"复杂"起来，即形成了复杂的管理活动。

换句话说，随着管理实践的发展，人们对管理活动也有了简单的管理与复杂的管理的直观体验，对应"复杂的生产造物"的管理活动是复杂的管理。

1.3   复杂的管理问题

从逻辑上讲，在复杂的管理活动中，管理环境、主体、组织与目标都会变得复杂起来，必然会导致出现一类复杂的管理问题，反之，如果一个管理活动中没有复杂的问题，那管理活动也不能认为是复杂的。

复杂的管理活动中的管理问题在总体上可分为三个层次，这三个层次整合在一起即形成完整的复杂的管理活动中的管理问题体系（图 1.1）。

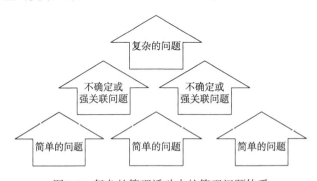

图 1.1   复杂的管理活动中的管理问题体系

第2章 系统与复杂的系统

2.1 系统概念的释义

人类各个领域不断丰富的实践让人们越来越认识到，事物一般都是具有内部关联的整体，为了对这一普适性现象的客观规律进行认识，需要用一个专门的科学术语来定义它，这就是"系统"概念的诞生。以下介绍国内外两种最具代表性的关于系统概念的定义。

1. 贝塔朗菲的系统释义

贝塔朗菲在一般意义下给出了系统的定义，他说系统是"处于相互作用中的要素的复合体"。其中，"要素"的意思是重要（必要）的元素，是指构成一个客观事物的存在并维持该事物特征的必要的最小单位，它既是组成某个系统必不可少的基本单元，又是系统表现出某种特征的基本原因；"相互作用"可以从一般哲学上理解，即所有形态的关联、联系与影响；"复合体"的意思是指要素整合而成的整体，核心含义是合成完整的、统一的集合。

2. 钱学森的系统释义

与人类生存、发展有着最为密切关系的是人造系统，人造系统与自然系统的最大区别如下：纯粹的自然系统先于人类或者完全与人的目的无关；人造系统则是被人创造并且蕴含着人对该系统预期作用的规定性，而这一预期作用正是人所需要的，人造系统的这类作用被称为系统的功能。

钱学森先生对系统给出了一个包含以上蕴意的定义：系统是由相互作用与相互依赖的若干组成部分结合成的具有特定功能的有机整体。在钱学森的系统概念中出现了"功能"这个词，这是他将人对人造系统预期作用的规定转变为人造系统所具有的客观功效与能力属性。在系统概念中强调系统的功能属性，突出了人造系统对人类的实际价值，反映了人造系统与人类更为密切的关系和更重要的意义。从根本上说，人类的发展历史就是不断对原本不存在的人造系统赋能，并且不断创造、实现、利用和改进人造系统的历史，也才有了人类社会的发展与进步。因此，钱学森对系统给出的定义通过人造系统的功能属性，更符合人类生产造物活动与管理活动的内涵。

2.2 系统整体的诠释

2.2.1 系统整体的功能内涵

一般地，系统的功能是系统整体行为、性状、特征、属性与能力的表征，是主体对人造系统的价值追求。简单来说，人们之所以设计、创造一个人造系统，就是为了使用、利用它对人有利和有益的功能。所以，在许多语境下，系统的属性、质性、价值、作用、功能等概念往往具有内涵上的同一性。

随着对系统研究的深入，人们发现，如果把人包括在人造系统的环境之中，那么，系统对人的功能可以看作系统对环境的一种作用，只要系统不是完全封闭的，它与环境之间一定有着某种性质的关联，这实际上就是环境中的人对系统功能的感受。

综上所述，在一定的逻辑和秩序的作用下，系统作为一个具有某种功能的完整实体是系统概念中整体的基本意蕴。

2.2.2 系统整体的涌现内涵

前面指出，系统概念蕴含着"由各部分之间按照一定的秩序相互影响联结而成"的整体，最简单的秩序是一类纯粹的简单叠加，这时的整体也只表现为"量"上的"相加"，而没有任何其他新的"质"的变化。对系统的这类"整体等于部分之和"性状，我们用一个简单的关系式来表达，即1+1=2。

显然，我们希望系统特别是人造系统能够在整体层面上出现新的，而它的个别要素或者局部不具有的性状和功能。这时，系统的整体一定不是简单的"整体等于部分之和"，我们用另外一个关系式来表达，即 1+1>2。这意味着，这时的"由各部分之间按照一定的秩序"一定具有一种驱动系统形成 1+1>2 新的整体性状和功能的机理，并由此导致系统在整体上出现了新的"质"。这一新的"质"为什么出现及如何获得有重要意义的新的"质"等，都是我们研究系统、创造系统和优化系统的出发点与驱动力。

系统局部原来不存在的"质"在系统整体层面上出现了，这一现象犹如从地下涌现出的一股泉水，因此，人们把这类 1+1>2 的现象称为涌现性。从字面上讲，涌现性就是"无中生有"性、"从零到一"或者"从一到多"性。涌现性对人们而言，可能有益，也可能有害，我们对此要加以引导和管控。

由上可以看出，系统的整体行为特别是整体涌现性是系统最重要的整体性。系统的价值及人们创造人造系统的目的也主要在于获得和利用系统的这一整体（涌现）性。对我们而言，重要的不仅是在一旁观测系统整体的涌现性现象，而是要搞清楚系统从微观要素层面的"无"到宏观系统整体层面的"有"的"从无到有"的涌现与管控机理。

系统的整体性有两种基本类型：一类是 1+1=2 的可加整体，它主要表现为系统的汇集性功能；另一类是 1+1>2 的非可加整体，它主要表现为系统的涌现性功能。后一类整体类型对我们有着尤其重要的现实意义与研究价值。

2.3　复杂的系统

随着人类创造人造系统的实践和对系统理论研究的深入，人们对系统概念的认识不断深入。

首先，人们很容易直观感知到系统有"大"与"小"、"简单"与"复杂"之分。一个系统是"复杂的"这句话的意思其实是简单的，因为这里的"复杂的"是对直观感知的形容，这句话是用一种自然语言方式表述的通俗的"大白话"。例如，这句话的基本意思可能是说某个系统是由许多不同的部分组成的、要素数量比较多、系统内部关系比较杂乱与无序、对系统的一些现象和特征难以说清楚其中的道理等，这样，"这个系统是复杂的"就是对人们这类直观感知的大白话式的表述。

一个系统是复杂的，或者是比较复杂的，还是非常复杂的，既有系统自身固有的内在原因，又与主体的认识水平和能力有关，在一般情况下，这两方面的原因往往同时存在。

科学研究的根本目的是揭示事物或现象背后的客观规律，如果我们把"系统是复杂的"原因归咎于主体认识水平，那我们对"复杂的系统"的研究就完全会因人而异，并可能得到彼此歧义的结论。因此，为了揭示研究对象自身的客观规律，我们更倾向认为，一个系统被人们认为是"复杂的"，主要不是因为主体认知能力的不足，而是由于系统自身有着某种内在的、具有本质意义的属性。这样，当我们说"系统是复杂的"，主要是对这个系统内在的、具有本质意义的属性的反映。

如果我们的认识走到这一步，那就是我们对"系统是复杂的"的认识从生动直观的"大白话"的第一阶段进入了理性思维的第二阶段，需要我们运用新的概念来认识和回答究竟什么是"系统是复杂的"内在的、具有本质意义的属性，或者什么是系统本质意义的"复杂"。

第3章　复杂性与复杂系统

3.1　属性与概念

根据 2.3 节的介绍，"复杂的系统"是我们对一类系统认识的"生动的直观"的第一阶段，在这一阶段，人们一般使用自然语言的"大白话"。到了认识的理性思维的第二阶段，人们一般要使用科学语言来揭示这类系统的属性。

属性是一个事物在哲学意义上最基本的特征，即一个事物专有、基本和稳定的性质的抽象。属性决定了该事物，所以是该事物而不是别的事物的根本性品质，也是体现该事物与其他事物区别的固有的规定性。所以复杂的系统的属性必须是该类系统本质特性的表征。

由此可见，在认识的第二阶段，我们就不能像第一阶段那样，还用"复杂的系统"这样的"大白话"来表述，那将无法表达、传送和交流这类系统的本质特征，也难以用这种方式来凝练这类系统的抽象属性。特别是，理论是人的理论思维的结果，理论思维除了以自然语言为基础外，更需要有专门的科学语言把理论要反映的某一领域的属性准确、深刻地凝练出来。理论体系中科学语言的基础就是概念。每个概念都是人们对客观事物本质属性的凝练，是对事物本质与内在关系的抽象表述。因此，概念能够推动人们从具象思维上升到抽象思维，并在此基础上成为科学共同体成员之间相互传送与交流的语言工具，概念的主要表达方式为科学术语。

3.2　涌现是复杂的系统属性吗

2.2.2 小节论述到，系统的整体性有两种基本类型：一类是 1+1=2 的可加整体，它主要表现为系统的汇集性功能；另一类是 1+1>2 的非可加整体，它主要表现为系统的涌现性功能，即在系统整体层面上出现的，而它的个别要素或者局部不具有的性状和功能。

从人的认知规律看，前一种整体类型是"简单的"，而后一种类型是"不简单"的，即复杂的。一个系统之所以被人感知为一个"复杂的系统"，往往是因为这个系统表现出来的非可加性，因为"非可加"让人们感受到系统表现出的"无中生有""从零到一"或者"从一到多"，并且说不清机理等复杂现象。

那我们能不能就把涌现性当作"复杂的系统"的属性呢？从学理上讲，虽然涌现现象的确让人感到系统整体上的复杂，但它毕竟只是人们在对涌现机理尚不清楚的情况下，对系统整体层面出现那类"无中生有"现象"一刹那"引起的感知困惑与惊讶。一旦相关机理被揭示，涌现性只是系统遵循某种规律演化的最终结果，这一结果在"一刹那"出现前有着确定的原理与机理，只不过因为隐性和复杂而未能被人们所确知。

由此，涌现性的确是复杂的系统整体层面上的具有标志性的现象之一，但是，涌现在很大程度上是人们自身认知能力不足而对这类现象表现出的感知困惑，因此，以涌现性作为复杂的系统的属性在本质上尚不够深刻。

3.3　复杂的系统属性的其他尝试

人们也想到过用其他方法来提取复杂的系统的属性。例如，直接从系统的基本构件出发揭示系统的属性，下面列举几个例子：

（1）从关联形态出发，如非线性系统、随机系统等。

（2）从系统结构出发，如多层次系统、时空多尺度系统、自组织系统等。

但是，这些探索或者难以在一般意义上把这些特征当作"复杂的系统"普适性和本质的属性，或者仍然是一种直觉感知，不能替代系统的内在本质。因此，需要我们以更深刻的思维，在理性思维层面上进行属性的抽象与凝练。

3.4　还原论不可逆是一个新的窗口

对复杂的系统的直观感知告诉我们，系统的整体一定比系统任何要素或者局部复杂，如果一个系统的要素、关联、结构是复杂的，那么作为整体的系统必然是复杂的；反之，如果一个系统整体是复杂的，那么它的局部和要素可能是简单的，即使也复杂，但复杂程度一定相对有所降低，这是系统—局部—要素复杂程度自上而下逐渐递减的客观规律。

按照这一规律，"复杂"的对立面为"简单"，"整体"的对立面是"部分"，如果系统是复杂的，我们就可以把这个系统分解成若干部分。因此，各部分相对来说是简单的，研究起来方便许多，各部分都研究清楚了，系统整体也就清楚了。如果对部分的研究还不清楚，可以再继续往下分解进行研究，直到每个部分都弄清楚，再由最底层的各部分逐一汇总和逐层向上直至把系统整体分析清楚；如果是研究解决系统整体的方案，则每个部分都有解决方案了，再把所有的方案汇总起来就得到整体系统的方案。这种分析和解决系统整体的方法论在系统科学中称为还原论。

这一方法论告诉我们：还原论可以成为"一种标准"，只要还原论对一个系统整体有效，这个系统就可以通过还原论把复杂的系统整体逐层分解成越来越简单的局部。这意味着，这个系统在本质上并不是复杂的，因为它的内在复杂属性能够被还原论破解，换言之，这类系统不存在本质意义的复杂属性。

另外，在现实中，如系统整体与环境之间有着非常紧密的关联；环境的各种变化对系统有着深刻的影响；系统的情景整体性与演化性非常突出；系统多种形态的动态性存在复杂的显性或隐性机理，这时，基于分解思维的还原论往往对这些系统行不通，因为一旦系统被多次分解会使系统内部的整体性机理受到极大的损伤。

以上分析告诉我们，现实中的确存在一类"不可分"或者"不宜分"的系统，对这类系统的整体分析与解决不能简单地运用还原论，换句话说，这类系统自身的确存在着一种关于复杂的本真性，正是它使系统整体上固有的复杂不能够被还原论消解，应该说，这是一类复杂的系统的固有复杂属性的反映。

3.5　复杂性与复杂系统内涵

综上所述，对一类现实中"不可分"或者"不宜分"的系统，在不损伤系统整体性的前提下，人们难以利用还原论使系统整体上的复杂变得简单。这一体验已经不只是人们对"复杂的系统"的感性认知，而已经上升至让我们体验到这类系统内在复杂本真的理性思维。同时，也表明了"还原论不可逆性"为我们抽象与凝练复杂的系统的属性提供了重要的新的思路，这使我们向认识"复杂的系统"的第二阶段跨出了关键一步。

循此逻辑，只要一类系统自身具有"还原论不可逆性"属性，那这类系统就与那些貌似复杂，但最终可用还原论转化为简单的另一类系统有着本质的区别，这标志着前者具有客观存在并且无法转化为"简单"的本真性复杂。因此，我们称凡具有"还原论不可逆性"属性的系统为复杂系统，并且特别强调以下几个方面。

（1）复杂系统是一类通过"还原论不可逆性"凝练了该类本真复杂属性的系统类型，复杂系统是科学术语，是新的概念；而不像"复杂的系统"是主体感知的表白，是自然语言大白话。

（2）既然复杂系统是对一类具有本质复杂的系统的抽象与凝练，那"还原论不可逆性"就是复杂系统的属性，简称复杂性。

不难理解，2.2.2 小节中的非可加整体性（复杂整体性）与"还原论不可逆性"的内涵是同一的，因此，还原论不可逆性、非可加整体性、复杂整体性等都可以认为是复杂系统属性（即复杂性）的不同表述方式。

第 2 章提出了"复杂的系统"的概念，本章又提出了"复杂系统"的概念，这里，我们把这两个概念放在一起进行综合性的论述。当我们开始认识"系统是复杂的"时，是对这个系统的外在与表面的感性认知，这是自然语言"大白话"，是认识的第一阶段；接着，我们进入认识的第二阶段，这一阶段是对"复杂的系统"的内在与本质的理性认知，是对这个系统属性的抽象与凝练，这时，要用科学术语对系统属性给予定义。经梳理，本章提炼出还原论不可逆性（复杂整体性）是"复杂的系统"的系统属性，具有这类属性的系统称为"复杂系统"。所以，"复杂的系统"仅仅是人们感知的自然语言描述，还不是一个科学概念，而"复杂系统"是对一类具有复杂整体性属性的系统的抽象，是一个科学概念。

3.6　两种复杂系统观的评述

近一个世纪以来，人类围绕着复杂系统这个概念进行了大量的探索工作。我们在这　节对最有影响与代表性的两类复杂系统观进行评述，评述的逻辑起点是同一的，即沿着人们对事物认识的感知阶段向理性思维阶段递进这一普遍规律。

3.6.1　基于还原论不可逆的复杂系统观

基于还原论不可逆的复杂系统观的逻辑路径主要是复杂的系统—复杂的系统属性（还原论不可逆性、复杂整体性）—具有该属性的复杂系统，简称路径 A。由于属性是一个事物特有、基本和稳定的性质的抽象，故以属性为标志尽量避免了对系统认知的主观成分，最大限度地表征了系统本体的固有特征。特别是，由于还原论不可逆性具有思维哲学意义，这样的复杂系统概念能够最大限度地体现各类系统具象之上的对本质的抽象。

3.6.2　基于复杂性丛林的复杂系统观

基于复杂性丛林的复杂系统观的逻辑路径主要如下：在大量的复杂现象基础上，试图对复杂现象背后的本真性进行概括并引入复杂系统概念来强化对复杂现象的说明，简称路径 B。特别是在自然科学领域，这一路径有着重要的科学意义与应用价值，但是，对于存在社会性与人文性的社会经济领域的管理系统来说，这一路径的功效受到较大的制约。下面，我们将多用点篇幅把这件事情的来龙去脉说明清楚。

1. 复杂性词汇

20 世纪初起，科学家们在物理、化学等自然科学等领域的研究中，陆陆续续发现了一些有悖于传统科学常识的新奇现象，这些现象给人的第一感知就是奇异而复杂。各个领域的科学家一起试图竭尽全力地在整体上给这些令人眼花缭乱的复杂现象有个"统一的"说法。

一段时间后，科学家们认识到，各个科学领域内发现的复杂现象都深深扎根于那个领域的专门科学理论体系之中，无法对它们凝练出一个可以覆盖多个领域的、能够说明一切复杂现象的概念来，于是笼统地称这类新奇的复杂现象为"复杂性"，请注意，这里的复杂性是复杂现象的代名词，千万不能与前面复杂系统的"还原论不可逆"属性混为一谈。

在这一探索过程中，形成了许多新的概念（词汇）来描述或者刻画某一类复杂现象，如信息熵、分数维、自相似、适应性等，林林总总不下 40 种"复杂性词汇"。

2. 源于复杂性词汇的复杂系统

人们把所有的与"复杂性词汇"相关的科学研究集成在一起称为"复杂性科学"，期望通过这一"打包"的方式把自然、社会等领域的各类复杂现象"尽收眼底"，并促进捕捉到复杂性现象的内核。

科学家们在复杂性科学的基础上继续往前走，并且不再将复杂性词汇横向集成，而是纵向深度思考复杂性究竟源于何处？并通过思辨模式预设存在一类能够产生复杂现象的系统，把它们看作复杂性的根源，并称这类系统为复杂系统。需要强调的是，这里的复杂系统是基于复杂性词汇、建立在对复杂现象感知基础上的一种思辨性概念。

一个重要的事实是,美国《科学》杂志于1994年4月出版了一个关于复杂性科学的专辑,题目就是复杂系统。编者开门见山地指出,既然研究复杂性或复杂性科学,又为什么要采用复杂系统这一名称呢?主要不想再使用复杂性这个让人产生歧义或纠缠不清的词,希望在复杂性一词之外,增加一个复杂系统,使研究具体领域复杂现象的用某种隐含着"复杂性",但又不统一的"复杂性"的词,而对研究其他具体领域复杂现象之上的更具抽象性的则用"复杂系统"。

南非科学哲学家保罗·西利亚斯(Paul Cilliers)出版了一部书,书名为《复杂性与后现代主义——理解复杂系统》,从书名就可以看出:要从复杂性理解复杂系统。

3.6.3　两类复杂系统概念的评述

几十年来,科学技术的发展与人们认识事物的不断深刻形成了以下两条彼此具有极大差异性的关于复杂性与复杂系统的认知路线,路径 A:基于还原论不可逆性或者复杂整体性的复杂系统观;路径 B:基于复杂性词汇或者复杂性科学的复杂系统观。

1. 路径 A 评述

路径 A 中的"还原论不可逆性或者复杂整体性" 具有超越具体系统现象的本质意义,更适合社会经济及管理领域中一类复杂系统客观属性的抽象,并以"复杂性"这个"根"为思维起点作为研究社会经济领域的复杂系统管理活动与行为。

路径 A 不仅避免了复杂性词汇的多样性带来的离散化倾向和由此造成的理论核心脉络分叉的可能性,还避免了与此紧密关联的复杂系统概念在学理上的歧义。特别是,还原论不可逆性或者复杂整体性属于哲学思维层次的认知,这就使路径 A 为各类复杂的管理形态在基础性理论、具体的理论问题、具体的技术和方法上留有极大的空间。对比路径 B,这正是我们最需要的,因为我们需要在路径 A 留给我们极大的空间里,填充进许多深刻体现复杂系统管理实践的独特内容与具体场景,相反,路径 B 以更多的复杂性词汇"强制"了生动的系统实践内容,甚至因为严重脱离管理实践而造成对管理实际意义的空泛化。

2. 路径 B 评述

路径 B 是借助相对实在和有形的复杂系统概念作为描述与刻画复杂现象(复杂性)的"脚手架",因此,事实上也就并不存在专门的复杂系统理论

（Rotmans and Loorbach，2009）；如果非要说有，也主要是在复杂系统的概念下对各种复杂现象的理解。例如，关于复杂现象的隐喻及对复杂系统本体与认知的哲学思考，而复杂系统的各自行为就是复杂性，甚至有人干脆认为"复杂性理论，也称为复杂系统理论"。明确了这一点，那复杂系统也就和复杂性现象一样，不是"铁板一块"和不能被"统一化"，只能根据复杂性的某一具体特征对系统进行分类，所以，人们又必须对复杂系统进行分类，这就出现了非线性系统、随机系统、自组织系统等。

我们由此看到，一方面，路径 B 不断深入的探索对推动人类现代科学的发展有极大的作用。从宏观上讲，在这一时期取得重大学术发展的非线性系统理论、耗散结构理论、协同学、突变理论、分形理论、混沌理论、适应性系统理论、复杂网络等，构成了 20 世纪下半叶人类科学思维范式转移与新学科诞生、发展的宝贵源泉；从微观上讲，这一时期提出的相关的遗传算法、演化算法、开发的Swarm 软件平台、基于 Agent 的系统建模、用 Agent 描述的人工生命、人工社会等，极大地提高和深化了人类对自然及社会系统复杂现象的认识与分析能力。

另一方面，路径 B 需要通过复杂性词汇来揭示领域复杂性内涵，而复杂性词汇基本上直接源于物理学、化学、气象学等领域的知识与原理，而这些知识与原理与社会经济领域中的社会现象、组织与人的行为的知识与原理难以契合。因此，难以寻找到社会经济管理系统中对应的场景作为复杂性词汇的表征，也难有现实语境对应的"契合点"。运用路径 B 研究社会经济管理系统问题，大多停留在现象层面的隐喻或者描述整体上的统计规律，这必然会极大影响对社会经济系统中社会性机理与人性特征的深度挖掘。

综上所述，若运用路径 B 研究社会经济管理系统问题，则难以直接按照复杂性科学思维实现对复杂整体性管理问题内涵、机理与内在规律的揭示，也难以产生新的思维变革和形成新的学术生命力。

从总体上讲，路径 A 与路径 B 有着自己的理论和应用领域优势，路径 B 更多地源于自然科学系统，复杂性词汇更贴近相应学科的理论原理，因此，在自然科学领域具体学科的复杂性现象研究中，已经并且将持续表现出强大的科学力量，同时，也正因为如此，路径 B 更鲜明地表现出复杂性词汇的导向性与对专门学科理论专题的依赖性，但是，它难以揭示社会经济管理领域中深刻的社会性与人文性机理，而路径 A 在哲学思维层面，对系统本体及本质进行了属性的凝练。在管理领域运用路径 A，既能够使我们对一类新的管理实践确立复杂性这个内涵广义的"根"，使复杂系统与管理的融合具有深度内涵，同时还给我们留有极大的空间，以填充管理活动丰富的思想、社会、人文性内容，没有这些内容，管理将是"死气沉沉"和"缺少温度"的。正是在这一重要点上，路径 A 具备了人们所期望的思维品质。

第4章 复杂系统思维范式转移

由第 3 章知，采用路径 A 作为复杂系统观，并作为开展对复杂整体性问题研究的哲学思维与逻辑起点，将为我们提供哲理性的引导和将这一引导转化为实际可操作能力的基础，但是，其中有一个核心环节，那就是要求我们实现从传统思维范式向复杂系统思维范式转移。

本篇探讨的复杂系统管理，是当今管理学领域一个新的领域，与传统的管理体系相比，该领域的管理对象的属性出现了本质性的变化，人们相应的认识论与方法论都需要随之适应性地进行整体性变革，方能应对、驾驭和解决该领域的科学问题。如果我们仅仅是浅层次或者破碎地对复杂系统管理思维有一点意会和感知，我们可能会凭自己的一点经验或者技巧解决某些个别问题，但是，由于缺乏应有的思维转型与提升，故无法在范式意义上应对和驾驭该领域问题的挑战，更没有能力对复杂系统管理理论体系开展基础性、创新性与引领性的研究，也不可能在方法论变革与新的方法体系创新方面做出重要成果。

当我们在确立适合的复杂系统观并进入复杂系统管理这一新的研究领域之际，必须在整体上对新的管理活动与科学问题确立新的认识论与方法论，这在科学哲学范畴内称为科学范式转移。思维范式转移是科学范式转移在思维层面、思维阶段的体现。

4.1 范式与范式转移概述

一个有一定历史与积淀的科学范畴或领域，除了具有一类关联度较高的论域与科学问题外，还有该领域学者共同体认同的基本思想、学理、方法与话语体系，并有大量成功范例佐证其正确性与有效性，从而保证该范畴或领域的连绵不断的学术生命力。对此，我们认为该范畴或领域形成了一种科学研究的范式。

范式作为科学概念，最初是由美国科学哲学家库恩于 2003 年在《科学革命的结构》中提出的一个词语，范式的基本原则可以在本体论、认识论和方法论三个层次表现出来，分别回答了事物存在的真实性问题、知者与被知者之间的关系问题及研究方法体系问题。这些理论和原则对特定的科学家共同体起了规范作用，协调他们对该领域问题的看法及他们的行为方式。

一个科学领域如果出现了一些新的情况，如对象属性发生了重大变化、对对象的看法有了重大转变等，就会导致原有稳定的范式不再具有提供解决问题的能力或者能力变弱，与此同时，如果一个新的适应性范式出现了，这就是范式转移。

4.2　复杂系统思维范式转移要点

思维主要是指人的大脑对事物、现象或者问题的概括和反应过程，思维以感知为基础又超越感知的界限。由于人的世界观和认知原则不同，故在思维过程中，就会形成不同的、稳定的、反复使用的思维路径与方式，即有相对固定的并且认为是行之有效的规范，这就是思维范式。例如，研究问题要不要和如何开展分析与综合、比较与分类、抽象与概括及开展这些思维活动依据什么样的出发点等，都构成了不同的思维范式。

在人们的各种社会实践中，由于人们对客观世界的认识不断加深或者新的事物和现象的不断出现，让人们感受到原来那一套思维范式的有效性降低了甚至基本失效了，这时人们会对越来越多的类似案例进行反思，也会对偶尔成功的案例进行总结，从而形成并不断固化某种新的思维范式。随着新范式的不断完善，成功运用的案例越来越多，人们也就越来越接受并以此替代原来的思维范式，这就是思维范式转移。

4.2.1　思维范式转移概述

综上所述，思维范式转移本质上是对新领域的本体与问题属性的新的把握，是整体上对新的本体与问题怎么想、怎么看、怎么办的思维变革。复杂系统思维范式转移之根本目的是运用复杂系统思维原则、知识框架与话语体系揭示、分析一类系统管理活动或者问题的复杂整体性及其内在客观规律、基本原理，设计新的方法体系，核心是为了引领和提升驾驭复杂整体性的能力。

既然是"转移"，一定有着转移前的思维范式。从人类科学发展历程看，近现代以来对科学研究思维影响最大的应该是笛卡儿范式。笛卡儿科学贡献中与思维范式有着密切关系的代表性工作是 1637 年发表的著作《正确思维和发现科学真理的方法论》，简称为《方法论》。他在《方法论》中指出，研究问题的方法分为四个步骤。

（1）永远不接受任何自己不清楚的真理……只能是根据自己的判断非常清楚和确定、没有任何值得怀疑的地方的真理。

（2）将要研究的复杂问题，尽量分解为多个比较简单的小问题，一个一个地分开解决。

（3）将这些小问题从简单到复杂排列，先从容易解决的问题着手。

（4）将所有问题解决后，再综合起来检验，看是否完全，是否将问题彻底解决了。

显然，笛卡儿提出的方法论是典型的还原论思维范式。数百年来，西方也包括东方科学界的科学研究方法基本都是按照笛卡儿范式进行的，可以肯定的是，笛卡儿范式充分反映了还原论方法的研究范式对近现代东西方科学的发展起了相当大的促进作用。在面对现代越来越普遍的复杂性问题（包括自然科学与社会科学）时，因为复杂整体性属性的出现，使有的问题无法通过还原论完全解决，因此，应对还原论不可逆性必须创造新的方法论，这样，变革笛卡儿还原论思维范式，一般就成为复杂系统思维范式转移的起点。

4.2.2　思维范式转移基本要点

根据上述思维范式转移的基本目标，复杂系统思维范式转移有哪些最基本的内容呢？作为例子，下面举了六点。

（1）复杂整体性本体（活动、情景、现象、问题等）不仅具有一般系统性或者可加复杂性，更具有复杂整体性，正是这类复杂整体性使得人们不能仅仅采用还原论方法把一个复杂整体性问题逐层分解成若干部分，把各部分都研究清楚了，再逐层往上叠加，整体也就清楚了；但是，还原论不可逆性使还原论方法不能完全解决这类复杂整体性问题，而要运用新的方法论构成的方法体系才能解决。

（2）复杂整体性问题使人们难以清晰地辨析和诠释自下而上从局部到整体全部的动力学机理，当然，如果我们把微观、中观与宏观等多层次视为一个整体，并且能够从微观个体起，通过中观内部动力进化机制最终搞清楚宏观现象的来龙去脉，这样，我们不仅看到了事物的整体复杂涌现现象，还知道形成整体涌现的原理和路径。

（3）对于复杂整体性，人们不再仅仅追求系统内的因果为什么必然，而代之"什么是可能的"与"为什么可能"，这就拓展了原有的笛卡儿解析与牛顿实证范式，形成了对一个复杂系统的认识过程范式。这是一个对复杂系统的实践—认识—再实践—再认识的螺旋式逼近过程。

（4）复杂系统的复杂整体性中一般包含着两部分属性，一部分主要体现了某种规范性，规范性一般是自然、科学等规律的反映，表现出规律、可观、可测、可量化等特点，具有因果或者统计意义上的规律性；另一部分主要体现了某种独特性，独特性一般是社会、人的行为的现实反映，表现出现实、异质、唯一、可理解、可感知等特点，具有某种质性、无结构或者可诠释价值。

（5）人是一切实践活动的主体，是一切实践活动中最生动、核心、本质，也是最复杂的要素。特别是在当今时代，关于"人"或者人的"秉性"的预设对实践活动中的复杂整体性的基本思维原则有着极其重要的影响。根据管理哲学基本观点，在复杂系统思维范式转移过程中，确立人是"复杂人"，即基于复杂性预设人的"秉性"是必要和必需的。

（6）当今时代，以互联网、物联网、云计算、大数据、人工智能、区块链及元宇宙技术等为标志的现代信息技术飞速发展并成为推动社会进步的强大力量，也成为实现复杂系统思维范式转移的强大支撑工具。

作为基本思考，我们列举出了上述复杂系统思维范式转移的几个方面的内容，当然，既然复杂性是复杂的，复杂整体性形态是数不胜数的，再加上复杂系统独特性的重要影响，因此，复杂系统思维范式转移作为一类整体性的认知原则，其具体的转移样式也一定是丰富多样的，以上几个方面仅仅是基础性的部分内容。

第5章 复杂性管理

明确了复杂系统思维范式转移的基本内容，能够使我们进一步根据具体系统的独特性场景或者语境补充新的内容细节，这是我们应对现实复杂整体性问题和驾驭这类问题的核心能力之一。同时，这一能力也使我们将复杂系统思维与具体实践紧密结合，形成管理学领域的"复杂性（管理）问题"与"复杂性管理"两个新概念。

5.1 管理的系统性

任何管理活动都是一个完整的整体又是一个完整的过程，就其整体性而言，任何管理都由管理环境、管理主体、管理对象、管理目标、管理组织、管理问题和管理方案等基本要素所构成；就其过程性而言，任何管理均可分为多个相对独立又相互关联的有序阶段，这些阶段自前往后的递进最终形成了具有一定功能的完整的管理过程。因此，任何管理活动实际上是一类具有具体特定功能的完整的人造系统。

对照系统与管理的基本概念，可以清楚地给出如下的基于系统思维的管理概念内涵：

（1）任何管理都是由若干要素和部分组成的整体；

（2）这些要素和部分在管理中缺一不可且相互作用与相互依赖；

（3）管理的全部意义在于它具有某一特定的整体功能；

（4）任何管理既是一个完整的整体，又是一个完整的过程。

上述管理的"功能性"与"整体性"恰恰也是系统的系统性属性，这说明了系统性是一切管理的基本属性，因此，任何管理实践既是系统的实践，又是实践的系统。系统性不但把原本对管理混杂、破碎的认知梳理出一条逻辑路径来，而且成为人们设计、构造、实施管理活动的一种范式，这一基于系统性思维原则的管理称为系统性管理。

　　这一系统性思维原则十分重要，它告诉我们，由于系统与管理之间有着基本属性的同一性，故它们之间存在相互融通的学理性，并且随着系统科学、管理科学自身复杂程度的提高还可能拓展出新的学科领域，本书介绍的复杂系统管理就是这样的一个示例。

5.2　复杂性问题

　　前面指出，对复杂的管理最重要和核心的感知体验是出现了一类复杂的管理问题。这里，我们进一步从客观属性上归纳这类问题的若干特征。

　　（1）复杂的管理问题与管理环境之间一般都有着非常紧密的关联关系，环境的各种变化都会对问题产生深刻的影响，特别是问题的形态与演变。

　　（2）往往是问题内在机理与环境共同作用和相互耦合的结果，因此，如果我们把问题与环境之间的关联分割开，就无法完整地认识和分析问题了。

　　（3）这类问题存在于管理活动与过程之中，任何具体的管理活动与过程如同一个有人、有物、有事、有关联、有因果、有变化并依时空顺序展开的相对独立又有整体性与连贯性的故事。大凡故事都有背景、情节与情节的发展，即都有情景。越是复杂的问题，不但情景越复杂，而且它与情景之间的"基因"与"血脉"关联也越紧密，越需要我们在问题所处的情景中看问题、想问题、分析问题和找出解决问题的方案，这就要求我们在情景整体性中，通过对情景自上而下和自下而上地分析和汇总才能解决问题，而不能肢解情景，使情景支离破碎，或者让问题与情景分离。

　　（4）这类问题一般还表现出多种复杂动态性，如突变、涌现、隐没、演化等，究其原因，许多时候都是问题要素之间存在着紧密、复杂的显性或隐性关联，各类机理的时变性或者在传导过程中发生变化等，因此，如果我们无论在物理层面，还是在逻辑层面切断这些关联，问题的整体行为及动力学机理的整体性就会受到严重的损害。

　　综上所述，对于这一类构成要素众多、关联和结构复杂、与环境之间有着各种相互作用的复杂问题，在研究和解决问题过程中运用还原论把整体问题分解为多个相互独立的部分，再单独研究各个部分，势必就会把问题各部分之间的复杂关联与结构切断了，原有的整体性复杂机理也被破坏了，这样，即使把每个部分都研究清楚了，也解决不了整体性问题。这不仅告诉我们，对待复杂的管理活动中的复杂的问题，仅仅采用自上而下的还原论方法，在许多情况下解决不了它的整体性问题，即这一类问题存在着还原论不可逆属性。

20 世纪 80 年代，钱学森把这类具有还原论不可逆属性的复杂的问题称为"复杂性问题"，因为正是这一属性使得这类问题表现出许多本质意义上的复杂形态；另外，这类"复杂性问题"广泛存在于社会经济系统之中，对社会经济建设具有重要的现实意义。

钱学森说：复杂性问题，现在要特别重视，因为社会经济建设，都是复杂性问题，解决这一问题，科学技术就会有一个很大的发展。我们要跳出从几个世纪以前开始的一些科学研究方法的局限性。他进一步从系统方法论出发明确指出：凡不能用还原论方法处理的，或不宜用还原论方法处理的问题，要用或宜用新的科学方法处理的问题，都是复杂性问题（钱学森等，1990）。

这样，复杂的管理活动中的"复杂的问题"与钱学森提出的"复杂性问题"，就其本质属性都具有还原论不可逆性或者复杂整体性的同一性，即复杂性问题就是一类具有复杂整体性属性的问题。

5.3　管理复杂性

5.2 节我们通过还原论不可逆性和复杂系统思维范式转移将复杂的管理中的复杂的问题抽象为复杂性问题，虽然复杂性问题仅仅是复杂的管理（活动）问题体系中的一个组成部分，但问题的复杂性属性对复杂的管理（活动）整体属性的影响是深刻和全局的。

任何管理活动都表征为某一形态的系统，从这一思维原则出发，人们可以对现实管理系统的属性进行判别，一类系统的属性可以归纳为还原论可逆性，即系统整体性为组成系统所有要素（子系统）部分性的加和；另一类系统的属性可以归纳为还原论不可逆性，即系统整体性不是组成系统所有要素（子系统）部分性的加和。属于前者的管理活动是可以用还原论来解决问题的，因此，不属于本质上的复杂；而属于后者的管理活动是不可用还原论来解决问题的，因此，属于本质上的复杂。

概言之，一类包含复杂性问题的管理活动都具有复杂性属性，称此复杂性为管理复杂性。

5.4　复杂性管理释义

任何管理活动或者管理研究都要以问题为导向，因此，一旦出现了复杂性

（复杂整体性）管理问题，可以预见，管理主体的思维、管理活动的组成、管理流程与目标等都会适应性地发生重要的甚至本质性的变化，这一变化的总体趋势为管理从系统性向复杂性演变，演变的目的是提高主体自身对复杂性问题管理的适应与驾驭能力，从属性上来区分，就出现了系统性管理与复杂性管理两类不同的范式。

　　本节的"复杂性"作为复杂系统管理的一个核心概念是对复杂的管理活动、情景与问题属性的凝练。在复杂系统管理的特定语境中，"复杂性"与其他话语组合在一起，可以表达更丰富的话语内涵。例如，"复杂性问题"是指一种不能或不宜用还原论处理的管理问题；"复杂性思维"是指主体采用的复杂系统思维范式；"管理复杂性"是指管理活动中蕴含的复杂性属性；"复杂性管理"是指在复杂系统思维范式转移基础上的管理范式等，而本书提出的复杂系统管理就是一类有着特定内涵规定性的复杂性管理。

第6章 复杂系统管理概论

6.1 复杂系统管理释义

本书提出的复杂系统管理是以钱学森复杂系统思想为主线的，并充分汲取其他复杂系统学术思想形成的一种复杂性管理范式。在思维哲学上，钱学森复杂系统思维范式构成了复杂系统管理的内核，在实践上，它主要是对复杂的社会经济系统中一类复杂整体性问题的管理活动和过程；在学术上，它是一类基于方法论驱动的复杂性管理范式。

简言之，复杂系统管理是运用复杂性思维对复杂性管理活动中的一类复杂整体性问题的复杂性管理范式。复杂系统原本是系统科学领域的概念，它出现在复杂系统管理这个整体性概念之中，主要意义是以其自身具有的哲学思维特质，在认识论与方法论层面为管理复杂整体性问题提供思维原则和逻辑起点。在这个意义上，我们不妨把复杂系统作为一种哲学观、一种探索复杂性管理范式的导航仪，于是，当人们面对各类复杂性问题的挑战并感到自身驾驭能力不足时，急需一种新的更高层次的思维哲学给予精准有力的指导与支撑。此时，复杂系统提供了一种强大的思想力量并赋能于管理思想、理论、模式与学术研究创新。

6.2 复杂系统管理理论概论

复杂系统管理理论是人们在复杂系统管理实践活动与思维活动中建立起来的以知识为基本要素的系统化和逻辑化体系。在这一体系的支撑下，便于人们有条理地描述和理解复杂系统管理实践活动中的各种现象，也便于深刻揭示管理问题与活动的本质特征与一般规律，因为该理论体系已经被赋予了系统化与逻辑化研究对象本质属性的品质。

作为管理学的一个新领域，复杂系统管理理论的形成过程要沿着"思维原则—核心概念—基本原理—科学问题—方法论与方法体系"这一完整的理论构建学理链。

在一个学科领域，或是在一个学术研究群体中，其理论创新之所以表现出旺盛且经久不衰的生命力与鲜活度，必然有很多积极的原因，其根本原因是该领域内的学科体系、学术体系与话语体系三者之间相互促进和相互推动，而其中的学术、话语体系对学术不断丰富和生长的强有力的支持是一个非常重要的原因。复杂系统管理作为管理学的一个相对独立的领域，当把该领域话语体系的功能和作用与学科体系、学术体系放在一起时，会认识到它们三者是一个相互关联、相互促进的整体。其中，学科体系是基础，学术体系是内核，话语体系是表述载体。

本书提出的复杂系统管理是以钱学森复杂系统思想为主线的，并充分汲取其他复杂系统学术思想形成的一种复杂性管理范式，具有自身的原创性和哲学思维原则，因此既不宜用某些复杂性词汇，也不宜用其他学科领域话语作为核心话语元素构建自己的话语体系，而应该根据以下两点确立构建话语体系的主要方向。

（1）基于认识论变革的话语创新。深度挖掘复杂系统全情景与复杂性问题的复杂整体性属性内涵，特别是这些内涵在管理活动中的现实性与动力学机理的表征，探索通过话语创新对复杂整体性管理属性的话语表达以及强壮学术活力的路径，即使在话语体系中仍然存有一些其他领域的话语痕迹，但一定蕴含了复杂性思维下对管理内涵的新的深度解读和重构。

（2）基于方法论变革的话语创新。当前，互联网、大数据与人工智能等现代信息技术与管理活动深度融合，并由此引发了一系列新的管理方法。复杂系统管理学术话语体系必然要充分表达和回应这一重要技术变革。方法论变革出发的话语创新不但对复杂系统管理新方法的诞生和使用有着直接的意义，而且有利于基于认识论变革的话语创新通过方法论变革的话语创新寻找到"落地"的"脚手架"。

在明确了上面所述的原则要点后，需要在操作层面上确定构建体系的基本路径，即在实际操作过程中的"切入点"。例如，以完整的学理链为纲，创立自主性的理论体系，提出标识性新概念、新议题、新方法等。

第7章 复杂系统管理理论科学内涵

7.1 复杂系统管理理论的核心概念

复杂系统管理理论话语体系除了以自然语言为基础外，还需要用专门的科学语言把理论所反映的本质属性准确、深刻地凝练出来。理论体系中的这一科学语言的基础就是概念。每个概念都是人们对客观事物本质属性的认识和对事物内在关系抽象的语言表述，概念的主要表现方式为科学术语。

复杂系统管理理论的核心概念是人们在对复杂系统管理实践活动主要现象与行为反复认知的基础上，对其本质属性的抽象，是复杂系统管理活动特征形成逻辑的反映。包括复杂系统——环境复合系统、复杂整体性、本质不确定性、多尺度、适应性、情景与柔能力平台等，即使有些概念的科学术语，如多尺度、情景等在其他学科已经存在，但在这里都进行了概念内涵的重构，不仅嵌入了复杂系统管理复杂整体性属性，而且注入了复杂系统管理独特性的规定性。

这些概念包括了复杂系统管理环境、主体、本体、组织、目标、思维原则与行为准则等，较好地覆盖了复杂系统管理的核心要素，它们不但紧紧围绕着复杂整体性本质属性这一核心，而且在一定的逻辑关联下，能够形成复杂系统管理活动与复杂性问题的基本逻辑框架，并清楚地表述了在复杂系统管理活动中各自的职能与作用，整体上具有良好的系统性与逻辑化品质。

7.2 复杂系统管理理论的基本原理

对具有自主性的复杂系统管理理论体系来说，有了核心概念，可以以概念为基础或通过概念与概念的组合，结合经验对复杂系统管理实践活动中的情景和问题进行分析，力求对情景和问题中的物理关系、逻辑关系、因果关系、关联关系等进行合理的解释并提炼出其中的基本规则,形成一种论断性的表述,这就是理论体系中的原理。复杂系统管理活动中的一般现象与问题,大都可以经过此类原理进行推导、解释和预测。一个原理就是一个相对独立的知识单元,它主要是针对复杂系统管理某一特定职能所采取的行为原则、操作准则和解决问题路径的基本策略,原理通常以肯定判断的语式来表述。

复杂系统管理理论中的基本原理主要是管理活动与主体行为的基本规则的论断,是人们对复杂系统管理实践经验的固化与提炼以及对基本概念进行逻辑推理形成的知识表达。原理的形成,特别是原理体系的形成,是一个不断发展与深化的过程,需要长期探索和不断完善。

作为初步探讨,我们提出了情景导向、物理—系统—管理链式递进、独特性语境化、不可分相对性、多尺度管理、适应性选择及迭代式生成等基本原理。

在情景导向下,通过复杂性降解、独特性情景语境化与不可分相对化原理,即可构建一条由物理载体、系统内涵与管理活动有序递进转换的复杂系统管理范式化标准路径,在此基础上,适应性选择原理形成了主体更具操作性的行为准则,而迭代式生成则是将上述几个原理完全整合到一起,形成了主体行为和操作手段的一般法则。

综上可见,本章提出的几个基本原理均源于复杂系统管理实践,并紧密围绕着主体与复杂整体性这两个根本性的管理要素,充分揭示了复杂系统管理现象中的逻辑关系、因果关系、相关关系及主体行为准则之间有着紧密的关联性。

具体来说,从复杂系统管理复杂整体性这一本质属性出发,在问题复杂整体性与主体驾驭复杂整体性的冲突和博弈中,在主体认知阶段,通过对工程虚体认知的"可变性",在总体上确立主体的复杂性降解先导性行为准则;通过由物理载体、系统内涵与管理活动有序递进转换的行为法则、独特性情景语境和不可分性相对化来破解还原论不可逆性的难点;同时以适应性选择原理来进一步提高主体行为的精准度与实际可操作性。在上述准则的共同作用下,迭代式生成原理就成为主体管理行为的普遍现实范式。由此可见,上述几个基本原理以"主体"与"复杂整体性"为核心,构成了复杂系统管理理论体系逻辑化的基本原理体系。在此基础上,可以进一步用核心概念或者基本原理组合推导出具有学理品质和理论价值的复杂系统管理理论的科学议题。

7.3　复杂系统管理理论的科学议题

一般地,在学术研究中常见的是"科学问题"而不是"科学议题",为什么这里不是"复杂系统管理科学问题"呢？这首先是因为"问题"与"议题"不是一个概念，其次，这与复杂系统管理正处在发展的初期阶段有关。

通常情况下，"科学问题"是指学者们在特定的知识背景下提出的关于科学知识和科学实践中需要解决而尚未解决的问题。它包括一定的求解目标和应答域，但尚无确定的答案，所以，我们可以尽最大的努力去寻找，去探索。"科学议题"是指学者们提出的具有一定科学依据和符合客观实际的待议之问题、主题或题项，它往往比问题的含义要宽泛得多，所以，有时一个议题可能是一类具有相同或非常近似特征的问题。提出科学议题的目的，也不是一定要求得到求解的答案，更多的时候是希望引起学术界的关注和研究的兴趣。这一点对于复杂系统管理这样一个通过复杂系统思维范式转移而构建起来的新领域来说，更体现了人们对待正在起步路上的复杂系统管理那种"摸着石头过河"的探索模式，即在较宽泛的视角下思考和摸索，还没有足够的本领做到每一步都能够精准地踩在石头上。

作为管理学的一个相对独立的领域，复杂系统管理自有其研究边界与焦点，显然，这些都是变动和与时俱进的。但是，从基础层面看，无论是比较宽泛的议题、确定的主题，还是比较具体的问题，都需要深入探讨、研究和议论，本节以议题为例是想强调其宽泛与广博性。

复杂系统管理在多方面已经具备了一个领域的基本雏形，但是，如何深化与完备领域的学科体系、学术体系与话语体系建设；如何把"三个体系"融合成一个相互关联、相互促进的整体，如何实现复杂系统科学与管理科学深度融合，保证在管理学意义下复杂系统范式的适用性，并使复杂系统管理具有必要的逻辑前提，特别是，如何根据当前现实情况，在领域"三个体系"整体层面上，做好将"复杂的系统管理"向"复杂系统管理"转化，并让复杂系统管理植根于管理学学术生态中，都需要逐步完善和完备，因此，不能认为复杂系统管理在管理学范畴内已经是一个成熟、完备的领域，相反，它强烈表现出作为管理学一个新的科学领域的变革性内涵与发展要旨，需要做大量的原创性、体系性知识创新与变革。

总体上，复杂系统管理可在全局性框架下有一些"大科学议题"。例如，复杂系统管理逻辑前提与基础理论体系；复杂系统管理的组织管理动力学；复杂系统管理知识形成范式转移与路径变革；复杂系统管理综合集成方法体系；复杂系统管理决策新范式；复杂系统管理典型重大应用。

另外，以下一些科学议题对于复杂系统管理研究具有重要的基础性学术意义：复杂整体性破解、复杂性谱线分析、鲁棒性管理、本质管理、质性转折的新范式设计、管理组织模式动力学、管理知识形态与获取路径等。

哲学的基本原理告诉我们，不但理论的"真"源于实践的"实"，而且理论的丰富、发展及方法论与方法体系的构建，也要依靠实践。因此，复杂系统管理理论体系研究必须扎根于现实的复杂系统管理活动实践之中，才不会致使理论成为无源之水、无本之木，特别是要源于我国丰富的社会经济工程复杂系统管理实践，由对实践认知的"生动的感觉"逐渐升华为"理性的抽象"，在理论层面上形成学科化原理知识。例如，中国特色社会主义制度和国家治理体系对于"集中力量办大事"破解大规模、全局性复杂系统管理难题具有巨大的推动力，因此要深入开展复杂系统管理中如何完善与发展国家治理体系和治理能力现代化的理论研究等。

　　在实践中，复杂系统管理理论思考与学术创新始终表现为一个继承过程，是对前人思想、学说的借鉴与学习过程，更是一个宏大的知识创新系统工程，要把创新放在第一位才可能取得发展与进步。因此，我们要充分以我国当前重大战略性新需求为导向，充分保持学术韧性和想象力，实现复杂系统科学思维在管理科学领域"落地"，并形成管理科学应对复杂整体性问题的新的动能。

中篇

复杂工程系统管理理论概论

众所周知，复杂系统是系统科学领域中的一个基础性概念，而系统科学则是一个独立于自然科学、社会科学等科学的门类。如果自然科学、社会科学等是按照研究对象领域的纵向性来划分的，系统科学则不论它们所研究的具体领域和具体问题的特质性，仅仅把它们当作抽象的"系统"来看待和研究。这种特点决定了系统科学具有横断科学的属性，即它是一门运用系统的思想和视角来研究其他各纵向科学所涉及领域的各门类问题的科学，并在系统意义上形成这些问题共同的本质属性和规律、建立相应的理论与技术体系。因此，可以认为，在人类现代科学技术体系中，系统科学体系中的许多思想、概念、原理等都对各纵向学科，当然也包括对管理有着更高层次和更具深刻性的概括与解释性。

　　上篇提出的复杂系统管理超越了具体的学科领域与实践领域。例如，重大工程领域的复杂系统管理就是复杂工程系统管理，根据这一基本逻辑，复杂系统管理理论在重大工程领域的具体化就是复杂工程系统管理理论，复杂工程系统管理理论除了蕴含着复杂系统管理理论的基本学理外，还需要与重大工程管理实践紧密结合并生长、拓展为新的学术话语体系，而不只是照搬复杂系统管理理论中的概念或者名词，也不只是用这些概念或者名词作为标签，而是将复杂系统思维范式转移深深地融合到重大工程管理的实践之中。

　　不难理解，这一部分的工作是在复杂系统管理理论基础上的再创造，也是将复杂系统管理理论运用到某个具体工程管理实践中的承上启下的工作。具体来说，这一部分的工作是将复杂系统管理理论的思维原则、概念与原理等在重大工程领域内具体化，并且转化为工程界与工程实践能够直接理解的话语体系，这就为一种新的管理思维范式和理论范式与重大工程建设管理实践深度融合搭建了一座桥梁。

　　另外，在话语体系方面，复杂系统管理领域所称的复杂工程系统，本质上就是工程界所称的重大工程，指出这一点非常重要，因为，多年来学术界与工程界有着各自专门的科学术语，并由此构建了各自共同体接受并习惯的话语体系，如果复杂工程系统与重大工程具有本质的同一性，那么学术界的理论思维与工程界的工程思维之间的融通将是没有学理障碍与距离的，甚至可以认为，学术界的复杂工程系统管理理论就是工程界的重大工程管理理论，而"复杂工程系统管理理论"完全可以理解为"重大工程管理理论"，"复杂工程系统管理理论与港珠澳大桥的实践"完全可以理解为"重大工程管理理论与港珠澳大桥的实践"，这对于无障碍地融通学术界与工程界的思想和话语转换具有十分重要的现实意义。

第8章　工程与重大工程语义的诠释

8.1　关于工程

8.1.1　工程

"工程"主要是指根据一定意图而创造人造物实体的活动及过程，有时，人们也会把"工程"一词指为人造物实体本身，工程造物必须基于明确的目的和有始有终的过程。根据这一特征，可以认为，只要在某一领域，有明确的目的和有始有终的造物活动皆可视为"工程"。进一步，人们再把实体造物的工程概念拓展到社会、科技、文化及逻辑领域，继而出现了更为广义的软件工程、系统工程、文化与教育工程等。无论是把物质型工程拓展到半物质型工程还是非物质型工程，都反映了人类造物实践活动的不断丰富和造物活动范围的不断扩大，都是为了方便描述和认识这类人类特有的造物实践活动和过程。

这里，我们讨论和研究的工程（包括后面的重大工程）主要是一类实体型的造物工程，如公路桥梁工程、水利工程等。

8.1.2　项目

一般地，"项目"是指一系列独特并相互关联的活动，这些活动有着一个明确的目标或目的，必须在特定的时间、预算、资源限定内规范地进行与完成。

不难看出，项目的明确目标或目的，也有物质型与非物质型之分，就物质型目标而言，项目概念的语义与实物型造物的工程活动有着基本的一致性，并无特别重要的区别，如中国三峡工程与中国三峡项目、中国三峡工程项目三者是同义的，并可以相互通用。

在未特指实物型项目的情况下，"项目"所指的活动，往往也包含着物质型与非物质型的含义。所以，"项目"在一般情况下有着比物质型造物的"工程"更广的含义，因为它在许多时候指的可能是非物质型造物活动。

项目概念强调所指活动的独特性，以及在活动过程中如何获取和使用资源、如何分配和安排各类人员的任务及如何形成项目活动的关联过程。这样，项目概念在很大程度上强调了项目特定活动现场的操作和组织，而工程概念则是在宏观和全局层面上概括了人类构造人工物品的一般活动特征与规律。

"项目"概念既然强调了所指活动的任务、组织与操作，因此，人们习惯地在提到项目被分解为更细致的任务和如何操作时，多使用"项目"这一词，这在建筑行业更为普遍。其实，这仅是一种语言使用的习惯，并无其他特别深刻的含义。

8.2　关于重大工程

8.2.1　重大工程

20 世纪以来，人类工程活动逐渐呈现出环境复杂、规模宏大、技术先进、投资巨大、工程建设与生命周期长、对社会经济环境具有重要持续影响等特征，因此在人们头脑中形成了"重要"与"影响大"的"重大工程"的直观感知。

从工程功能的广泛性看，造物型"重大工程"大体可以分为重大科学技术工程、重大军事国防工程和重大基础设施工程三大类，比较而言，重大基础设施工程较前两类重大工程更为多见。

8.2.2　重大基础设施工程

一般意义上，基础设施是"永久性的工程构筑、设备、设施和它们所提供的为居民所用和用于社会生产的服务"的人造物。重大基础设施工程（以下简称重大工程）是一类面广量大、与社会公众关系最为密切的工程，它的特征主要包括决策与投资主体一般是国家、工程规模巨大、工程自然环境复杂、工程生命周期长、多参与主体、技术复杂、对区域社会经济环境具有重要影响等。我们可以把这些特征作为重大工程的描述性定义。三峡水利工程、南水北调工程、港珠澳大桥工程等都是典型的重大工程。

以下作为主要研究对象的"重大工程"，专指这一类重大工程。

第 9 章　重大工程管理

工程管理活动是工程造物活动中一类非常重要的活动。

9.1　工程管理概述

工程管理是指在由人群共同参与的工程造物活动中，其中一个（或一部分）人根据造物的环境与拟实现的目标，专门从事一类筹划、获取和配置造物必需的资源；分配和安排造物人群各部分人的任务；协调人群与人群、人群与任务、任务和任务之间的关系，使造物实践更为有序和有效的一类活动。

人类不可没有工程造物实践，工程造物实践不可没有工程管理。

9.2　重大工程管理概述

重大工程管理当然也有与之对应的管理活动，重大工程管理与一般工程管理之间有着重要的区别。

在管理环境上，重大工程的社会经济自然环境更为复杂，对重大工程建设和管理产生的影响更深远；在管理主体方面，重大工程主体群一般规模大，利益诉求及价值偏好差异性强；在管理问题方面，重大工程管理问题一般涉及多个学科和领域的知识，很难完全用一种比较明晰的结构化方法（模型）来描述；重大工程管理问题的边界往往比较模糊和不完全清晰，从而导致人们对问题的认知也往往是模糊、不确定甚至是不确知的；在管理组织方面，重大工程管理更需要具有"柔性"和"适应性"的管理组织去解决管理问题；在管理目标方面，重大工程管理目标呈现出多层次、多维度和多尺度及较高的不确定性，因此也经常发生管理目标之间的冲突和其他的复杂情况；同时，在管理方案方面，重大工程管理主体群对管理方案的产生表现为一个由阶段性中间方案沿着一条从比较模糊到比较清晰、从比较片面到比较全面、从品质比较低到品质比较高的路径，不断迭代、逼近，直至收敛到最终方案的不断探索的"试错"过程。

上述这些新的特质反映了从工程管理到重大工程管理在内涵上的深刻变化，同时，这一变化在引发管理实践等一系列变革的同时，也要求我们对重大工程管理思维范式与理论进行新的深刻思考。

9.3　工程管理：从系统性到复杂性

工程管理的"根"在工程、重大工程管理的"根"在重大工程，所以，要弄清楚它们各自的本质属性是什么？先要弄清楚工程与重大工程各自的属性是什么？

从辩证唯物主义观点看，客观世界的事物是普遍联系的，能够反映和概括客观事物普遍联系这个本质特征最基本的概念就是系统。这是我们认识工程与重大工程本质属性的思维原则。

9.3.1　系统概念与系统性

系统是"相互作用的多元素的复合体"。一般来说，系统是指由一些相互联系、相互作用、相互影响的组成部分构成并具有某些功能的整体。系统环境、系统结构和系统功能是系统的三个基本构件。系统环境是指系统外部，系统结构是指系统内部所有关联方式的"总和"。在普遍意义上，系统具有多元性、关联性、整体性、动态性等属性，一般称系统概念中上述的多个属性为系统性，其中最重要的属性是整体性。整体性是指系统在整体和全局层次上具有其组成部分或者局部所没有的属性与功能。从外部观察，系统整体性让系统有了新的原来部分没有的功能，这往往也是我们构建一个人造系统的目的。至于系统会有什么样的功能，这又取决于系统要素、要素之间的关联、结构方式和环境对系统有着怎样的影响等。

9.3.2　工程、工程管理的系统性属性

现在，我们根据系统的基本思想，特别是系统的概念来揭示工程与工程管理的本质属性。

从系统性角度来看，任何工程都是系统，故称工程为工程系统。一般称工程

实体系统为工程硬系统。工程建成后其硬实体系统与周边的社会经济环境系统整合在一起，形成了一个新的"工程-环境复合系统"。因而，任何工程实践都是系统的实践。同时，任何工程实践又都是实践的系统。

由此可知，任何工程管理实践也是系统的实践，又是实践的系统，为区别工程硬系统，我们一般称工程管理系统为工程软系统。这样，任何工程造物与工程管理实践都是系统的实践，也是实践的系统。因此，可以认为系统性是一般工程与工程管理的本质属性。

工程管理的系统性主要是指，工程管理活动的基本思维是依据系统的概念，采用明确目标、严格分析、注重定量化和程序化进行工程造物活动的规划、设计与现场施工，以实现工程的整体目标与综合效果。概括地说，工程管理的系统性是指在管理中坚持工程造物过程活动的整体性、关联性、动态性的统一。

9.3.3　重大工程管理的复杂性

根据本书上篇的内容，重大工程就是一类复杂工程系统，其对应的工程系统的物理实体就是复杂工程硬系统。对复杂工程系统复杂性的理解，主要是指复杂工程系统作为复杂系统的属性表征。一般来说，人们首先从直观上感觉到复杂工程系统的物理复杂性，其次在系统科学思维层次抽象并提炼其复杂性属性。可见，复杂工程系统的复杂性是其物理复杂性在复杂系统空间中的"映像"。

重大工程是一类具有复杂（整体）性的复杂工程系统，必然在复杂工程系统管理活动中产生一类具有复杂性的管理问题。联系第 1 章的内容不难理解，复杂工程系统管理其实质就是重大工程领域内的复杂系统管理。

针对复杂工程系统管理活动中的管理问题，我们将其进行分类（图9.1）。特别要提到的是，其中的 D 类问题需要根据系统复杂性管理思维进行规范、有效的分析和解决。

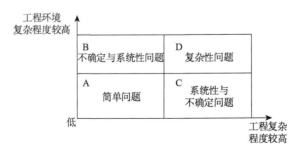

图 9.1　复杂工程系统管理问题分类

进一步，将复杂工程系统管理问题分为三个层次（图9.2），下面两层主要解决 A、B、C 三类问题，而最上面的一层主要解决 D 类问题。

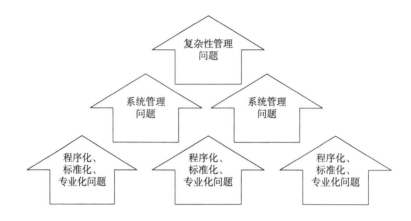

图 9.2　复杂工程系统管理问题体系

　　另外，复杂工程系统管理体系包含以认识、协调与执行为功能的三个子系统（图 9.3）。

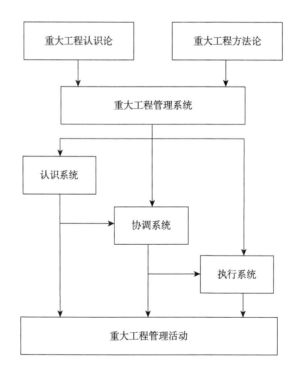

图 9.3　复杂工程系统管理活动实践的基本结构

综上所述,复杂工程系统管理活动作为复杂工程软系统也具有复杂性属性。从工程管理到重大工程管理,就本质属性而言,形成了从系统性到复杂性的演化规律。这样,复杂工程系统管理活动主要是通过管理主体自身的自适应与自组织行为,把握和驾驭复杂工程系统管理问题的复杂性。

由此可见,复杂工程系统管理活动是对复杂工程硬系统与复杂工程软系统的综合,因此,其复杂性也自然是复杂工程硬系统复杂性与复杂工程软系统复杂性的耦合。

从人类造物的目的出发,不但将工程硬资源整合成工程硬系统这一个完整的整体,而且将复杂工程硬系统与软系统耦合在一起,保证复杂工程系统造物活动的有序和有效的复杂工程系统管理活动也必须是一个完整的整体。否则,我们不可能实现复杂工程硬系统的完整形态。

从理论逻辑上讲,无论是一般系统还是复杂系统都具有整体性特征。进一步地,一般工程与工程管理活动的整体性基本上可以通过还原论进行分解,以及基本通过各个子活动的叠加实现工程造物与管理的整体性活动,称此为一般整体性。但是,对复杂工程系统与复杂工程系统管理活动来说,基本上不能通过这样简单的还原论及叠加原理实现整体性,称此为复杂工程系统的复杂整体性。

当复杂工程系统管理活动在把工程硬系统与工程软系统耦合在一起形成一个活动整体时,同时也把复杂工程硬系统和复杂工程软系统中的复杂整体性相互耦合在一起,从而形成复杂工程系统管理活动的复杂整体性。

因此,复杂工程系统造物及管理的复杂整体性是复杂工程系统管理活动复杂性的重要起因和深刻内涵。因此,我们必须在复杂工程系统管理活动中,建立基于复杂整体性的分析和解决问题的思维与用来解决复杂整体性问题的方法论。

9.4　复杂工程系统管理体系结构与认知

在前面各节的基础上,可以在系统科学理论思维下整体性地认识复杂工程系统管理(考虑到工程界读者的阅读习惯,以下一般情况下,复杂工程系统常称重大工程,复杂工程系统管理常称重大工程管理)并形成对它(主体、组织与活动)的认知范式,也就是关于重大工程管理根本性的认识。

认知范式就是在一定的理论思维原则下,对事物本质属性全面、准确而规范的认识。如果对复杂工程系统管理有了深刻、全面、准确的认知,就能够找到一条关于重大工程管理问题研究,特别是相关理论研究的科学、正确的道路。

随着人类工程造物活动越来越复杂,相应的工程管理往往会包含形成工程管理思想、开展工程规划论证、进行前期决策、施工建造，以及对工程进行运营与后评估。因此，我们对复杂工程系统管理的认知，也应该包含整个工程管理活动的全过程。至少要包含工程前期决策阶段和工程建设施工阶段的管理活动，如果可能，还应该包含工程竣工之后的运营。因此，现代重大工程建设越来越强调对重大工程决策、建设与运营的一体化综合管理。

9.4.1　重大工程总体决策体系

在复杂工程系统管理过程中，有一批人要在宏观上研究并决定这一复杂工程系统究竟要不要建、能不能建、在什么地方建、在什么时候建、怎么建等，这实际上就开始了重大工程的前期决策，这一批人就成为重大工程的决策主体群，一般简称为重大工程决策主体，决策主体的主要任务与职能是要在宏观和全局上完成重大工程的总体规划、立项论证、工程目标与方案设计等重要任务。

由于重大工程决策问题太多、太复杂，也太专业，故对决策主体来说，需要由一批熟悉工程各类决策问题的专家组成的总体决策支持体系，他们在决策过程中为决策主体提供必要的决策支持。

总体决策支持体系运用定性、定量、科学实验等手段与方法，在分别对复杂工程硬系统和软系统进行规划的基础上，形成一个新的整体系统并进行总体规划、总体认证和整体设计，为决策主体提供决策时的科学依据与参考，保证关于复杂工程系统决策的权威性与科学性。

9.4.2　重大工程管理总体执行体系

决策主体在总体决策支持体系的支持下，通过对各类预案进行评估、论证与优选，最终形成关于重大工程造物与管理的一整套决策方案，然后，由一个总体执行体系（部门）将这一整套决策方案付诸实施。

从重大工程建设全过程而言，应该把决策主体、总体决策支持体系与总体执行体系的全部活动都包括在重大工程管理活动范畴之内，并把这几部分的管理活动统称为重大工程整体管理活动，而把决策主体与总体决策支持体系实施的管理活动称为重大工程决策管理活动，把总体执行体系实施的管理活动称为重大工程建设管理活动。

综上分析，我们得到如图 9.4 所示的重大工程管理活动构成图。

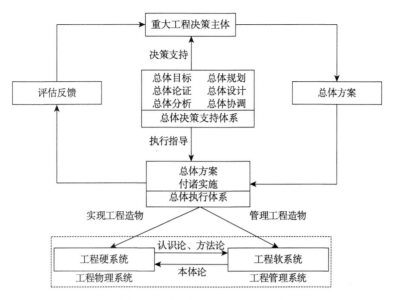

图 9.4　重大工程管理活动构成图
虚线框内表示重大工程建设期内的管理活动

9.4.3　重大工程管理认知的基本范式

在以上内容的基础上，通过对复杂工程系统管理实践从直观感知上升到系统科学的理性思维，我们形成了基于复杂整体性的重大工程管理认知范式（图 9.5）。

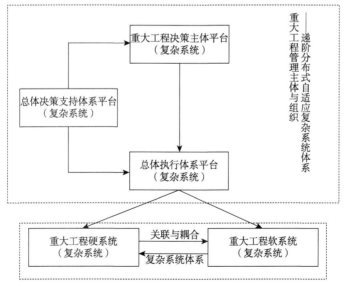

图 9.5　基于复杂整体性的重大工程管理认知范式

重大工程管理（主体、组织、对象与活动等）是一个以复杂系统思维范式为基础的递阶式自适应复杂系统体系。因此，必须通过复杂系统思维范式转移确立关于重大工程管理的复杂性思维，包括思维原则、理论思维、方法论与方法体系思维等，并以复杂整体性为原则，实现重大工程管理从系统科学到管理科学的转换与"落地"。

第10章 重大工程管理理论概述

随着重大工程规模的扩大及其复杂性的提高，重大工程管理活动面临越来越多的挑战，人们不约而同地在思考这样一个问题：在重大工程管理实践基础上，是否有以及如何产生能够深刻解释重大工程管理现象、揭示一般规律和指导管理实践的重大工程管理理论？

这一问题实际上是一个由一系列前序性相关问题构成的问题链，只有在答案链形成后，该问题才会有最终答案。其中，"构建重大工程管理理论"是这一问题链的"总体性"问题。

必须指出，这里的"重大工程管理理论"是指关于重大工程管理的"理论体系"，是对重大工程管理本质属性与普适性规律的揭示和认知。

由于理论体系的基本要求，构建重大工程管理理论体系需要在思维高度厘清对理论体系的科学认知后，再按照"构建重大工程管理理论"问题链中问题前后的逻辑关系逐一把各个问题搞明确，最终找到"总体性"问题的答案。

10.1 工程管理中的理论思维与工程思维

10.1.1 两种思维方式

在工程造物与工程管理实践活动中，人的基本思维可以分为两类。

第一类，我们把在工程管理活动实践中，以"弄清对象本来面目"为基本目的，把弄清楚工程管理一般性道理的人的思维方式称为工程管理中的理论思维，它的成果是形成关于工程管理要素属性及属性之间联系的逻辑系统。理论思维具有客观性、普遍性与科学性的优势，也有其局限性。因此，只依据理论思维不能够解决工程管理活动的全部实际问题。

第二类，在工程管理过程中以"筹划"为主要任务，旨在将"虚体工程"变成"实体工程"的思维方式称为工程思维。工程思维是为了弄清如何构建实体,因此,工程思维必然要人直接面对工程管理实践,并一定会渗透人的价值取向。

在工程管理活动中区分人的理论思维与工程思维有着重要意义。具体地讲,理论思维主要是一类明确"是什么"和"为什么",即产生工程管理理论和建立工程管理理论体系的思维。工程思维主要是设计工程造物与管理流程与执行程序,主要规定和筹划在造物过程中应该"做什么"和"怎样做"的思维。两类思维有着重要区别,在实践中却又是紧密结合、融为一体的,我们应相互关联地看待它们。

综上,重大工程管理活动实践中的理论思维与工程思维是两类最重要、最基本的思维。理论思维的成果是形成理论,工程思维的成果是形成工程实体,理解它们的内涵与区别对认识和构建重大工程管理理论具有重要的指导意义。

10.1.2　工程管理的经验、知识与理论

因为本章研究的核心问题是如何认识与构建重大工程管理理论,所以本节先对工程管理理论这一概念进行剖析。

工程管理实践产生的经验,特别是"被固化的经验"将成为人们关于工程管理的知识,它是人们系统认识工程管理活动一般规律的成果。

如果把相对独立、零散的个别知识按照一定规则进行整合,就会形成有一定关联的知识系统,称其为"知识体系"。

在一定的思维原则指导下,即确认工程管理活动的本质属性并形成认知后,将工程管理知识进一步系统化和逻辑化,就形成了工程管理理论。理论是知识的"高级"形式,是知识的系统化和逻辑化,所以某一领域整体意义上的理论就是理论体系。例如,重大工程管理领域整体意义上的理论就应是重大工程管理理论体系。

根据知识与理论的关系可知,工程管理经验、知识与理论有着同源的一致性,但理论在形成过程中,其科学内涵及品质必然表现出不断系统化和逻辑化的递进性与成熟度。

上述关于工程管理理论的基本认知与品质判断原则上与重大工程管理理论是一致的。

10.2　项目管理知识体系及其理论定位

在基本上厘清知识和理论的同源性及其重要区别后,我们来分析"在工程管

理实践中发挥重要作用的项目管理知识体系能否可当作重大工程管理理论体系"这一基本问题。

本节将在对项目管理知识体系评价的基础上，论述它在工程管理理论意义上的价值与定位。

10.2.1　项目管理知识体系概述

项目管理知识体系产生至今大约已有 50 年，它更多关注如何有效解决工程管理现场的实际问题，未能充分吸收系统科学，特别是复杂系统科学的科学内涵，更没有按照理论形成路径与原则，把工程管理知识系统化和逻辑化，而是不断固化成为一套指导工程现场实际操作的工具、方法和技能库。

1976 年，美国项目管理学会提出了制定项目管理标准的设想，至 1987 年推出了《项目管理知识体系》，并于 1996 年将其改名为《项目管理知识体系指南》（简称《指南》）。目前《指南》一共有 5 个版本，每一个版本都反映了在那个时间点上，人们对包括工程现场管理最新、最普遍、最重要的问题和任务的跟踪与回应，并发挥了巨大作用，即使它越来越受到重大工程管理复杂性的挑战，但仍然具有重要的实际价值和意义。

今天，当我们探讨构建重大工程管理理论体系的时候，需要对项目管理知识体系的思维原则与理论价值进行深入的研究和判断，这是"构建重大工程管理理论体系"的一个重要的前序问题。

10.2.2　项目管理知识体系的思维模式解析

虽然项目管理知识体系的内容基本上做到了与工程管理不断丰富的实践需求同步，但它的总体思维模式与功能目标等，一直主要表现为以下几个方面。

（1）基于工程管理系统还原论与工程现场本体论相结合的思想，主要是对工程现场的实践活动进行可加性分解，并在各个领域内相对独立地设计筹划与实现工程管理任务的蓝图，刻画出在该领域内理想的标准化操作流程与方法，然后再去实施。

（2）项目管理知识体系并非通过构建工程管理本质属性的逻辑系统来揭示对工程管理"是什么"和"为什么"的道理，它主要是指导人在工程管理实践活动中"做什么"和"怎么做"的知识与技能。

项目管理知识体系是一种以工程思维为主导的思维成果。工程思维不可避免地体现了主体价值意图与偏好，从而会"损坏"工程管理一般性道理的客观性，这也是主要遵循工程思维而不能形成理论体系的一个重要原因。

10.2.3　项目管理知识体系的理论定位

本节主要对《指南》系列的理论定位和理论价值进行分析。

通过简单工程的工程管理活动对项目管理知识体系的理论品质进行剖析，可得到如下重要结论。

《指南》在较为简单的工程环境与条件下，表现"技能"功能及一定的"理论"品质，但其理论内涵与范式还远不完整和不成熟。因此，在一般意义上不能认为《指南》就是工程管理理论体系，或认为是"有缺陷""待完善"的工程管理理论体系。因为《指南》本质上是工程思维的产物，而不是理论思维的成果，它的形成过程与成果表述方式与理论体系形成的一般规律与范式有着很大的距离。

这里通过一系列精细分析所得出的关于项目管理指南理论定位的结论，明确指出了项目管理重要的工程实践指导作用，同时存在理论体系价值缺失的"二重性"，这既有利于我们科学理解和应用项目管理知识体系的功效及应对项目管理的挑战，也有利于工程管理理论的创新和发展。

10.3　"走在路上"的重大工程管理理论

在当前状况下，各国工程管理专家普遍认识到建立重大工程管理理论体系的重要性与必要性，同时也在努力捕捉重大工程管理理论体系发展的重大机遇，争取有所突破。

我们先来讨论一些构建重大工程管理理论体系的前序性准备工作。

10.3.1　重大工程管理理论的基本内涵

根据理论的一般性定义，重大工程管理理论就是系统化与逻辑化的重大工程管理知识体系。这里的"重大工程管理理论"是指"重大工程管理理论体系"。

前面我们指出：工程管理理论的这一基本认知与品质判断原则上与重大工程管理理论是一致的。结合重大工程管理的特点，重大工程管理理论是人们在工程管理实践活动与思维活动中建立起来的以知识为基本要素的系统化与逻辑化体系。在这一体系的帮助下，人们更易描述和理解重大工程管理实践活动中的各种现象，也更易揭示管理活动的本质特征与一般规律，因为该体系已经被赋予系统化与逻辑化研究对象本质属性的"品质"。

最后,一个重要的问题要在这里强调:拟构建的重大工程管理理论体系既然有这样的"品质",那么它在揭示重大工程管理活动与问题固有属性时,必然具有根本性与原发性的理论品质,体现出理论范畴内渊源性,即它的逻辑框架与基本要素对于重大工程管理理论构建与发展是根本性、基础性的,因此它具有重大工程管理基础理论的学术地位。这样,本书的重大工程管理理论、重大工程管理理论体系与重大工程管理基础理论在这样的学理下是一致、同义的。

10.3.2　几个相关问题的说明

最后,本节介绍几个与重大工程管理理论密切相关的问题。

1. 定位

当前最紧迫的任务是明确提出构建重大工程管理理论的重要学术任务,而"构建"意味着需要从基础性工作开始,并按照"构建"的规范要求和程序展开。

2. 规范

重大工程管理理论要遵循一般理论体系形成的规范与普遍规律(我们将在第4章进行说明)。

3. 相对性

任何理论体系,它发现的道理、揭示的规律都是相对正确、相对深刻和相对全面的。因此,我们要认识到在重大工程管理实践活动中,没有理论体系是不行的,但也不能存在"理论体系唯上"的想法。同时,秉承开放的、发散的态度才有利于重大工程管理理论的形成。

4. 长期性

构建重大工程管理理论不是一件容易的事情,将其修正、完善、拓展和提升更需要长期艰苦的探索。

5. 实践性

人们的一切理论思维成果都是源于实践的思考与抽象,因此研究重大工程管理必须立足于重大工程管理实践的土地上。在这一点上,中国作为重大工程建设的大国,取得了丰富的重大工程管理经验,这有利于我们开展关于重大工程管理理论的探索与思考。

综上所述，当前，重大工程管理现实对重大工程管理理论的构建提出越来越强烈的需求。同时，不断丰富的重大工程管理实践、越来越壮大的研究队伍及不断积累的研究成果都为构建重大工程管理理论体系准备提供了许多基础性条件。在这个意义上，重大工程管理理论正在起步的道路上。

第 11 章 重大工程管理理论的形成路径

要构建重大工程管理理论，必须一步步地提出和凝练源于重大工程管理实践并体现理论思维内涵的思维原则、实质性概念、基本原理与科学问题，建立它们之间的多层次的逻辑关联性。最终以"思维原则—实质性概念—基本原理—科学问题—方法论与方法体系"学理链为递进方式构建成完整的理论（体系）构架。

11.1 复杂性：重大工程管理理论的思维原则

我们要确立重大工程管理理论思维原则，先要明确和树立重大工程管理的本质属性及对理论问题的认识论。我们知道，复杂性是重大工程管理活动、管理现象与管理问题的本质属性，是所有重大工程管理问题共同的"根"。所以，我们建立了如下的理论思维原则：在一般意义上研究重大工程管理问题，应该主要研究它们的复杂性这个"根"，并从"根"上揭示问题的规律，同时具体问题具体分析。

11.2 核心概念：理论的话语基础

每个概念都是人们对客观事物本质属性认识的凝练，是对事物本质与内在关系抽象与凝练的语言表述，主要表现形式为科学术语。为了更深刻地认识重大工程管理的现象和规律，首先要以复杂系统理论的概念为基础，得到一般性概念。其次通过重大工程管理实践活动，提炼出深刻反映和体现管理活动形式与内涵的实质性概念。

　　另外，我们认为，越能体现重大工程管理本质属性的概念在理论中越具有根本性和实质性，所以这类概念数量不应很多，而是概念体系中的"精品"。正如奥卡姆"剃刀原则"所说，假设最少的理论是最好的理论。

11.3　基本原理：理论的判断思维

　　原理是在概念的基础上产生的，一个原理是一个相对独立的知识单元，通常以肯定判断的语式来表述，主要分析针对重大工程管理某一特定任务所采取的行为原则、操作准则和对现象的基本认知。另外，我们称最具基础性、起源性和初始性的原理为理论中的基本原理，它通常表述为一定条件下的论断和定律，集中体现了理论体系的逻辑推导功能。所以，重大工程管理理论中的原理在更多情况下将表述为在一种情景之下的关系原则和行为准则。

11.4　科学问题：理论的核心内涵

　　理论体系中的科学问题是一类用概念描述并由基本原理推导衍生出来的具有学术品质和理论价值的问题，是对大量的同一类型具体管理问题基本结构与本质属性的凝练和抽象。在重大工程管理理论中，科学问题一般表述为在一定情景下的某个特定管理任务的抽象或需完成的普适性问题。以科学问题为"种子"，可以自组织、自发展成更为丰富的重大工程理论问题结构与内容。

　　根据理论形成的一般规律能清楚地看出，在复杂性思维原则指导下，通过确定思维原则、提出概念体系、形成基本原理和凝练科学问题四个递进阶段，形成了规范、完整的构建重大工程管理理论的路径。当然，提出理论形成路径的四个阶段还是宏观与粗粒度的，更加困难的是理论体系中的概念、原理与科学问题的具体内容是如何设计和凝练的，这决定了理论体系的学术品质。

第12章 重大工程管理理论的基本概念

12.1 重大工程管理理论的基础性概念

12.1.1 重大工程-环境复合系统：客体类概念

重大工程实体可以看作在原来的环境系统内增加的一个新的工程实体系统要素，从而在总体上形成一个新的更大范围与更丰富内涵的人工系统，我们称其为"重大工程-环境复合系统"。

重大工程-环境复合系统是在原来的环境系统基础上增添了重大工程这一新的系统要素。这样，该新系统的要素构成、要素之间的关联、系统的结构和功能等都将发生新的变化。另外，因为该系统是在原系统基础上新增了重大人造工程系统，呈现出"系统的系统"的复合型形态，因此称之为"重大工程-环境复合系统"。

重大工程-环境复合系统除了可能实现工程设计时所预期的功能外，还可能没有实现预期的功能，甚至出现完全没有预料到的，包括不希望出现的功能，这是重大工程-环境复合系统的功能演化与涌现现象。这些现象极有可能对社会和环境有着极大的负能量或者副作用，是重大工程管理理论要认真研究和防范的新问题。

12.1.2 复杂性：客体、主体与环境类概念

"复杂性"作为基本概念是对重大工程管理对象客观的本质属性及管理活动内在关系进行抽象与凝练后的表述。虽然它在表象上似乎是系统科学话语体系的

表述，但是，这仅仅是对系统科学语言的一次"借用"，而它的内涵已经在话语体系意义下进行了重构。所以，下面要对它进行重大工程管理内涵上的解读。

应该把"复杂性"理解为重大工程管理理论的一个"综合性"的概念。例如，它可以是工程的物理复杂性，也可以是属性认知上的系统复杂性，或者是管理活动中的管理复杂性，甚至可以是几方面复杂性的综合，如重大工程建设与管理的整体复杂性。

从重大工程管理活动的以下几个基本方面，我们可以感受到"复杂性"的基本背景：①源于社会经济环境的复杂性；②源于工程多主体的复杂性；③源于主体资源整合能力不足的复杂性；④源于工程高度集成化的复杂性。

进一步地，可以概括与抽象成如下的概念：管理复杂性是主体在重大工程管理活动中能够体验、意会和感受到的一种直觉性的困难和困惑。例如，主体面临一个问题而感到难以表述清楚、分析透彻、预测准确，甚至拿不出方法、提不出方案、解决不了问题等，故而产生该问题是"复杂的"感性认知，把这种感性认知抽象成为理性认知层面上的一种属性，即"管理复杂性"。

在重大工程理论体系中提出管理复杂性概念的意义如下。

（1）可以通过对管理复杂性的分类和分析，梳理清楚重大工程管理问题中的一类复杂性问题，它们是工程管理活动中要解决的重点和难点，解决好这一类问题，整个重大工程管理问题就迎刃而解了。

（2）分析清楚不同类型的复杂性问题，有利于选择不同的有针对性的解决思路和方法。否则面对复杂性问题"一片混乱"的相互缠绕的局面，我们难以找到对付复杂性的解决方案。

12.1.3　深度不确定性：环境与主体类概念

"不确定"在管理学研究中已成为一种常态，而在重大工程管理活动中出现了一类"严重的"不确定性。在总结概括严重的不确定概念前，从下面具体的重大工程管理活动现象与情境中我们能够直观地体会到"严重"不确定性是怎样形成的。

（1）重大工程自然环境形成的"严重"不确定性。表现为工程环境情况与情景险恶和复杂，主体不但严重缺少许多自然环境与现象的相关信息和数据，而且对其中许多问题的基本规律与原理都了解甚少，更不要说能够对它们有确定、完整和深刻的认识了。

（2）重大工程社会经济环境形成的"严重"不确定性。表现为法制环境不健全，在局部地区和局部问题上与公众利益发生冲突，投融资任务艰巨，各种经济形态的不确定性影响、微小风险因素传递和被放大的可能性等都可能成为重大工程投融资的严重不确定性根源。

（3）重大工程环境大尺度演化形成的"严重"不确定性。首先，重大工程的周边环境自身就是一个复杂的自组织系统，在工程长生命周期内，环境行为不仅有一般动态性而且还会出现复杂的自组织、自适应现象。这些现象一般不是构成性或生成性的，而是涌现性的，因此是一类机理复杂的不确定性现象。其次，工程建成后形成的新的"重大工程-环境复合系统"也可能会涌现产生出该地区过去和现在从未出现过的新的复杂现象，而这类现象一般是人们凭借传统的经验、知识及常规方法难以发现和预测的。也就是说，在重大工程大尺度演化意义下，重大工程环境的动态变化是高度不确定的，这一类现象对于重大工程立项论证决策影响尤为重大。在大时空尺度下"重大工程-环境复合系统"的自组织与演化过程都将形成人们信息和认知的严重不确定性。

（4）重大工程主体认知能力不足形成的"严重"不确定性。表现为主体在认知重大工程客观不确定性时，可能存在以下几种情况：①知道自己掌握了什么信息、知识与能力；②知道自己尚未掌握什么信息、知识与能力；③不知道自己尚未掌握什么信息、知识与能力。不难看出，从①、②到③，主体主观不确定、不确知程度经历了从"一般"逐渐到"严重"的变化。这一变化表现为主体的主观不确定性不断增强直至出现"严重"的不确定。

以上提到的四类不确定性比一般意义上的不确定性更"严重"、更"强烈"、更"深刻"，我们称这一类源于重大工程管理实践活动的、传统和常规处理不确定的思想和方法不再适用的更为"严重"的不确定性为"深度不确定性"，这一概念在重大工程决策与风险管理中尤为重要。

12.1.4　情景：环境类概念

1. 情景概述

在重大工程建设整体过程中，工程管理活动如同一个依时间顺序而展开的一个个相对独立又有连贯性的故事。凡故事都有背景、情节与情节的发展，即都有情景。重大工程管理理论中的决策、组织研究在许多时候就是在重点研究工程环境及管理主体自适应行为综合而成的情景与情景变化。

重大工程管理理论中的情景概念有哪些重要的含义呢？

（1）虽然情景在许多情况下是关于"未来"的现象，但对重大工程管理活动而言，除了关注未来的情景外，还要关注过去和现在的情景，即同时要关注情景的重构与再现，因为重大工程本身就是嵌入在过去、现在和未来连贯情景历程中的一个重要"情景"。

（2）重大工程未来情景的形态本质上是复杂和深度不确定的，虽然管理者在一定程度上能够依据经验与知识及可推导的因果、关联关系来构建、预测与想象未来情景，但不能认为人可以完全凭借自身的偏好与意志来设计和指定未来情景，未来还可能会出现不仅从未见过，甚至连想象都困难的难以预测的意外情景，而这些意外情景，远远超过了工程设计者的预测和想象力，并可能给工程造成很大的潜在风险。

（3）重大工程管理环境或问题中的未来情景，除了包括工程环境系统产生的情景外，还包括重大工程-环境复合系统涌现出来的情景。因此，工程主体不能完全站在重大工程之外来"旁观"情景，而要认识到有时正是重大工程本身和人的造物行为"制造"出了情景。

（4）重大工程有着充分大的未来情景空间。简言之，要树立未来什么情景都可能发生的理念，因为未来包含着现在与过去，但并不完全包含在现在与过去之中。

2. 重大工程管理情景认知

从重大工程管理活动重要实践背景出发，可提出如下的重大工程管理理论中的情景概念：情景是重大工程环境或重大工程-环境复合系统在整体层面上形成的宏观现象、现象的演化及形成该现象的可能路径。

在这一概念中，需要强调如下说明。

（1）无论在哪一个时间点上，对工程主体而言，现在、过去或未来都有情景的生成与演化，并且是一个连贯的过程。

（2）情景的生成与演化不完全是由人来设计和规定的。情景主要是包括人、工程与环境在内的复合系统的自组织结果。简言之，重大工程"情景"既是重大工程管理的背景与条件，它本身也是重大工程与管理 "制造"出来的。

（3）重大工程管理情景是一个有着复杂内涵的概念，特别是情景空间的广泛性、情景形成路径的未知性及情景的变动与演化等，都是一般意义上的情景所不具有的。出现这些独特性质并能形成一类专门的情景规则，主要与大尺度、复杂性，特别是与深度不确定性等概念紧密相关。

（4）情景的复杂形成过程与复杂形态决定了需要运用多种手段和方法来描述它，如可以用具有逻辑关联性但非因果性的语言进行叙事分析、用一定粗粒度的结构化的数学模型及计算机技术进行情景重构与生成。

12.2　重大工程管理理论的专题性概念

在重大工程管理理论概念体系内，专题性概念主要是对某一属性的抽象或是对管理职能的凝练，与重大工程管理实践之间相互有着更大的"渗透"能力。

12.2.1　管理主体与序主体：主体类概念

重大工程管理主体是指在重大工程管理过程的各个阶段担负某一管理任务（职能）的管理主体组成的主体群。在主体群中，我们称比其他主体具有更强话语权与决定权，在对主体之间协调时具有更大权威与裁量权的主体为管理主体群中的"序主体"。重大工程管理主体群中的一般主体会根据管理职能与任务的变化，从主体群中进进出出，但序主体在重大工程管理全过程中一般是稳定的。

总结起来具体包括以下几个方面。

（1）重大工程管理主体一般是个"群体"概念，即由多个相对独立的自主主体组成。在主体群中，一般有一个起主导作用的序主体。

（2）无论主体群还是单个主体，都可以通过组织程序与自学习行为及多种方式协商，涌现出更强的管理能力。

（3）重大工程管理主体群的组成与结构在整个管理过程中一般是变动的、柔性的。

（4）重大工程管理主体能力是指主体群的整体性能力，是在序主体主导和制度规约下主体群系统能力的整体涌现。

12.2.2　管理平台：组织类概念

重大工程管理组织可以理解为一个"平台"，它的本质职能并不是直接或者主要为重大工程管理问题提供具体的方法与方案，而是提供形成方法与方案的环境和条件。

要完整、有效地完成这一系列管理任务需要管理组织设计者特别是序主体完成以下任务。

（1）动态地选择与组合管理主体群中的各主体，并充分利用组织与自组织作用使主体群根据不同的问题需求，形成驾驭管理问题复杂性的能力以满足重大工程管理的需要。

（2）制定主体群内部的工作规则与流程来保证上述驾驭能力的形成和运行。

由此可见，对重大工程管理而言，"平台"最重要的功能主要不是自己直接提出和确定解决复杂性问题的具体方案，而是构建一种形成解决复杂性管理问题的环境和条件，并由这种环境与条件涌现出驾驭复杂性问题的能力，这是重大工程主体群，特别是序主体的一项根本性的管理职能。

这深刻地告诉我们，重大工程的管理组织模式其本质是一种管理"平台"设计与选择的结果。

12.2.3　多尺度：行为类概念

在重大工程管理活动中，同一个管理特征、要素、参量等会在同一个维度上出现可分辨次序的现象，我们称此现象为重大工程管理的多尺度现象。重大工程管理的多尺度概念是对重大工程管理活动中的某一管理特征或要素属性在一个维度上表现出的次序性与层次性的抽象，至于这一要素与特征是用定性方式描述还是用定量方式描述，并不重要。

典型的多尺度管理要素或者管理现象具体如下。

（1）时间多尺度。重大工程管理活动、现象与问题在不同的时间尺度内会表现出不同的属性与特点。

（2）空间多尺度。空间多尺度主要源于重大工程两个方面的特点：第一，重大工程体量规模巨大，自身就是一个大空间尺度的实体。第二，重大工程功能影响范围与作用空间半径尺度大。

（3）层级多尺度。把管理要素与问题分为宏观、中观与微观三个层级，即三个层级尺度，或者对一个复杂的决策问题的多个目标（指标），通过权重分析，建立基于目标序（重要性层级）的多尺度，并制定后序目标服从前序目标的规则，这是重大工程管理中的一类常见的多尺度类型。

（4）复杂性多尺度。在具体的重大工程管理活动中，"复杂性"不应该是"铁板一块"，而应有程度上的不同。例如，复杂性依据"严重性"或"强度"可以分为浅度、中度与深度三个尺度。其中，浅度复杂性大体为一般系统性，如重大工程质量、进度管理等专门职能型问题的复杂性；中度复杂性相当于工程的生成型功能和工程现场综合协调等问题的复杂性；深度复杂性包括涌现型功能分析、重大工程立项论证及工程情景发现与预测等问题的复杂性等。

（5）代理面多尺度。重大工程因其公共品属性，从而使"公众—政府—政府部门—专业机构—业主（序主体）—项目管理者"构成了以政府为主导的多层次"政府式"委托代理关系。它体现了重大工程组织模式的实质，也是重大工程管理理论体系中的"主体与序主体"概念的拓展，并形成对重大工程管理组织模式有重要影响的"递阶式委托代理原理"。在这一关系中，从政府逐渐往下构成的重大工程管理委托代理关系中，形成了代理面从大到小的多尺度结构。

（6）问题结构多尺度。在众多的重大工程管理问题中，有一类能清晰地表述出问题各个要素、各个部分之间的结构关系，能够用严格的推断与程序表示出问题的关联性与输入/输出关系的一类结构化问题，也有一类问题中的一部分或在一定程度上不能清晰和明确地表述出问题各个要素、各个部分之间的结构关系，或在某些关系或关联表述中含有不确定或模糊性成分的半结构化问题，还有半结构化问题中要素之间的关联性与逻辑性更加含混不清，甚至难以用清晰、准确的定性方法来表述的非结构化问题。

此外，在管理组织柔性程度、管理方案形成路径的迭代方式及管理主体多元化程度等方面也都有多尺度内涵的体现。

由此可见，重大工程管理中的多尺度概念是普遍存在的。其核心思想是在重大工程管理问题中，某一维度的管理要素的特征存在着一定次序的变化趋势，并且这一趋势导致了这一管理要素表现出不同的性质和特征，而这些性质和特征之间的差异性在重大工程管理实际活动与理论思维中需要区别对待而决不能视为"铁板一块"，需要重视它们的实际存在和造成的影响。实践证明，多尺度概念有助于我们更细致地认识、分析和应对重大工程管理问题的复杂性，并会促进人们在重大工程管理实际活动中的行为准则的形成。

12.2.4　适应性：行为类概念

由于重大工程管理活动一般都是在深度不确定的情境下进行的，而且管理问题又主要是各类复杂性问题，这就要求重大工程管理主体具有认知、分析和驾驭复杂性的行为能力。

在现实中，基于 John Holland 关于"适应性造就复杂性"的著名论断，管理主体根据外界环境与条件的变化，主动改变自身特性、行为、组织模式与功能等，使自身保持与新环境的协调以继续生存、发展和发挥作用，这种行为能力称为适应性。

根据上述概念的基本思想，不难理解，在重大工程管理活动中，主体是通过自己行为的适应性来提高认知、分析和驾驭管理复杂性的行为能力的。同时，由于重大工程管理活动的多样性及主体自身行为的自主性，主体的适应性行为也会呈现出多种不同的形态。

除了主体行为本身外，主体最主要的一类行为结果（即主体选择的管理方案）在某种意义下也表现出一种独特的适应性属性，即管理方案关于情景变动的适应性，这是重大工程管理在适应性范畴内最基本和最重要的两种类型。

1. 两类基本的适应性类型

第一种类型：主体行为的适应性。在重大工程管理活动中，主体行为的适应性是指主体通过与各方面广泛的交互作用，并在不断"学习"与"积累经验"过程中，形成和增强应对管理问题复杂性的能力。

（1）适应性是管理主体在重大工程管理活动中应对环境深度不确定和管理

问题复杂性所遵循的基本行为准则;

（2）主体适应性的强弱是衡量主体管理能力与水平高低的重要标志;

（3）适应性能力是管理主体自学习和自组织的结果,它是管理主体应对重大工程管理问题复杂性的一种"活"的主动性反应（包括提前反应）,也是问题复杂性与行为适应性两者相互耦合形成的管理活动整体行为。

第二种类型:管理方案的适应性。重大工程生命周期长,必须重视重大工程管理方案这一主体适应性行为结果表现出的另一种独特的适应性现象,即要求管理方案在环境出现深度不确定变动或新的情景涌现时,其功能效用还是"稳健"的,即不会因为这类情景变动与涌现而影响方案功能的正常释放,否则可能导致工程自身功能损伤甚至失效。管理方案的这一品质实际上向我们揭示了重大工程管理中的另一类适应性的科学内涵,即管理方案关于情景变动的适应性（管理方案的适应性）。

对于重大工程管理活动而言,管理主体行为适应性是最根本、起主导作用的,而管理方案关于环境情景变动的适应性则是主体行为适应性最重要的"质量"反映,也是最充分体现重大工程管理品质的属性之一。

我们把以上两种类型的适应性综合在一起,就形成了"管理主体行为适应性—行为能力提高—行为成果形成（形成管理方案）—管理方案适应性"这样一条基于适应性概念的逻辑链。

2. 主体适应性行为的意义

管理主体行为的适应性是在主体与环境、主体与主体交互及主体面对复杂问题的过程中,通过包括在实践中自我学习和不断总结经验而逐渐提高的。因此,主体的自学习行为就成为整个重大工程管理活动适应性的重要前提与主要路径。

（1）主体群共识形成的基本规律。

主体群在对复杂管理问题的由非共识向共识的演化过程中,一般都要通过对个体不同认知进行比对、筛选与修正,并在反复多次的互动下,最终使主体群的认识逐渐收敛并形成共识。这既是主体群新的整体认知的涌现,也是主体群适应性能力的涌现。

（2）主体群共识形成的基本过程。

主体群共识形成由以下四个阶段构成。

一是集成:这一阶段的主要任务是根据问题特征和解决问题的需求,选择主体个体并由序主体设计管理平台的运行规则。

二是互动:对于复杂问题,专家个体对问题的看法不仅有差异还会有冲突,这时,需要主体彼此之间通过讨论与学习调整对问题和解决方案的认识。

三是校核：校核过程实际上是对主体群共识在工程可行性和现场可操作性意义上的检验，是工程技术对工程理念、工程现场对工程原理的检验，也是工程思维和理论思维的深度结合过程。

四是共识：在主体群对一个复杂工程管理问题形成的共识中，往往会产生新的知识。在运用这类新的知识时，要遵循工程思维原则，因地制宜，不能一味强求。

主体群共识形成的基本过程如图 12.1 所示。

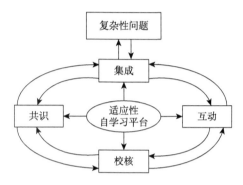

图 12.1　主体群共识形成的基本过程

12.2.5　功能谱：目标类概念

我们以时间尺度与"重大工程–环境复合系统"复杂性为维度来分析重大工程功能谱概念（图 12.2）。

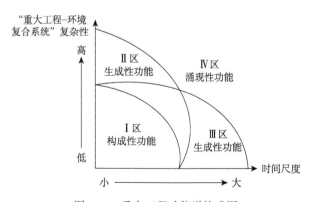

图 12.2　重大工程功能谱构成图

区域 I 中，重大工程功能主要表现为通过工程硬资源直接构成的一类最基本、最直接的物理功能，称为构成性功能。

区域Ⅱ内，重大工程-环境复合系统内部的相互作用在更高层次上自组织生成的新功能，称为生成性功能。

区域Ⅲ内，大时间尺度导致工程环境可能会出现强烈的变动与演化，进而有可能会对工程立项设计的功能有效性造成较大干扰和冲击，也可能会产生另一类衍生和拓展功能，这些都属于一类生成性功能。

区域Ⅳ内，除了大时间尺度与重大工程-环境复合系统复杂性各自独立产生的影响外，二者之间还会相互作用并在不同系统层次上引发更多、更复杂的情景现象。这时，新的复合系统更多的是以功能涌现与功能隐没的方式出现，我们总称为涌现性功能。

重大工程的功能具有从构成性功能依次向生成性功能和涌现性功能拓展的整体趋势，这可以看作重大工程功能结构的普遍规律，我们称这类重大工程功能类型的有序排列为重大工程功能谱（图12.3）。

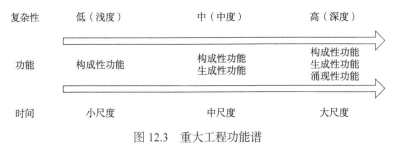

图 12.3　重大工程功能谱

重大工程的功能设计反映了人对工程建设目标的认定，因此，功能谱也是一个与人的工程目标（目的性）紧密关联的概念。通常情况下，随着工程从一般工程逐渐向重大工程演进，人的工程目标也从单目标、多目标向目标体系演进。这时，人的目标维度或目标层次在不断增加。现在，功能谱概念使我们不但在维度和层次上丰富了工程目标的含义，而且在同一个维度上还拓展和深化了工程目标。简单地说，人的重大工程目标不但有层次与维度的区别，而且有"谱度"的区别。正是功能谱概念告诉我们，即使人们对重大工程目标的设计都是"善意"和"用心良苦"的，也有可能生成和涌现出"反其道而行之"的功能。这不仅丰富了我们关于重大工程目标的认知，还告诉我们，重大工程目标设计的风险远远大于一般工程。在这个意义上，重大工程功能谱也可以理解为重大工程的"目标谱"，其中有些目标是构成性的，而有些目标则是生成性的甚至是涌现性的，即重大工程目标既包括主体自身的"他组织"成分，又包括人造复杂工程系统的"自组织"成分。

12.3　概念体系的逻辑化与系统化

本章我们提出了 9 个基本概念作为构建重大工程管理理论概念体系的一次尝试。重大工程管理理论的概念，是对管理实践活动各个主要环节及重要组成要素本质属性的凝练与抽象，是人们对重大工程管理活动认知的基本单元。为构建重大工程管理理论而提出的基本概念，要能够从根本上体现管理活动与管理问题属性的同一性、普遍性与规律性，而不可能像在一个已经成熟的理论体系中那样，为了研究一个具体问题而提出某个说明性概念，这样的说明性概念往往缺乏理论思维原则的同一性与理论拓展意义。

那么，本章提出的 9 个基本概念能否符合上述要求并在概念之间形成逻辑化与系统化关联，这将决定我们拟构建的重大工程管理理论是否具有可靠的、扎实的基础，是一件重要的事。

为此，我们先回顾本书关于重大工程管理理论思维原则的论述：不论重大工程管理理论研究的是怎样的问题，问题的本质属性都被规定为复杂性。这一论述虽然简洁，但以它为准则确实能检验我们前面提出的基本概念的品质和意义。

在介绍上面基本概念时，对它们的实际管理活动背景，包括现象、情景及主体行为等都做了具体说明与描述，由此能够清楚地看出，9 个基本概念都源于重大工程管理的实际活动与现象，因此，它们都有着重大工程管理的复杂性属性的"根"，即所有的基本概念都"实质性"地遵循了重大工程管理理论的思维原则。

（1）重大工程–环境复合系统。这一概念抽象了重大工程建成后与原来工程环境集成在一起形成的新的复合系统，由于该新系统中除了包括工程区域原来的社会、经济与生态等复杂系统外，又增加了新的复杂人造工程实体，故增加了复合系统的系统复杂性，特别是该系统在长时间尺度内，可能演化与涌现出新的系统整体行为与功能，更体现了重大工程管理的系统复杂性。

（2）管理复杂性。这一概念包含了重大工程环境、多主体、主体能力不足与工程系统高度集成化形成的各类复杂性。它既包括了重大人造工程系统，又包括了重大工程–环境复合系统的复杂性；既包括了重大工程管理活动各环节与主要要素的复杂性，又包括了管理活动整体复杂性。因此，该概念全面梳理了形成重大工程管理复杂性的主要原因，为我们针对不同类型的复杂性问题选择不同的管理方案提供了指导。

（3）深度不确定。深度不确定既是对形成重大工程管理环境与问题复杂性重要原因的深刻揭示，也是对重大工程主体行为特征原因的高度概括，特别是由于深度不确定是引发重大工程管理复杂性的直接或间接原因，故这一概念进一步深化了对重大工程管理本质属性的描述。

（4）情景。这一概念主要是指重大工程环境或重大工程-环境复合系统在整体层面上形成的宏观现象、现象的演化及形成该现象的路径，指出了有时正是重大工程本身和人的造物行为"制造"了复杂性情景。关于情景概念的这一系列内涵重构，大大深化了我们对重大工程管理情景复杂性的认知。

另外，情景的复杂形成过程决定了对其一般规律的研究不能采用传统的分析与预测方法，而要采用包括计算机实验在内的多学科综合方法，因此，该概念还将极大丰富重大工程管理理论研究的方法论。

（5）主体与序主体。重大工程主体实际上是由多个自主主体组成的主体群，其中，起主导作用的主体为序主体。这一概念不仅清晰地指出了重大工程管理主体群是个有结构、有层次的复杂系统，还指出了主体群能力是在序主体主导下的整体能力的涌现，清楚地揭示了重大工程管理主体能力形成的复杂性。

（6）管理平台。管理主体群在实际的管理活动中是以管理组织职能形态出现的，但因为管理问题的复杂性，重大工程管理组织的核心职能已不再是直接制订各类管理方案，而是构建平台提供必要的环境与条件，使主体群能够涌现出驾驭管理复杂性的能力，这同时揭示了重大工程管理组织模式的科学内涵。

（7）多尺度。该概念进一步凝练和抽象了在重大工程管理活动中，一类管理要素属性在一个维度上可分辨次序性变化的现象，这对于精细辨识与分析重大工程管理问题的复杂结构有着重要意义。

（8）适应性。这一概念紧紧围绕着管理主体自身行为复杂性，既描述了其行为表现与特征，又刻画了主体行为的主要结果（提出的管理方案）与环境复杂性的整体耦合程度。因此，这一概念充分突出了重大工程管理活动中最重要的主体行为基本准则及行为结果的品质。

（9）功能谱。从重大工程自身和"重大工程-环境复合系统"的复杂性出发，揭示了重大工程功能所表现出的"严重"的复杂性。例如，它同时具有结构化的构成型功能、半结构化的生成型功能及非结构化的涌现型功能，即不但在功能结构上有"多维度"特点，而且在同一维度上还有反映功能类型有序排列的"多谱度"概念，"谱度"实际上是对重大工程功能和目标复杂结构的刻画。

由上面 9 个基本概念的分析可以看出，本章所有的基本概念都是对重大工程管理活动重要环节与要素的复杂性属性的提炼和抽象，即使有些概念的科学术语，如复杂性、情景等在其他学科已经存在，但在这里都进行了概念内涵的重构，不仅嵌入了重大工程管理活动复杂性的本质属性，还注入了重大工程管理活动形态的规定性。相反，如果我们仅仅把复杂系统科学、物理学、生物学现成的类似概念简单、直接地移植过来，那不可避免地使理论体系核心概念"标签化"和"泡沫化"，失去理论构建的学理意义。

进一步地，重大工程管理理论是对包括环境、主体、客体、目标、行为等基本要素的管理活动和问题的理论思维成果。因此，必然遵循活动和问题的客观逻辑性与人的思维逻辑性。也就是说，作为理论体系的基本概念不能"孤立化"与"破碎化"，不但要能够对重大工程管理活动与问题有较好的整体覆盖，而且彼此之间还要有较紧密的逻辑关联，即在理论体系中，基本概念除了在内涵上要充分保证源于重大工程管理活动实践外，还要充分体现概念之间的系统化与逻辑化，否则，人们无法以概念为基础，并通过概念与概念的组合，形成理论体系中的基本原理与科学问题。

现在，让我们就来检验一下上述提出的基本概念是否具有这样的逻辑关联性。

（1）重大工程-环境复合系统：重大工程管理客体（包括环境与工程本体）的整体性抽象。

（2）管理复杂性：重大工程管理主体、客体与环境共同本质属性的抽象，它直接体现了重大工程管理理论的思维原则。

（3）深度不确定：重大工程主体、行为与环境特征的抽象，也是重大工程管理本质属性原因的提炼。

（4）情景：主要是对重大工程管理环境特征，特别是环境演化特征的抽象。

（5）主体与序主体：重大工程管理主体群复杂结构的抽象。

（6）管理平台：重大工程管理组织职能复杂性的抽象。

（7）多尺度：重大工程管理主体行为准则与行为结果品质的抽象。

（8）适应性：重大工程主体、平台基本行为准则的抽象。

（9）功能谱：重大工程人造系统功能与主体关于工程目标复杂结构的抽象。

由此可见，这些概念包括了重大工程管理环境、主体、客体、组织、目标、思维原则与行为准则等，较好地覆盖了重大工程管理活动的核心要素，特别是它们不但紧紧围绕着复杂性本质属性这一核心，而且在一定的逻辑关联下，它们能够形成重大工程管理活动与问题的基本逻辑框架，并清楚地表述了在重大工程管理活动中各自的职能与作用。

由此可见本节提出的 9 个基本概念具有良好的系统化与逻辑化"品质"，这也是本书拟构建的重大工程管理理论体系良好"品质"的前提与保证（图 12.4）。

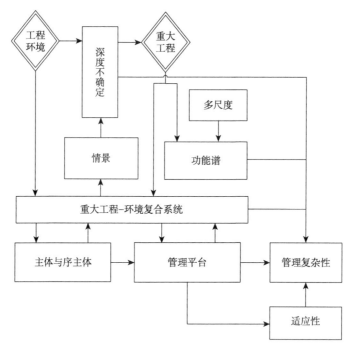

图 12.4　基本概念逻辑化与系统化

　　上述 9 个概念在一定的学理意义上的确是重大工程管理理论体系中最具基础性、概括性、拓展性与覆盖性的基本概念。另外，随着理论体系的不断拓展，特别是到了理论体系的科学问题层面，还会在具体的科学问题范围内产生新的概念，并逐渐丰富和拓展概念体系的层次与结构。例如，在重大工程深度不确定决策科学问题中出现了情景鲁棒性概念；在重大工程现场管理科学问题中出现了战略资源供应链概念；等等。这些都反映出重大工程管理理论体系所具有的旺盛生命力。

第13章 重大工程管理理论的基本原理

重大工程管理理论中的基本原理主要包括管理主体行为的基本准则与管理活动的运作规则，是人们对重大工程管理活动实践经验的固化与基于基本概念进行逻辑推理形成的论断。

13.1 复杂性降解原理

复杂性是重大工程管理的本质属性，意味着重大工程管理的核心与关键应当是如何应对和驾驭管理问题的复杂性，即从思维层面上讲，应把问题复杂性尽量减少与降低。换句话说，管理主体分析和解决重大工程管理问题的基本行为准则应当是复杂性降解。

13.1.1 复杂性降解基本原理

在重大工程概念与认知的抽象阶段，人们主要依据理论思维把工程硬系统的属性进行抽象并将属性之间的关联系统化，形成复杂工程属性的逻辑体系，我们称此体系为工程虚体。重大工程虚体的主要表征是工程要素属性的系统复杂性。

工程虚体通过工程要素属性的逻辑化与系统化，确立并丰富管理主体对重大工程整体属性与功能的认识；支持主体构建工程实体的筹划，并以此通过对工程要素属性之间的各种关联关系的推断，指导重大工程管理活动。

另外，工程虚体既然是人们依据理论思维建立的工程要素属性与关联的逻辑体系，因此，即使同一个工程的物理复杂性形态，也可能由于主体思维方式不同而形成不同的虚体工程。我们可以利用虚体工程形成过程的这种"可变性"，在不改变工程固有复杂性的前提下，设计某种技术路线来"降低"和"分解"该工程的固有复杂性。许多时候，这仅仅表现为一种概念化和逻辑化形态，并没有真正影响和破坏工程客观固有的复杂性。但是，它却能够在一定粒度与性能意义上，帮助我们更清晰、简便地认识和分析原本难以理解与认识的工程固有的复杂性。

在真实的工程管理活动中，特别是到了工程实体的具象阶段，管理主体还是要完整地面对重大工程实体固有的属性及其关联，特别是那些在很大程度上决定了重大工程物理复杂性的主要属性及关联。因此，这时要实实在在依据实体思维，把重大工程各种属性、关联及其固有的复杂性整合为一个完整的工程实体。

这意味着，管理主体在认识和分析重大工程要素属性与关联性时，可以充分利用工程要素属性及关联的逻辑体系对重大工程管理复杂性认知的"可变性"，通过各种可行路径在思维层面上适当、合理地"降低"或者"分解"系统复杂性（简称复杂性降解），帮助我们搞清楚复杂性背后的道理，缓解管理主体在管理活动中认知复杂性的困难和能力不足，帮助管理主体发现管理复杂性规律。

进一步地，在实际的重大工程管理活动中，又需要管理主体运用实体思维面对具体的工程物理实体"还原"其真实的复杂性，决不能因为虚体工程思维的"可变性"对重大工程实体的复杂性有任何实质性的"破坏"或"损伤"。

由此可见，复杂性降解的完整过程，需要充分体现和保证虚体思维与实体思维相结合、重大工程个性特征与一般属性规律相结合的原则。总体来说，在重大工程管理前期，主体可依据工程虚体"可变性"原理，通过假设与理想化的"降解"行为，帮助和支持管理主体对管理复杂性的认知与分析，并在重大工程管理中后期，通过实体思维"复原"工程固有的物理复杂性，以保证重大工程实体造物的真实与完整，这就是复杂性降解基本原理。

13.1.2 基本降解路径

1. 提高管理主体认知的降解路径

主体的复杂性管理能力在于其学习能力，管理主体自学习是提高管理主体认知能力并"降低"问题复杂性的重要途径。

2. 改进管理方法的降解路径

为了降解复杂性，还可以通过改进管理方法来实现，具体如下。

（1）凝练与统筹管理目标。管理目标凝练是在目标设计的基础上，对重大工程的构成性目标、生成性目标及涌现性目标进行筛选、合并与提取，突出和保证战略型、基础型目标的地位。

（2）工程未来情景的"紧缩"：①以管理主体群的经验与知识为基础，"锁定"未来情景空间内的一些具体的、特别有意义的情景；②把未来情景视为对环境状态的预测，通过设定一些条件和参数来生成未来情景；③设定未来情景空间内的一个子空间，依据一定的理由认为未来情景在这个子空间内的可能性要大得多；④设定一些有特定含义的情景作为未来情景的阈值，即规定在阈值附近的一个小范围内的任何情景都是可接受或者不可接受等。

（3）管理方案的比对与迭代。管理主体经过多次比对、调整、逼近，将整体性的问题复杂性化解为分阶段、分领域、相对简单的复杂性分析和处理，并最终获得解决方案。

3. 关联性切割的分解路径

重大工程管理要素的这类强关联和高集成引发的管理复杂性，我们称之为重大工程管理中的关联复杂性。重大工程关联复杂性增强了管理复杂性。

重大工程管理要素关联性在切割前要根据属性关联方式进行分析，并按照下面的原则进行。

（1）对一类在关联网络中存在相对薄弱的关联情形，可以从相对薄弱处切割，被切割的各个部分的复杂性一定有所降低，然后再对它们进行"拼装"，恢复成原系统（图 13.1）。

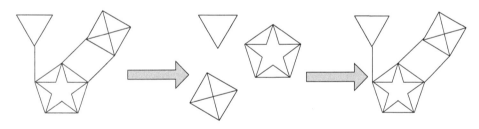

图 13.1　关联系统各个部分切割与拼装

（2）对一类不存在上述相对薄弱关联的情形，可以简化关联模式和强度进行"隐形"切割，降低复杂性后再综合。

不论采取何种切割方法，决不能在重大工程管理活动中对实际存在的管理要素物理性关联进行实体意义的肢解和破坏，否则将损坏重大工程固有的管理复杂性。

13.1.3　复杂性降解的"度"

首先，任何对复杂性的降解，都绝对不能把系统复杂性降解为一般系统性甚至简单性，即不能一味用还原论思维来降解复杂性。

其次，复杂性降解是在工程虚体层面上帮助管理主体认知和分析管理复杂性的一种辅助手段。因此，凡是管理主体有能力，或者能力有所提高并能够驾驭复杂性时，就可以停止降解了；否则，可以继续进行降解，但这往往要在逐步降解过程中综合考虑管理主体在后面"修复"原来固有复杂性的能力与成本有多大。

一般地，复杂性管理问题相对集中在工程前期和中前期，而在工程建设中后期和后期，总体上管理问题的复杂性会逐渐衰减，因此，在前期较为集中的复杂性降解过程中，拟把复杂性问题降至在项目管理范畴内能够解决，就是有效和恰当的复杂性降解的"度"。

13.2　适应性选择原理

13.2.1　适应性选择的科学内涵

在一般性意义上，"选择"是重大工程管理活动的基本形态，也是管理主体在管理活动操作层次上最普遍和最基本的行为。典型的选择行为包括规划论证方案的选择、投融资方式的选择、组织模式的选择、承包商和供应商的选择、管理制度设计选择、技术标准选择等。必须看到，主体的所有选择行为都是在现实的深度不确定环境和问题客观的复杂情景中进行的。因此，主体必然要从复杂性降解的"工程虚体思维"回归到对复杂性的"工程实体思维"中来，这就要遵守主体现实行为的适应性选则。

适应性选择具有以下内涵。

首先，适应性是主体选择行为的目标。重大工程复杂性要求主体采用目标适应性思维，而非最优化思维。在实际选择过程中，第一，提高主体自身的自适应学习能力，提高主体认知与分析能力；第二，坚持选择是一个不断试错、迭代、逼近的过程，不能"一蹴而就"。

其次，适应性选择是主体在操作层面上对复杂性降解的"补偿"。复杂性降解是主体面对管理复杂性最基本的思维原则和先导性目标，但降解只是主体在认知和分析问题过程中的一种"虚体化"假设，而在真实的重大工程造物活动中，工程固有的现实复杂性依然存在。所以，还需要主体将工程客观复杂性从"虚体"还原到"实体"，这需要调整自己的行为。无论是客观还原，还是主观调整，主体有限理性决定了这必然是一个不断试错、修正的选择过程，因为只有经过多次选择，才能形成逐渐逼近问题真实复杂性的认知序列，并以此序列为基础构建和重组解决问题的方案。因此，可以认为，适应性选择是对复杂性降解所造成的关于复杂性"偏差"与"损伤"的一种补偿和复原。

最后，适应性也是主体选择过程中自身行为准则与行为能力的标志。任何重大工程管理方案的形成过程都需要主体在适应性自学习基础上通过对方案复杂性进行比对和对方案进行选择，以保证方案的可行性和其他品质。这样，凡是对重大工程复杂问题方案进行选择时，主体自然都要采用适应性自学习路线，这就是主体适应性选择过程中自学习行为的基本内涵。

这样，适应性选择就成为重大工程管理活动中主体最重要的一类实际操作方式，也成为重大工程管理活动的基本原理之一。特别是，如果把它与复杂性降解原理联系在一起，不难看出，这两个原理都是以主体行为为核心，共同形成了重大工程管理活动新的综合行为准则。其中，"降解"在思维层面上通过工程实体的"虚体化"帮助主体认识和分析工程管理复杂性，而基于适应性原则的"选择"又在操作层面帮助主体从"虚体化"思维回归到"实体化"实践。因此，主体既利用了降解思维提供的认知启发，又在操作层面避免了"虚体化"可能导致的认知偏差。这在一定意义上是复杂系统科学通过还原论与整体论综合形成的系统论，也是重大工程管理主体在管理活动中基于复杂整体论的行为体现。

在重大工程管理实践中，适应性选择可分为被动式适应性选择和主动式适应性选择。

被动式适应性选择如图 13.2 所示，是指从一个备选方案出发，通过分析、模拟等主体适应性自学习，最终将备选方案变为"满意方案"。在工程实践中，这种被动式适应性选择通常出现在已经基本确定某个备选方案，但需要对它进行局部修正时。

图 13.2　被动式适应性选择

主动式适应性选择如图 13.3 所示，是指从多个备选方案出发，通过比对、筛选、修正等主体适应性自学习，最终确定一个备选方案为"满意方案"的行为。在工程管理实践中，主动适应性选择应用非常广泛，通常多在同时出现几个差异性较大的备选方案，并需要进行同等深度比对时运用。

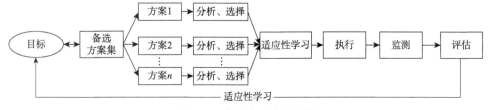

图 13.3　主动式适应性选择

13.2.2　适应性选择的管理策略

为提高选择适应性，需在以下三方面优化设计。

1. 管理目标的适应性选择

实践中，重大工程管理目标具有主体偏好、复杂性和冲突性。为了不因目标集合对总体目标造成影响，需要进行适应性选择。

首先，要依据目标多元化、层次性、关联性、均衡性和优先权等构建合理的多目标体系。其次，目标选择需要在宏观上遵循局部服从整体原则和技术、管理可行原则，在微观上权衡目标时间、资源、收益、风险等。

2. 管理组织的适应性机制

重大工程管理组织作为管理平台，其自身要有适应性机制。这样，平台才能提供主体群开展适应性选择的基本环境。平台如何形成适应性机制呢？

第一，组织平台根据问题、主体、资源和环境四个要素设计适应性机制；第二，平台要根据上述四个要素的动态变化调整适应性机制。

3. 管理方案的适应性评估

考察重大工程管理方案质量的核心与关键是管理方案能否在工程长生命周期内持续发挥其功能，并对环境可能产生的情景深度变动保持稳健。

综上所述，适应性选择是重大工程管理主体的基本行为准则。在管理实践中，其内涵是通过对目标的适应性选择和对管理组织平台适应性机制的设计来提高管理方案的适应性。

13.3　多尺度管理原理

在重大工程管理问题中，某一维度的管理要素属性存在一定次序性的变化趋势，而且这一趋势将导致这一管理要素依维度表现出明显不同的性质和特征，需要我们在重大工程管理的实际活动和理论研究中仔细分辨和区别对待。这样做会提高分析管理要素的精细程度与重大工程管理水平。这意味着，无论是在实践层面，还是在理论层面，重大工程管理活动都要关注和加强对多尺度属性的分析与管理。

13.3.1　多尺度管理基本内涵

重大工程管理要素属性基于不同尺度引起的差异性对于重大工程管理活动内容及管理效果有着重要影响，并且往往正是这些差异性形成了重大工程管理活动某一方面的复杂性，因此不能简单化地对这些差异性不加区别。多尺度管理是指在重大工程管理活动中，同一维度管理要素属性基于尺度产生的特征差异性，并针对这些差异性构建相应的不同管理原则与方法，从而使管理活动更加精细。

对重大工程多尺度应该如何管理呢？从多尺度自身内涵的逻辑出发，主要可以从下几个方面考虑。

13.3.2　多尺度管理：多尺度划分与特征提取

首先，要不要进行尺度上的划分。主体要依据要素不同尺度对问题的影响程度及问题的精细度要求来决定是否进行尺度划分。

其次，如何对要素进行尺度划分。当主体进行划分尺度时，一般无法按照明显特征划分，可按直观上可划分要素的边界进行分割。

再次，如何提取各个尺度上管理要素的特征。划分多尺度是一种有着高度目的性和实践性的管理行为，其重要依据是在提取管理要素不同尺度特征前提下，开展管理问题与要素不同特征之间的关联分析，特征的同一类关联基本上应该属于同一尺度。

最后，如何充分利用多尺度特征的作用。这里需要完成的工作是在准确地提取各个尺度下要素特征的基础上，如何对尺度特征进行表述或提取、如何清楚分析和建立各类特征与管理问题之间的关联作用与相互影响。

13.3.3　多尺度管理：多尺度向维度的综合

对一个维度上的管理要素进行多尺度划分，在某种意义上可以看作主体在理论思维层面上的一种复杂性降解手段，而重大工程管理实践活动又要求我们不但要有面对虚体工程的尺度划分，而且要有面对实体工程的尺度向维度的整合，即需要我们把管理要素由多尺度"综合"至原来维度，在原来维度上整体性地研究管理问题，得到在维度整体意义上的复杂性。

总体上讲，多尺度管理主要由以下两个阶段组成。

（1）基于还原论思维进行尺度划分，并通过提取不同尺度特征，分析要素的关联性及要素对管理问题的影响。

（2）基于整体论思维对多尺度分析进行维度层次上的综合，形成在维度整体意义上对管理问题属性的认知。

这样两个既包括还原论尺度划分，又包括整体论维度整合的阶段集成在一起，就形成了在系统论意义上的多尺度管理。

关于多尺度管理的具体技术与方法，在"多尺度划分"阶段，这时更多地集中于管理要素中的某一部分复杂性，一般多采用系统分析技术和方法。在"维度整合"阶段，主要是整体论思维原则的体现。因此，一般拟采用管理目标（功能）的统筹方法和各类综合评价技术，如专家定性综合评价、聚类分析、模糊综合评价、计算机仿真、交互式多目标综合评价等。

综上，多尺度管理基本原理是在重大管理活动中对管理要素属性进行多维度分析的基础上，对同一维度管理要素属性进行多尺度划分、分析属性不同尺度特征对管理问题的影响，进一步以多尺度分析为基础向整体性维度进行整合。

13.4　"迭代式"生成原理

基于"适应性"准则的"选择"是重大工程管理活动中主体最普遍和最基本的行为。但是，在理论上还应该了解主体"选择"行为在实际操作层面上的一般规律，如需要进一步搞清楚主体"选择"行为的主要目的导向、"选择"行为的基本程序及"选择"过程中技术路线的特征等。这实际上是管理主体在重大工程管理活动中的一类基本行为准则。

13.4.1　选择过程中的主体行为迭代性

从工程思维的角度看，主体全部选择行为，或者选择的全部目的，都是为了提出和确定好的解决管理问题的方案，这是主体选择行为的根本目的。

对一个相对简单的工程管理问题，一般可以采用明确目标、严格分析、建立模型及优化技术，从若干可行方案中选择解决问题的"最优"方案。我们称这一类方案生成方式为"最优式"生成原理。但是，对于重大工程管理中的复杂性问题，主体只能根据"适应性"准则以自适应行为来应对问题的复杂性，如主体要通过自学习途径提升自己的知识与能力。就问题而言，主体还要对问题复杂性进行降解、对管理目标进行凝练与综合、对问题属性进行多尺度划分等。主体在实际中的操作过程如下。

1. 主体"第一层次"迭代

主体为了提高自身的选择能力，必须开展自学习活动，即通过学习把研究成果移迁到问题情景中去，这是主体认知思维的一个自我迭代过程。这一类发生在主体个体身上的迭代行为，我们称为"第一层次"的迭代行为，它是重大工程管理方案选择过程中最基础的一类迭代行为。

2. 主体"第二层次"迭代

由于重大工程管理问题涉及政治、经济、技术等多领域，所以必须由一个多领域个体组成的主体群来协同解决。为解决不同问题，需要在序主体的主导下，不断对主体和主体群进行适当变换以形成一个新的主体平台。从选择过程的视角看，这既是管理主体群又是管理平台在重组或重构意义下的不断迭代，正是通过这种迭代，管理平台适应性地产生了与所需解决问题相匹配的事权和能力。这是在重大工程管理方案选择过程中，一类发生在主体群中的迭代行为，我们称为"第二层次"的迭代行为，它是重大工程管理主体行为选择过程中的管理平台层次或管理组织意义上的迭代行为。

管理平台的迭代不是目的，它只是为了高质量完成管理方案选择的组织保证。进一步地，需要主体群在这一平台的动态迭代基础上，采用一种有效方式完成好管理方案的选择。

3. 主体"第三层次"迭代

在方案选择操作层面上，主要由对方案的纵向或横向"迭代"所构成。在这一过程中，无论是主体的综合评价、认知提升还是主体群对方案共识的形成都体现为一种"不断比对、逐步逼近、最终确定"的普遍模式。这是在重大工程管理方案选择过程中，一类发生在主体群共识形成上的迭代行为，我们称为"第三层次"的迭代行为，它也是重大工程管理方案选择过程中最高层次的迭代行为。

综上所述，重大工程管理方案的选择行为在操作层面上，表现为一种由"主体个体自学习迭代—主体群平台迭代—主体群共识形成迭代"组成的三个层次相互反馈的综合迭代模式。具体程序是主体不断对某一阶段性的方案进行纵向或横向比对、调整和修正，甚至推翻原方案再重新设计新方案这样一个不断迭代的过程，最终以逐次迭代方案序列逼近最终方案。

从理论思维看，如果重大工程某个管理问题存在一个"最优方案"，那主体在现实的方案选择过程中，是通过一个不断比对与修正的迭代过程向这一"最优方案"逼近，我们称此为重大工程管理方案的"迭代式"生成原理，并常以"比对、迭代、逼近"概括其整体操作程序与过程。

"迭代式"生成原理是把问题的整体复杂性分解到方案生成过程中的各个阶

段，不但使主体在每个阶段遇到的复杂性只是整体复杂性的一部分，而且采用了多次适应性迭代形成的方案序列逼近问题最终方案，这种实际操作行为既体现了主体的复杂性降解准则，又体现了适应性选择准则。

13.4.2 选择过程中技术路线的迭代性

重大工程管理方案的"迭代式"生成原理在操作层面上，集中表现为主体的比对行为，而比对所采用的基本技术主要是综合评价，其关键技术路线包括评价目标的综合与定性定量相结合的综合评价技术。在实际操作过程中，它们自身也都体现出鲜明的迭代性特征，具体说明如下。

1. 综合目标比对的迭代性

在综合评价过程中对目标的处理，需要主体对每一个阶段的目标进行筛选或合并，对目标之间的关联性进行判断。

2. 定性与定量综合集成的迭代性

对于重大工程管理方案，结构性设计多采用定量方法，非结构性部分多采用定性方法，问题的整体性方案会采用综合方法，这些方法都是不断迭代的过程。

13.5 递阶式委托代理原理

重大工程管理主体群在管理活动中形成了一个多层次和结构复杂的管理平台，同时也是一个遵循一定机制的管理组织。随着重大工程所有权与决策权、管理权、建设权、经营权逐渐分离，产生了工程主体之间的一种递阶式委托代理关系。这一关系使得重大工程组织平台除了具有多层次、多尺度等系统复杂性外，还呈现出"多主体协调"与"权力配置"等管理复杂性。

13.5.1 重大工程递阶式委托代理关系概述

公众—中央政府—地方政府—项目管理者—承建单位这一委托代理链在整体上形成了重大工程管理组织的递阶式委托代理关系链，简称为重大工程递阶式委托代理关系或政府式递阶委托代理关系，如图 13.4 所示。

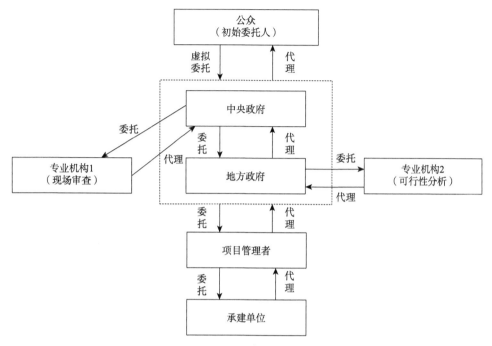

图 13.4　重大工程递阶式委托代理关系图

由于主体群中各委托主体与代理主体的异质性，故要通过一定的机理才能实现稳定的委托代理关系。这一机理既要充分体现政府的行政主导作用，又要体现市场资源配置作用，并形成对相关方都有约束力的"行政—市场"协同的组织契约关系。正是这种契约关系保证了重大工程管理组织的稳定结构和整体能力，这种整体性的契约关系体系及其稳定运行动力学就是重大工程委托代理原理。

在重大工程递阶式委托代理链中，主要包括公众与政府、各级政府机构间、政府与专业机构间、政府与项目管理者、管理者与承建单位间这五类委托代理关系。

13.5.2　重大工程递阶式委托代理的特征

（1）委托代理关系的统筹性。重大工程任务众多，参与主体目标复杂，委托代理关系需要充分体现工程目标、主体行为、管理要素关联及外部环境等综合关系的统筹性。

（2）委托代理关系的动态性。重大工程参与主体多、各阶段主要管理任务变化大，工程管理者需要在不同阶段形成由不同主体组成的动态委托代理链。这实际上也是重大工程管理组织平台的动态重组与演化。

（3）委托代理主体地位的双重性。当权利和职能沿工程管理组织层次由上而下移动时，每一委托代理主体（除最上和最末端），往往既是委托人又是代理人，具有双重地位。

13.5.3　重大工程委托代理的"递阶式"机理

重大工程委托代理的"递阶式"机理，本质上是指各主体之间存在着资源流或信息流的传递与转换。其一，从委托方到代理方与从代理方到委托方的关系属性是不同的，前者主要是资金流和信息流，后者主要是知识流和技术流；其二，资金流与信息流从初始委托人公众，逐步流经各级政府、管理者，最终到达代理人施工方的过程，也是资金流与信息流逐渐被转化为工程实体的过程（图13.5）。

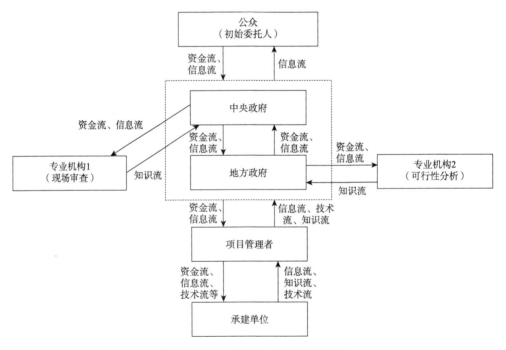

图 13.5　重大工程委托代理流的传递

当今的重大工程一般都是在市场经济环境下的造物实践活动，重大工程实体既体现了一定的公共品属性，也体现出一定的商品属性。因此，重大工程委托代理关系整个是在市场环境下进行的，故这里的委托代理关系应更准确地表述为市场条件下重大工程政府式委托代理原理。

13.6　基本原理的逻辑关联分析

在前述 5 个基本原理基础上，本节在整体上做一个逻辑关系分析。

根据理论思维原则，如果对重大工程管理活动中的现象与问题进行抽象分析，并提取其中最根本、最普遍的两个要素，即主体与复杂性。

主体是在重大工程管理活动中起着主导作用，并具有认识与实践能力的人与人群。没有主体，就没有重大工程管理活动。

复杂性是重大工程管理活动中最重要、最能体现重大工程管理特征的本质属性。没有复杂性，就不是重大工程管理活动。

重大工程管理理论中的原理既要在理论思维的属性认知上充分反映重大工程管理的本质；又要在工程思维的价值意图上充分体现重大工程管理活动的特征，还要在两者结合上实现理论的系统性与逻辑化。所以，原理必须围绕着主体与复杂性这两个最根本、最普遍的要素，充分揭示重大工程管理活动中主体行为与对象特征的基本规律。能否做到这一点，是衡量重大工程管理理论中基本原理学术质量的主要标准。

下面我们就这个问题进行论述。

在本章内，我们一共提出了复杂性降解、适应性选择、多尺度管理、"迭代式"生成与递阶式委托代理等五个基本原理。

首先，根据重大工程复杂性在其物理背景、系统内涵与管理活动之间的相互转换规律，突出了复杂性这一本质属性在重大工程管理活动中的重要地位，而"复杂性降解"原理提出了主体可以充分利用对工程虚体复杂性认知的"可变性"，适当、合理地"降低"或者"分解"复杂性，以缓解主体在认知复杂性过程中的困难与能力不足，这是主体在重大工程管理活动中最基本的行为准则与主导性目标。

主体的行为适应性既造就了复杂性，同时也成为"对付"复杂性的一种手段。因此，主体可以通过把适应性原则"嵌入"工程决策方案选择、组织模式选择、承包商与供应商选择等过程中，形成一类在管理操作层次上以"适应性"为主要特质的行为准则，并以此作为对复杂性降解的"补偿"，它比"复杂性降解"更具操作性和可实施性。

其次，根据"复杂性降解"原理，主体可以对管理活动普遍存在的多尺度现象进行必要的尺度划分，分析不同尺度特征对管理问题的影响，把管理要素复杂性精细化，并在此基础上分类开展"多尺度管理"的管理活动。

　　这样，在主体的适应性选择与多尺度管理两个行为准则的共同作用下，主体的降解复杂性行为有了可遵循的基本"抓手"，主体驾驭复杂性的可操作性与实际能力也增强了。

　　再次，重大工程管理主体的全部行为，以及行为的全部目的是设计和提出解决复杂性管理问题的方案。因此，在现实的管理活动中，因为主体能力的局限性只能在复杂性降解原则下把问题整体复杂性分解到方案生成过程的各个阶段，使主体在每个阶段"面对"的复杂性只是整体复杂性的一部分，从而得到某个局部阶段的、难度相对较低的解决方案，再把各个阶段这样的方案组成方案序列，并用这一系列的"迭代"来逼近整个阶段的问题方案。主体在实践中的这一"迭代式"生成方案的方式既充分体现了复杂性降解准则，又充分体现了适应性选择准则，是主体在实际管理活动中的一类普遍的、现实的操作方式。

　　由此可见，在复杂性降解原理导向下，通过适应性选择与多尺度管理两个原理，进一步从不同角度形成了主体行为更具操作性的"迭代式"行为准则，而"迭代式"生成方法就是将上述三个原理整合到一起而形成的主体管理行为和操作手段的一般规律。

　　最后，递阶式委托代理关系维系了重大工程管理主体群的组织结构，并使之稳定化，主体群内部主体之间"委托与被委托"和"代理与被代理"的各类契约关系，一方面是重大工程管理组织平台结构和整体能力的基本保证；另一方面是发挥组织平台效能的基本原理。根据这一原理，重大工程管理组织的主体构成与行为规范、管理机制设计等都有了保证。

　　综上所述，本章提出的五个基本原理均源于重大工程管理实践，并紧密围绕着主体与复杂性这两个根本性的管理要素，充分揭示了重大工程管理现象中的逻辑关系、因果关系的基本规律及主体的行为准则与普适性操作原则，它们之间有着紧密的关联性。

　　具体地说：从重大工程管理复杂性这一本质属性出发，在管理复杂性与主体驾驭复杂性的冲突和博弈中，在主体认知阶段，通过对工程虚体认知的"可变性"，在总体上确立主体的"复杂性降解"先导性行为准则；为了提高主体管理行为的实际操作性，同时从提高主体行为能力和降解固有复杂性两个方面，以"适应性选择"与"多尺度管理"来进一步拓展主体的行为操作准则；在主体的上述这些行为准则共同作用下，一种"迭代式"生成方式就成为生成主体管理行为的普遍现实范式。所有这一切都是主体群在基于递阶式委托代理契约关系形成的管理组织平台上实施和完成的。这样，递阶式委托代理的各类契约关系就成为重大工程管理组织平台运行机制的基本动力学原理。由此可见，上述五个基本原理以"主体"与"复杂性"为核心，构成了重大工程管理理论体系逻辑化的基本原理体系（图 13.6），在此基础上，可以进一步用前面提出的核心概念与基本原理推导出具有学理品质和理论价值的重大工程管理科学问题。

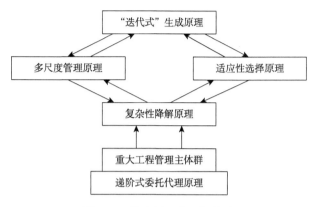

图 13.6　基本原理的逻辑关联

第 14 章　重大工程管理理论的科学问题

现在，我们以前面提出的核心概念与基本原理为基础，运用核心概念来描述并通过明确的基本原理来推导具有学术品质和理论价值的重大工程管理理论体系中的科学问题。

理论中的科学问题更强调问题内涵的抽象性、普遍性和问题内核的可衍生与可拓展性，更注重在理论思维层面上对问题本质的揭示和对基本规律的凝练。科学问题的提出除了体现理论体系形成路径的规范与完整外，主要是如何对问题内涵与内容进行学术思想及技术路线等的界定与描述，而不能，也做不到对每个科学问题进行深入研究，特别是不可能，也做不到给出深入、详尽的研究结论。

本章初步提出了六个较为基本的科学问题，涉及重大工程组织、决策、现场、工程金融、技术管理与风险，体现了对重大工程管理基本实践活动的重要性与较广泛的覆盖。随着重大工程管理理论体系研究的不断深入，体系所包含的科学问题也将越来越丰富和深刻。

14.1　重大工程管理组织模式及动力学分析

重大工程管理活动最基本的"两极"为管理主体与管理对象。重大工程管理组织是由管理主体群构成的具有对管理对象实施管理功能的系统。管理组织模式是管理组织中主体构成、管理事权配置、组织整体行为形成机制等系统形态。显然，关于重大工程管理组织与组织模式的研究是重大工程管理理论基本的科学问题。

具体来说，关于重大工程管理组织与组织模式研究的基本理论问题主要包括：①重大工程管理组织的形成机理与特征；②重大工程管理组织的基本功能与结构；③重大工程管理组织的动力学分析；④重大工程管理组织中微观主体行为是如何通过中观模式的组织与自组织机制涌现出宏观行为与功能的。

14.1.1　重大工程管理组织模式概述

重大工程管理活动由决策主体平台、总体决策支持体系平台与总体执行体系平台构成了管理主体与组织。这一思想体现了重大工程管理组织的"自组织"与"自适应"的特征。另外，复杂系统注重对工程管理组织的管理机制、流程、事权配置的设计等。这主要反映了重大工程管理组织的"他组织"行为。重大工程管理组织整体行为能力的形成，特别是对管理对象复杂性驾驭能力的形成，是管理组织"他组织"与"自组织"综合作用的行为涌现。其中，"自适应"与"自组织"机理发挥了特别重要的作用。

重大工程管理组织结构要具有自组织与自适应功能，即在主体微观层次与组织宏观层次之间具有一种新的行为与能力生成、转换与涌现的方式，使管理组织整体行为能力既与微观个体行为有关，能用个体行为解释，但又不完全由个体行为简单叠加决定和不能完全用个体行为解释清楚。其中增长、拓展、衍生出来的能力部分就是组织整体行为的涌现。对重大工程管理组织设计和优化，特别重要的就是自组织机制的设计，因为该机制能够涌现新的驾驭复杂性的能力。

14.1.2　重大工程管理组织模式解析

如果重大工程管理组织内的管理流程、管理事权配置及各类管理资源的转换方式等按一定的机制运作，那么管理组织就能够"生产"出驾驭管理问题复杂性的能力。因此，重大工程管理组织模式就是指重大工程管理组织个体品质、行为规范及组织整体性功能的形成机理。

重大工程管理组织内部通常的权利类型有行政权、事权、财权、执行权等。其中，行政权是一种公权，是政府（或政府行政部门）依据法律规定，接受公众委托而在管理组织中管理重大工程建设并提供公共服务的权力。事权是指行政部门按照相关法规进行重大工程管理中某类具体专门事务决策、管理与监督的权力。财权是指主体关于重大工程建设资金或财产的拥有权与配置权。执行权主要指管理组织中主体对重大工程决策、建设与管理方案实施与监控的权力。

目前，中国的重大交通工程建设主要有以下三种管理组织模式：第一种模式是以政府为主导的自行管理（临时指挥部）；第二种模式是项目法人制；第三种模式是代建制。

14.1.3 重大工程管理组织的基本力系

重大工程管理组织在形成前后有一个重大变化，在管理组织形成之前，组织中的各个干系人是独立、离散和不相关的，一旦成为重大工程管理组织内的个体要素，干系人之间就会产生各种"关系"。可以借用物理学领域中物体之间"力"的概念对重大工程管理组织中个体之间的相互关联进行描述。具体地说，重大工程管理组织中个体之间的"力"要服从市场条件下政府式委托代理关系原理，是一种受到政府—市场二元张力深刻影响的"力系"。

重大工程管理组织功能是管理组织整体意义上的行为表征。它既与组织内主体之间力的相互作用，力的种类、特征和形态紧密关联，又与外界环境与内部的自组织形态紧密关联。这说明管理组织宏观层面上的功能，必然要通过微观层面上的个体状态与行为、中观层面上的模式与机制，即组织内部的力学原理的递阶作用才能形成。

重大工程管理组织的"力系"中主要包括以下几个方面的内容。

（1）行政力是指重大工程组织内体现社会公众意志并由国家行政机关行使的公权力；

（2）经济力是指重大工程组织内主体之间通过经济利益输送与交换形成的相互关联作用；

（3）法制力是指法治环境对重大工程组织内主体行为具有的强制与约束的法律、法规力量；

（4）契约力是指通过契约精神培育和体现重大工程管理组织主体现代文明伦理与公民行为规范的重要促进与约束力量；

（5）文化力是指文化（人类精神活动及其产品的总称）这一重要资源巨大能量的表征。

图14.1描述了重大工程管理组织基本力系结构。

关于重大工程管理组织几个重要的基本科学问题如下：

（1）重大工程管理组织模式究竟是如何形成的，即究竟什么样的力学原理与机制会导致某种管理组织模式的形成？

（2）重大工程管理组织的整体行为是如何在某种力学原理与机制下涌现出来的？

（3）重大工程管理组织的某些典型的组织行为，如主体之间合谋行为的动

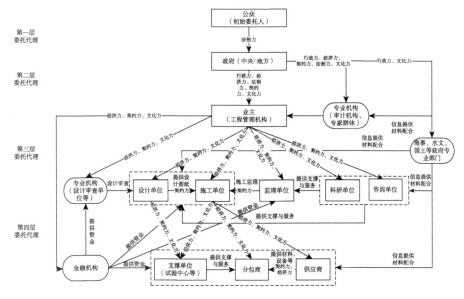

图 14.1　重大工程管理组织基本力系结构

力学分析。

（4）如何运用动力学原理实现重大工程管理组织的治理？

14.1.4　重大工程管理组织主体力系的复杂形态

比起指出主体之间存在几种力的类型，更重要的是主体之间表现出的力的复杂形态及基于复杂形态的自组织如何使重大工程管理组织呈现出整体层面上的复杂行为与功能。

形态，即事物的外部形状、内部构形及整体势态。形态是事物的客观属性，不同事物的形态是有差异的。现对重大工程管理组织主体进行力的复杂形态分析。

任何重大工程管理组织都是在一定环境下形成的、由多种类型主体组成的人工复杂系统。在重大工程管理组织中，政府（或政府部门）作为主体往往具有最重要的地位而成为序主体。政府在重大工程管理活动中不只拥有自身的行政力，往往是把各种力与自身利益诉求融合在一起，进而形成主体社会学意义上的复杂行为。

管理组织中的其他类型的主体在力的综合形态上，其性质、强度与影响范围等都不是静止的、一成不变的。下面可以用一个简单的示意图来表述这一现象（图 14.2）。

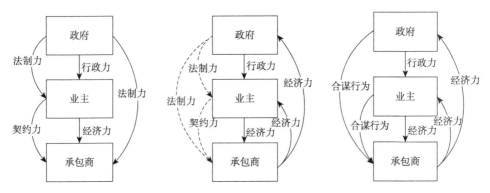

图 14.2　重大工程管理组织中主体之间力系的自组织

14.1.5　重大工程管理组织的组织行为的形成机理

在重大工程管理组织研究中，最困难的是微观个体行为是如何形成宏观组织行为的。其中非常重要的是要说清楚中观的动力学机制（即组织模式）是怎样运作和发挥作用的，即期望通过中观结构将组织微观个体行为、中观模式机制与宏观整体功能连贯起来，特别是要说清楚复杂组织系统在自组织与自适应作用下层次之间功能的涌现和隐没。

下面我们通过对两种机制的分析来研究这一问题。

基于各个主体的自然属性、行为属性、社会属性、关联属性，重大工程管理组织内部所有主体的力系的整体形态及其动态演变，就是工程管理组织的内部动力，而环境与工程管理组织之间的相互影响产生了外部动力，在这两种动力的共同推动下，形成了管理组织的宏观组织行为与功能。这是从组织微观个体力的复杂形态到组织宏观整体行为与功能的动力学机制。

具体地说，上述机制由以下两种基本机制构成。

第一种机制：自组织机制。这一机制是指管理组织内部主体主动的、在目标驱动下按照相互默契的力的关联规则，各尽其责又相互协调地自动形成组织的有序结构，自发形成整体行为或主体之间的分工与合作关系。这一机制使管理组织受内在机制驱动，自行地从简单向复杂、从粗糙向精细、从无序向有序方向演化，并不断提高自身的组织性和功能性，简称为重大工程管理组织的自组织机制或自组织过程。

重大工程管理组织的自组织过程因为有人参与，因此这一过程充分反映了人的适应性对自组织过程的重要作用。这就是重大工程管理组织的结构及功能自适应变化的原理所在。

第二种机制：广义进化机制。这一机制是指宏观的某种限制（如资源的限制）而引起的外部竞争从而产生的进化机制。例如，工程管理组织的主体之间以某种力系的复杂形态进行相互作用、相互影响，在局部相互作用扩展到全局的自组织过程中，其组织结构与运行方式会根据外部环境的变化而不断自我完善与进化。

重大工程管理组织整体行为与功能的形成及演化过程取决于在上述两个基本机制共同作用下，每个主体力的复杂形态、主体力系之间相互作用方式和程度的变化，以及最终导致的管理组织宏观结构与整体行为的演化路径。

由此可见，在重大工程管理组织微观主体层面与宏观组织层面之间，存在着一个以主体各种力的复杂形态为基本元素的相互作用过程，它们构成了一个介于微观与宏观层面之间的"中观层面"的动力学原理，这一"中观层面"的动力学原理即管理组织宏观行为与功能的形成机理，同时也是重大工程管理组织的组织模式。

说得详细点，重大工程管理组织内部每个主体作为个体，因其社会定位及职能定位不同而有着自己原本规范的内部力系与外部力系。内部力系是自身与组织内其他主体之间的各类力的关联体系，而外部力系则为组织自身与外部环境之间各类力的关联体系。这两类力系相互耦合、变化，呈现为动态、演变的形态。这里的形态不仅包括力的类型，还包括力的"强度""方向"及力与力之间的反馈和转换方式。所有这些力的相互作用的整体形态与演变过程，相当于一部机器完整有序运行的工作原理。管理组织的整体行为与功能就是这部机器运行与工作的整体结果。

重大工程管理组织整体行为与功能实际上就是上述他组织与自组织的综合结果，这就是管理组织宏观层面上的整体行为涌现。

涌现是管理组织在组织整体和宏观层面上的行为与现象，对此需要对组织整体和宏观层面进行新的认知，引入新的概念，而这些在主体微观层面上都是没有的，也就是说，宏观涌现与微观个体力系之间存在"断层"。

主体之间这种一系列自组织行为经过组织中观层次的运行机理的作用会逐渐放大，或演变为一系列更无法预测的整体行为与功能，管理组织新的形态与功能的涌现也由此而生。涌现现象事先一般是不能被预测的，但一般可以解释后来观测到的涌现现象的起因与路径由来。

在重大工程管理组织整体行为与功能的形成过程中，无论主体自身的力系形态，还是主体力系之间相互直接而显现的关系都会产生一系列复杂而深刻的演化。

由上可见，由管理组织微观层次上主体力系的复杂形态，到中观层次主体之间力系的相互作用与演化，直至宏观层次组织整体复杂行为与功能的涌现，这是我们认识与分析重大工程管理组织科学问题的主要思维路线。

14.2　重大工程深度不确定决策

重大工程管理决策问题大体有以下三个层次。

第一层次的决策问题大量存在于工程管理的基层，具有结构性强和常规性、重复性特点；第二层次的决策问题多出现在工程管理的中层，多为半结构化决策问题；第三层次的决策问题多出现在重大工程管理宏观层次，这一类决策问题涉及要素多，要素之间关联复杂，决策目标难以明晰且不确定性严重，充分反映了重大工程决策问题的复杂性。

14.2.1　重大工程决策基本论述

这里的重大工程决策问题指重大工程管理中上述第三层次的复杂性决策问题。

以下三类实际问题基本都属于重大工程管理中复杂性决策问题。

（1）工程建设中的"基础决定性"决策问题。这一类决策问题一般对重大工程实体的功能、质量及工程运营具有全局性影响，如工程选址、工程整体方案设计等。

（2）工程建设中的"需求创新性"决策问题。这一类决策问题常常面临着难以完全预知的自然环境与技术难题，需要通过重要创新才能解决，如重大工程关键技术选择与主要施工方案设计等。

（3）工程建设中的"发展战略性"决策问题。这一类决策问题的目标具有明显的宏观、战略与全局意义，如重大工程整体功能目标设计等。

不论以上哪一种类型的决策问题，最终决策主体都要提出相关的决策方案。重大工程决策方案从设计、形成到实现的过程，是决策主体理论思维与工程思维相结合，以及总体上从理论思维到工程思维转化的过程。这一转化本身既体现了路径依赖性，又充满了不确定与演化特点，这是重大工程决策过程与决策主体行为复杂性的主要体现。

14.2.2　重大工程深度不确定决策内涵

在工程思维层面，重大工程决策活动有着多样性的具体内容与形态；在理论思维层面，研究重大工程决策又要从决策活动的基本属性入手。

最能体现重大工程决策的独特性的应是以下现象：决策主体需在一个相对较

短的时间内做出一个必须在相当长的时间内（工程全生命周期）都能保证正确性与鲁棒性的决策方案，而在这个相当长的时间内工程环境因为深度不确定会出现各种可能的复杂情景。这样，决策方案关于情景的鲁棒性就非常重要。没有这一品质，决策方案的功能有可能在工程生命周期内严重受损，这将直接影响到工程决策主体本来的意图与工程自身价值的体现。

由此可见，由深度不确定性引起的决策方案关于情景的鲁棒性是衡量和评价重大工程决策质量的一个新的、独特的、带有根本性的科学问题。因此，深度不确定是最能体现重大工程决策活动的本质特征，故称重大工程决策为"重大工程深度不确定决策"。

深度不确定概念与重大工程理论中的情景、多尺度与适应性概念及复杂性降解、适应性选择、多尺度管理与"迭代式"生成基本原理等有着紧密的逻辑关联，如决策目标（功能）的"多尺度"、决策方案形成路径的"迭代式"等。这样一来，也就把重大工程决策完全置于重大工程管理理论的基本概念与原理之中，进一步强化了重大工程管理理论的系统性与逻辑化。

14.2.3　重大工程深度不确定决策基本原理

首先，重大工程深度不确定决策也是决策范畴中的一种类型，因此，一般决策的基本原理自然也是它的基本原理。

其次，既然是重大工程决策，它必然要体现重大工程管理活动的基本原理。例如，根据复杂性降解原理，在工程目标及功能谱设计的基础上，一般会把整体性的决策问题适当分解为若干个相对独立的子决策问题，并对其分别进行决策，得到各自的决策方案。进一步地，在适应性选择与"迭代式"生成原理的指导下，或者直接形成一个同时与这些子方案兼容的整体方案，或者对部分子决策方案进行调整而形成一个整体性的兼容方案。

图 14.3 是对上述决策过程的示意。

另外，在工程思维与可操作层面上，完整的重大工程决策活动是由多阶段相互独立又相互关联的子决策活动过程所组成的，这些子活动过程在决策实践中同时又表现为决策实践中的实际管理职能（图 14.4）。

在上述决策基本原理中，能够看出决策过程中存在着一条决策主体的基本行为主线，即主体对解决决策问题所确定的价值准则及在整个决策过程中对数据、信息的处理与转换。

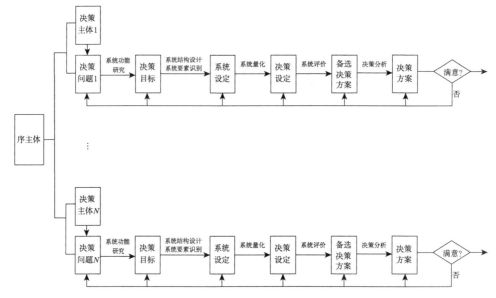

图 14.3　重大工程决策的系统程序

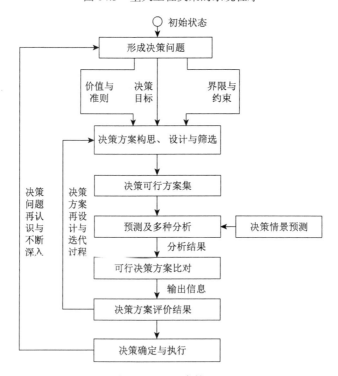

图 14.4　工程决策过程

14.2.4　重大工程决策质量概述

重大工程决策方案是否合理、有效，在工程整个生命周期内是否能够保持稳健，最终是否让人们满意以及满意度的高低等，实际上就是重大工程决策质量的基本含义。

根据这一思想，不难看出：

（1）重大工程决策活动具有质量属性，这一属性主要体现为重大工程决策方案在某个时段（如工程全生命周期）内对解决某个具体决策问题的有效性与稳健性。

（2）对于重大工程决策质量的评价与认定，切记：实践是唯一的检验标准。

（3）不能把重大工程决策质量与重大工程物理质量混为一谈。

（4）研究决策质量，除要研究决策方案质量外，还必须研究决策过程质量。

14.2.5　重大工程的情景鲁棒性决策

重大工程决策情景除了工程原自然社会经济环境背景情景外，还包括重大工程-环境复合系统新的情景，这两类情景及其变动与演化对重大工程决策方案的形成和质量的影响都是深刻的，即重大工程决策方案的作用与效果的规定性面对这两类情景时能否保持功效的稳健性，这充分反映出深度不确定性决策情景下重大工程决策方案的质量（高低）属性，我们称此属性为重大工程决策的情景鲁棒性。进一步地，我们称前者（工程原自然社会经济环境背景情景）的决策鲁棒性问题为重大工程第一类决策情景鲁棒性问题，而称后者（重大工程-环境复合系统新的情景）的决策鲁棒性问题为重大工程第二类决策情景鲁棒性问题。

一个高质量的重大工程决策方案既不能因为深度不确定而导致的情景变动与演化而使方案效果失去稳健性，更不能因工程决策在工程建成后而诱发新的危害情景。这就是重大工程深度不确定决策情景鲁棒性的科学内涵与重要意义。

显然，重大工程决策方案需要在情景意义下使决策方案的效果、作用相对于大时空尺度情景变动既能够保持有效又能够保持鲁棒性。这一认知被我们抽象为评价和度量重大工程深度不确定决策质量的基本概念：决策情景鲁棒性。

由此可见，情景鲁棒性是重大工程决策质量的基本属性，是用决策方案效果相对于环境变动的稳健性或契合程度来度量决策方案质量的客观属性。如果把环境（包括重大工程-环境复合系统）看作一个系统，决策方案看作另一个（人工）系统，则情景鲁棒性就是该方案系统的功能谱与环境系统之间在情景意义下的耦合（契合）度的度量。

综上所述，如果把情景鲁棒性作为重大工程深度不确定决策的重要质量属性，则称以此作为设计决策方案准则的决策活动为情景鲁棒性决策，在这个意义上可以认为，重大工程深度不确定决策即情景鲁棒性决策，也可以认为，情景鲁棒性是深度不确定重大工程决策方案的"最优性"。

14.2.6　重大工程决策情景鲁棒性的度量和分析

在基本明确了重大工程深度不确定决策及情景鲁棒性决策基本原理后，一个重要的问题就是如何预测与发现情景及如何度量决策方案的情景鲁棒性。

如何预测和发现情景呢？这是一项综合性的新技术。具体地说，可以把以下几方面方法综合起来成为决策情景的预测与发现技术。

（1）主体根据决策问题的性质，运用自身掌握的专业知识和经验进行展望和质性预测。

（2）运用相关数据、信息等进行情景关联、结构分析和一定的定量预测。

（3）把最重要的环境性状作为相应情景的核心表述，并称其为该情景的"核情景"。在此基础上，将"核情景"概念化、结构化，使之成为计算机能够"理解"的语言，并通过计算机模拟技术与情景建模方法生成情景空间。

从理论上讲，被预测的未来情景空间很大，即空间内可能包含相当多的"情景点"，就决策方案的情景鲁棒性而言，除了考虑情景空间中的"常态点"外，更要考虑"极端点"。我们把这一类即使发生可能性很小，但可能使决策方案鲁棒性遭受到极大损坏的情景称为重大工程决策的极端情景。这一类极端情景实际上将成为我们判断重大工程情景鲁棒性决策方案的"阈值"，因为决策方案如果能够对这一类极端情景表现出鲁棒性，那该方案对情景空间中其他"常态"情景点的鲁棒性自然是有保证的。

度量决策方案的情景鲁棒性的方法的学术思想如下：以决策主体认可的鲁棒性决策方案为基准方案，并设计一个与鲁棒性属性紧密关联的性能指标，基于这一性能指标分别赋予基准方案与待评价的决策方案性能指标值，将这两个方案指标值的差距变换为待评价方案的鲁棒性缺失。

14.3　重大工程金融

通过分析重大工程建设过程中资金资源的特点、来源渠道、重大工程资金筹集的困难，为进一步论述重大工程投融资的内涵，分析重大工程投融资的基本特征、经济学属性，这里提出了重大工程金融的科学概念，并对重大工程金融进行了概念上的界定、特征描述，对重大工程金融体系进行了深入的系统分析，并提出了若干重大工程金融相关的科学问题。

14.3.1　重大工程资金资源

资金是工程特别是重大基础设施工程建设过程中尤为不可或缺的重要资源。从重大工程的角度来看，重大工程的资金资源呈现出如下的不同于一般工程项目的特征：重大工程资金的需求量巨大、重大工程资金来源比较单一，且资金缺口较大及相关投融资制度不完善、激励机制乏力和不尽合理的风险分配机制。

14.3.2　重大工程投融资

1. 重大工程投融资概述

重大工程投融资是指以实现重大工程造物活动所进行的资金投放和融通活动。重大工程投融资包含投资和融资两个维度的内涵。

重大工程的投资是指围绕重大工程的资金投入和产出的估算过程。此过程具有投资数量大、投资过程长、投资的不可变现性和投资回收期长等特点。

重大工程的融资是指围绕重大工程的资金筹集的过程，具有融资的有限追索性、采取表外融资安排、融资成本高和利益干系人共同分担风险等特点。

2. 重大工程投融资模式的发展

中国重大工程的投融资形式在不同的经济制度和社会背景下采用了不同的模式，即从计划经济下财政拨款的单一投融资模式到政府主导、社会资本参与的模式，并最终演变为如今的政府引导、市场运作的多元化的投融资模式。

（1）计划经济下以政府全额拨款为主的投融资模式；

（2）从 20 世纪 80 年代开始的以"拨改贷"为主要特征的政府主导的投融资模式；

（3）20 世纪 90 年代中期以后的政府主导、社会资本参与的投融资模式；

（4）21 世纪以来的政府引导、社会资本运作的多元化投融资模式。

14.3.3　重大工程投融资的经济学分析

根据公共经济学原理，按照提供服务或受益性质可以把产品分为私有品、准公共品及公共品三种类型。

重大工程的功能容量有限度的非竞争性及服务容量在一定范围之内的非竞争性，使其既有私人产品的特征，又有公共产品的部分特征，故重大基础设施工程投资的准公共产品类型是它的第一个方面的经济学效应。

重大基础设施工程投资第二个方面的经济学效应为外部性效应。重大工程项目更重要的价值体现在其产生的社会、经济的外部性，即间接效益方面。

重大基础设施工程投资的第三个方面的经济学效应为宏观经济效应，即对宏观经济具有需求效应和供给效应两个方面的刺激效应。需求效应是指基础设施工程投资能显著促进一个国家的经济增长，供给效应是指基础设施在增加资本存量的同时，能扩大生产能力从而影响社会总供给。

14.3.4　重大工程金融内涵

1. 问题的提出

重大基础设施工程建设资金的筹措、安排、调度、使用、风险管理等构成了重大基础设施工程融资的子系统。该子系统不仅需要解决工程建设资金的来源，更多的是要统筹融资制度安排和风险管理。从金融学的角度来说，可以将重大工程融资体系称为重大工程金融。

对重大基础设施工程而言，融资模式的选择和资金的来源仅是其融资子系统的一个构成要素。因此，从系统与制度安排的角度及统筹规划的角度来说，构建重大基础设施工程融资子系统是比重大工程项目融资更为基础和重要的科学问题。

2. 重大工程金融的科学界定

重大工程金融是重大基础设施工程不断发展和全球公共产品融资格局出现重大调整的共同结果，具有特定的时代背景、内涵、边界、特点和职能。相对于一般工程项目融资，重大工程金融的外延更为广泛、时代背景更为明显、实践价值更为突出、科学意义更为强烈。在科学理论与工程实践的基础上，构建重大工程金融理论体系最为基本的一个问题，即重大工程金融的边界界定问题。具体地说，在整个工程周期之中都起着决定性作用的资金筹措、资金安排、资金调度、资金使用、资金风险管理等一系列问题构成了重大工程金融的边界。

重大工程金融的基本内涵如下：重大工程金融是为满足重大工程的资金需求而产生的金融活动，该活动的特定目和特定功能能够使重大工程建设资金的筹措、安排、调度和管理系统化、制度化和国际化，并能够在一个开放的环境中构建保证该活动有序和有效的治理体系。

重大工程金融的基本特点如下：

重大工程金融所进行的一系列投资和融资活动都是围绕重大工程项目，以重大基础设施工程建设需求为导向；

重大工程金融具有强大的经济外溢性，但不追寻利润最大化；

重大工程金融体系由多信用结构主体构成，由此将带来风险不确定性的多元化。

3. 重大工程金融与投融资的区别

重大工程金融不但在内涵上包含了重大工程投融资的内涵，而且有着更为深刻的外延。它们之间的区别主要表现在以下四个方面。

（1）层次不同。重大工程投融资是对重大工程投资活动和融资活动的一个直观上的称谓，而重大工程金融则进一步对重大工程投融资的科学内涵进行了升华，形成了一个完整的科学体系，这一科学体系不但包含了重大工程操作层面的投融资活动，而且具有自身的构成要素、关联结构、组织模式、特定功能、运营方式及业态形式。

（2）内涵不同。重大工程投融资包含了投资和融资两个维度的内涵，而重大工程金融是重大基础设施工程不断发展和全球公共产品融资格局重大调整的共同产物，是一个由复杂主体构成的具有自身特定功能与业态形式的组织系统，具有更强的理论内涵。

（3）经济学属性不同。前面分析过投融资的经济学三方面属性，但这三个方面是对"重大基础设施工程"这一客体的经济属性的分析，而缺乏对"投融资"或"工程投融资"这一关键术语的深入认知，而重大工程金融正是为解决这一局限性而提出的新的理论概念，是一个能够完全包含重大工程投融资内涵的理论体系，同时又是对这一理论体系进行深入认知的科学问题，在经济学属性上是一个独立的经济范畴。

（4）结构功能不同。与重大工程投融资仅仅围绕重大工程所进行的投资和融资不同，重大工程金融既是一系列资金筹措、安排、调度和管理的金融活动，又是一种制度化的安排，具有特定的系统结构特征、基本功能及组织和运营形式，具有比重大工程投融资更为丰富的系统意义上的组织、结构与功能。

14.3.5　重大工程金融的组织与结构

从系统性的角度来看，重大工程金融是一个相对独立但又与外界环境不断产生资源交换的复杂系统，具有自己的组织形式和结构内容。

1. 重大工程金融的组织

重大工程涉及多参与方，概括起来主要有工程主办方、直接投资人、金融机构、财团顾问、技术专家、承包商、供应商及社会公众等。不同的参与主体在重大工程金融体系中具有不同的职责和利益诉求，厘清不同主体之间的博弈关系是解决重大工程金融组织实施的首要问题。

在重大工程金融组织中，除了需要关注组织的行为主体外，还需要关注组织模式。

此外，在重大工程金融体系中，参与方众多、各种关系复杂，所以为了保障各参与方的利益、合理分担项目建设过程中的风险，有必要通过合理的形式规定各方的权利、职能及相应的风险规避机制。

2. 重大工程金融的结构

重大工程金融组织结构主要是对重大工程金融组织的主体、组织的形式及合同体系进行的构建与规定。在重大工程金融中主要有四类结构，具体如下。

（1）资金结构。重大工程金融的资金结构，主要是指工程的股本资金、准股本资金和债务资金的形式、相互之间的比例关系及相应的来源等。

（2）投资结构。重大工程的投资结构是指重大工程的投资者对项目资产权益的法律拥有形式和项目投资者之间的法律合伙关系，即重大工程的所有权结构。

（3）融资结构。融资结构是重大工程金融的核心内容，在重大工程项目资金筹集的过程中要优化设计和选择科学、合理的融资结构以满足投资方及其他项目利益方在融资方面的目标与需求。

（4）治理结构。重大工程金融的治理结构是对重大工程金融体系的制度化规范和协调。

14.3.6　重大工程金融中的若干科学问题

上述内容对重大工程金融揭出的背景、科学内涵及组织和结构进行了详细的阐述，基本完成了对重大工程金融的科学界定。然而，作为一种新的科学思想、新的科学问题体系，仅仅对其进行概念和内涵上的界定是远远不够的，更要有能够形成具有学术意义和实践价值的科学问题。重大工程金融更多的科学问题需要众多的学者共同讨论和研究。例如，重大项目的金融评价、重大工程投融资决策与模式选择、重大工程金融风险分析与规避、重大工程金融的财务预算控制及重大工程金融的国际一体化等问题。

14.4　重大工程技术管理

工程是人们根据一定意图，依据一定科学技术而创造人造物的活动，资金、人才与技术是工程建设的三大基础。特别是重大工程，因为技术对工程质量等均有重要影响，且在建设过程中常存在技术需求与供给不足的矛盾，因此技术是重大工程建设的核心要素，对技术的管理也就成为重大工程管理的核心活动之一。

14.4.1　重大工程技术与技术管理概述

一般地，重大工程技术是指人们根据工程建设实践和多领域科学原理总结积累起来的经验、知识而形成的工程造物必需的各种工艺、方法、技能、工具与装备。应把重大工程技术理解为一个支撑和保证实现工程实体完形的技术体系，而不仅是一项或几项单元技术，它具有以下基本内涵和基本类型。

（1）从工程造物活动需求的完整性看，重大工程技术既包括形成工程物理实体所需的工程技术，还包括使工程造物活动有序和有效的管理技术。也就是说，既包括工程硬技术，如施工工艺、技能、方法及先进材料、装备等，又包括管理软技术，如管理体系、组织流程及管理方法等。

（2）不论是硬技术，还是软技术，重大工程技术都是多领域、多学科的，如土木工程技术、机械工程技术、信息技术、自动化技术等。

（3）从层级上讲，重大工程技术大体上可以分为以下三类。

第一，一般性技术。这类技术用于工程常规性施工，这是一类成熟、相对简单、人们一般已熟练掌握了的技术。

第二，改进型技术。由具体工程的独特性或新的标准而改进的技术，人们一般已掌握这类技术的基本原理，但仍需要在原有的基础上经过进一步改进、提高和完善才能够获得。

第三，突破型技术。工程建设的跨越性或工程复杂性导致的基本原理尚不清晰、工艺尚不健全甚至还不能掌握新技术。这类技术一般不能通过对已有技术做简单的整合或改进而获得，需要通过原创性技术创新实现技术阈值的突破或跨域而获得。

显然，关系到重大工程建设成败的技术主要是上述后两类，特别是突破型技术。其中，技术阈值包括技术原理阈值、材料性能阈值、装备功能阈值等。无论哪一方面，阈值突破的难度与重大工程复杂性之间的关系往往是非线性的，即技术突破难度的增加会远大于工程复杂性的增加。这就使得在重大工程建设过程中，不可避免地会遇到关键技术需求与供给不足之间的矛盾。供给不足的主要原因一般包括工程环境与施工方案的独特性、没有成熟的技术储备、国内外没有相近的替代技术、技术拥有者的技术垄断或技术转让价格太高等。

一般意义上，解决重大工程技术需求与技术供给不足之间的矛盾包含着重要的、必不可少的技术管理活动。例如，在创新和发明重大工程突破性技术过程中，如何组织和构造技术创新平台、设计恰当的技术创新路线；在常规性工程技术活动中，如何进行技术选择、制定技术标准、构建技术组织体系等，都具有深刻的技术管理内涵，并对重大工程技术的选择、整合及实施具有重要意义。

总的来说，重大工程技术管理是依据重大工程技术活动规律，针对重大工程技术创新及技术应用所开展的技术决策与选择、技术配置与整合、技术资源计划与协调及以重大工程技术供给与技术保障为核心的组织与管理等活动。

就重大工程管理而言，技术管理完全有必要成为一个新的、独立的、重要的管理领域。这意味着，就知识体系而言，重大工程的项目管理知识体系完全有必要在原来的 9 个知识领域基础上增加技术管理模块而拓展为 10 个知识领域。

14.4.2　重大工程技术选择

1. 重大工程技术选择的界定与内涵

重大工程技术管理的核心内容就是工程建设的技术选择，工程建设的技术选择是通过科学程序确定、落实解决重大工程建设任务技术方案的过程。

在一定意义上，技术选择对重大工程造物活动而言，是一项具有全局性和引导性的管理行为。

重大工程技术选择一般不是指对某一两项单元技术的选择，而是依据工程建设整体需求的技术群选择及工程建设过程需求的技术序列供给与知识序列的推送。

重大工程技术选择具有鲜明的"局部可修改、总体不可逆"特点，另外，重大工程讲究建设的连续演化性，这意味着，一旦工程技术选择完成，即使在某些细微局部上可以进行改进与完善，但从总体上讲，技术选择是不可变更即不可逆的。这就决定了技术选择是一项即时、复杂但需要长期保持有效性的管理行为。因此，需要有充分体现重大工程技术选择行为特点的技术管理活动作为保证与支撑。

2. 重大工程技术选择的原则

（1）技术内涵的延展性要广；

（2）技术与工程一体化。

3. 重大工程技术选择的路径

重大工程技术选择是一项复杂的系统工程，主要包括：①需要决策主体具有对技术可行性的论证能力及开展风险分析的能力；②技术选择要有必要的支撑平台；③技术方案选择必须通过一定的工作机制提炼、完善和修正主体间的非共识认知与偏好，形成最终的技术方案，并保证它的科学性；④聘请技术管理经验丰富的专家组成技术顾问委员会，对技术选择过程中的关键方案进行独立评审。

14.4.3　重大工程技术创新管理

重大工程建设有一部分技术需要通过技术创新形成新技术来解决。重大工程技术创新管理是以组织与实现技术创新为目的的工程管理活动，也是对重大工程技术创新的管理的支持与保证。

1. 重大工程技术创新战略选择

重大工程技术创新是指工程造物过程中新技术的发明创造与应用，是一个完整的复杂系统工程过程，主要包括以下战略要点：①工程导向、多方支撑。工程导向既精准满足工程建设实际需求，又尽可能减少创新"冗余"。②多层次创新。重大工程技术创新一般包括工程级、行业级、国家级（世界级）三个层级。

2. 创新产业链式

重大工程技术创新活动一般呈现"工程技术创新需求—工程创新研发—技术创新实现—创新产品供给—产业化"的链式结构。

3. 创新的"综合集成"

在技术创新过程中同时要设计、安排好必要的创新管理体系，如创新主体、平台、组织、制度、机制等，并与技术创新活动融为一体，形成一个完整、有效和可操作的综合集成系统。

重大工程技术创新管理作为一个完善的体系，主要包括以下几方面内容。

（1）重大工程技术创新方式选择有三种：继承性创新、变革性创新及"破坏性"创新。进一步分析继承性和变革性这两种创新的内涵发现，重大工程技术创新方式主要应以"需求引导、继承发展、综合集成、重点突破"为主要方式。

（2）重大工程技术创新平台构建。重大工程技术创新平台是指通过创新主体的选择、主体行为与职能的确定及有效的运行机制设计，形成的技术创新活动所必需的条件与环境。

一是创新主体选择。重大工程技术创新主体多是由业主、设计单位、施工单位和大学、科研机构等组成的联合体。

二是工程技术创新的旋进式发展。旋进式思想可以将技术创新方案的形成具体化为"不断比对、逐步逼近、最终收敛"的过程。

重大工程技术创新管理过程通过这一反馈机制，使得各个科研项目之间具备了相关性和继承性，符合技术创新科学性和系统性的要求（图 14.5）。

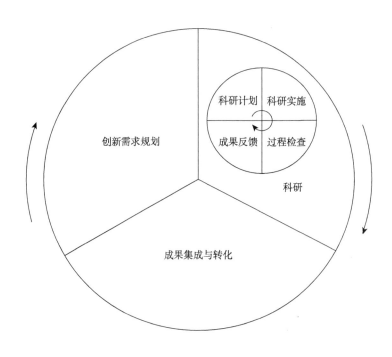

图 14.5　重大工程技术创新三阶段一体化管理

14.4.4　面向重大工程全生命周期的技术管理

重大工程从立项决策、实施，直至最终完工和交付使用，这一系列的过程构成了工程的全生命周期。工程全生命周期主要可分为项目前期、工程建设期、工程运营期、工程退役/延寿期四个时期，或六个阶段：规划阶段（也称前期决策阶段）、设计阶段、施工阶段、竣工验收阶段、运营阶段和退役阶段，具体如图 14.6 所示。重大工程的全生命周期过程涉及技术选型、技术评估、技术实施方案、技术控制、技术审核、技术维护管理的技术管理内容。

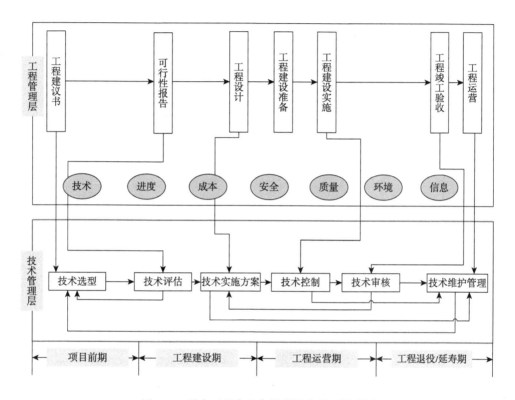

图 14.6　重大工程全生命周期技术管理活动图

另外，在重大工程全生命周期的不同阶段，重大工程技术管理有着各自不同的，但又相互关联的管理任务。

14.4.5　重大工程技术管理体系的构建

重大工程技术管理体系设计基本要点主要包括以下四点：技术要素体系构建、技术标准体系构建、技术责任体系构建、技术决策支持体系构建。

技术管理体系与重大工程其他管理层级的关系映射如图 14.7 所示。

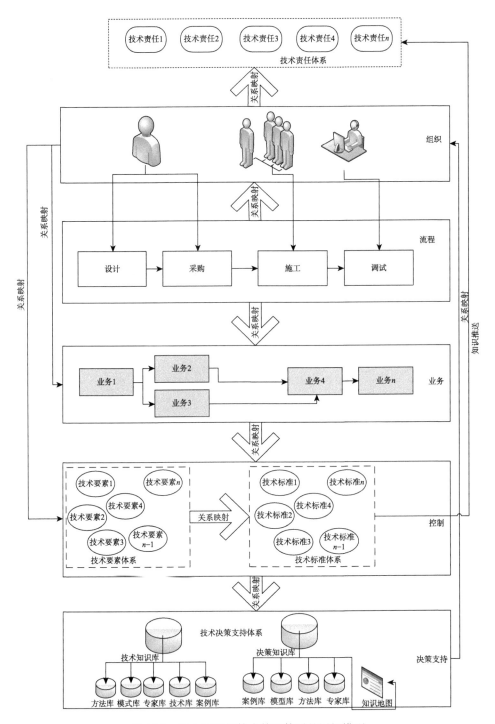

图 14.7　重大工程的技术管理体系的层级模型

如图 14.7 所示的技术管理体系分为组织、流程、业务、控制和决策支持五个层级。其中，流程是核心层级。

14.4.6　重大工程技术管理的实施体系

重大工程技术管理体系的实施与执行，除了要坚持以重大工程建设需求为导向外，而且要充分关注工程的社会与自然环境，以及设计技术管理实施与执行体系。需要强调的是，执行体系设计的重点不是具体技术管理任务的安排，而是如何在执行过程中充分体现综合集成思想，把技术管理与工程其他管理融为一体。

将人工智能等信息技术应用于工程建设，可构建智能协同平台作为技术管理的支撑平台，实现人机交互，从而提高技术管理体系的智能化水平。

14.5　重大工程现场综合控制与协同管理

重大工程现场一般是指实现工程物理实体的位置所在地，主要是人们物化工程实体的最终场所，目前，对重大工程现场人们逐渐增加了多点分布式的理解。我们主要关注现场管理中充分反映重大工程管理复杂性的管理活动与问题。

14.5.1　重大工程现场复杂性特征概述

重大工程现场复杂性特征主要体现在现场空间多尺度性、现场环境的非完全确知性及现场主体思维与能力的局限性等方面。

重大工程现场复杂性需要主体通过管理理念、组织、技术与管理等诸方面综合创新来应对。其中既有重大工程现场实际问题"逼出来"的创新需求，即工程建设不可避免地创新，又经常有主体过度的创新偏好形成的"创新冗余"，如通过创新追求并非完全必要的重大工程建设中的"首次"和"突破"。主体的这一类创新思维与行为会给重大工程现场增加许多不必要的风险和困难，并因此引发许多复杂性管理问题。

14.5.2　现场质量综合控制

重大工程物理质量主要是在工程现场形成的，因此，要从重大工程硬系统物理功能与总体目标上认识和理解现场质量的内涵。

第一，根据重大工程长生命周期的特点，工程质量在宏观层面上主要体现为整体功能的耐久性。耐久性主要是指材料、设备及制造品抵抗外部环境作用而保持自身功能经久耐用的能力。因此，从整体层面上看，重大工程质量的基本标志应是其整体功能的耐久性。

这样，关于重大工程现场质量的思考就应把一切与质量形成相关联的要素，如工程材料质量、现场施工装备水平以及设计、工艺与技术标准等都有着密切的关联，在系统整体意义上进行综合分析。因为工程耐久性是比个别活动或者要素更高层次的整体行为涌现，虽然它的确与现场质量活动或要素相关，但又是以这些活动或要素为基础的演化结果，其中具有复杂的形成机理。

第二，根据重大工程现场普遍的大规模装配化制造的特点，工程质量在微观层面上主要体现为材料与部件的质量稳定性。重大工程造物现场需要大宗材料与部件，它们是重大工程硬系统的基本要素，其质量如何显然直接关系到工程硬系统的整体质量。

在严格的质量标准下，工程材料与部件在施工过程中要保持质量稳定性（一致性）才具有现场微观质量的整体意义。质量稳定性（一致性）是指每批材料或每个部件实际质量指标均能保持在质量标准规定的允许范围内而不出现异常值。

当前重大工程现场装配的比重越来越大，但重大工程硬系统毕竟不能完全在现场通过工厂自动化方式制造，仍然需要人工建造的环节。这样，重大工程硬系统的实际质量就同时依赖工厂化生产质量与人工现场施工（装配）质量，这种"混杂"的现场施工模式必然导致复杂的工程质量形成机理。

从总体上看，对于重大工程现场质量管理的认知，要特别关注以下几个方面。

（1）重大工程宏观质量耐久性与微观质量稳定性之间的复杂关联及涌现机理。

（2）重大工程现场前续阶段隐性质量缺陷对工程后续阶段质量的关联影响及其机理。

（3）基于稳定性的现场质量动态控制技术。

（4）要利用定性、定量方法与计算机技术，模拟工程现场情景、条件对工程质量稳定性的影响。

（5）根据工程思维原则，实施好对关键部件预先进行的1∶1尺度的试制。

（6）重大工程现场质量活动是一个有组织的系统工程，理应把工程设计一并考虑在内形成设计、施工一体化的质量管理理念。

14.5.3　现场技术与供应链的协同管理

重大工程现场活动管理主要是在保证质量稳定性的原则下，做好技术与供应链的协同管理，因为这两方面与现场工程质量的形成有着最为密切的关联。

1. 现场技术的协同管理

基于质量稳定性的技术管理主要是指基于保证工程质量的关键技术的选择和创新。由于技术选择和创新需要必要的资源整合的环境与机制，这意味着现场技术选择和创新必须要有相应的管理支撑，并且要通过技术−管理综合体系来完成。要做到、做好这一点，主体必须对工程"现场技术−管理"概念有深刻的认识，并在此基础上构建有效的综合体系，做好体系内多主体的协同管理。

重大工程现场关键技术选择和创新是一项综合性与多主体协同性的管理活动。对这一类技术选择和创新需要有超越工程层面的认识，综合地把技术选择和创新的工程效益、经济效益、社会效益与工程的长远战略及社会责任结合起来。

另外，重大工程现场技术协同管理的核心任务就是把技术选择和创新过程中的管理目标、组织、制度、机制等通过系统分析与系统设计，形成一个完整、有效和操作性强的管理体系。

2. 现场供应链的协同管理

重大工程现场另一个重要的保证质量稳定性的管理活动是大宗关键物资（材料、装备、部件等）的供应链管理。其中，主要是微观层次上的材料物理质量、装备的性能质量，即大宗材料与部件质量稳定性。为此，目前重大工程现场普遍采用了部件的工厂自动化和智能化制造技术。实践证明，工厂自动化与智能化制造技术不但保证了工程现场材料与部件质量的高标准、稳定性与工程进度要求，而且有力地推动了重大工程现场物资供应链的模式创新。

这一供应链模式具有一系列特点：使重大工程现场呈现出大范围分布式形式；使工程现场施工和工厂制造呈现实时强关联模式；使供应链形成以多个同质与异质供应商、生产商为节点的递阶复杂网络。

这样，对重大工程现场供应链管理需要确立更深刻和全面的协同管理理念与新的驾驭复杂性的能力。

14.5.4　现场综合减灾

重大工程现场活动是整个工程造物的核心活动。工程实体的完形就是在现场完成的，规划、设计、工程供应链等工程活动都是工程现场活动的前期准备与支持。整体性工程质量、功能稳健性等重大工程重要属性也都是最终在现场形成的。另外，各类灾害有着在工程现场高度集中和相互耦合的特点，所以，工程防灾减灾的任务在现场更重要也最能体现它的价值和意义，且在重大工程现场管理活动中，分析、研究重大工程防灾减灾问题最能体现工程防灾减灾的实践性与时效性。

1. 重大工程灾害概述

1）重大工程灾害内涵与分类
与重大工程关系密切的一类灾害是自然灾害，另一类是人为灾害。

2）重大工程现场应对灾害的原则
从总体上讲，重大工程现场管理应对灾害的指导原则是"防灾减灾"，"防"主要是防止与预防。对于大规模严重自然灾害，一般难以防止，这就要做好"预防"工作，即做好对灾害发生的防备。因为有备就可以减轻、减小、减少灾害造成的损失。"减灾"则主要是指在重大工程现场建设过程中，因提前安排了各种预防措施，使得一旦灾害发生即可减轻灾害造成的损失。因此，无论是防灾，还是减灾，其根本目的都是"减灾"，其实际途径或是在一定程度上减少灾害发生的可能性，或是减少灾害发生后造成的损失。所以，可以认为，重大工程现场对待灾害的总的原则是"综合减灾"，这里的综合首先指防灾与减灾综合化，其次指减灾管理的综合化。重大工程现场对待可能发生的灾害的基本原则如下。

（1）在遵循客观自然规律的基础上，尽可能地降低灾害发生的可能性，一旦发生，也应提前做好防范措施而能够有效降低灾害危害程度。

（2）把主要精力放在减少灾害损失上，如事先设计好现场综合减灾管理体系，做好各项减灾预案。

（3）综合（1）与（2）。

2. 重大工程现场综合减灾

根据前面的论述，我们形成如下关于重大工程现场综合减灾科学问题的认知。

1）重大工程现场综合减灾的基本认知
灾害一般是一类系统特殊的整体层次的情景现象，并具有大尺度、深度不确定等复杂性。现场综合防灾就是把小概率灾害风险视为必然会出现的灾害现实，并研究如何应对它们。

2）重大工程现场综合减灾体系
为全方位地做好重大工程现场综合减灾各项工作，需要形成一个稳定的多功能的综合减灾保障体系。这一体系基本上包含以下子系统。

（1）综合减灾组织体系。综合减灾组织体系是开展工程现场综合减灾工作的职能性组织，是一个科学和高效的横向协调、纵向管控系统。

（2）综合减灾责任体系。综合减灾责任体系主要是对工程现场各主体的减灾责任的分配及对综合减灾各项任务的执行。

（3）综合减灾制度体系。现场各主体都要依据相关制度约束自我行为，需要工程现场有一个整体运行良好的综合减灾制度体系。

（4）综合减灾教育体系。主要采取多种形式与方法，增强人员的综合减灾意识及掌握必要的减灾技术。

（5）综合减灾应急救援体系。立足于灾害发生后的综合减灾应急救援工作，特别是做好突发灾害发生后的应急预案。预案体系主要包括应急预案组织设置、流程安排、应急资源保障及应急预案的演练等。

14.6　重大工程复杂性风险分析与控制

相对于一般工程，重大工程有其独特的风险类型，需从重大工程复杂性属性出发来分析。以下三类在重大工程管理实践中频发的独特风险现象与科学问题具有典型性。

14.6.1　重大工程决策风险分析

重大工程决策风险是指重大工程决策活动过程及其产生的决策方案在重大工程整个生命周期内造成的潜在性不确定危害。这里强调了以下几个方面的内容。

（1）这类危害是不确定的，既可能发生，也可能不发生，而发生的可能性的大小意味着风险出现的大小。

（2）这类危害是潜在的或是隐性的，这就使得人们对这类危害难以在事前观测或预测到。如果最终潜在性并未成为现实性，则意味着风险在实际中"化险为夷"。

（3）这类危害其根源主要是人们在重大工程决策过程中的多种行为导致的后果。

（4）风险是不确定现象，因此完全确定的危害不能认为是风险。不确定性或可能性才是风险的本质属性之一。

下面重点介绍两类典型的重大工程决策过程风险。

1. 信息垄断风险

数据与信息是重大工程决策的基础，重大工程决策如果在信息缺失和扭曲的情况下进行，产生决策风险的可能性也大大增加，我们简称此为重大工程决策过程中的信息垄断风险。决策主体由于自身能力问题产生信息缺失导致决策失误属于另一类性质的问题。

信息风险具有复杂性，关于重大工程过程信息风险的防范与治理，重点应为建设与完善相关的决策治理制度与科学程序，如建立重大工程信息公开与披露制度等。

2. 行为异化风险

一方面，任何重大工程决策主体都是委托代理关系下的社会人，都有着自身和其所代表的利益，他们在决策过程中一般都会强烈地维护这些利益。另一方面，在实际决策过程中，或者由于委托制度不健全又缺乏监督管理，或者由于代理人失责、失德，决策主体在决策过程中形成因谋求"私利"而损害重大工程整体利益的行为异化。这一类因决策主体在决策过程中违背决策行为规范与道德准则而导致的决策风险称为重大工程决策过程的行为异化风险。

造成这一现象的原因主要如下：信息垄断或不对称使主体有机可乘、缺少健全的制度和监督机制及个人利益诉求非理性膨胀。

实践证明，上述两类典型的重大工程决策过程风险在实际中常常在一个工程中不同程度地并存着，且相互影响，在对待和防范重大工程决策过程风险问题时要采取多方面的协同治理策略。

14.6.2 重大工程成本超支风险

在一定意义上，工程成本就是人们在工程造物活动过程中必须投入的、不可或缺的资源，特别是直接投入的资金。成本超支在事实上已经成为重大工程一类重要的风险现象，也成为重大工程管理理论体系中一类重要的科学问题。

1. 工程成本超支概况

据不完全统计，国内外几次重要的工程超支调查统计情况（部分）和典型超支案例都表明，重大工程成本超支风险非常严重。

总结起来，在全球重大工程建设领域，普遍有以下观点：

（1）重大工程成本超支是全世界普遍存在和长期存在的现象。

（2）工程成本超支原因是多方面的，而且原因的离散度较大。

（3）很难从历史统计样本中预测出某个新的具体工程的可能超支原因与超

支数额。

这说明重大工程成本超支现象虽然存在总体意义上的宏观可解释性，但并不存在统计意义上的精细规律性。这也说明超支现象的背后可能被某种复杂性所支配，需要我们在复杂性思维原则下开展对该问题的分析研究。

既然研究重大工程成本超支问题，那就应该从工程成本的基本内涵入手。

2. 一般工程超支与"乐观偏差"的辨析

为了研究工程成本超支问题，一般做法是先对工程总成本进行结构化分解，即把工程造物活动逐层次分解为子活动体系，从而形成工程成本要素结构图（图 14.8）。然后按此图由各子工程活动产生的工程量、价格与资源消耗量数据，自下而上逐一求得各子工程活动所需成本，再求总和得到工程总成本。

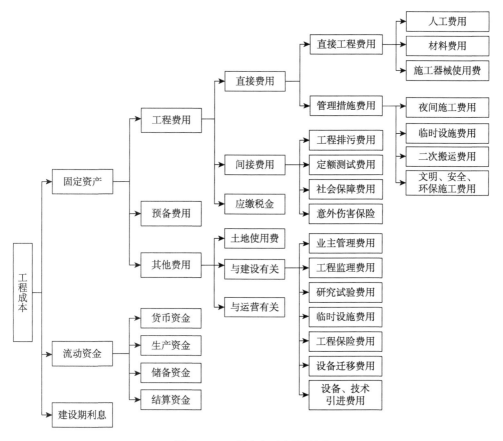

图 14.8　工程成本要素结构图

应该看到，上述做法是基于还原论的思维，它适合成本可分解并可测算的一般工程，但在实际中人们是在"虚体工程"思维下根据经验预测成本，"超支"

现象普遍发生，若将已建成工程的实际成本与最初的概算进行对照，可以精准地罗列出各项超支栏目与超支幅度，但此种分析对工程超支科学问题多为"马后炮"，又缺少理论分析。

从复杂性思维出发，不难看出，一般工程成本超支现象的出现往往是由于在前期概算时，虚体工程思维相对于工程施工时的实体工程思维之间形成的巨大"偏差"。这一偏差在初期常常是潜在的、隐性的，其幅度取决于虚体思维框架性与实体思维精细性之间的误差。由于对同一个事物的认识和分析，精细性总比框架性更具体，需要更多的资源支撑，故成本超支往往也就成为一种常态现象了，而该现象出现的种种不确定性则成为一般工程成本超支的风险形态。

为研究方便，我们把基于工程成本要素逐层分解为可独立估算的成本要素体系及自下而上叠加形成的工程概算，并在此基础上产生的这样一类成本超支（现象）称为工程常规性超支。基于常规性超支形成的工程风险称为工程常规性超支风险。一般相对简单工程的成本超支基本上属于常规性超支，相应的超支风险也多属于常规性超支风险。

3. 重大工程复杂性超支风险

在一般意义上，关于一般工程成本超支风险的认知与分析原则上都适用于重大工程，因为重大工程是一般工程的"子集"，但复杂性这一重大工程本质属性必然又会对工程成本超支原因及风险特征产生独特而深刻的重要影响，并由此形成一些独特的现象和科学问题。例如，重大工程规模巨大、技术复杂、工程寿命周期长，数据表明，重大工程技术标准与相应成本之间呈现出明显的非线性关系，这对工程成本超支现象起着"推波助澜"的作用（图14.9）。

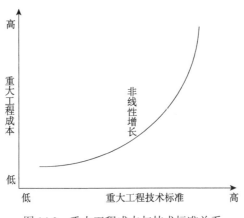

图 14.9　重大工程成本与技术标准关系

虽然近年来，学术界通过案例调查与文献梳理，总结出数十种可能导致重大工程成本超支的原因，如材料价格上涨、机械故障、工程质量不合格而返工等，但这样的原因分析主要是一种将超支要素结构化的"就事论事"思维模式，并未挖掘显性表象背后的深层次原因。这种基于还原论的成本分析方法，即使超支要素"举不胜举"，也难以深刻揭示重大工程复杂性引发的成本超支原因，因为复杂性在许多时候是不能被结构化的和不是显现的。也就是说，不论超支因素结构化体系如何详尽，它只能描述和概括工程造物过程中一类构成性和程序性活动及相应的超支现象。但是，重大工程复杂性还会在工程造物过程中自组织涌现出一类难以预测、确知和控制的超支现象。特别是这些超支现象往往会极大地拓展原来的造物活动的规范性筹划，成为实际的构建重大工程硬系统的一个新的、难以预测但不可缺少的造物实践环节。因此，相应的成本增加也就不可避免了。我们把这一类重大工程复杂性导致的一类难以预测、确知和控制的超支现象称为复杂性超支，而把由复杂性超支现象的不确定性可能产生的危害称为重大工程复杂性超支风险。

因此，对于重大工程而言，

成本超支=常规性超支+复杂性超支

成本超支风险=常规性超支风险+复杂性超支风险

导致复杂性超支风险形成的原因主要有五个：工程环境复杂性、深度不确定性、演化与涌现、工程不同主体利益博弈及工程技术创新。据此我们形成了如下新的科学思想与基本理论观点。

（1）重大工程成本超支（风险）是由常规性超支（风险）与复杂性超支（风险）组成。

（2）常规性超支风险源于工程一般系统性意义下的虚体工程思维与实体工程思维之间的差距，而复杂性超支风险源于重大工程的系统复杂性。

（3）复杂性超支的"责任者"主要是工程复杂性，是一类"正常意外性"超支。

（4）面对重大工程客观存在的复杂性超支现象，我们必须根据复杂性思维来看待、分析和处理它们，具体如下：

第一，我们拟根据重大工程主体行为的"迭代式"生成原理，在"第一层次"迭代行为中通过自学习过程，提高主体认识和驾驭复杂性的能力，从而帮助我们辨识和控制复杂性超支现象。

第二，依据"第二层次"迭代行为准则，对工程概算的主体群结构及流程进行科学设计。

第三，依据"第三层次"迭代行为准则，对概算方案的"非共识—共识—非共识……"生成序列进行比对与迭代，不断减少成本预测"误差"，并逼近成本最终"真值"，即不论怎样，对待重大工程成本超支问题，其解决方案只能是

"迭代式"形成结果。

第四，重大工程成本复杂性超支风险是重大工程风险体系中一类具有特殊性的风险形态，它的独特性有着两个层次的内涵：第一层次是一般重大工程复杂性的内涵，第二层次是具体工程独特性的内涵。所以，我们不宜采用一般的样本统计方法或者一般风险源体系评价方法来研究具体工程复杂性超支风险，而只能采用类似于处理"正常意外性"事故的思维来对待复杂性超支风险问题。

上述论述主要以重大工程管理理论的复杂性思维原则为指导，建立重大工程成本超支与成本超支风险认知和分析的思维模式，特别是提出了重大工程基于复杂性的"正常意外性"超支风险的认知，这样才能让我们摆脱从感性、直观层次上"就事论事"地寻找重大工程成本超支原因，树立关于重大工程成本超支新的理论思维。这样，不仅能使我们从理论上提高对重大工程成本超支问题的本质性的认识，也能在实践中提高我们分析和控制这类超支问题的能力。

14.6.3　重大工程现场复杂性风险

重大工程现场复杂性风险主要是指一类具有以下两个基本特点的风险。

（1）它们是在工程施工现场发生的，并是由现场直接复杂性或其他前期管理活动过程中形成并累积到现场的风险潜势而导致的风险。

（2）它们充分体现了风险的秉性，即发生灾害的不确定性。例如，台风对工程施工现场是灾害，但可不属于风险，因为它的路径、影响时间等目前基本上是可预测的，而地震对工程现场来说是不确定灾害，即属于风险。

根据以上原则，本节主要讨论重大工程现场三种类型的复杂性风险。

1. 工程环境复杂性风险

重大工程主体规模大、工程本体复杂性强导致重大工程主体往往在信息不完整甚至严重缺失的情况下投入现场施工，这必然与工程环境的实际复杂性现状形成巨大反差。正是这种环境本体复杂性与主体对现场认知不完备之间的反差成为工程现场潜在风险的主要原因。

2. 工程技术复杂性风险

重大工程现场技术复杂系统包括技术选择、技术创新、技术管理与技术实施等环节，每一个环节又可分解为若干子系统，因此，实际上形成了一个现场技术复杂网络。我们不但要对这一网络的关联结构、技术流传导等方面表现出的多种形态的复杂性有完整的认知，而且还要对该网络中的技术选型、控制、管理与评估等与工程现场的质量、进度、成本与安全等进行统筹协调。特别是，重大工程技术的规范与标准，需要通过相关试验来确定技术参数，但试验往往是不充分的，这种不充分试验模式本身又可能产生技术可靠性与成熟度的风险。真正对技术创新的评价又必须等到工程现场施工结束后才能清楚，这意味着我们只能是在一定的试验和探索状态下在现场实施新技术，这一过程本身就不可避免地带有风险性。任何重大工程现场技术风险及风险控制方案在一定意义上都是"唯一"和"独特"的。

3. 现场"正常事故"风险

1）"正常事故"概述

重大工程现场是一类要素与要素之间存在紧密关联性的复杂系统。因此一部分要素发生故障后可能因为这种紧密关联而"传递"给另外要素并引发新的故障，即出现多重故障现象。在工程硬系统内部这一过程的速度可能极快，使人"防不胜防"与"束手无策"。任何有这样特征的系统都称为强关联系统。具有强关联的系统在系统行为与特征方面会表现出更多的复杂性，如系统内部部分要素之间关联性的变化会导致另一些要素之间关联性的变化；强关联系统也容易使故障从微观层次向宏观层次"升级"，这样，强关联系统常使局部的小故障转化为全局性的大风险，并造成重大损失。在这个意义上，系统发生风险是"正常"的，因为这类风险发生的根本原因源于系统复杂性，即系统要素强关联而致使要素故障产生传递并向系统级事故演化。值得注意的是，这一演化趋势经常是按难以预料的路径与方式进行，即充满了深度不确定性，因此表现为明显的风险特征。每当这类风险形成前或风险刚出现时，人们往往无法理解它的成因与形成机理。风险的不可逆转性又使我们无法阻止这一趋势，或者我们无法使系统元素状态复原，从而要么手忙脚乱要么采用正常的操作反而使情况更为严重，因为对于风险形成状态下的系统而言，原来正常的操作可能会变成"不正常"了。

以上认知对我们运用复杂性思维来审视、认识和分析重大工程现场一类源于强关联的风险的起源与演化具有十分重要的意义。

特别是，根据"正常事故理论"，这一类风险的控制模式和方法不再是在要素层次，而是在系统层次，并且要沿着强关联思维设计和组织风险控制体系。

2）现场"正常事故"风险控制

重大工程现场是一类要素与要素之间存在紧密关联性的强关联系统，表现出来的实体复杂性一般都远远大于工程设计估计和预测的虚拟复杂性，主要是因为以下几点。

（1）工程现场中各要素横向之间的关联性大大增强；

（2）复杂性使工程建设现场中的许多问题难以预测；

（3）工程现场事故具有强烈路径依赖，微小差异可能导致大的事故；

（4）工程事故常具有不可预见的突发性；

（5）在事故面前，正常操作行为也可能出现使事故更为严重的情况；

（6）人们通过增强关联来增加系统安全性的同时，复杂性也提高了，反而增加了发生事故的可能性。

依据以上分析，在风险控制模式中，根据工程现场情况一般可以分为以下三种：①当工程现场相关环节之间呈现强紧密关联但相互影响较低时，宜采用集中式风险控制模式；②当相关环节之间呈现弱紧密关联但相互影响较高时，宜采用分散式风险控制模式；③当相关环节之间紧密关联与相互影响都较强时，宜采用集中与分散式风险控制模式。

此外，在工程现场风险控制时，应该将正常性意外理论运用在工程规划及施工阶段的风险控制模式上，揭示事故发生的本质原因，提高工程风险控制水平。

最后需要注意的是，在建立现场风险控制框架时，需要把目前的现场风险控制体系与正常意外性理论相结合，强调对事故的预防及持续改进风险控制的思想。

下篇

港珠澳大桥工程管理实践

第15章 复杂思维 降解运作
——港珠澳大桥管理复杂性分析及复杂性降解

15.1 港珠澳大桥管理复杂性分析

港珠澳大桥是中国境内一座连接香港、珠海和澳门的桥梁，位于中国广东省伶仃洋区域内。港珠澳大桥因"一国两制"的体制背景、超大的建筑规模、空前的施工难度及极高的建造技术要求，是一项世界级的超级工程。

作为一项超级工程，港珠澳大桥由于其超越一般工程的工程规模、工程环境、技术难度等特点，必然会在管理活动中产生一类具有复杂性的管理问题，给其决策、组织、现场、风险、社会责任等带来极大的复杂性挑战。这里的复杂性问题是指由于工程和环境复杂程度都高而产生的一类复杂性问题，如"一国两制"背景下港珠澳大桥管理组织平台的设计、深度不确定工程决策与决策方案的"迭代式"生成、复杂性风险分析与管理、工程现场综合控制与协同管理及工程关键技术创新等，这一类问题不能简单地通过制定管理规则与提高规整条件并利用成熟经验和知识来解决，而必须根据复杂系统思维才能有效地解决它们，我们将其称为复杂性问题。深刻认识港珠澳大桥的管理复杂性，揭示它们的内涵，对于把握和解决其复杂的管理问题具有重要的基础性作用。本节将根据图 15.1 所示的逻辑展开对港珠澳大桥管理复杂性的分析。

15.1.1 港珠澳大桥的工程复杂性

在深入探讨港珠澳大桥管理复杂性之前，必须要先把握港珠澳大桥的工程直观复杂性。我们难以用精密的语言给港珠澳大桥是"复杂的"下一个定义。诸如工程规模大、技术先进、环境恶劣等，在某种程度上可以帮助我们意会工程的直观"复杂性"，或体会造成港珠澳大桥工程是"复杂的"的重要原因。因

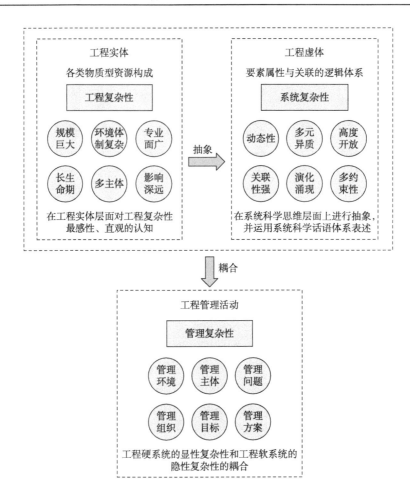

图 15.1　港珠澳大桥管理复杂性分析

此，为了理解港珠澳大桥工程的直观复杂性，我们从其作为超级工程的重要特征来着手分析。

港珠澳大桥是一项投资巨人、技术先进、规模宏大及对社会经济发展有重大持续影响的基础性工程项目，它的最重要的特征如下。

1. 工程规模巨大

港珠澳大桥项目包括海中桥隧主体工程、三地接线和三地口岸，总长约55千米，涉及跨海桥梁、海底隧道、深水人工岛填筑、交通机电、路面、房建等多个领域，是集岛、隧、桥、路等各专业为一体的超级综合集群项目，复杂程度极高。项目总投资超过 1 000 亿元，被英国卫报等境外媒体评为"新世界七大奇迹"之一。在港珠澳大桥工程中，将建造世界上最大的沉管隧道，约 5.7 千米，

2 个 3 车道且位于 46 米的水下。虽然世界其他地区也有这一深度的隧道，或也有这一宽度的隧道，但是没有一个案例是在如此深的水下又同时是如此大的规模和长度。

2. 工程自然环境复杂

港珠澳大桥主体工程涉及白海豚保护、防洪、防台和满足通航、海事、航空限高等复杂建设条件，是中国交通行业建设工程管理的全新挑战。具体来说，港珠澳大桥所在的珠江口水域，是全球最重要的贸易航段之一，我国"六区一线"重点水域；是大型船舶进出珠三角的唯一通道，每天航经船舶达 4 000 艘次，年货物吞吐量超 20 亿吨（不含港澳），是全世界高速客船航行最频密的水域，每天穿梭于粤港澳的高速客船达 500 航次，年运送旅客达 2 200 万人次；是我国气候变化最多端的水域之一，每年恶劣天气达 200 多天，不可预见因素影响频繁。

在极易发生重大财产损失和人员伤亡事故的"敏感地带""咽喉水域"，建起一座超级工程，建设者除了面临技术挑战外，更需要满足工程建设对施工环境近乎苛刻的要求、与通航环境的相互影响，水上交通安全工作迎来超级挑战。建设初期，时任交通运输部副部长的徐祖远指示：港珠澳大桥建设期的水上交通安全监管及保障任务尤为特殊且艰巨，要制定严密细致的预案，工作要早安排、早布置，措施要有针对性，责任要落实到位。如此特殊的环境、工程和保障需求，必须保证万无一失的水上交通安全工作，到底由谁做？怎么做？公共通航与施工安全如何兼顾？这些都是复杂的自然环境带来的重大复杂问题。

3. 工程社会体制复杂

港珠澳大桥跨界连接粤港澳三地，这一地理环境的开放性带来了诸如法律环境、技术环境、政治环境、社会文化环境等一系列体制性的复杂性。港珠澳大桥涉及"一国两制"背景和香港澳门两个特别行政区，建成后将成为全球独一无二横跨两种社会制度、三个地理界线的跨海通道，对粤港澳三地经济社会发展影响巨大，政治敏锐性高。简而言之，港珠澳大桥项目是"一国两制三法"、多技术标准下的跨境重大交通基础设施项目。与其他双边跨界项目相比，它的涉及面更广、协调难度更大、组织更加复杂。因此，需要把不同的法律、法规、标准有效地融合起来，使大桥建设按照既定目标顺利进行，从适应大桥的特点来加强大桥的建设管理。港珠澳大桥是三地共建共管，既是挑战又是机遇，如沟通协调、监管决策，都要兼顾三地的法律法规，更加注重程序管理。

4. 专业覆盖面广，涉及的工程问题复杂

港珠澳大桥包括路、桥、隧、岛多个专业，涉及海洋工程、气象工程、水工工程、机电工程、通信工程、房建工程、消防工程、给排水工程、船机设备、自动控制等多学科的交叉和集成。此外，还需要充分认知伶仃洋海域独特的海况条件和风、浪、流的特点。由于专业覆盖面较广，对问题认知不充分，在施工过程中容易出现各类不确定性事件。例如，由于对伶仃洋海域深水深槽的流态认识不足，故不清楚沉管在沉放到位后其摆动频率、幅度、空间姿态如何受水流流速的影响，在水力压接后，经过贯通测量，才发现 E10 管节产生了对接偏差。又如，在施工过程中 E15 管节出现骤淤的情况，在前面 14 个管节沉放中都是从未出现的事件，面对这样的新的复杂问题，需要不同领域专家协同寻找应对措施。

5. 工程生命周期长

港珠澳大桥由于规模宏大、环境与技术复杂等原因，从其概念形成（20 世纪 80 年代）到立项（2008 年）再到施工完成（2018 年），长达三十多年，而从其开始运营到工程生命周期结束，往往长达数十年甚至数百年。如此漫长的工程生命周期，不仅会形成工程建设过程中的多个阶段和接口，更重要的是使工程建设特别是工程目标的释放置身于社会经济、自然环境长时间尺度的不确定性之中，从而需要港珠澳大桥的功能在其长生命周期内具有良好的"稳健性"。这不但是对港珠澳大桥的建设质量，而且是对其决策质量提出的新挑战。在建设目标的引领下，港珠澳大桥项目提出 120 年使用寿命的要求，与英国 BS 标准[①]一致。然而，事实上，用现代材料建造的工程，还没有已经达到 120 年或接近 120 年寿命的。这也意味着需要对长寿命的每个因素进行细致考虑和设计，使用最耐久的材料，做好每个细节工作。例如，需要的是整个长 35 千米跨海工程的寿命达到 120 年，如果其中桥达到了 200 年寿命而隧道却只有 75 年，这是不能接受的，因此需要确保港珠澳大桥的每个部位寿命达到 120 年，这给工程建设增加了极大的复杂性。

6. 对区域社会经济环境有着重要而深远的影响

港珠澳大桥是一项重大交通基础设施工程，但凡重大基础设施工程必然与社会经济环境有着广泛、紧密和深刻的关联，并可能因大桥建设而引发出多方面的、原来没有出现过的及新的对社会经济环境的正、负面影响，而这些关联与影响又因为工程超长生命周期（120 年）而难以考虑周全、预测准确，因此，需要十分谨慎的科学态度才能尽可能避免管理失误。例如，在大桥桥型的决策中，除了考虑工程美学和工程力学的基本要素外，为了保证并实现大桥的超长寿命，就不得不深入地考虑大桥的阻水率问题。例如，大桥跨度小，阻水率相对较高，长时间下来珠江携带的大量泥沙会不断淤积，进而抬高海床，加剧珠江三角洲冲刷平原的形成规模和速度，并造成有负面影响的地质变化。要弄清楚这一问题，使决策具有科学依据，必须超越一般桥梁设计内容和流程，进行深入观测、采集珠

――――――――――――

① BS 标准是由英国标准学会（British Standard Institute，BSI）制定的英国标准。

江流量和泥沙含量、伶仃洋洋流规律、泥沙沉积速度等数据，并要通过多种实验手段研究不同桥型的阻水率与伶仃洋弱洋流海域泥沙淤积之间的相关性等。由此可见，仅港珠澳大桥桥型决策一项就比一般桥梁的桥型决策多了许多复杂内容。又如，大桥走线决策，要考虑许多社会、经济、区域发展及技术可行性和工程投资因素，对一般大桥而言，这已经是比较复杂的决策过程了。但是，对港珠澳大桥走线决策而言，即便如此，仍然还有新的"绕不过的坎"，即伶仃洋海域珠江口的白海豚保护问题。事实上，只要港珠澳大桥走线穿越白海豚保护区，即与国家自然保护区相关法规冲突，随之而来的是一系列调整保护区功能规划、对中华白海豚国家级自然保护区进行生态补偿等衍生决策问题。

7. 多方面的主体参与

港珠澳大桥工程建设主体群涉及各个层次、领域、行业与专业，从而带来众多的不同主体的目标偏好与利益诉求，增加了建设主体群成员之间的冲突与博弈。首先，港珠澳大桥的准公共品性质决定了政府在其建设过程中起着重要的主导作用，工程如何出资、怎样建设等，政府拥有权威的决策权和话语权。其次，在一国两制的政治背景下，香港、澳门不同于国内其他一般省（自治区、直辖市），它们享有高度的自治权，包括行政管理权、立法权、独立的司法权和终审权，党、政、经、财等事宜都自行管理，且可以同外国签订商务、文化等协定，并享有一定的外交权等，从而粤港澳三地政府的目标、流程、价值观上都有很大区别，这必然增加了很多彼此间的接口与界面，也增多了彼此的沟通、解释和协调环节，否则由于香港和澳门拥有高度自治与独立的行政管理权，就很难形成建设管理上的共识。例如，港珠澳大桥三地联合工作委员会作为项目的决策层，由粤港澳三地 9 个政府部门的成员组成。由于并不是每个委员都具有工程管理的背景，尤其是港澳委员对内地社会转型期工程管理的一些特点不容易理解，故需要严格按照合同执行。在合同制定过程中，港珠澳大桥管理局也曾考虑了内地的实际情况，保留了一些弹性，但港澳方认为，这些弹性可能成为合同的漏洞，因此现有的合同变得非常刚性，但这在"一国两制三法"环境下的三方共建共管的港珠澳大桥项目上往往形成管理"堵点"。因此，必须要加强与三方政府的沟通，留出足够的时间供三方形成共识，这也在协调上增加了复杂性。

上述这些港珠澳大桥的重要特征是港珠澳大桥在工程实体层面上最直观的复杂性认知。

15.1.2　港珠澳大桥的系统复杂性

任何重大工程实体本身不是客观存在的自然系统，而是从无到有构建起来的人造系统，并且这一构建过程必须通过人类的实践活动才能得以实现。重大工程是由材料、土地、资源、设备、技术、管理等要素按照特定目标和技术要求形成的具有功能价值的有机整体，因此，工程是具有开放性和动态性的系统。

在重大工程系统中，系统要素之间的关联十分复杂，系统在组成过程中形成了不同的层次，对这样一类系统，不能仅仅通过还原论就能研究清楚系统的整体性，我们称这样的系统为复杂系统。因此，港珠澳大桥就是这样一个复杂工程系统。

我们说港珠澳大桥是一个复杂工程系统，不仅指人们从直观上感受到的工程"显性"复杂性，如工程规模大、建设主体多、技术与环境复杂等这些"看得见、摸得着"的工程物理复杂性，还包括由于港珠澳大桥工程特点与建设环境引发的系统复杂性，这类复杂性是比工程物理层面更深刻的复杂性，是从复杂系统层面上认识的理性认知复杂性，如工程环境高度开放性、工程主体多元异质性、工程要素之间强关联和多约束、工程系统行为和功能具有演化和涌现等工程系统复杂性。由此可见，港珠澳大桥系统复杂性是其物理复杂性在复杂系统范畴内的提炼与抽象，也是其物理形态复杂性在复杂系统空间中的"映像"。

具体而言，港珠澳大桥的系统复杂性体现在以下几个重要的方面。

1. 港珠澳大桥的建设环境是动态和高度开放的

重大工程的建设环境包括自然、经济、社会文化、技术、政策法规等多层次、多维度环境，重大工程的建设不仅会对社会、经济、生态环境产生影响，也会受到各种环境因素的影响和制约：自然环境决定了工程建设的客观条件，经济环境影响着工程投资规模、工程方案及工程效益评价等，社会文化环境引导着工程目标的确立、工程设计和决策者的价值偏好，技术环境决定了工程设计水平和建设水平，政策法规环境则是规定了工程建设的依据和行为准则。由于环境的动态发展变化及各种环境因素之间相互影响、相互制约，还会由此产生工程建设的各类不确定性。

港珠澳大桥工程系统与环境之间是高度开放与交互的，环境是动态、不确定和演化的，并且与系统有着紧密的关联和相互影响。港珠澳大桥地处外海，气象水文条件复杂，健康、安全与环境管理难度大。伶仃洋地处珠江口，平日涌浪暗流及每年的南海台风都极大地影响了高难度和高精度要求的桥隧施工；海底软基深厚，即工程所处海床面的淤泥质土、粉质黏土深厚，下卧基岩面起伏变化大，基岩深埋基本处于 50 米至 110 米范围；海水氯盐可腐蚀常规的钢筋混凝土桥结构。伶仃洋是弱洋流海域，大量的淤泥不但容易在新建桥墩、人工岛屿或在采用盾构技术开挖隧道过程中堆积并阻塞航道，形成冲积平原，而且会干扰人工填岛及预制沉管的安置与对接；同时，淤泥为生态环境重要组成成分，过度开挖可致灾难性破坏，故桥隧工程既要满足低于 10%阻水率的苛刻要求，又不能过度转移淤泥。伶仃洋立体空间区域内包括重要的水运航道和空运航线，伶仃洋航道每天有 4 000 多艘船只穿梭，因毗邻周边机场，通航大桥的规模和施建受到很大限制，部分区域无法修建大桥，只能采用海底隧道方案。港珠澳大桥穿越自然生态保护区，对中华白海豚等世界濒危海洋哺乳动物存在威胁；同时，大桥两端进入香港、珠海市，亦可能对城市产生空气或噪声污染。此外，粤港澳三地在各自法律法规、技术标准、工程管理、市场环境、责任体系、机制效率等均存在较大差异，大桥运营管理复杂。

2. 港珠澳大桥的管理主体是多元、异质的

一般而言，要素性质的多样性和差异性是导致复杂性的根源，要素种类越多，相互之间的差异性越大，对其管理的难度就越大，从而更容易导致复杂性的产生。因此，主体的多元性和差异性造就了复杂性。

港珠澳大桥是政府提供的准社会公共产品，具有重要的政治意义和社会影响，政府又是港珠澳大桥最大的投资主体，即最大的业主，因此，政府会通过某种形式（如成立港珠澳大桥管理局）深度参与和主导工程建设与管理。另外，为了有效进行工程资源整合和解决工程建设中的各种复杂问题，港珠澳大桥管理局牵头组织了由规划、设计、施工、监理、科研、咨询、海事等多方面力量组成的工程管理平台。这种工程组织平台一方面极大地增强了整合工程资源的能力，同时也不可避免地形成了多元工程价值观和多元主体利益并存的格局，这些正是形成港珠澳大桥工程系统复杂性的原因之一。

即使对于政府主体而言，不同的政府部门对于同一问题会有不同的立场，也会因为知识背景、价值观念的差异产生不同的看法和观点，何况港珠澳大桥是一个横跨粤港澳三地，两种政治制度背景下的重大工程，对于同一问题三地政府更可能会由于立场不同，而产生观点差异性，从而增加协调与管理难度。

3. 工程管理要素关联性强，呈现出多种复杂性形态

重大工程管理系统组成要素多，且要素具有异质性与自适应性，所以，要素的属性、作用和功能之间有较大的差异；要素能够根据接收到的信息主动调整自身的状态与行为，以适应环境的变化，更加有利于自己的生存与发展。与此同时，系统中会产生新的规则，形成新的关联与结构，系统因此会出现更加高级、更加有序的整体行为与功能。例如，重大基础设施工程决策包含工程规划、立项、投融资、环境保护、建设和管理模式等主要决策问题，这些主要决策问题彼此密切相关，每个决策问题又可细分为相关子决策问题。因此，重大工程决策问题构成一个系统。重大工程决策问题是一个整体，部分决策问题的解决不仅需要考虑其子问题之间的关系、落实的先后顺序和过程，还需要考虑与其他并行决策的相互影响以及其与上层决策之间的关系。

4. 港珠澳大桥建设过程具有工程系统行为和功能的演化和涌现性

一般地，复杂系统在整体层次上往往呈现出系统个别要素或部分子系统所没有，或者也不是它们的行为与功能简单叠加的"复杂的"行为与功能，称这一现象为复杂系统行为与功能的"涌现"，涌现是复杂性的一个重要表征。

对复杂工程系统来说，与系统有关的一个小的偶然事件，不论其是设备、人员、管理还是自然方面的因素或以上几方面因素的组合，只要它导致了某一个哪怕是非常小的故障发生，工程系统的复杂性就有可能导致该故障逐步传导、放大，并最终涌现出基于复杂性的系统整体行为或现象，而这一过程与结果可能远远超出现场人员掌握的程序化操作规定和以往的经验，甚至远远超出工程设计人员的意料，并使得原来正常的操作都可能成为更大事故产生的起因。

例如，作为大桥180米长、8万吨重的沉管，从沉管预制厂运输到安装现场，需要经历14千米的海上行程，这需要深度分析并掌握海浪、海流、风速、海水盐度、海水浊度等复杂数据，提前预报，以确定作业窗口。这个窗口期又长达 14 天，这期间不能有大的台风、强对流天气。对接的时候，每个小时都要进行预报，精度要求非常之高。深水深槽区管节的安装施工远比想象中更加困难，技术更加复杂，还有很多未知的领域需要深入研究，沉管定位的精确度、沉放的技术，包括需要的水文、水力、气候条件，要系统考虑。港珠澳大桥主体工程深入外海，同时要面对复杂多变的海洋气候和海底地质条件，存在深水深槽、大径流、强回淤等不利因素。例如，2015 年，港珠澳大桥沉管隧道的安置对接经历多次无功而返，其中 E15 节沉管历经三次浮运两次返航 156 天完成安装。

以上是依据系统理论思维建立的港珠澳大桥工程物理要素属性和关联的逻辑体系，形成了工程虚体及其系统复杂性，也是港珠澳大桥物理复杂性在复杂系统范畴内的体现与抽象。

15.1.3　港珠澳大桥的管理复杂性

任何工程实体都是由多种物质资源如土地、资金、材料、装备等在自然规律与技术原理支配下相互关联、组合而成的整体。工程具有明确的物质性硬结构，并形成基本的物理功能，而这些物质资源就是工程整体的物理构成要素。因此，我们一般称工程实体为工程硬系统。任何工程管理活动也都是由基本管理活动要素构成的整体。各个管理活动之间根据一定的规律与原理相互关联，并最终体现出管理活动整体性的功能与行为。因此，工程管理活动实际上是一类服务于设计、建设与运营工程硬系统的系统，我们称此工程管理系统为工程软系统。工程硬系统具有工程物理上的显性复杂性，工程软系统具有系统属性上的隐性复杂性，工程的管理复杂性就是工程硬系统复杂性和工程软系统复杂性的综合。

下面，我们根据港珠澳大桥管理活动的基本要素来逐一描述，从中体现出港珠澳大桥工程的管理复杂性。

第一，管理环境。首先，港珠澳大桥地域范围大、空间覆盖面广。例如，港珠澳大桥全长约 55 千米，其中珠澳口岸至香港口岸 41.6 千米（跨海路段全长 35.578 千米）；三地共建主体工程 29.6 千米，包括 6.7 千米海底隧道和 22.9 千米桥梁，涉及青州航道、江海直达船航道、九洲航道等多条航道线，如此大尺度的空间环境必然会呈现出社会、人文、自然形态的多样性，并对实际工程管理活动产生复杂影响。其次，港珠澳大桥的社会经济自然环境在其长生命周期内不仅是动态变化的，还可能发生演化与突变等复杂现象。这些都会对港珠澳大桥的建设过程产生深刻影响。例如，早在 1983 年，香港商人胡应湘率先提出了兴建连接香港与珠海跨境跨海大桥的大胆方案，然而当时中英双方正就解决香港问题经历着艰苦的谈判。1989 年，珠海正式向外公布了拟建后来为人所熟知的伶仃洋大桥计划。接着，伶仃洋跨海工程的预可行性研究、工程可行性研究，相继于 1992 年、1993 年完成。再接着，珠海方面主动与香港沟通、协调，于 1996 年正式向国家计委申请立项，并于 1997 年 12 月 30 日获得了国务院的批准立项。然而，紧随而来的 1998 年的金融危机却让伶仃洋大桥项目最终搁浅。

第二，管理主体。重大工程管理主体是指对工程决策、建设和运营有决策权、财产权、建设权、监管权、话语权的多方面干系人组成的群体，如政府、业主、设计方、承包商、供应商、监理方、科研方与社会公众等。港珠澳大桥的管理主体有中央政府、香港特区政府、澳门特区政府、广东省政府、三地联合工作委员会（以下简称三地委）、港珠澳大桥管理局等。

显然，这一主体群规模大、人数多、价值多元化。他们有着建设、管理好港珠澳大桥的共同目标，并在管理的不同阶段发挥各自的作用，但又因为彼此之间存在不同的价值偏好，会引发不同的利益诉求和行为冲突。这一状况不但会增加管理主体共识与目标形成的难度，而且还会在涉及彼此利益的问题上产生矛盾和博弈。例如，由于港珠澳大桥技术标准高、项目海域作业条件差、地质情况及通航状况复杂、地材价格上涨严重、防台防汛频繁、现行定额难以准确反映项目工程造价等原因，承包人普遍反映资金紧张。由于合同变更需要引发一系列的管理操作流程，在时间上难以尽快缓解承包人的资金紧张的状况，从而产生一定的利益诉求冲突。这就直接要求港珠澳大桥的管理主体群具有更强的领导力与协调力、要有有效的管理模式与流程，还要在管理全过程保证主体行为的规范和防范主体行为的异化。

另外，面对复杂的港珠澳大桥管理环境与问题，管理主体往往表现出知识、经验及能力的不足，这一般要通过管理主体自学习、自组织来提升自身的管理水平。例如，在前14个沉管沉放中从未出现淤积的情况，而在E15管节出现骤淤，这是事先无法能够充分预测到的，需要管理者的自学习行为来实现管理能力的提高。这样，必然会大大增加重大工程管理主体行为与组织模式的复杂性。

第三，管理问题。与一般的工程管理相比，港珠澳大桥的管理过程中需要解决的管理问题，不但数量多，而且复杂得多。除了一般管理活动中的各类简单性问题外，还出现了一类具有复杂性的管理问题。这些复杂性管理问题一般涉及多个学科和领域的知识，其边界往往是模糊和不完全清晰的，问题内部要素之间除了有确定的输入/输出关系外，还有不完全确定的关联关系；除了有显性的可确知的关联关系外，还有隐性的难以确知的关联关系，而且被我们认定的一些关系或关联要素，在实际传导过程中还可能被其他因素影响而改变，导致人们对问题的认知往往是模糊、不确定甚至是不确知的。此外，这些复杂性管理问题一般都很难完全用一种比较明晰的结构化方法（模型）来描述。事实上，重大工程管理问题往往同时包含着社会经济、工程技术与人的行为及文化价值观等要素。这一类管理问题整体上就必须同时用结构化、半结构化甚至非结构化模型才能完整、准确地描述，这不但大大增加了问题建模的难度，而且还增添了不同类型模型之间相互融合的难度。例如，"一国两制"下港珠澳大桥三地协同决策的"软法"平台设计、深度不确定决策与决策方案的"迭代式"生成、复杂性引起的建设风险分析与防范、建设现场多主体协调与多目标综合控制及建设关键技术创新等。

第四，管理组织。对于一般性工程而言，管理问题相对简单，并且管理主体的能力也相对较强，往往只需要一次性地设计与构建工程管理组织，这一组织就能够"从头到尾"地处理工程管理全过程中的各种问题。但是，对于港珠澳大桥的工程管理，不但环境复杂、问题类型多，而且问题复杂。因此，在实际中，很难一次性构建一个工程管理组织，而该组织需要在工程管理的全过程拥有对所有管理问题的分析、处理和驾驭能力。相反，这时要通过管理组织在管理过程中的"柔性"和"适应性"的调整（包括变动主体构成、改变管理机制与流程）来提高它的整体能力。例如，随着管理问题的演化，港珠澳大桥的管理组织经历了国家宏观规划阶段（港珠澳大桥前期工作协调小组）、粤港澳三地政府协调决策阶段（港珠澳大桥前期工作协调小组）、中央政府协调决策阶段（港珠澳大桥专责小组）、工程建设协调阶段（三地委和管理局）等多层次变革。

第五，管理目标。管理问题总是以管理目标为导向的，港珠澳大桥的管理问题因为工程长寿命期的特点而使工程目标在不同时间尺度上有所不同，又因为工程对社会经济环境有着重大影响,从而在不同领域内又会有各自的目标。这些不同维度,或者同一维度但不同尺度的目标不但形成了多层次、多维度、多尺度的目标体系,而且在目标表述时,还会出现目标模糊、不确定、相互冲突、难以计量等情况,从而增加对这些目标综合分析和评估的难度。例如,港珠澳大桥招标采购的基本目标就是提供优秀的施工队伍、优良的物资和适合的技术。因此,在招标采购过程中,要综合考虑到价格、质量、企业信誉等因素,但在实际中,其建设过程往往更缺乏可靠的关键技术,没有这样的技术,工程质量、安全、进度与成本等目标都无法实现。因此,港珠澳大桥在实际招标采购过程中,和一般工程评标中商务分比重有较大不同,必然要保证先进可靠技术的优先权,并使这一原则在评标目标体系中得到充分的体现。另外,在建设过程中还要能够解决管理目标之间彼此冲突和难以度量的复杂情况。

第六,管理方案。管理方案是针对重大工程管理问题提出的解决路径、计划、手段与方法。对于港珠澳大桥管理中一类相对简单的问题,其方案的形成与一般工程基本上没有什么差别。但是,对于其中的一类复杂程度高的问题,其方案的形成路径就会有很大的不同。首先,根据人的认识规律,管理主体对这类复杂问题的认识必然是一个由不知到知之、由知之不多到知之较多、由知之片面到知之全面、由知之肤浅到知之深刻的过程。这不仅体现了主体个体认识的深化过程,而且也是管理主体群形成共识的过程。因此,管理主体群对管理方案的产生表现为一个不断探索的"试错"过程。在这一过程中,管理方案通常都不是一次"优化"形成的,而是根据对问题认识的深度和准确度,通过对备选管理方案的多次比对、修正与完善来确定的。从总体上讲,这是一个由阶段性中间方案沿着一条从比较模糊到比较清晰、从比较片面到比较全面、从品质比较低到品质比较高的路径,不断迭代、逼近,直至收敛到最终方案的过程。例如,港珠澳大桥的中华白海豚保护决策方案就经历了桥位与中华白海豚保护区相对位置变化、保护区是否调整及如何进行生态补偿等不同方案的不断迭代过程。

此外,在方案形成过程中,必然要出现和增加许多新的、复杂的环节与接口,如管理主体之间需要更多的协调与沟通、方案迭代过程中需要有更多的前后完善与比对,还要保证对不同类型信息的有效融合和对方案形成进行整体(综合成本、时效与品质等)评估与优化。

综上所述,港珠澳大桥的管理复杂性是主体在管理活动中能够体验、意会和感受到的一种直觉性的困难和困惑。例如,主体对一个管理问题感到难以表述清楚、分析透彻、预测准确,甚至拿不出方法、提不出方案及难以解决等,故而产生该问题是"复杂的"感性认知,如果把这种感性认知抽象成为理性认知层面上的一种属性,即"管理复杂性"。究其管理复杂性原因,可能是因为管理客观环境、现象与问题的固有属性，也可能是因为主体主观能力不足造成的。常见的原因一般是工程环境的"严重"不确定性、管理主体多元化、管理问题要素多、要素之间强关联或者关联方式多样性等。无论具体是哪一种原因造成的，管理复杂性都会对港珠澳大桥管理活动造成很大的困难，成为其建设与管理一道大的障碍，需要我们采取新的手段与措施解决它。

15.2　港珠澳大桥管理复杂性降解

从 15.1 节中可看出，港珠澳大桥的管理复杂性会对其工程管理活动带来很大的困难，因此对于港珠澳大桥的管理，其核心和关键就是如何应对和驾驭上述复杂性，即从思维层面上帮助管理主体更清晰、简便地认识和分析原本难以理解和认识的工程固有复杂性，发现管理复杂性规律，进而把管理复杂性尽量降低。可以说，复杂性降解是港珠澳大桥管理活动中管理主体面对复杂性问题首要的行为准则与先导性目标。

因此，为了解决港珠澳大桥建设中的相关复杂性管理问题，本节将在对复杂性降解基本认知的基础上，提炼出降解的基本路径和基本原理，以形成基础性和形式化规则从而帮助管理者准确、深入而不仅仅概念化地理解重大工程管理活动的复杂性本质，以及停留在操作层面确立行为准则与运作规则。

15.2.1　复杂性降解的基本认知

重大工程管理是依据理论思维把工程硬系统的属性进行抽象并将属性之间的关联系统化，形成复杂工程属性的逻辑体系。这种抽象和关联过程具有可变性特征，即同一个工程的物理复杂性形态，可能形成不同的虚体工程。这是因为，当人们在对实体工程物理复杂性进行抽象和关联认知的过程中，主要依据理论思维进行，而不同主体个性化价值取向和认知水平不同导致其思维方式不同，进而引起了整个过程的可变性。

复杂性降解是在重大工程管理前期，主体可依据工程虚体"可变性"原理，通过假设与理想化的"降解"行为，帮助和支持管理主体对管理复杂性的认知与分析，并且在后期的重大工程管理实际活动阶段，通过工程实体现场思维"复原"工程固有的物理复杂性，以保证重大工程实体造物的真实与完整（图 15.2）。

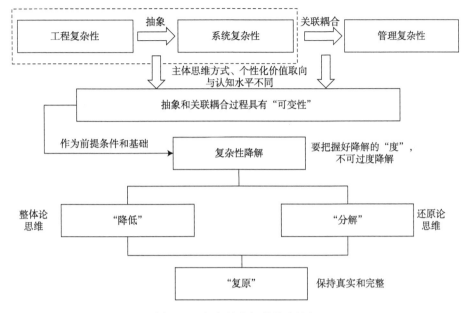

图 15.2 复杂性降解的基本认知

具体地说，可以从以下四个方面来理解复杂性降解行为。

（1）"降解"中的"降低"行为：强调通过提高主体自身的分析与驾驭复杂性能力，更好地保持工程原来固有的物理复杂性形态，体现整体论思维。

（2）"降解"中的"分解"行为：主要是在虚体思维层面上对工程原来固有的整体物理复杂性进行一定的"划分"以减小原有的复杂性，体现还原论思维。

（3）"复原"行为：把重大工程各种属性、关联及其固有的复杂性整合为一个完整的工程实体，面对这一具体的工程物理实体，运用实体思维"还原"其真实的复杂性，决不能因为虚体工程思维对重大工程实体的复杂性有任何实质性的"破坏"或"损伤"。

（4）把握好有效的复杂性降解的"度"：过度降解可能会引发另外某一类新的复杂性，而又可能因为对这类新的复杂性缺乏估计与预防，从而导致新的、更严重的复杂性。

15.2.2 港珠澳大桥复杂性降解的基本路径

基于 15.2.1 小节对复杂性降解的认知，结合港珠澳大桥管理复杂性的来源，本节总结了以下几条在港珠澳大桥管理中采用的基本的降解路径（图 15.3）。

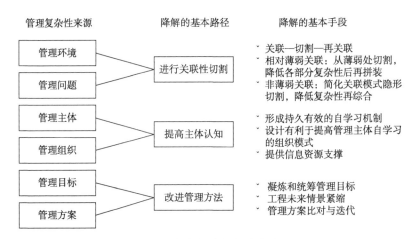

图 15.3　复杂性降解的基本路径

1. 进行关联性切割

港珠澳大桥作为一项超级工程，不但是材料、装备、资金和技术等硬资源的集成，而且是组织、管理、信息、价值等软资源的集成。其管理要素具有强关联和高度集成的特点，从而引发了管理中的关联复杂性，这一关联复杂性进一步增强了其管理复杂性。港珠澳大桥在管理过程中恰当地切割工程"局部"与"全局"关联来降低管理复杂性。

港珠澳大桥管理主体在进行关联性切割时，针对不同程度的关联性，采取不同的路径。

第一，对一类相对薄弱的关联情形，从相对薄弱处切割，被切割的各个部分的复杂性一定有所降低，然后再对它们进行"拼装"，恢复成原系统。例如，港珠澳大桥是一个跨越香港、澳门、珠海三地的跨界工程，三地之间的法律标准、技术规范、承包商选择等都不相同，三地政府也不尽了解对方的行政制度和区域文化等，在相对薄弱的三地政府关联关系下，港珠澳大桥的管理问题会根据属地分割和适用原则及地理位置进行切割，并由三地政府为各自的管辖区域制定管理方案，随后再进行管理方案的集成和拼装，对管理方案进行整体性"复原"。

第二，对另一类强关联的情形，可以简化关联模式和强度进行"隐形"切割，降低复杂性后再综合。例如，在港珠澳大桥着陆点及桥位走线决策问题中，着陆点决策和桥位走线决策相互迭代，紧密联系。一方面，决定着陆点的时候，要考虑到桥位走线的可行性和影响；另一方面，着陆点决策的收敛为桥位走线的研究和确定奠定了基础。在决策之初，由三地政府各自提出可行的着陆点方案，香港特别行政区政府推荐在大屿山礁石湾、澳门侧初选三个着陆点方案，珠海侧初选三个着陆点方案，通过三方各自对着陆点备选方案的初步优劣对比和三方共同商讨，使得着陆点方案减少，促使中交公路规划设计院提供具有进一步研究价值的六种桥位走线方案，这在一定程度上显著节约了后续研究资源。随后再由中央统筹与专家辅助对着陆点可行性中间成果进行意见协商，最后达成共识，形成桥位和着陆点的最终方案。这一决策是一个着陆点与桥位关联—着陆点与桥位切割决策—着陆点与桥位再关联决策的过程。

以上两种关联性切割行为实质上是"关联—切割—再关联"的过程。首先，管理主体试图将管理复杂性整体（看作一个复杂机器整体）分解为多个复杂性相对较低的部分（机器的不同零部件），在对这些部分复杂性逐一分析、研究的基础上，再将它们"拼装"成原来的机器（关联性复原）。

需要强调的是，不论采取何种切割方法，绝不能在管理活动中对实际存在的管理要素物理性关联进行实体意义的肢解和破坏，否则将损坏工程固有的物理复杂性。

2. 提高主体认知

提高主体认知，主要通过管理个体和主体群自学习来实现，目的在于将学习的知识内化为对复杂性分析和处理的能力。港珠澳大桥在这一降解路径中形成管理主体群持久有效的自学习机制，这有利于提高管理主体自学习的组织效率，或者以增加信息资源来支撑降解复杂性。

港珠澳大桥管理组织中有技术与管理的技术顾问和专家组，还聘请了国外著名公司与专家参与研究工作，对分析和解决工程复杂问题给予多方面的智力支持，这实际上就是一种有效的管理主体自学习的机制和组织模式。例如，港珠澳大桥在专题承担单位选择中，就邀请了诸多在各专题研究方面国内知名的、具有丰富经验的国字号单位参与研究工作。这些科研机构是全国范围内在相关领域最优秀、研究水平最高的科研院所，参与港珠澳大桥的研究人员在 1 000 人以上。他们在这些复杂的技术管理问题上，给予了重要的智力支持。

3. 改进管理方法

改进管理方法，可以从以下三个方面实现。

第一，凝练与统筹管理目标。

港珠澳大桥的管理目标具有多层次和多元化特征，管理主体价值观的变化也会导致管理目标出现动态性和复杂性。因此，港珠澳大桥在管理中通过"凝练"与"统筹"来管理目标。

管理目标凝练是在目标设计的基础上，对构成型目标、生成型目标及涌现型目标进行筛选、合并与提取，突出和保证战略型、基础型目标的地位，充分考虑各凝练目标之间的统筹兼顾。在管理目标凝练的基础上，通过对部分目标进行剔除、限制和补偿，尽量保证目标之间的整体均衡，兼顾好直接与间接、短期与长远，以及功能性、社会性与战略性目标之间的均衡，此即管理目标统筹。

管理目标的凝练与统筹使目标的多元性得到一定的压缩，增强了目标之间的结构化关联，因此，有利于降低管理目标的有序性与可度量性，从而降低了分析和评估目标的复杂性。

例如，因为"一国两制"体制需要对港珠澳大桥跨境通行口岸模式进行决策，依据目标重要性的"序"规则，在决策权重维度上可分为司法管辖权、社会、经济、管理与技术等层次，而口岸空间位置必须与司法管辖权一致。基于对"一国两制"体制的法律尊重，司法管辖优先权必然要大于社会、经济及其他目标优先权，这样的目标凝练与统筹能够大大降解这一决策问题的复杂性。

第二，工程未来情景"紧缩"。

港珠澳大桥未来情景表现为不确定性情景和不确知演化路径，需要通过未来情景的"紧缩"实现降解。可行路径具体如下：以管理主体群的经验与知识为基础，"锁定"一些具体和特别有意义的情景；从环境状态预测视角设定条件和参数生成未来情景；设定子空间降低不确定性；设定未来情景可接受的阈值；等等。以上各种路径都是通过压缩未来情景空间的深度不确定性来降低管理复杂性的。

在港珠澳大桥的交通量预测中，研究者采用了起讫点调查方法，以虎门大桥和虎门渡口交通量、香港规划署在 1999 年、2001 年和 2003 年进行的跨界旅运统计数据、附近省市与重要交通节点交通量为参考，并把交通量划分为趋势交通量、诱增交通量、转移交通量，分别进行预测，尽量降低未来交通流量预测中的不确定性与复杂性。

第三，管理方案比对与迭代。

在确定港珠澳大桥管理方案的流程中，管理主体会进行多次比对、调整、逼近，将整体性的问题复杂性化解为分阶段、分领域相对简单的复杂性分析和处理，在管理形式上体现为从无到有，从比较无序到比较有序，从比较片面到比较全面的反复修正、逐步迭代与不断逼近的系统转化过程，并最终获得解决方案。

可见，在工程管理建设过程中，管理方案不是一蹴而就的。因此，不要急于用简单的思维找到最优方案，而应不断认识、及时沟通、反复比较，最终获得较为满意的折中方案。从该视角可知，港珠澳大桥管理的目标不在于最优，而在于不断优化。

15.2.3　港珠澳大桥复杂性降解的基本原理

港珠澳大桥复杂性降解的基本原理包括适应性选择原理和迭代式生成原理，

具体框架图如图 15.4 所示。

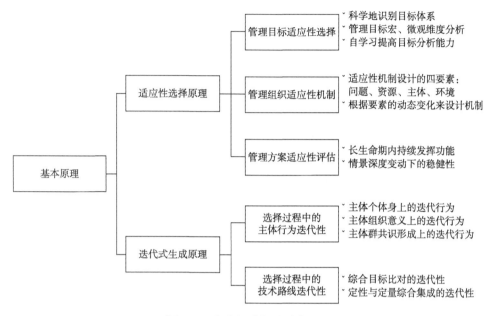

图 15.4　复杂性降解的基本原理

1. 适应性选择原理

适应性是指主体根据外界环境与条件的变化，主动改变自身特性、行为、组织模式与功能等，使自身保持与新环境的协调以继续生存、发展和发挥作用的行为能力。适应性选择则是指基于适应性准则的主体选择行为，是主体在管理活动操作层面的行为现实。适应性选择既是主体选择行为的目标，是主体选择过程中自身行为准则与行为能力标志，也是对复杂性降解在主体认知上造成的关于复杂性"偏差"与"损伤"的补偿和复原。复杂性降解是强调在思维层面上通过工程实体的"虚体化"帮助主体认识和分析工程管理复杂性，而适应性选择则是强调在操作层面帮助主体从"虚体化"思维回归到"实体化"实践。

可以说，适应性选择是港珠澳大桥管理活动中主体最重要的一类复杂性降解的实际操作方式，也是基本原理之一。在操作过程中，适应性选择充分体现理论思维与工程思维的相互结合，通过对管理目标适应性选择和对管理组织适应性机制的设计来提高管理方案的适应性。具体策略有以下几个方面（图 15.4）。

1）管理目标适应性选择

港珠澳大桥在执行这一策略时，具体步骤如下：首先，科学地识别目标体系，即在广泛设计目标的基础上，对目标进行合理的筛选、合并，提取更具本质性的核心目标，准确处理好目标的多元化、层次性、关联性、非可加性、动态性、均衡性和有限性。其次，进行管理目标宏微观维度分析。最后，主体通过自学习，提高分析目标复杂性的能力。

例如，在港珠澳大桥的钢桥面铺装中，具有工期、质量等多重约束与控制目标，在任务重、工期紧、标准要求高，对从原材料供应、施工过程控制、质量保证到项目管理等各方面提出严峻挑战的背景下，为切实可行地提高桥面铺装管理水平，保证项目体系达到效果，确保桥面铺装质量稳定、经久耐用，桥面铺装工程管理理念为"以认证保材料、以考核保人员、以设备保工艺、以工艺保质量"。为确保项目质量与工期，设计方案的选择着重考虑技术的可行性和超大工程量所带来的施工可执行性。施工准备期间，加强各项施工前期准备工作的组织与协商管理。施工期间重点加强施工现场的管理。

2）管理组织适应性机制

港珠澳大桥根据问题、资源、主体和环境四个要素的动态变化构建了一套完善的管理组织适应性机制，其中，问题（任务）的变化是根本和主导的，起着导向性作用，引起组织主体的变更、结构的变更和机制的变更。

可以说，港珠澳大桥管理问题涉及面广，问题层次与尺度不尽相同，因此，为了提高管理组织能力和管理效率，需要以不同性质的管理问题为导向，构建相应的冗余性小、效率高的管理组织模式，故在管理过程中，形成了从国家宏观规划阶段、粤港澳三地政府协调决策阶段、中央政府协调决策阶段，到工程建设协调决策阶段的自适应调整的动态管理组织模式，而不是构建结构固化的刚性管理组织模式。

3）管理方案适应性评估

管理方案作为主体适应性选择行为的最终结果，其"质量"必然会成为对主体适应性选择行为"质量"的直接考核。

港珠澳大桥的管理方案质量主要体现在管理方案能否在工程长生命周期内持续发挥其功能，以及管理方案能否在环境可能的情景深度变动下保持稳健性方面。例如，港珠澳大桥工程前期推荐的碛石湾北线方案阻水比约20%，大桥兴建后的潮汐动力将大大减小，直接影响作为泥沙主要输送通道的伶仃洋西滩水域流速，使泥沙落淤速度加快。同时，潮汐动力减小后，将使上游水域及网河区河道流速降低，输沙能力减弱，易使河道及潮汐通道泥沙淤积加快，口门地区河床抬高，并对上游地区防洪、口门泄洪、纳潮、排涝及伶仃洋河势稳定等因素产生不利影响，这种影响还会随着上游网河区及浅海区的淤积加快而逐步明显。针对这一工程问题，港珠澳大桥在管理上委托珠江水利委员会珠江水利科学研究院对该类问题分别作了数学模型和物理模型实验，对港珠澳大桥建成前后对潮流和泥沙淤积问题进行预测研究。这一泥沙沉积的预测模型则是对大桥建设对周边水文地质长远影响的推演，以确保工程方案可以在工程长生命周期内持续发挥功能，并能够"扛得住"工程环境未来可能出现的情景变化带来的各种风险。

2. 迭代式生成原理

基于"适应性"准则的"选择"是重大工程管理活动中主体最普遍和最基本的行为。迭代式生成是在适应性准则基础上主体"选择"行为在实际操作层面上的一般规律和基本行为准则。

1）选择过程中的主体行为迭代性

在面对港珠澳大桥复杂性管理问题时，由于其管理目标多层次、多维度、多尺度，管理问题难以完全用结构化模型表述，也难以对模型进行求解，故主体只能根据迭代式准则以迭代行为来应对问题的复杂性。

具体操作流程如下：第一，主体个体身上的迭代行为，即管理主体中的个体为了提高自身的选择能力所开展的自学习活动。这是主体认知思维的一个自我迭代过程。在这样一个不断迭代的过程中，主体自身的信息与知识不断丰富，对问题及如何解决问题的认知不断全面、完善和深刻。"第一层次"的迭代行为是在管理方案选择过程中最基础的一类迭代行为。第二，主体组织意义上的迭代行为，即管理主体群的组成一般不能是固定不变的，而要根据问题性质的不同，在序主体的主导下，对主体进行不断选择和对主体群的结构进行适当的变换，以形成一个新的主体组织。这既是管理主体群又是管理组织在重组或重构意义下的不断迭代，正是通过这种迭代，管理组织适应性地产生了与所需解决问题相匹配的事权和能力。第三，主体群共识形成上的迭代行为。对方案的比对是要求在方案选择过程中形成主体群的共识，标志着主体群中各个体对问题复杂性认知的逐渐集中与趋同，体现为一种"不断比对、逐步逼近、最终确定"的普遍模式。此谓之"第三层次"的迭代行为是港珠澳大桥管理方案选择过程中最高层次的迭代行为。

因此，"迭代式"生成的具体程序是主体不断对某一阶段性的方案进行纵向或横向比对、调整和修正，甚至推翻原方案再重新设计新方案这样一个不断迭代的过程，最终以逐次迭代方案序列逼近最终方案，即"比对、迭代、逼近"。

迭代式生成原理是把问题的整体复杂性分解到方案生成过程中的各个阶段，不但使主体在每个阶段遇到的复杂性只是整体复杂性的一部分，而且采用了多次适应性迭代形成的方案序列逼近问题最终方案，这种实际操作行为既体现了主体的复杂性降解准则，又体现了适应性选择准则。

2）选择过程中的技术路线迭代性

管理方案的"迭代式"生成原理在操作层面上，集中表现为主体的比对行为，而比对所采用的基本技术主要是综合评价，其关键技术路线包括评价目标的综合与定性定量相结合的综合评价技术。

第一，综合目标比对的迭代性。对管理方案的迭代，应在同样环境下对方案进行同等深度与统一价值观的比对，这就需要主体提出综合评估技术中的综合目标。在综合评价过程中的目标处理，需要主体对每一个阶段的目标进行筛选或合并、对目标之间的关联性进行定性或定量的判定。到下一个阶段，主体要在上一阶段评价的基础上，进行类似的迭代。这是主体采用的目标综合技术路线所反映出来的迭代式内涵。

例如，港珠澳大桥桥位与着陆点决策与口岸查验模式、中华白海豚保护方案相互关联、相互影响，这一方案随着中华白海豚保护、23DY 锚地问题、口岸查验模式的变化进行了决策目标和方案的多次比对、迭代与优化。

第二，定性与定量综合集成的迭代性。港珠澳大桥的管理方案因其复杂性，主体往往先要形成方案的整体思路、设想与概念，这一阶段主体主要是在已有科学理论、经验知识的基础上，综合主体群的智慧，形成以语言和文字描述为主的直观判断。这一定性阶段主要依靠主体对问题和方案认知的不断深化，呈现出不断深化的迭代特点。但是，许多方案及关键技术对工程具有直接而重大的影响，对这类问题，我们不能只停留在定性的描述上，而需要清晰、精确地分析和描述，才能避免出现误差，保证整个工程管理方案的质量。特别是对于复杂性问题，其整体性强、与外部深度不确定环境联系密切，需要主体在初始阶段认识和理解的基础上，经历一个逐步深化的认识过程。例如，采用数据采集与分析、跟踪监测与仿真、预测方法的选择与改进等多种定量方法，还要对自身的定量结果进行修正，这些也都是在不断迭代中完成的。因此，港珠澳大桥复杂性问题方案的选择不仅需要运用定性与定量相结合的方法，更需要运用从定性到定量的综合集成方法。在上述过程中，定性阶段与定量阶段内部都会历经多次迭代才能完成，而且定性迭代与定量迭代会相互影响，引发彼此新的迭代需求，形成在定性定量相结合整体中的互动迭代特点。

例如，港珠澳大桥投融资管理面临很多困难，管理问题极其复杂，因此一般工程中单一定性或者定量的方法已经无法解决该管理问题。对于此，港珠澳大桥的管理主体先定性，再定量，将定性和定量的决策方法结合起来，使港珠澳大桥投融资问题得到较为妥善和科学的解决。具体来说，在确定资本金投资分摊比例的问题上，为了更好地平衡粤港澳三地政府的责、权、利关系，港珠澳大桥决策者首先使用定性的方法提出四种资本金分摊原则，即"按三地均摊"、"按属地边界分摊"、"按效益对等原则分摊"和"按效益费用比相同分摊"。其次采用定量的方法，计算出每种原则下三方具体的出资比例。再次从经济费用效益分析的角度，计算出每种原则下三方的经济内部收益率和社会折现率。最后通过对计算数据的分析，选出对三方政府均有利的"按效益费用比相同分摊原则"作为最终的投资责任分摊原则。

15.3　港珠澳大桥管理复杂性分析与降解实践专题

15.3.1　港珠澳大桥立项管理的复杂性分析与降解

1. 立项管理概述

港珠澳大桥工程规模宏大，区域水文、地质、航运等建设条件复杂，项目连接香港、珠海及澳门，对三地社会经济的发展影响巨大，涉及问题多而且新，其规划立项阶段的核心任务就在于回答两个关键的问题。

（1）港珠澳大桥工程立项的必要性，即是否有必要通过港珠澳大桥工程的建设来解决该地区社会经济发展过程中的问题，解决这一问题主要从工程与外部环境关系及工程在社会经济发展中的必要性进行论证，这将涉及国家和地区未来发展规划问题、社会资源配置问题、工程综合收益问题等，如统筹建设港珠澳大桥的必要性与迫切性。

（2）港珠澳大桥工程立项的可行性，即港珠澳大桥工程项目在当前环境情况下是否具备建设的条件，主要是立足于工程本身，从工程资源集成性和条件约束性角度对工程建设可行性进行论证，如工程的环境可行性、资源可行性、经济可行性、技术可行性及运营可行性等。

具体而言，港珠澳大桥立项阶段的研究内容如下：对项目影响区内社会经济发展及远景交通量进行预测，依据交通量预测结果，结合项目功能、在路网中的作用，研究论证项目建设规模、技术标准，对多个桥位走线方案及各线位可能的桥型方案，对工程施工期及运营期的环境的影响进行评价，对投融资方案及项目的效益进行分析，对项目跨境建设、施工、管理中需协调解决的问题进行研究。主要问题包括：①社会经济效益必要性；②工程物理方案；③跨界管理可行性；④经济效益可行性；⑤工程生态影响。

2. 立项管理复杂性分析

港珠澳大桥是"一国、两制、三法、多技术标准"下的跨境重大交通基础设施项目。与其他双边跨界项目相比，涉及面更广、协调难度更大、组织更加复杂，必须从管理环境、管理问题、管理主体、管理组织等管理活动的各要素维度出发，对其管理复杂性做如下分析。

1）港珠澳大桥立项论证敏感性高

第一，港珠澳大桥的立项论证过程受到国内外宏观形势及国家政策法规的影

响，敏感性高。香港与珠海跨境跨海大桥从 20 世纪 80 年代就已被提出，直到
2003 年才正式启动。特别是中央政府关于促进内地与港、澳地区交流与合作等多
项措施的出台，更是大大加快了港珠澳大桥立项论证的进程。可见，国家层面上
的战略思维是港珠澳大桥立项论证的主要引导力。

第二，港珠澳大桥的立项方案受到政治、经济、社会、生态等多方面的制
约。例如，在口岸布设与查验方式决策问题中，其方案经过司法管辖、可实施
性、交通条件、通关条件、运作管理、投资等多方因素的综合比选，选择出较为
合适的方案，然而当更深入地分析管辖权问题时，发现当初的方案缺乏可行性。
可见，任何一个具有重要影响的因素对港珠澳大桥立项方案的选择都是至关重要
的，因此，在立项方案选择时需要充分关注这类因素。

2）港珠澳大桥立项论证管理问题复杂且关联性强

第一，港珠澳大桥因其"跨海""一桥跨三方"的特殊性与超大建设规模，
在立项论证中涉及工程、技术、经济、法律、行政及跨界建设与管理等各个方
面，管理问题复杂。其立项论证问题不仅涉及工程地区的社会经济发展态势的分
析与预测、交通运输发展现状及规划等一般性背景问题，还涉及专业性极强的工
程物理方案的设计，如气象、水文、航空限高、工程地质的分析及对工程建设方
案设计的影响，还会涉及一系列工程复杂性管理问题，如区位选择、结构体系、
环境保护、防撞抗震等多项难题。这类包括跨界管理可行性、决策主体统筹协调
的问题具有极大的管理复杂性。

第二，港珠澳大桥立项论证问题具有高耦合性，相互之间的关联复杂。例
如，对于港珠澳大桥桥位及着陆点选择而言，它直接影响着口岸的设置与协调，
并直接决定着工程生态及对中华白海豚的保护，该工程方案形成历经了四年之
久，管理方案随着中华白海豚保护区的问题、23DY 锚地问题、口岸查验模式的
变化进行了多次调整与优化。

可以说，港珠澳大桥立项阶段问题不仅数量多、层次高、耦合性与复杂性相
互关联，特别是，可能会在管理过程中涌现出无先例和没有经验可循的新问题
来，因此，必须运用复杂思维看待这些问题。

3）港珠澳大桥立项论证层级多

港珠澳大桥立项论证涉及粤港澳三地政府、投资额大，管理层级高。主要体
现为，一方面，立项论证最终由中央政府决定，而期间各个阶段中的管理问题及
过渡性结论需要逐层上报国家发展和改革委员会、国务院港澳事务办公室、交通
运输部批复；另一方面，大桥地理位置特殊，立项论证涉及海洋、渔业、海事、
港口、航道、水利、自然保护区、环保等相关部门，致使工程公共事务复杂，利
益主体众多，管理时需要部门之间相互协调，如中华白海豚保护决策中就需要向农
业部渔业局（现为农业农村部渔业渔政管理局）申请桥位可以穿越保护区。可以

说，港珠澳大桥立项论证不仅程序多且复杂，管理主体涉及中央层次多部门参与。

4）港珠澳大桥立项论证过程是各方诉求逐渐释放和协同的过程

由于管理问题的复杂性，港珠澳大桥工程管理主体不能一次性地认识并预估到全部的管理细节，管理主体的认知深度也需要一个不断学习和提高的过程，主要表现如下。

首先，从粤港澳三地政府层面而言，由于"一国两制"的特殊政体，港珠澳大桥的立项过程是协调小组报备各地政府同意后，再向中央政府报批的过程，这一过程也是粤港澳三地协调统一意见与诉求得到缓慢释放的过程。这样的过程充分体现了港珠澳大桥在立项论证中充分注重协商一致，保障各方的诉求得到充分释放，体现了管理的协商性。

例如，在口岸模式管理问题中，在澳门口岸选址的研究过程中，中交公路规划设计院所提供的澳门方口岸布置有三个方案：第一种方案，在拱北湾填海，澳门及珠海口岸均布置在拱北湾填海区；第二种方案，调整原"一地三检"口岸填海区，布置澳门口岸和珠海口岸；第三种方案，在原"一地三检"口岸位置依托澳门岸边填海，布置澳门口岸，澳门方对此回复为初步认为从政策及管理层面考虑澳、珠口岸分别分离设置的方案较优。因而，在之后的讨论中根据澳门方的建议进行深入研究。然而，在立项论证的不断推进中，澳门方的意见发生改变，他们认为珠海和澳门陆域没有供口岸设置的用地，因而建议珠、澳口岸人工岛合并设置，经研究后最终定下此方案。澳门方关于口岸选址意见的不断提出就是其利益诉求不断释放的过程，同时也可看到，港珠澳大桥在立项论证过程中充分尊重各方政府的意见，并使各方的建议得到充分的论证。

其次，从中央政府层面而言，中央政府很重要的职责在于在粤港澳三地政府就有关三地社会、经济关系处理意见不一致时进行必要、适当的协调沟通与协调方案的确定。例如，在港珠澳大桥投融资管理问题中，初始阶段经多种方案的综合比选后初定 BOT（build-operate-transfer，建设-经营-转让）融资模式。然而，BOT 融资模式的融资成本要高于政府全额出资模式，采用 BOT 融资模式也意味着在特许权年限内，政府将失去对项目所有权和经营权的控制，且投资回报率不确定、成本回收期过长。在这样的分析下，为支持粤港澳三地的发展和提速港珠澳大桥的建设，中央政府明确对大桥的主体工程出资 50 亿元资本金，当时的国家发展和改革委员会副主任表示："这是前所未有的。"足见中央政府对港珠澳大桥立项论证的充分支持。

5）港珠澳大桥立项论证过程中粤港澳三地政府的观点具有差异性

对于政府主体而言，不同的政府主体对于同一管理问题会有不同的立场，也会因为知识背景、价值观念的差异产生不同的看法和观点，某一政府主体内部不同职能部门也会立足自身的利益产生不同的观点和态度，因而粤港澳三地政府对于同一管理问题更可能会由于立场不同，而产生不同的观点，这在立项论证中更为明显。

总而言之，港珠澳大桥项目立项论证背景复杂、影响因素多、协调任务重，必须通过系统的分析、论证及民主协商进行复杂性降解，才能制订科学、有效的实施方案。

3. 立项管理复杂性降解

港珠澳大桥立项管理复杂性降解体系如图 15.5 所示。

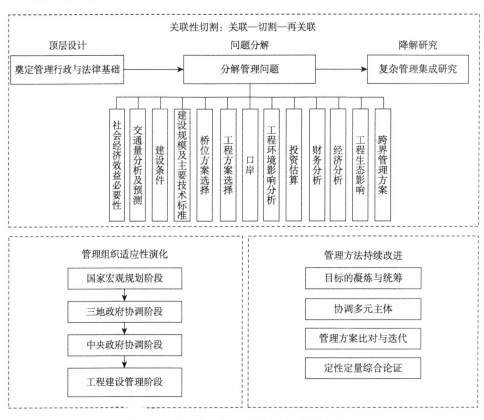

图 15.5　港珠澳大桥立项管理复杂性降解体系

1）关联性切割

第一，顶层设计（关联）。

港珠澳大桥在立项阶段，先进行顶层设计，即明确立项阶段协同管理原则，树立立项决策的法律权威——基本法治思想，使港珠澳大桥工程决策有法律和行政的保障。

第二，问题分解（切割）。

港珠澳大桥在立项阶段的可行性论证从 2003 年港珠澳大桥前期工作协调小组成立到 2009 年 10 月通过专家评审的《港珠澳大桥工程可行性研究报告》，由广东省上报国家发展和改革委员会、国务院港澳事务办公室、交通运输部批复，再到国务院最终批复，历经七年时间，港珠澳大桥可行性论证工作方才落下帷幕。

在该阶段，以中央政府相关部门与香港、珠海、澳门各地政府为核心的管理主体组织各方力量对港珠澳大桥建设的可行性进行分析，对一系列的重大问题进行方案制订与比选。例如，口岸管理模式和大桥主体融资方案的综合比选；基于水文、气象、环保、航运等多方面的可行性认证；等等。根据中央政府、粤港澳三地政府的指示，港珠澳大桥前期工作协调小组与办公室围绕大桥工程可行性研究工作开展报告审查、相关专题研究与报批、总体方案深化研究管理等大量工作，为大桥开工建设潜心准备，周密部署。

可以说，在可行性论证中，港珠澳大桥将管理目标和管理问题进行分解切割，形成了多个小专题，针对不同专题的特点、性质及事权实行不同的管理主体、权力、结构、资源、流程和机制，最终形成了 46 份分报告（表 15.1）。

表 15.1　港珠澳大桥立项管理研究报告

编号	研究报告名称	主要承担单位
1	港珠澳大桥工程可行性研究报告（含上、下册及附图册）	中交公路规划设计院有限公司
2	港珠澳大桥工程可行性研究阶段交通出行起讫点调查分析报告	华杰工程咨询有限公司
3	港珠澳大桥工程可行性研究阶段CEPA 及香港迪士尼乐园对诱增客货运量的影响研究报告	中交公路规划设计院有限公司
4	港珠澳工程可行性研究阶段大桥对港澳及珠江西岸港口的影响研究报告	国家发展和改革委员会综合运输研究所
5	港珠澳大桥工程可行性研究阶段交通需求分析研究报告	华杰工程咨询有限公司
6	港珠澳大桥工程可行性研究阶段大桥投融资方案研究报告	交通运输部规划研究院
7	港珠澳大桥工程可行性研究阶段大桥预留铁路可行性研究报告	国家发展和改革委员会综合运输研究所
8	港珠澳大桥工程可行性研究阶段国民经济评价方法及参数研究报告	中国国际工程咨询公司
9	港珠澳大桥工程可行性研究阶段桥位气象及风参数研究报告	广东省气候与农业气象中心
10	港珠澳大桥工程可行性研究阶段水文测验报告	国家海洋局第二海洋研究所
11	港珠澳大桥工程可行性研究阶段海床演变分析报告	南京水利科学研究院
12	港珠澳大桥工程可行性研究阶段水下地形测量报告	国家海洋局第二海洋研究所
13	港珠澳大桥工程可行性研究阶段通航净空尺度和技术要求论证研究报告	交通运输部规划研究院
14	港珠澳大桥工程可行性研究阶段船舶撞击力及防撞设施研究报告	上海船舶运输科学研究所
15	港珠澳大桥工程可行性研究阶段水文分析计算报告	南京水利科学研究院
16	港珠澳大桥工程可行性研究阶段三地坐标系统联测及工程勘察控制网布设报告	国家测绘局第一大地测量队

编号	研究报告名称	主要承担单位
17	港珠澳大桥工程可行性研究阶段遥感工程地质调查报告	中国国土资源航空物探遥感中心
18	港珠澳大桥工程可行性研究阶段工程物理勘察报告	国家海洋局第一海洋研究所
19	港珠澳大桥工程可行性研究阶段工程地质勘察报告	江苏省水文地质工程地质勘察院
20	港珠澳大桥工程可行性研究阶段珠海侧接线地质勘察报告	江苏省水文地质工程地质勘察院
21	港珠澳大桥工程可行性研究阶段工程场地地震安全性评价报告	国家地震局地壳应力研究所
22	港珠澳大桥工程可行性研究阶段桥址区航空限高研究报告	中国航空工业规划设计研究院
23	港珠澳大桥工程可行性研究阶段海中人工岛关键技术研究报告	天津港湾工程研究院
24	港珠澳大桥工程可行性研究阶段口岸及设施布置研究报告	深圳市城市规划设计研究院
25	港珠澳大桥工程可行性研究阶段大桥景观研究报告	厦门高格桥梁景观设计研究中心
26	港珠澳大桥工程可行性研究阶段环境影响预评报告	交通运输部公路科学研究所
27	港珠澳大桥工程可行性研究阶段项目跨界建设管理可行性研究报告	交通运输部规划研究院
28	港珠澳大桥工程可行性研究阶段项目跨界施工管理可行性研究报告	中交公路规划设计院有限公司
29	港珠澳大桥工程可行性研究阶段项目跨界运营管理可行性研究报告	中国交通运输协会北京华协交通咨询公司
30	港珠澳大桥工程可行性研究阶段项目跨界交通安全管理可行性研究报告	中国交通运输协会北京华协交通咨询公司
31	港珠澳大桥工程可行性研究阶段大桥对珠江河口防洪影响评价报告	水利部珠江水利委员会科学研究院
32	港珠澳大桥工程可行性研究阶段大桥建设对伶仃洋港口航道影响分析报告	南京水利科学研究院
33	港珠澳大桥工程可行性研究阶段大桥桥位与海洋功能区划关系研究报告	国家海洋局第二海洋研究所
34	港珠澳大桥工程可行性研究阶段大桥建设对通航环境和安全影响研究报告	广州汇海技术服务中心
35	港珠澳大桥工程可行性研究阶段隧道方案专题研究报告	中交公路规划设计院有限公司
36	港珠澳大桥工程可行性研究阶段澳门侧接线方案研究报告	澳门新域城市规划暨工程顾问有限公司
37	港珠澳大桥工程可行性研究阶段珠海侧接线方案研究报告	中交公路规划设计院珠海分院
38	港珠澳大桥工程可行性研究阶段交通工程及沿线设施布置研究报告	北京泰克公路科学技术研究所
39	港珠澳大桥工程可行性研究阶段香港境内工程环境预评报告	香港ARUP工程顾问公司
40	港珠澳大桥工程可行性研究阶段海底隧道通风井间距及通风方案研究报告	长安大学
41	港珠澳大桥工程可行性研究阶段三地三检口岸方案对伶仃洋深水航道影响数学模型研究报告	南京水利科学研究院
42	港珠澳大桥工程可行性研究阶段三地三检口岸方案对珠江口防洪影响研究报告	珠江水利科学研究院
43	港珠澳大桥工程可行性研究阶段三地三检口岸及设施布置研究专题报告	深圳市城市规划设计研究院
44	港珠澳大桥工程可行性研究阶段投融资方案深化研究报告	交通运输部规划研究院/华杰工程咨询有限公司
45	港珠澳大桥工程可行性研究阶段港珠澳大桥工程对珠江口中华白海豚的影响专题研究报告	中国水产科学研究院南海水产研究所/香港鲸豚研究计划
46	港珠澳大桥隧道人工岛对23DY锚地影响咨询报告	交通运输部水运科学研究院

第三，降解研究（再关联）。

港珠澳大桥前期工作协调小组在各专题研究的基础上，编制了《港珠澳大桥工程可行性研究报告》（总报告），并上报至国家发展和改革委员会、国务院港澳事务办公室、交通运输部，随后这些部门组织多次专家评审会对可行性报告进行评审。2009 年 10 月 28 日，国务院总理温家宝主持召开了国务院常务会议，正式批准了港珠澳大桥工程可行性报告，这标志着港珠澳大桥立项与前期论证工作已顺利完成，港珠澳大桥正式进入实施阶段。

总体说来，重大工程立项阶段的管理目标具有政治、社会、经济、科技、文化等多方面的意义，从而使管理者需要在多元价值体系框架下进行问题分析与管理方案选择。另外，如工程选址、结构设计、管理模式、投融资模式，这类问题对整个工程的质量、进度、成本等工程直接目标甚至工程成败意义重大，特别是重大工程管理方案对工程建设与运营全过程有着强烈的路径依赖性或初始敏感性，从而使其对整个工程 "牵一发而动全身"。例如，大桥桥位决策方案如果不得不穿越白海豚保护区，则要将大桥桥位方案作为整个桥型桥位决策的"底线"，尽可能地对白海豚保护采取必要的生态补救措施，使大桥对白海豚的影响降到最低，有利于白海豚的未来生存繁衍；由此就要进行对白海豚救护保育基地建设、白海豚生态保护科学研究、施工期监管费用、施工和运营期海豚监测费用、保护区内白海豚饵料生物资源增殖和海上人工岛海豚监管站的补偿等一系列连贯性后序决策。

在国家宏观规划阶段，立项论证主要针对港珠澳大桥建设的必要性和迫切性开展研究，从宏观角度评价港珠澳大桥工程。在经历了前期的酝酿之后，各方从总体上都觉得建造这么一座桥很有必要，但是尚缺乏完备的科学依据，也缺乏系统、严密的分析。因此必须对工程对于珠江西岸和香港的联系做系统的研究，这样才能为开展之后的可行性研究提供依据。

在可行性论证阶段，工程可行性研究初期主要针对港珠澳大桥所面临的基本问题设立相应的专题开展研究，这些专题一开始是在专家的经验不足及对港珠澳大桥复杂性的认知还不够深入时提出的，是港珠澳大桥前期论证所面临的基础性专题，但随着对工程复杂性了解的深入，认证专家及协调小组会不断补充针对港珠澳大桥复杂性特点的专题，并对前期论证的专题有更深入的完善。因此，港珠澳大桥可行性分析过程，体现了不断迭代和进化的思维过程，并通过不断完善可行性报告，最终形成完善的研究体系。从港珠澳大桥管理实践看，任何一个问题的解决都不是一次性完成的，而是经过一个多阶段和逐步完善的过程。每一阶段形成的管理方案都是基于上一个阶段的研究结果的改进，考虑得更加全面、研究得更加深入与严谨。可行性报告形成的过程，不仅是立项过程的多阶段，同时也是人们对工程复杂性认知多阶段过程的体现。

2）管理组织适应性演化

港珠澳大桥在具有动态性和开放性的决策环境下，随着项目的逐渐深入，大桥管理问题复杂性不断增强，管理涉及面愈加广泛，大桥管理组织所面临的挑战也越来越严峻。在这种情况下，港珠澳大桥管理组织适时进行了结构重构和自适应策略来获得更高的组织性能，从而保证了管理活动的科学性和有效性（图 15.6）。

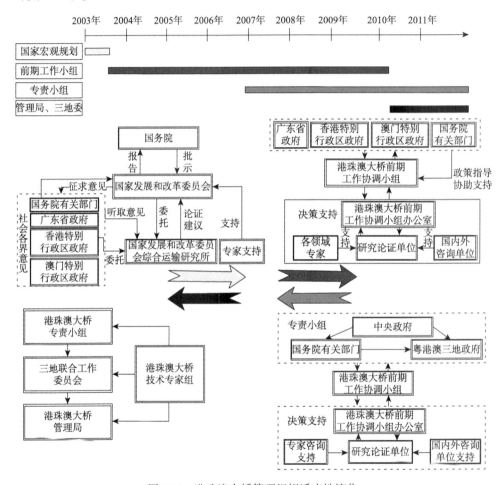

图 15.6　港珠澳大桥管理组织适应性演化

从国家宏观规划阶段的决策组织到粤港澳三地政府协调阶段成立的港珠澳大桥前期工作协调小组，再到中央政府协调阶段成立的港珠澳大桥专责小组，最后到工程建设管理协调阶段成立的港珠澳大桥三地联合工作委员会和港珠澳大桥管理局，可以清晰地看出港珠澳大桥管理组织进行自适应调整的演化过程。从这一动态的演化过程中我们可以看出，港珠澳大桥管理组织的自适应行为，是为适应工程建设需要，解决新的管理问题而产生的，会引起管理主体与组织架构的变化，继而引起管理方法、管理过程的更新，又引起管理问题的进一步深入，从整体上看，这一不断迭代、提高的循环就是港珠澳大桥管理组织的动态性演化过程。

自适应管理组织的演化同时也是柔性组织设计与运作的过程，港珠澳大桥自适应管理组织建设的基本经验较好地实现了管理组织的权力、智能、经验、能力与支持等关键资源要素及需要解决的管理问题复杂性之间的匹配和对接。港珠澳大桥的管理组织在设计中做到了以下两个方面，一是有"权"，即管理的权利；二是有"本领"，即管理的能力。对不同的管理问题而言，所需要的管理权利有大有小，需要的管理能力也不一样。因此，为使管理所需权利与能力不"冗余"，也不"缺失"，唯有柔性管理组织体系与管理问题相适应才能更好地保证管理的科学性和有效性。否则，一个"刚性"的管理组织，在面对不同性质的管理问题时，常常会出现"力不从心"或"力道过猛"的情况。

3）管理方法持续改进

一是港珠澳大桥立项论证研究采用科学的方法与手段。

港珠澳大桥立项论证方案的研究投入了大量的时间和精力，为了保证分析结果的科学性和可信度，研究采用了多种研究方法和科学手段，体现了港珠澳大桥立项论证的先进性。

科学研究方法是研究结论正确性的重要保证，同时也是使研究结论更加精准的重要保证，研究结论的精准更是为后期初步设计、施工设计、施工建设、运营维护等多个阶段的高效运作提供了可靠的支撑，同时也降低了工程建设过程中的不确定性和风险。恰当的科学研究方法深入港珠澳大桥工程立项的每个专题研究当中。例如，为合理布置隧道人工岛位置，针对6个不同的人工岛位置方案，采用数学模型结合部分物理模型，全面分析了不同人工岛位置对23DY锚地及伶仃洋深水航道的影响。又如，对于海底隧道工法，是采用盾构方案还是采用沉管方案，分两阶段进行：首先从地质适应性分析论证，得出沉管法较优；其次从工程造价、环境影响、施工安全、工期和技术自主可控等方面按权重进行综合风险评估，选择了沉管方案。除此之外，对于经济分析和粤港澳三地出资比例，经研究后提出按照投资效益比相等原则进行评估计算，较好地平衡了三方权责和利益。

二是港珠澳大桥立项论证研究考虑多指标、多因素。

港珠澳大桥工程规模宏大，区域水文、地质、航运等建设条件复杂，涉及的问题多而且新，因此立项论证方案中考虑的指标和因素较多。例如，在工程环境影响分析中，考虑了社会环境影响、生态环境及渔业资源、地表水环境和海洋水环境、声环境、环境空气、污染事故环境、固体废物环境、景观环境等因素。指标与因素的复杂性主要体现在以下几个方面。

首先，每个方案考虑的相关因素多，指标划分须精细和全面。

以建设条件这一问题为例，在建设条件研究与分析过程中，包含了气象、水文、通航条件、船舶撞击、航空限高、桥位区的地震安全性、桥位区的工程地质条件、工程建设所需建筑材料的来源及运输条件等多个因素，对每个因素的分析又要考虑多个指标。

其次，这些因素、指标是基于系统的划分，从不同的角度、不同层面为方案形成提供全面的信息和决策的依据。通过多个方面综合考虑问题。

在对工程环境影响因素研究的结论下，港珠澳大桥立项方案给出了多项合理的建议和环境保护策略。其中包括设计、施工、运营多阶段的社会环境影响减缓措施；陆地生态环境保护措施、白海豚保护等生态环境及渔业资源保护措施；设计、施工、运营等地表水环境和海洋水环境保护措施；施工期和运营期的声环境保护措施；污染事故环境风险防范措施；固体废物环境保护措施；景观环境保护措施；等等。

再次，港珠澳大桥的设计、施工与运营过程中必然影响到多方主体的利益，立项论证必须兼顾多方利益的要求，从不同利益主体的角度综合考虑问题。

大桥跨越伶仃洋，其建设方案将受到城市规划、交通组织、环境保护、航空、航道、河势、环保、军方及国家安全等多方面因素影响和制约，备受社会各界人士关注，导致工程方案目标的多元化，需要综合权衡各方案利弊，这给方案比选带来复杂性。

最后，立项论证过程同步异步相结合是港珠澳大桥立项论证方案高效完成的重要保证。

针对港珠澳大桥立项可行性论证的复杂性、相关问题的特殊性及可能产生的问题，港珠澳大桥前期工作小组采用同步异步相结合的策略，这一策略需要香港、珠海、澳门多方工作同时开展、同步进行，以节约论证时间、提高认证效率。同时，多个专题研究逐步分阶段异步展开。在多因素、多指标系统认证与专家评审的基础上，实现立项论证方案的科学化、民主化。

进一步地，港珠澳大桥立项论证方案的形成注重多部门、多领域主体的协调。

港珠澳大桥立项论证专题众多，涉及较大的作业量和协调范围，在方案的研究与形成过程中，研究内容涉及法律、经济、政治、环境、工程技术等诸多领域，需要多部门、多领域专家之间的充分协作。

一是港珠澳大桥论证方案的研究过程倾注了多领域专家的辛勤劳作，是诸多专家和研究者群策群力的结果。

在专题承担单位选择中，邀请了诸多在各专题研究方面国内知名的、具有丰富经验的国字号单位参与研究工作，这些机构是全国范围内在相关领域最优秀、研究水平最高的科研院所，参与港珠澳大桥的研究人员在400人以上。

二是港珠澳大桥论证方案的研究能够顺利开展，需要多个政府职能部门通力合作，在多部门的配合下，专题研究专家才能快速、高质量地完成立项论证工作。港珠澳大桥立项论证的顺利完成，离不开国家相关部门的通力合作与鼎力支持。

例如，在大桥建设及路线走向方案形成的过程中，仅在澳门就与澳门土地运输工务局、港务局、建设发展办公室、环境委员会、地图绘制暨地籍局、民航局、统计暨普查局、贸易投资及促进局、经济局、博彩监察局、海关、金融管理局、旅游局等 19 个部门及澳门有关人士进行访谈，讨论了澳门的发展规划、产业布局，收集了有关经济、交通、水文、气象等方面的资料，考察了澳门可能的着陆点现场。

三是粤港澳三地政府积极参与港珠澳大桥立项论证方案的研究是论证决策高效、顺利开展的有力保障。

采取"一地三检"还是"三地三检"口岸查验模式，大桥主体融资方案实施BOT 还是政府投资一直是港珠澳大桥前期决策的重点和难点。随着港珠澳大桥项目工程可行性研究的不断推进，影响口岸查验模式及项目投融资的诸多因素逐步明朗。根据 2007 年 7 月三地协调小组会议精神，关于口岸模式认证，从2004 年"一地三检"方案转为"三地三检"方案；对投融资问题也在初步共识的基础上展开了深化研究，并从法律方面认证了投融资方案在现行法律背景下实施的可行性。

在港珠澳大桥立项论证面临口岸模式选择、投融资模式决策等重大难题时，为了尽快使粤港澳三地政府达成共识，2006 年底，国务院决定，由国家发展和改革委员会牵头，交通运输部、国务院港澳事务办公室、广东省政府、香港特别行政区政府和澳门特别行政区政府作为成员单位，共同成立港珠澳大桥专责小组，以协调三方利益，加速推进港珠澳大桥项目进展。在此举动下，构建了充分尊重粤港澳三地行政体制和管理权限的口岸查验模式，并在严格法律构架下，遵循金融市场规则处理好工程建设融资方案。

在广泛收集有关各方和社会各界对本项目路线走向意见的基础上，由粤港澳三地共同形成工程方案认证的基本内容；委托资质资信良好、业绩突出的论证单位在综合多方面意见的基础上，根据大桥总体规划与建设条件，对每个具有比选价值的路线开展一定程度的比选认证工作，形成大桥桥位及接线走向方案中间成果，提交港珠澳大桥前期工作协调小组审查同意后，确定需要深入开展研究的桥位及着陆点位置；对需深入研究的桥位展开有关建设条件方面的专题研究及深入建设方案（包括技术标准、工程方案等）研究工作，提出工程多方案比较，形成中间成果报告并提交港珠澳大桥前期工作协调小组审查，小组提出意见并分别报粤港澳三地政府研究确定；进一步研究优化确定最终工程方案，以此作为后续认证的基础。

此外，港珠澳大桥论证方案的形成过程充分考虑粤港澳三地跨界差异与合作。

大桥跨越粤港澳三地，由于三地三种制度，在法律法规、建设管理程序、建设标准上均存在较大的差异，在方案的研究中充分考虑了项目可能涉及的法律法规、技术标准、建设程序配合等问题。

一是港珠澳大桥的建设对粤港澳三地政府而言，都是发展当地经济、社会的绝佳机会，但三地的经济、社会、文化状况存在较大的差异，使得三地合作过程中既有利益一致的地方，也有利益相冲突的地方，如何协调、协同三地的共同利益，是方案研究所面临的一个重要难题，这种局面为方案的研究过程带来了复杂性和困难。

二是粤港澳三地文化、法律、管理模式等多方面的差异，同样体现在方案的研究过程中。在考虑粤港澳三地配额制度时，考虑到目前对往来香港与内地之间的车辆的通行政策如下：跨界车辆需取得两地牌照，并获得跨界通行的"批文""通行证"，方可使用过境通道。跨界车辆实行配额制度管理，由香港和广东省定期根据跨境客货车流量与口岸通过能力讨论发放配额的数目及相关制度。其目的是确保口岸清关设施及与之连接的道路不会过于拥堵，并保证口岸的安全运作。因此，港珠澳大桥立项论证采用了科学的方法与手段，考虑的指标、因素、专题非常完善，涉及的领域与部门多，考虑到跨界管理、施工与运营，关注了各种复杂要素间的相互影响，包含了部分初步设计的工作，充分注重主体间委托代理关系的柔性设计，对立项过程中的管理复杂性进行了较好的降解。

15.3.2　港珠澳大桥桥位及着陆点决策的复杂性分析与降解

1. 桥位及着陆点决策概述

港珠澳大桥的着陆点是大桥桥梁的基准点，它标明了大桥在香港、澳门、珠海三地的具体地理位置。港珠澳大桥的桥位是指道路跨越伶仃洋海域的桥梁构造物的位置。

港珠澳大桥的着陆点和桥位决定了大桥的走线。大桥桥位及着陆点的选择主要是确定大桥着陆点的位置及大桥连接三地的走线方案。具体来说，即通过开展基于地质、水文、气象、航运、航空、台风、生态环境、技术要求等多方面可行性论证，逐次拟定综合比选与优化桥隧走线方案，最终确定大桥在珠海、香港和澳门三地的着陆点位置。

大桥着陆点和桥位走线方案是大桥投融资方案、建设管理模式选择等诸多重要决策的前提与基础，该方案的变动会产生一系列连锁反应，甚至导致已形成的决策方案的重新论证，因此对工程桥位与着陆点方案的决策必须十分慎重。

2. 桥位及着陆点决策复杂性分析

根据港珠澳大桥的总体规划，大桥起讫点将位于粤港澳三地境内，着陆点将位于珠江口外伶仃洋海域。恶劣的自然环境和高难度的工程建造技术限制了港珠澳大桥桥位及着陆点的选择。同时，港珠澳大桥桥位及着陆点决策主要面临以下方面的复杂性挑战：决策问题的复杂整体性和决策环境复杂制约（图 15.7）。

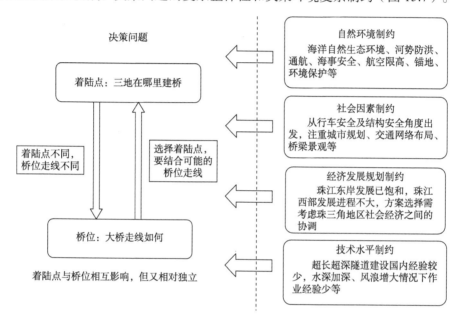

图 15.7　港珠澳大桥桥位及着陆点决策复杂性

1）决策问题的复杂整体性

港珠澳大桥桥位及着陆点决策问题的复杂性主要是由决策主体之间的利益冲突、自然环境和生态环境的复杂多变及决策问题相互关联所造成的。

一是港珠澳大桥的建设会对粤港澳三地的城市规划、交通网络布局等方面产生直接影响，因此粤港澳三地政府均立足于各自立场对着陆点及桥位走向提出种种意见，不可避免地存在着地方利益之间，以及地方利益与整体利益之间的矛盾和冲突。

二是港珠澳大桥桥位方案的制定与选择只有建立在掌握大桥所处气象、水文、河势、地震、生态环境等基本资料的基础上，才能降低决策风险，保证桥位决策方案与建设条件相适应。实际上，由于人们在自然环境的复杂性、自然环境对大桥工程建设的影响及大桥工程建设对生态环境影响等方面的认识十分有限，许多相关问题仍处于未知状态。

三是港珠澳大桥桥区锚地分布多，桥位所处位置可能穿越珠江口中华白海豚保护区，因此在桥位方案制定的同时，还需要妥善处理好大桥与锚地的关系及白海豚保护问题。

四是大桥桥位及着陆点决策问题本身还存在着相互迭代与相互关联的问题。这一点体现在确定着陆点时，需要考虑桥位走线在建设施工自然条件、技术能力等方面的可行性；着陆点的决策结果是桥位走线决策问题的前提，可以为桥位走线的选择提供参考基础；桥位走线的决策结果反过来又会制约着陆点的选择。

2）决策环境复杂制约

大桥桥位和着落点决策环境主要指港珠澳大桥建设中所面临的自然环境、社会文化环境、技术环境和经济环境。港珠澳大桥工程浩大、投资量大且跨越粤港澳三地，因此大桥的决策环境对桥位及着陆点决策专题的顺利进行产生了一定程度的制约。

一是自然环境制约。

港珠澳大桥桥位决策需要面对的自然环境因素主要包括地质条件、海洋自然生态环境、河势；人文因素，包括防洪、通航、海事安全、环保、景观、航空限高、锚地、环境保护、交通、军方、国家安全等。在现有的技术和施工水平下，要制定出满足上述各方面要求的大桥桥位方案十分困难。此外，由于这些因素具有动态性和开放性，它们之间交互叠加，形成了错综复杂的外界环境，给方案比选带来难度。

二是社会因素及技术水平制约。

港珠澳大桥桥位及着陆点决策要综合考虑海峡两岸暨港澳技术指标，平衡大桥与机场航空限高、油轮锚地、海中航道净空等因素的相互关系；要从行车安全及结构安全角度出发，注重环保及桥梁景观，布置海底隧道、人工岛及航道桥。大桥特殊的地理位置、复杂的建设条件及高标准的建设要求使大桥桥位及着陆点决策成为目前国内交通行业中最为复杂的决策问题之一。

三是经济发展规划制约。

港珠澳大桥桥位及着陆点决策要综合考虑粤港澳三地的经济发展规划与布局，如着陆点选择与桥位走线需要考虑到珠江三角洲的航运发展规划和广东省工业布局的要求，减少对航运和相关产业发展的制约，澳门机场附近规划兴建新的氹仔客运码头和物流中心等。因此，港珠澳大桥桥位方案的选择应从总体上考虑珠三角地区社会经济之间的协调，优化产业布局、优化粤港澳三地的资源配置，提高区域整体竞争力，加强香港与珠江西部的联系，并强化香港作为国际金融中心、航运中心和旅游中心的龙头地位。

3. 桥位及着陆点决策复杂性降解

港珠澳大桥在进行桥位及着陆点决策时，针对上述的决策复杂性，首先将这一决策问题进行系统分解,采取先决策着陆点,后决策桥位的决策模式。其次由粤港澳三地政府提出各自的可研究着陆点方案,论证单位对可研究着陆点及其可能的桥位走线进行系统分析。再次由粤港澳三地政府对着陆点可行性研究的中间成果进行意见协商。最后达成共识,形成桥位和着陆点的初步备选方案。

1) 着陆点及桥位决策的问题关联与切割

港珠澳大桥着陆点决策和桥位走线决策相互迭代,紧密联系。一方面,决定着陆点的时候,要考虑到桥位走线的可行性和影响;另一方面,着陆点决策的收敛为桥位走线的研究和确定奠定了基础。

港珠澳大桥由粤港澳三地政府各自负责初选着陆点。香港特别行政区政府建议港珠澳大桥香港的着陆点选址应在大屿山的西北部,并推荐在大屿山碰石湾,自着陆点修建连接路连接大屿山干线公路进入香港路网。根据着陆点附近地形、地质条件、城市总体规划及着陆点附近配套路网情况,澳门侧着陆点对三个方案进行比选,分别是路环九澳、凼仔北安和明珠。大桥在珠海侧的着陆点考虑对九洲岛、横琴岛、拱北三个方案进行比选。

港珠澳大桥前期工作协调小组委托中交公路规划设计院有限公司开展大桥着陆点和桥位的可行性研究。中交公路规划设计院在对着陆点进行可行性分析时,不仅要考虑此着陆点下可能的桥位走线,还要考虑此着陆点及其可能的桥位走线对城市规划、交通组织、环境保护、航空、航道、河势、环保、军方及国家安全等多方面因素的影响。

通过对着陆点备选方案的初步优劣对比,香港侧新界屯门西交通饱和,涉及公路网改造,投资巨大;大屿山西南方案不仅会对中华白海豚产生不利影响,还会影响规划中的海岸公园、南大屿山郊野公园及附近生态敏感的地方;大屿山西北方案现存道路网承载力强,物流发展空间大,香港支持此方案,并推荐大屿山碰石湾。澳门侧路环岛远离市区,现有道路难以适应与大桥接驳的客、货流量,对澳门自然海滩和植被破坏大,澳门反对路环九澳。以北安为着陆点的大桥线路穿越澳凼三座桥梁,会制约澳门以后的发展,澳门反对北安点。明珠点方便进入澳门中心区域,会对澳门产生最直接的消费、旅游效益,选择明珠点。珠海侧九洲岛着陆点会使珠海侧接线穿越珠海市商业区,对珠海市景观影响较大。现有公路网可以直接将横琴与澳门连接起来,因此广东方面不反对横琴着陆点;拱北地区内的拱北口岸是珠海的交通枢纽,现有交通网络可以充分利用,因此广东方面不反对拱北着陆点。

经过三方共同商讨博弈,港珠澳大桥着陆点的最终方案确立如下:香港着陆点为大屿山碰石湾,西岸考虑两个着陆点组合,一是珠海着陆点为拱北,对应澳门着陆点在明珠;二是珠海着陆点为横琴,对应澳门着陆点在明珠。

2）着陆点及桥位决策的迭代与收敛

按照东岸考虑香港侧登陆点在大屿山礐石湾，西岸考虑拱北/明珠及横琴/明珠的指示，中交公路规划设计院根据着陆点最终方案下可能的桥位走线空间位置提出三大类六个桥位走廊方案，即礐石湾北线方案、礐石湾南线方案和极南线方案，随后，对三大类六个桥位走廊方案进行比选，见表15.2。

表15.2　三大类六个桥位走廊方案比选

主要介绍	礐石湾北线		礐石湾南线		极南线	
	桥位方案一	桥位方案二	桥位方案三	桥位方案四	桥位方案五	桥位方案六
工程规模	海中总长5.078千米，大濠水道采用沉管隧道，隧道两端各有一1000米×100米的人工岛	海中总长34.081千米，其中隧道长6.753千米，有两个1000米×100米的人工岛，珠海接线长4.8千米，水下隧道长7.33千米	海中可采用全桥方案，总长35.4千米，大濠水道处为主跨718米的五塔钢箱梁斜拉桥	海中可采用全桥方案，总长34.6千米，大濠水道处为主跨718米的五塔钢箱梁斜拉桥	海中总长约6.2千米，大濠水道处采用隧道，桥梁长38.3千米，珠海侧接线长4.1千米，连接澳门设专用通道，海中填海工作工作量小	海中总长约40.1千米，大濠水道处采用隧道，桥梁长32千米，珠海侧接线长8.7千米，连接澳门设专用通道，海中填海工作工作量小
大濠水道隧道长	6.753千米	6.753千米			7.9千米	8.1千米
技术成熟性	难点为超长超深的隧道及深水筑岛技术，具有一定的挑战性，需认真研究	难点为超长超深的隧道及深水筑岛技术，具有一定的挑战性，需认真研究	关键为多孔大跨斜拉桥技术，国内斜拉桥经验丰富，重点应对多跨结构进行研究	关键为多孔大跨斜拉桥技术，国内斜拉桥经验丰富，重点应对多跨结构进行研究	难点为超长超深的隧道及深水筑岛技术，具有一定的挑战性，需认真研究	难点为超长超深的隧道及深水筑岛技术，具有一定的挑战性，需认真研究
施工难度及风险	超长超深隧道国内经验少，施工难度较大	超长超深隧道国内经验少，施工难度较大	国内建桥技术经验丰富，风险相对较小	国内建桥技术经验丰富，风险相对较小	水深加深、风浪增大，施工难度及风险加大	水深加深、风浪增大，施工难度及风险加大
建筑安全工程费	314亿元（不含口岸）	338亿元（不含口岸）	269亿元（不含口岸）	293亿元（不含口岸）		
运营养护费用	隧道运营费用高于桥梁	水下隧道最长，运营费用较高	海中全桥，运营费用低	海中全桥，运营费用低，接线隧道长，运营费用高	路线最长，运营维护费用高	路线最长，运营维护费用高
对环境的影响	人工岛对河床压缩大	人工岛对河床压缩大	对河床断面压缩小	对河床断面压缩小	对河床断面压缩相对小	对河床断面压缩相对小
对航行条件的影响	对大屿山23DY锚地使用有影响	对大屿山23DY锚地使用有影响	对造船业及特种海洋工程设备运输有限制，航行条件不如隧道方案	对造船业及特种海洋工程设备运输有限制，航行条件不如隧道方案	对航行影响小	对航行影响小

港珠澳大桥在着陆点和桥位决策方案的选择时，充分考虑到了工程管理情景的"紧缩"。礐石湾北线方案采用桥隧结合，以隧道形式穿过伶仃西航道和铜鼓航道的方式，既不会对这些航道构成通航高度限制，也不会对广州港及造船基地

等造成制约。以桥梁跨越青洲航道、江海直达船航道及九洲港航道的方案，在环保、航运发展、技术可行性等重要考虑因素上最为优胜。此外，对香港而言，北线对大屿山天然海岸线造成的干扰也是最少的。

极南线方案是桥隧方案，珠海横琴是西岸着落点，向东行，以特长的海中隧道穿越水深的大濠水道，随后或仍以隧道穿越规划的海岸公园及以特长的穿山隧道贯通大屿山郊野公园至东涌，或沿大屿山西面海岸线北上至香港着陆点磡石湾。特长海中隧道的通风井需建设人工岛，经海岸公园走线方案的隧道人工岛接近建议中的海岸公园及海岸保护区，而穿山隧道通风井位需处于郊野公园范围内，影响环境。此外，穿山隧道需在石壁水塘底下建造，有一定的难度及制约。沿大屿山西面海岸需特长隧道以免影响水深的大濠水道及香港境内航道。由珠海口岸至香港着陆点，全长 40~46 千米，较其他方案长。涉的长隧道建筑成本高，维修保养困难及费用高，意外事故处理风险亦大大提高。

磡石湾南线方案跨越榕树头航道和大壕水道，由珠海口岸至香港着陆点，全长约 36 千米，通航孔净空为 120 米。虽然此方案具有建设及养护成本低、对河床断面压缩小、技术相对成熟的优点，但其难以满足军用设施通航要求，同时，桥梁一旦建成，受到通航净宽、净高的制约，珠江口内航运及相关产业（如造船业及特种海洋工程设备运输业）的远期发展将受到制约。对香港而言，如采用南线方案则须沿大澳至磡石湾的一段大屿山现有天然海岸线建造大桥，对大屿山西面的天然沿岸景观构成严重影响。再者，此方案会十分靠近拟在大屿山西南分流建设的海岸公园及香港境内的中华白海豚较多出没的位置，对大屿山的自然保育及生态环境会构成非常严重的影响。此外，大濠水道处船行密度大，采用桥梁方案航行条件不如隧道方案。

经综合比较，并重点考虑国防要求及为珠江口内航运及相关产业远期发展留有余地，初步确定采用磡石湾北线桥隧组合方案。

3）桥位决策的适应性选择

由于港珠澳大桥北线—拱北/明珠桥位轴线进入了珠江口中华白海豚保护区，所以还要结合《港珠澳大桥工程对珠江口中华白海豚的影响专题》的研究工作，对初步确定的北线桥位走廊方案进行调整与优化。在六个桥位走廊方案初步比选提出磡石湾北线方案时，为了尽量减少隧道长度，加大了东侧桥轴线处航空限高，从而使磡石湾北线方案穿越了 23DY 锚地。此外，"三地三检"口岸查验模式的变更对桥位走廊方案的调整和优化都会产生一定程度的影响。

因此，在与港珠澳大桥中华白海豚保护问题、23DY 锚地问题和口岸查验模式的变化的充分协调后，港珠澳大桥的桥位走廊方案进行了适应性选择与优化，确定磡石湾北线北移方案如下：东岸起点为香港大屿山磡石湾，为不影响机场照明与起降安全，保证香港侧航道通航净高达 41 米，大桥线位在香港航道处水域需向南拐后再折回，沿 23DY 锚地北侧向西跨海到达澳门明珠点附近分离设置的珠海及澳门口岸区，往珠海方向通过隧道穿越拱北建成区与规划的太澳高速公路相连，澳门也将连接到明珠点。

港珠澳大桥桥位与着陆点的迭代和适应性选择如图 15.8 所示。

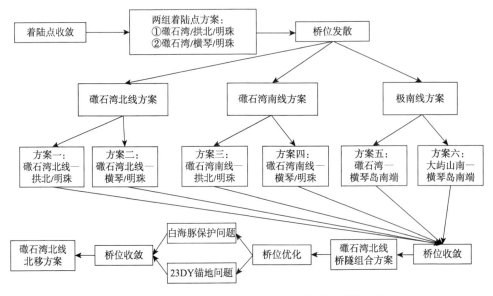

图 15.8　港珠澳大桥桥位与着陆点的迭代和适应性选择

15.3.3　港珠澳大桥岛隧工程设计施工总承包模式复杂性分析与降解

1. 设计施工总承包模式概述

港珠澳大桥主体工程建设模式以传统建设（design/bid/build，DBB）及设计施工总承包建设（design/build，DB）两种模式为主。DBB 模式主要应用于桥梁的若干标段，而 DB 模式则应用于港珠澳大桥主体工程的岛隧工程（以下简称岛隧工程）。

就工程项目管理而言，并不存在一种建设管理模式适用于任何一类项目，尤其是在我国当前市场与计划二元经济体制现实环境下，选择 DB 模式作为港珠澳大桥岛隧工程的建设模式是根据港珠澳大桥岛隧工程的特点及建设目标需要，同时考虑到对行业发展的推动作用而做出的科学决策。

2. 设计施工总承包模式的复杂性分析

港珠澳大桥主体工程的复杂性，尤其是关键路径的岛隧工程段更是集成海中隧道长（6.8 千米）、造价高（130 亿元）、水深且海床地质状况复杂（基槽开挖最大深度达 48 米，基槽开挖量超过 2 500 立方米）、技术标准高（世界最长双向六车道高速公路沉管隧道）、施工难度大（人工岛处水深达 10 米，软基深厚，海底隧道管节对接防漏）、环境高要求（海域，白海豚保护区，航线密集）、海上施工高风险（临时干坞，超长管节运输沉放）及工期紧等特点，工程这些复杂性引发了其岛隧工程承发包模式选择的复杂性。具体的复杂性形态如下。

1）工程规模和范围

港珠澳大桥主体的岛隧工程处于主体工程的关键路径重要组成部分，大桥管理局于 2010 年 11 月 25 日发出中标通知，正式将岛隧工程设计施工（DB）发包交由中国交通建设股份有限公司联合体承建。岛隧工程由沉管隧道、东西人工岛、岛桥连接段和岛上建筑四大部分组成。起于伶仃洋粤港分界线，沿 23DY 锚地北侧向西，穿越珠江口铜鼓航道、伶仃西航道，止于西人工岛接合部非通航孔桥西端，包括两个海中人工岛、6 786 米长的海底隧道及 654 米长的海中桥梁，全长共 7 440 米。合同工期 63 个月，即 2010 年 12 月至 2016 年 3 月，是港珠澳大桥主体工程标段中工程造价最高的招标项目，约 130 亿元人民币（调概后约 183 亿元）。

连接桥桥台深入人工岛中，桥面从挡浪墙破壁而入；隧道与人工岛嵌套，从岛体中间爬出；岛上隧道段与建筑基础部分公用。这个范围的工程作为整体设计和施工很有必要。

2）建设环境与风险

三个行政区域在工程建设领域所涉及的法律、法规、技术标准、程序等方面存在多方面的差异和冲突，导致在工程建设过程中的协调力度加大；粤港澳三地政府从各自的经济利益、社会利益等角度下增加项目管理与决策的难度；港澳地区习惯于设计施工总承包的管理模式；自然因素、管理环境、工程规模与专业的多样性复杂性，决定了这部分工程的设计、施工在进度控制、安全管理及界面协调等方面存在极大的风险。

3）技术环境

港珠澳大桥岛隧工程的沉管隧道是目前世界范围内综合难度最大的沉管隧道之一，桥岛隧工程结合、长距离通风及安全设计、超大管节的预制、复杂海洋条件下管节的浮运和沉放，高水压条件下管节的对接以及接头的水密性及耐久性、隧道软土地基不均匀沉降控制等技术极具挑战性；连接沉管隧道的东西人工岛的技术难度也是世界级的，深厚软土的加固处理、人工岛各部分差异沉降的控制、与沉管隧道的连接，岛、隧运营阶段的可靠性及耐久性等技术，都是工程管理的重点，也是难点。

根据以往的经验，沉管隧道在初步设计阶段只能解决 40% 的技术问题，更多的技术问题需要在施工图阶段，结合施工方案及装备水平逐步解决和完善。所以，将施工图勘察设计和工程施工任务交给同一个机构来整体完成，可以增强协同性，便于设计施工互动，鼓励创新和节约资源，减小各类风险，保障工期和建造品质。

设计施工总承包在发达国家工程建设中已经成功实践了多年，对于工程界面的综合集成、行业供应链精益管理流程再造、建设行业转型与升级、国际化等都有正面的作用。

3. 设计施工总承包模式实施的复杂性降解

港珠澳大桥岛隧工程采用 DB 模式不只降解了管理复杂性，也是"十一五"时期建设创新型交通行业的重点任务之一，同时是大力推进理念创新、科技创新、体制机制创新和政策创新的必然趋势。DB 模式的导入有利于我国交通建设行业的变革，提高项目管理的水平；施工融入设计有利于优化设计细节方案，可施工性提高，缩短工期，减少设计变更，保证了质量与投资效益；推进建设行业勘察、设计、施工等企业的经营结构调整，整合与优化资源，培育大型建设企业综合实力与国际化竞争力。因此，以下因素催生了港珠澳大桥岛隧工程DB 模式的选择。

1）工程的跨境性和集群性

港珠澳大桥作为中国独一无二的跨"一国两制三地"的大型工程，在具体工程进展过程中受到香港地区的项目实践经验和管理惯例的影响，而香港地区的政府工程对设计施工总承包模式有显著的偏好。岛隧工程集岛、隧、桥为一体，这种复杂的集群结构对国内的任一建筑企业都是一个巨大的挑战。市场调研显示，各潜在投标人既有某专业的技术优势，又暴露出其他专业方面的劣势。因此，各自独立完成岛隧工程的能力有所欠缺，势必要求潜在投标人组建联合体来实现设计施工总承包。

2）工程质量标准要求高

港珠澳大桥设计使用寿命长达 120 年，因此要求岛隧工程设计和施工必须满足高标准质量要求。在设计施工总承包模式下，总承包人既可以及时掌握设计方面的工作动态和进展，又可以及时掌握施工方面的工作动态和进展，这种优势互补的态势有利于设计施工的整体方案优化及提高工程质量。

3）保证工期

港珠澳大桥地处伶仃洋海洋环境下，水深浪大，台风频繁，对工期等外在约束条件提出了较高的要求。岛隧工程处于港珠澳大桥主体工程的关键线路上，由于不可预见的情况较多，如果完全采用传统承包模式，很可能无法满足2016年底通车的工期要求。在设计施工总承包模式下，由于设计部分完成后即可开始施工，施工反过来又可以优化设计，二者的交叉和结合有利于保证工期。

4）控制工程造价

在传统承包模式下，工程在招标阶段由业主主导，承包人的报价较低，而到了实施阶段，业主的主导作用降低，承包人可能会利用变更和索赔变相增加造价，从而抵消在招标阶段做出的过多的价格让步。在设计施工总承包模式下，设计施工总承包一般为固定总价合同，业主在招投标阶段已经给予投标人较长的考察工程现场、评估工程风险、编制投标文件的时间，这样就可以使投标人的工程报价较为合理，再加上设计施工互动和相互优化，如果合同机制完善，设计施工总承包模式在控制工程造价方面较传统承包模式有一定的优势。

5）减少工程变更

在传统承包模式下，设计人和承包人分立，且由于设计人关注的重点偏好于结构的安全和可行，承包人关注的重点偏好于方案的经济和技术的方便运用，二者利益取向不同导致二者既相互脱节，又相互制约，设计人和承包人的沟通效率低下，均处于信息不对称状态。在这种模式下，工程变更的情形较多，且工程变更往往成为承包人提出增加造价的重要理由。在设计施工总承包模式下，由于设计人和承包人均处于总承包人的控制下，相互信息沟通渠道畅通，信息和需求可以实现充分共享，从而可以有效减少工程变更，控制不合理的工程变更。

6）减少工程界面

岛隧工程兼具公路桥梁工程和水运工程，技术难度大、工程界面多，工程建设中需要设计施工联动配合的工作非常多，如沉管预制与浮运、高水压条件下管节对接等均需要设计施工联动；人工岛与沉管均处于深厚软土地基区，地质情况复杂、控制差异沉降问题突出，需要设计施工相互配合解决。采用设计施工总承包模式可以有效减少不同类型工程之间的界面。

7）简化管理环节

在传统承包模式下，岛隧工程将可能划分为多个标段，各标段的管理均需由业主进行，这样就造成管理环节较多。采用设计施工总承包模式，只有一个标段，发包人只负责和总承包人联系，总承包人中的设计人和承包人由总承包人进行协调管理。例如，港珠澳大桥岛隧设计施工总承包项目内有四个设计团队，五个施工工区均由总承包人进行管理，这样既可以克服业主管理力量的不足，又可使业主较少干扰总承包人的管理，管理环节大大简化。

因此港珠澳大桥岛隧部分基于对跨境集群、工期、质量、造价、界面等的控制而选择 DB 模式，它是有效降解岛隧工程建设管理复杂性的重要方式，但要使岛隧工程 DB 模式实施成功还取决于管理局对其具体模式设计、项目团队的项目实施与管理能力。因此，业主需要针对国内交通行业的政策环境、工程建设环境、市场环境来确定具体的总承包模式，并建构一个以合同为载体的项目管理保障机制，创造有利于 DB 模式运作的环境。

　　4. 设计施工总承包模式的复杂性降解策略

　　港珠澳大桥岛隧工程设计施工总承包模式规避了国内设计施工总承包的一般问题，在联合体的组建、接口管理机制、设计施工联动控制机制、人员管理等方面也加强了专门设计和进行了有效的复杂性降解。

　　1）设计施工联动管理

　　在"施工驱动设计、设计施工联动"的管理理念指引下，港珠澳大桥设计施工总承包联动管理注重以下几个方面的内容。

　　第一，平衡基建程序和设计施工联动。港珠澳大桥岛隧工程设计施工总承包管理模式要求在国内法律框架下保证设计的独立性（设计人承担终身设计质量责任）并执行外部设计审查程序，影响设计人与施工流水搭接及相应优势发挥，需要采取管理方法来化解，如合理划分设计单元、综合安排出图计划、重点发挥设计前期及设计过程中施工的驱动作用等。

　　第二，平衡业主的介入深度。设计施工总承包模式的最大的优势是让有能力的总承包商来实施项目的设计和施工及其管理，因此业主必须要平衡传统方式下的控制模式和设计施工总承包下的监管模式。港珠澳大桥通过对联合体的组建方式、内部管理程序，对项目实施过程进行审计、稽查、检查，建立了试验检测中心、测量控制中心、档案管理中心等进行实质性操作的管理实体来对项目进行深度介入，而这会令设计施工总承包模式的运作面临挑战，这就要求业主转变思维，在保证对联合体总体监管的前提下，支持和激励承包商充分发挥主观能动性、优化设计、施工方案、优化资源配置，以最大限度发挥联合体的优势，同时总承包商也要建立适宜的管理机制。

　　第三，平衡联合体组织的柔性。岛隧工程规模大、品质要求高、技术复杂、建设周期长、施工环境条件差、工期紧、不确定因素及风险因素多，对联合体成员素质、技术水平、专用设备、资源投入、管理效能及承担风险的能力、技术和管理创新能力等要求较高，要求联合体必须长期稳定、有效，同时联合体组织必须根据任务来进行动态调整。

　　2）联合体组织管理

　　岛隧工程的管理模式采用的是业主提供初步设计方案的、联合体方式（对联合体有特别组建要求）的设计施工总承包模式。通过该模式设计，巧妙地化解了现有国内工程项目建设程序和资质体系对设计施工总承包运作效率可能造成的影响，创造性构建了适合中国国情和港珠澳大桥岛隧工程特点的崭新模式。港珠澳大桥岛隧工程的设计施工总承包模式与国内外现有的总承包模式存在不同，主要表现在建设阶段的界面设计和总承包商的要求上，该模式定位有其自身的特性，更有利于工程建设目标实现。

　　岛隧工程设计施工总承包模式既不同于国际常用的方式，也不同于国内以往项目采用的总承包模式，是根据国情与项目特点建立的一种新模式（表 15.3）。

表 15.3　港珠澳大桥岛隧工程设计施工总承包的模式定位

管理模式	业主提供初步设计方案的、联合体方式（对联合体有特别组建要求）的设计施工总承包模式					
模式定位	介于A和B两种模式之间			介于C和D两种模式之间		
	A：业主仅提供使用功能要求的设计施工总承包模式		B：提供初步设计方案，投标人完成施工图设计后报价模式	C：依据项目需求设计或施工做牵头人并独自组建联合体模式		D：独立法人单独承担整个项目的设计施工总承包模式
	业主提供初步设计方案模式			联合体（有特别组建要求）模式		
特定要求	投标阶段：依据初步设计方案	投标报价		联合体组建要求	总牵头人、设计牵头人：分别为综合实力和业绩优异的大型施工、设计企业	
		制定施工图勘察、设计方案			一家国际设计合作方	
		提出施工图设计阶段研究、验证计划			一家施工管理顾问	
		提出优化设计方案				
	实施阶段：依据合同文件	进行施工图设计		实施阶段要求	保证设计的相对独立性	
		设计施工联动，完善、优化、增值			国际设计合作方对施工图进行审核	
		完成项目施工并交验			施工管理顾问对施工方案进行审核	
风险特征	业主风险	消减了结构和功能要求不全面、实施期间产生歧义、大量索赔等风险		业主风险	消减了总承包人过失或总承包人无力承担损失给业主带来的风险	
		转移了初步设计到施工图设计阶段的风险			消减了业主管理失误的风险	
	投标人风险	承担无施工图条件下投标报价的风险		投标人风险	利益共享、风险共担，分散了风险	
		承担初步设计到施工图设计阶段的风险			优势互补、科学管理，消减了风险	
比较优势	与A模式相比	更适应港珠澳大桥项目的复杂性和目标控制		与C模式相比	联合体实力更强，国际化更适应于港珠澳大桥项目的高要求	
	与B模式相比	更有助于施工驱动设计，设计施工联动		与D模式相比	提升综合能力和抗风险能力，有助于解决港珠澳大桥难题	

　　第一，由国内具有设计、施工综合管理能力的大型基建集团牵头组建中外合作联合体，联合体成员包括具有同类工程经验的国外设计合作方及施工管理顾问，较好地融合了两方面的优势；国内大型骨干企业具备统筹设计、施工，有效整合有利资源的能力及经验；国际合作方可带来国际先进的理念、技术和管理经验，发挥国际优势。

　　第二，岛隧工程设计施工总承包模式强调设计牵头人及设计团队在联合体中的相对独立性，较好地融合两方面的需求：在充分发挥设计施工总承包模式优点的同时，满足国家及地方有关法律法规对基本建设项目设计管理的要求。

第三，构建了"设计施工联动，施工驱动设计"的设计施工总承包联合体的运行导则，并建立一系列匹配的制度和流程。

岛隧工程设计施工总承包商采取多元主体的联合体模式，其主体利益及文化的多元化给组织协调和管理带来了一定的挑战性，另外，由于设计施工总承包模式在国内交通项目经验不多，对参与管理的政府、业主及监理提出了新的要求。

第16章 国情选择 跨界共管

——"一国两制三法"下港珠澳大桥的软法治理

16.1 港珠澳大桥"三法"复杂性及软法治理理论分析

16.1.1 港珠澳大桥"三法"复杂性分析

1. "三法"复杂性缘由

在全面依法治国的背景下，遵循法律法规是建设重大工程的重要基础和必备前提，在"一国两制"背景下，对国家具有深远影响和意义的港珠澳大桥来说更需如此。一般工程的决策、建设、运营均处于同一法律体系的框架下，涉及的相关事项均有对应的成熟完善的法律体系、技术标准、规章制度可以参照。

港珠澳大桥面临的法律环境则极其复杂，这主要是由于"一国两制"环境下粤港澳三地缺乏共同的法律法规作为工程顺利开展的法律基础和必要前提。"一国两制"意味着，粤港澳三地的法律制度不同，香港采用英美法系、广东珠海采用内地大陆法系、澳门采用欧洲大陆法系，一个工程建设涉及三地三种法系，这种情况在全世界范围内也是首次出现。这要求我们在港珠澳大桥建设过程中，认真分析和探讨三地三种法律体系间的差异、冲突及协调机制，并在三种不同的法律体系下谋求重大工程的共建共管之道，这无疑具有空前复杂性与难度，其三地三法问题的超前度、广泛度、深入度是资深法律专家也前所未见的。因此，"一国两制三法"带来的新挑战，必然成为港珠澳大桥跨界共管、跨界协调的复杂性的重要根源。

2. "三法"复杂性特征

港珠澳大桥因"一国两制三法"造成跨界协调复杂性具有多层次的特征，具体有以下两层内涵。

一方面，"一国两制三法"作为港珠澳大桥的建设背景和现实国情，其本身是多层次的。具体来说有三个层次："一个国家"、"两种制度"和"三种法律体系"，这三者所涉及的层次等级依次降低，前者渐次高于后者，后者被前者统摄；前者是全局，后者是局部；前者为后者的大方向、大指引，后者则是以前者为原则的细化和具体执行。

最高层次的"一国"和中间层次的"两制"，是港珠澳大桥建设的特殊大背景。现实中，大桥建设过程中的决策问题更多的是工程技术类事项，基本不涉及国家主权和社会制度属性等宏观问题（口岸的土地管辖权移交问题除外）。因此，港珠澳大桥主要需要应对的是最低层次的"三法"在现实中带来的决策治理复杂性，包括如何解决"三法"硬冲突、如何构建合理稳定的跨界法律协调机制等。

另一方面，港珠澳大桥因"三法"造成的法律复杂性是多层次的，可以划分为以下三个复杂性程度等级层次。

（1）复杂性程度浅：能够识别出哪些事项存在法律冲突，且存在解决路径。其包括建设期统一建设技术标准的制定、建设期施工部门资质要求的确定等技术层面、规章制度层面等较容易解决的事项。

（2）复杂性程度中：能够识别出哪些事项存在法律冲突，但短期内难以找到最优的解决路径。其包括工程所有权、环保问题、工程防务、运营期安检、运营通行政策、运营期保险问题等，不仅涉及法律体系，还涉及三地权益的问题。

（3）复杂性程度深：不知道在某一决策事项中具体存在哪些法律冲突问题，看似寻求不到合理解决方案的问题。其包括口岸布设、投融资方案、行政管辖、行政管理权移交问题、专利权等，不仅涉及三地三法，还涉及三法下国家权力移交、利益博弈的问题或大桥的立项论证阶段的框架性决策问题。

港珠澳大桥"三法"复杂性的多层次特征，对大桥管理者和法律工作者的应对能力提出更高的要求。他们在广泛的法律领域中摸索并寻求答案，以期寻求恰当的应对策略和对复杂性的降解手段。

3.　"三法"复杂性应对策略分析

依据传统方法，协调法律之间的"硬"冲突，可以通过立项论证、法院受理、为工程项目单独立法等方式进行，此处把这种方式称为"硬法解决模式"。在港珠澳大桥项目实际进展过程中却发现，这种"硬法解决模式"难以实施，具体障碍体现在以下三点。

（1）制度成本高。如果为港珠澳大桥单独立法，则需要将决策事项层层上报至国家立法机关，程序严格、流程烦琐。

（2）不确定性高。由前面的分析可知，港珠澳大桥具有一类复杂性程度深，可能出现情景演化和涌现的决策事项。对此，在决策初期，无法预知全部具有法律冲突的决策问题；进一步，在工程决策、建设、运营的推进过程中，会不断遇到新的决策困难，不可能每次都单独为大桥修改法律。

（3）解决效率低。严格的程序、烦琐的流程、深度的不确定性，使得"硬法解决模式"的实际效率低下，或者成为工程向前推进的现实障碍。

实践证明，以单一的硬法解决模式难以应对港珠澳大桥的"一国两制三法"多层次复杂性。另外，如果能通过柔性的法律拓展方式，利用更加简单高效的方式找到"三法"下的共同法律原则或达成共同法律协议，再在此基础上针对性地形成各类决策事项的具体解决办法，就无疑形成了一套根基牢固扎实、具体方法灵活的适应性体系，从而稳定且有效地降解和驾驭"三法"复杂性。

经过多年的法律探索和治理研究，港珠澳大桥创新性地形成了"软法治理模式"，通过粤港澳三方达成一致并签订《港珠澳大桥建设、运营、维护和管理三地政府协议》（以下简称《三地协议》）与《港珠澳大桥管理局章程》（以下简称《管理局章程》）等软法文件，形成共同承诺的基本法律准则，并在此基础上根据具体决策事项进行具体分析，形成专门性、针对性的决策方案。在"软法治理模式"下，避免了烦琐的硬法立法程序。同时，"软法"的基本理念和"具体问题具体分析"的治理手段，使其成为一套能够有效应对"一国两制三法"下法律冲突复杂性的治理体系，是降解和驾驭复杂性行之有效的实施办法与落地抓手。

16.1.2　港珠澳大桥"三法"复杂性降解原理

由 16.1.1 小节的分析可以看到，"一国两制三法"造成了港珠澳大桥的法律冲突和跨界协调复杂性，因此，降解这类复杂性就成为应对"三法"冲突的关键先导目标，而软法治理则是应对这类复杂性的具体方法。

具体来说，软法治理在操作层面又涵盖了三个原理，其关系图见图 16.1。

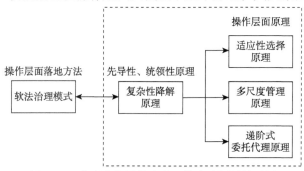

图 16.1　港珠澳大桥软法治理模式及原理关系图

1. "一国两制三法"下港珠澳大桥的适应性选择原理：软法治理模式的形成

适应性选择是粤港澳三方主体通过提升自身适应性能力，选择适应性决策治理方案，以降解和驾驭港珠澳大桥"一国两制三法"复杂性的过程，其自适应行为结果形成了大桥独创的软法治理模式。这一原理的内涵及其关系见图 16.2。

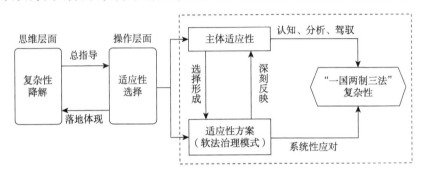

图 16.2　"一国两制三法"下港珠澳大桥适应性选择原理的内涵

1) 港珠澳大桥适应性选择原理的内涵之一

粤港澳三方主体通过不断摸索，提高了自适应学习能力，探索出了一条适合港珠澳大桥治理背景、以三地间契约精神为核心的软法治理模式。这一举措是粤港澳三方主体主动、适应性提升自身行为能力，成功降解、应对和驾驭"一国两制三法"复杂性（主体适应性）。

2) 港珠澳大桥适应性选择原理的内涵之二

大桥主体通过选择一种适应性方案，即港珠澳大桥软法治理模式来稳健应对"一国两制三法"下各类决策冲突复杂性（适应性方案的选择）。

3) 粤港澳主体适应性与适应性方案（软法治理模式）的关系

一方面，主体提升适应性的最终成效是选择并形成适应性方案以降解和驾驭决策治理复杂性。粤港澳主体面对"三法"复杂性，通过不断探索、尝试、学习，提升自身适应性能力，主动选择并形成了重大工程领域中一种创新的决策治理模式——软法治理，作为高效降解复杂性的适应性方案。

另一方面，选择适应性的决策治理方案，是港珠澳大桥三方主体选择行为的目标。选择形成软法治理这一方案，经大桥多年的建设实践检验，具有适应我国国情，化解"三法"冲突的稳健性、系统性，是三方主体自身协同行为与能力提高的体现和标志。

4) 港珠澳大桥适应性选择与复杂性降解的关系

复杂性降解是粤港澳三地主体在思维层面上认知和分析"一国两制三法"复杂性本质的过程，而适应性选择则是三方主体在操作层面上具体选择合适的决策治理办法（即软法治理）以应对和驾驭这一复杂性的过程。

具体来说,在港珠澳大桥中,软法治理理念与三方主体组织间的契约精神,是在降解大桥"三法"复杂性时的思维统领和全局指导,而包含《三地协议》《管理局章程》等软法文件、"专责小组-三地委-管理局"软法组织架构、适用属地原则、无诉讼争端解决机制等在内的系统性软法治理模式,则是降解"三法"复杂性时的操作和执行的有效抓手。

2. "一国两制三法"下港珠澳大桥的多尺度管理原理:适用属地法律原则的确立

在"三法"背景下,港珠澳大桥决策、建设、运营中某一维度管理要素在不同尺度上会表现出明显不同的属性特征,即存在一定次序性和层次性的差异。针对不同尺度上的特征和差异性进行分析、制定不同的决策治理路径和方法,即港珠澳大桥的多尺度管理原理。

港珠澳大桥的多尺度管理是在全生命周期中普遍存在的现象。以大桥的决策目标多尺度管理为例,大桥的决策目标既包含宏观层面对整体功能的目标设计,也包括中观层面技术创新主体的选择与优化等,又包括微观层面日常事务的决策与管理。对多个维度管理要素的多尺度管理,既是大桥复杂性引发的客观需求,也是三方主体降解复杂性的有效手段。

用以降解"三法"复杂性的适用属地法律原则,则是港珠澳大桥多尺度管理原理的突出体现和精华所在。适用属地法律原则的提出,是基于"一国两制三法"背景下大桥具有空间多尺度和复杂性多尺度的特性。

其中,空间多尺度基于以下特点。

(1)粤港澳三地分别采用三种法律体系,每种法系各自均有其作用空间尺度和物理生效边界。

(2)港珠澳大桥工程体量巨大,本身就是一个大空间尺度的物理实体。

(3)港珠澳大桥的影响深远,涉及的物理范围尺度大。

复杂性多尺度则基于以下特点。

(1)粤港澳三地各自领地内的建设区域,基本只存在较浅复杂性尺度的管理问题,如现场质量管理、进度管理等。

(2)大桥的全局战略决策与重大事项决策涉及两制、三法下的立项论证的难点、硬法冲突的障碍,乃至涌现性的难题,这些都属于深度复杂性问题。

基于以上的空间多尺度与复杂性多尺度,适用属地法律原则规定,将大桥划分为四个子工程:主体工程和香港、珠海、澳门的口岸及连接线工程。三地口岸及连接线工程适用各自的法律体系,主体工程则采用我国内地法律体系,三地在中央主导下以"软法治理"为原则实行共建共管、具体决策事项具体分析、协商一致解决。

　　显然，基于适用属地法律原则的多尺度管理中，一个子工程就是一个小的空间尺度，港珠澳大桥被划分为四个空间尺度，并分析各尺度上的要素特征进行决策管理，而港珠澳大桥的所有决策治理事项则依据复杂性尺度进行划分，如粤港澳三方各自建设的工程处于浅复杂性尺度，共建共管的主体工程则属于深复杂性尺度，依次集中解决各尺度的管理事项。最终，基于整体论思维、空间多尺度及复杂性多尺度的分析和管理再向整体层次上进行复原、综合，形成港珠澳大桥应对"一国两制三法"的整体路径。

　　以上是港珠澳大桥在应对"一国两制三法"时的多尺度管理原理。事实上，三方主体通过多尺度管理，对大桥中普遍存在的多尺度现象进行必要的尺度划分、针对性特征分析、有效的决策管理，从而适当、合理地降解和驾驭硬法冲突带来的复杂性。因此港珠澳大桥的多尺度管理原理，是三方主体降解和驾驭"三法"复杂性在操作性层面上又一有效抓手。

　　3. "一国两制三法"下港珠澳大桥的递阶式委托代理原理：软法组织的建立

　　港珠澳大桥工程涉及"一国两制"重大准公共品性质，在前期工程决策等重要管理过程中，表现出"公众—中央政府—粤港澳三地政府—项目管理者—承建单位"的递阶式委托代理链，并在此基础上进一步构建了"专责小组—三地委—管理局"这一递阶式委托代理多层级软法组织。在"一国两制三法"下，通过软法文件保障多方契约关系，形成稳定的软法组织架构和运行动力学机制，以降解和驾驭"三法"复杂性，此即港珠澳大桥递阶式委托代理原理关系图（图16.3）。

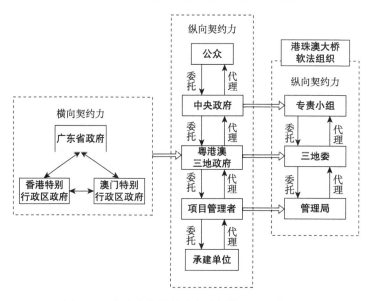

图 16.3　港珠澳大桥递阶式委托代理原理关系图

在我国特殊国情下，港珠澳大桥涉及利益关系复杂的多方委托及代理主体，包括但不限于中央政府、粤港澳政府、各方专业机构、承建单位等，因此需要稳定的契约关系以保障稳定高效的委托代理关系。港珠澳大桥的契约关系稳定性保障来源有以下三点。

（1）政府的行政力作用，包括中央政府的主导、引导、领导作用和粤港澳三地政府的行政力作用。

（2）市场资源配置作用。外部市场环境、公众的监督促使港珠澳大桥多方主体通过承诺、守信以自觉遵守契约关系。

（3）软法文件的约束作用。《三地协议》和《管理局章程》虽不具有法律意义上的强制执行力，但却是港珠澳大桥多方主体达成一致后签署的"基本法"和"基本规章"，依靠协议的契约力和组织间契约精神发挥重要的约束作用。

基于以上机理，港珠澳大桥主体之间形成了稳定的组织契约力，包括纵向契约力和横向契约力。纵向契约力是指从公众、中央政府、粤港澳三地政府至项目管理者、承建单位等不同类型的主体之间的契约力，进一步地，纵向契约力也体现在专责小组—三地委—管理局的委托代理关系中。横向契约力是指在同一类型和层级的三地政府主体之间（即香港特别行政区政府、广东省政府、澳门特别行政区政府之间）具有稳定的契约力，横向契约力充分体现在三地政府间共识性文件《三地协议》所发挥的制约与规范作用。

港珠澳大桥专责小组，代表中央政府层面行使对粤港澳三方主体的协调和监管权责；港珠澳大桥三地联合工作委员会，是粤港澳三地政府层面应对"三法"复杂性的协调管理机构；港珠澳大桥管理局是大桥的项目管理主体，负责处理日常各类决策管理事务。工程各类信息流、资源流等自上而下从专责小组经三地委至管理局，体现了具有方向性和层级性的递阶式委托关系，而各类信息流等则从管理局自下而上传递至三地委和专责小组，同样具有层级性，但属于相反方向的递阶式代理关系。这样，这三大组织机构在各自权责范围内应对不同尺度的"三法"复杂性，又通过递阶式委托代理关系形成稳定的软法协同组织架构，以共同降解和驾驭法律冲突引发的复杂性。

上述整体性的软法组织体系、体系内稳定的运行动力学和动态的物质信息流的传递与转换，即港珠澳大桥在"一国两制三法"下的递阶式委托代理原理，而在"一国两制三法"下软法组织的建立则是港珠澳大桥递阶式委托代理原理的核心体现。

16.2　港珠澳大桥"一国两制三法"背景概述

16.2.1　港珠澳大桥的"一国两制"制度背景

"一国两制",即"一个国家,两种制度",是指在一个中国的前提下,国家的主体坚持社会主义制度,香港、澳门保持原有的资本主义制度长期不变。"一国两制"是我国为收复香港、澳门两地,维护祖国统一、保障国家和平而建立的基本国策,是我国独特的政治制度,具有鲜明的中国特色。在这样的政治制度背景下建设港珠澳大桥,是进一步密切珠海、香港、澳门三地交通关联,促进三地经济、社会、政治、文化等各领域合作交流的重要交通发展战略,其意义之重大、影响之深远,在全世界都具独创性。也正因此,由于珠海、香港、澳门三地实行两种不同的政治制度,三地在各自社会事务、工程建设等方面也都有不同的管理流程和法律依据,故港珠澳大桥面临着世界范围内独一无二的管理难题是自然的。在这样的情况下,粤港澳三方共同成功建设、运营、管理港珠澳大桥,是我国重大交通建设驾驭复杂性工程管理问题能力现代化的典型标志。

"一国两制"制度背景对于港珠澳大桥建设,既有其独特优势,又使其面临新的管理挑战,具体如下。

1. 独特优势

1)利用"一国"之便,组建顶尖专家为主体的技术专家组

为了共同建造好这一重要工程,港珠澳大桥在决策初期,即委托来自全国各地交通、地质、水文、气象等众多领域顶尖专家,现场勘探、调查,分析大桥建设可行性、可能遇到哪些建设技术难题,并委托中交公路规划设计院有限公司和华杰工程咨询有限公司,于 2008 年 11 月完整形成《港珠澳大桥工程可行性研究报告》(以下简称《报告》)。《报告》包含社会经济发展评价及预测、交通量分析、气象水文地质及通航条件分析、桥位选择、口岸设置、环境影响分析、投资预估、财务分析、节能评价等多达 16 个专题报告,为港珠澳大桥建设科学决策打下坚实基础。

进入建设期后,港珠澳大桥在 2010 年召集来自全国乃至全球各大专业研究机构、高校及交通运输部的各领域专家共 41 人正式组成技术专家组,其中包括我国内地专家 37 名、我国香港专家 2 名、国外专家 2 名,共同为港珠澳大桥的建设提供强大的技术支持。截至 2017 年,技术专家组共召开 10 次会议,从最初对人工岛、

沉管隧道、桥梁建设前期的规划、论证、设计、咨询，到最后在大桥通车之前，对工程建设的技术总结、运营模式的提前规划，技术专家组的专家们与港珠澳大桥一路相伴前行。除此以外，技术专家组还多次深入现场了解情况、组织现场会议、为重大事项把关、及时解决现场重大难题，成为大桥建设、运营的优秀智囊团。

技术专家组发挥的重要作用，充分体现了"一国两制"集"一个国家"科学、技术整体力量，为港珠澳大桥建设服务的巨大能量。

2）利用"一国"之便，形成"中央—三地"两级协调管理模式

面对港珠澳大桥工程跨界协调管理问题，中央政府给予高度重视，在保证香港、澳门享有高度自治权的基础上，统筹解决粤港澳三地政府难以协商解决的事项或超越三地政府权限的重大事项，并形成了体制化的中央政府与粤港澳三地政府的两级协调管理模式。"中央—粤港澳三地政府"这一两级协调管理模式被凝练为"中央政府适当承担协调职责，粤港澳三地充分沟通"，这一模式明晰了港珠澳大桥协调管理的层次性与功能性，明确了港珠澳大桥在建设、运营、管理中涉及的法律、公权力、公共事务等重大问题的解决原则，大大提升了港珠澳大桥决策、建设、管理的效率。

3）发挥"两制"之利，吸取粤港澳三地各自优势

香港、澳门和内地采取不同的政治制度，港、澳两地分别沿袭了英国和葡萄牙的法律体系，造成港珠澳大桥建设面临法律方面的困难，同时，大桥管理者也可适应性地利用三地法律、法规之不同特点，相互弥补、相互促进，丰富提升大桥建设管理资源。

在港珠澳大桥论证前期，主要由香港方牵头，香港在工程建设、技术标准、质量认证、生态保护方面的法律体系严格，在三方共同进行大桥前期技术、质量、环保可行性论证时，沿用香港方严格、规范、谨慎的办事程序与标准体系，确立大桥施工建设技术标准"就高不就低"的原则，引进香港高度发达的生态环保思想理念并采取其环保、维养措施，有利于降低港珠澳大桥建设风险和保证大桥 120 年全生命周期质量。同时，充分利用香港、澳门的国际通道，使港珠澳大桥的建设更加国际化，大桥建设者与管理者的视野更加开阔。最后，香港、澳门、珠海三地共同审定港珠澳大桥前期阶段的重大决策方案，共同评标，充分体现对各方利益的关切与协调，也充分发挥了各自优势。

在建设阶段，港珠澳大桥牵头方转为广东省，相较于香港、澳门，建设期在中央政府的主导下，由广东牵头，既提升了决策、办事效率，还充分利用了国内行业专家的专业知识和科技水平，为港珠澳大桥建设提供智慧支持。同时，在中国共产党的领导下，可以发挥党组织的巨大作用，实行有效的廉政监督。除此以外，在建设过程中，项目部门开展了各种各样的劳动竞赛、文化建设，充分发挥和弘扬社会主义文化内涵与精神，创造了港珠澳大桥的文化价值，提升建设者的

文化认同感和幸福感，使得港珠澳大桥工程建设始终洋溢在积极健康、坚强团结的文化氛围中，为大桥的成功建设创造了良好的环境。

由此可见，港珠澳大桥作为"一国两制"这一特殊政治制度背景下的重大基础设施工程，其建设、运营、管理过程充分发挥了"一国两制"的巨大优势，既充分利用"一国"之便，又充分发挥"两制"之利，具有重大的开创性意义。

2. 困难与挑战

粤港澳三地在政治、法律、文化、社会等诸多方面的差异性使得大桥建设、运营、管理面临多方面的困难与挑战，主要来自以下三个方面。

1）法律环境复杂

香港、澳门作为我国的特别行政区，分别沿袭了英国和葡萄牙的法律制度，与内地的法律制度不同，这将导致工程管理面临着复杂的法律环境。例如，前期决策时的查验口岸布设模式、投融资决策问题、招标问题，建设期的施工、税务、保险及环保等多方面的问题，运营期的跨界通行政策问题、法律纠纷处理问题等，这些工程管理问题都与法律环境紧密关联。所以，复杂的法律环境不仅增加了解决这些问题的难度，甚至使这些问题在传统的法律框架下无法解决。

2）文化思维差异

粤港澳三地同属一国，三地都秉承中华传统文化，但由于历史遗留原因，在"一国两制"这一特殊的政治背景下，香港、澳门在思维方式、文化习俗等方面与内地存有重要差异。这些差异又导致在港珠澳大桥的建设、运营管理过程中，三方政府及建设管理人员的行为方式、办事理念、思考解决问题的角度和方式方法都存在不同乃至分歧，从而在一定程度上降低决策效率及建设进程，可能还会引发一些冲突问题，给港珠澳大桥工程管理带来一定困难。

3）流通货币不同

在"一国两制"背景下，依据《中华人民共和国香港特别行政区基本法》和《中华人民共和国澳门特别行政区基本法》，香港、澳门两地享有高度的自治权；依据《中华人民共和国政府和大不列颠及北爱尔兰联合王国政府关于香港问题的联合声明》，香港的自治权中，包含自行发行货币的权力，因此香港地区使用并流通的是"港元"，又称"港币"，而澳门地区使用并流通的是"澳门币"。粤港澳三地流通货币不同，也在一定程度上使港珠澳大桥建设、运营中的投融资与财务管理的程序及沟通环节增多。

16.2.2　"一国两制三法"——港珠澳大桥跨界合作复杂性根源

在"一国两制"背景下，港珠澳大桥面临的跨界合作复杂性，其根源在于

"两制"的差异和由此带来的"三法"冲突,即港珠澳大桥的粤港澳三方主体所处的"一国两制三法"这一特殊环境,以及与大桥建设相关的决策议事流程、行政审批规则、建设技术标准等法律规定存在的地域性差异。

1. 粤港澳采用三种法律体系,存在硬法法律冲突

"三法"的第一层次内涵可以描述如下:粤港澳采用三种法律体系,存在硬法法律冲突。

"硬法"是指传统意义上由国家立法机构制定的、具有司法中心主义的法律。对于港珠澳大桥这样特殊背景下的跨界重大工程来说,内地、香港、澳门属于三种法律地域,分别实行三种行政制度,采用三种法律体系,导致港珠澳大桥面临三种不同的硬法法律环境。通常来说,法律只在特定的区域才能有效实施,这也是法律的基本特点之一——地域性,而港珠澳大桥面对的法律问题具有明显的跨地域冲突性,这种工程建设的法律状态在全世界范围内都是独一无二的,这无疑是大桥跨界建设管理复杂性的根源。例如,港珠澳大桥投融资模式是采用全部由政府投资建设,或由政府与私人投资者共同建设,还是全部由私人投资者投资建设是一项前期重大决策问题。内地、香港、澳门由于法律环境、政治社会环境不同,以往基础设施工程项目投融资模式的确立也不一样,故一开始对于港珠澳大桥投融资采用哪种模式意见上并不一致,因而产生了意见冲突。又如,港珠澳大桥的口岸查验模式,是采用"一地三检"模式,还是采用"三地三检"模式的问题,以及在"一地三检"模式下珠海行政辖区土地部分如何移交给港澳特区政府,管理应采用何种法律方式等问题,都涉及三地不同的法律,并产生不同硬法体系下协调管理的困难。另外,包括建设时期港珠澳大桥的各项建设技术标准以及行业规范问题、运营期跨界交通事故法律解决方式、跨界运输车辆保险问题等,都反映出在"一国两制"背景下粤港澳硬法法律之间的冲突,需要对三方现有法律之间的协调。

2. 在三方现有法律冲突下,跨界协调途径缺位

除了粤港澳三方现有硬法的冲突,大桥还面临在此冲突之下,硬法之间跨界协调途径缺位的问题。

一般的跨境交通工程,如涉及两个国家及不同的硬法法系之间的冲突,可根据国际规定交由国际法庭进行协调。以英法海峡隧道为例,英国和法国是两个国家,各自具有独立的、不同的制度和法律体系,若英法两国就英法海峡隧道的决策论证、建设施工乃至运营通行产生冲突时,可以根据《英法海峡隧道条约》和《海峡隧道法》解决,同时英国和法国在国际上具有独立、对等的法律地位,冲突可以交予国际法庭处理。

香港、澳门和内地面临的情况却完全不同。首先,香港、澳门、内地虽采取不同的政治制度,但同属于一个国家,出现矛盾显然不能交由国际法庭处理。这样,无论哪一方试图提起诉讼解决彼此冲突,都存在向哪里的法院提起诉讼和其他方无法认同的问题,因此,港珠澳大桥面临硬法法律冲突,导致跨界协调的司法途径缺位的局面。

再者,内地虽然对交通基础设施工程的建设、经营、管理制定了基本的法律框架,但其中一些规定的具体性不强或者过于原则化,同时目前没有针对三法冲突下大型交通基础设施工程建设管理的法律规定,从而使得港珠澳大桥在实际建设、运营、管理中无法可依,甚至在特定的情况下,必须突破已有法律规范才能使其建设更加合理、可行。对此,若由国家司法机关颁布新的相关硬法,为港珠澳大桥单独立法,势必制定缓慢、耗时太长,会大大影响工程建设的进程。

由上可见,在"一国两制"这一独特的政治背景下,"两制"的差异引发了港珠澳大桥粤港澳三方的"三法"冲突问题。第一层次问题是粤港澳采用三种法律体系,存在硬法法律冲突,第二层次问题是在三方现有法律冲突下,跨界协调途径缺位。

16.3   港珠澳大桥软法治理概述及必要性分析

综上所述,在"一国两制三法"背景下,粤港澳三地之间的硬法法律体系冲突、硬法协调途径缺位等复杂性问题,以及为大桥单独立法成本过高等矛盾成为大桥依法建设的严重阻碍。为了应对这一复杂性,大桥管理者在不断摸索和实践中形成了创新性的软法治理模式,为港珠澳大桥的建设保驾护航创新了必要的法律环境。

下面具体介绍软法治理的概念、内涵、实施原则与具体形式等。

16.3.1   软法治理概述

1. 软法概念

软法概念最早出现于国际法中,是相对硬法而言的。1994 年法国学者 Francis Snyder 提出的软法定义是至今被引用最多、认可度最高的:"软法是原则上没有法律约束力但有实际效力的行为规则。"(Snyder,1994)也有其他学者给出了其他的定义,如认为软法是指不具有任何约束力或约束力比传统的法律(即硬法)要弱的准法律文件(罗豪才和毕洪海,2006)。同时,Linda Senden 给出了较长且比较规范的定义："以文件形式确定的、不具有法律约束力的但是可能具有某些间接法律影响的行为规则，这些规则以产生实际的效果为目标或者可能产生实际的效果。"（Senden，2005）

由上面的这些定义我们可以看出，相比于传统意义上具有强制约束力、通过司法机关执行的硬法，软法通常不是典型意义上的"法律"。因此，软法具有以下几个特点。

（1）制定主体：软法并非由国家立法机关制定，传统的硬法法律必须通过国家立法机关制定，即在我国，需要在全国人大常委会上通过，才能够宣布法律生效，而软法并不一定由其制定，而是可以通过政府部门、组织间达成协议、签署文件等方式，使软法生效。

（2）保障效力：软法不具有国家强制力，而是由当事人的承诺、信用、纪律等保障实施、能够产生行为实效的一种行为规则。硬法的实施经过国家司法机关，通过国家强制力保障实施，而软法则是由每一个相关组织机构成员自愿签订、达成的协议或者契约，因此在一般情况下，各方组织都会遵守信用、承诺并自愿履行软法条款；如果违反软法条款，则很有可能受到其他各方的谴责、舆论的影响、纪律的制裁，这一原因也约束着各方组织遵守软法的约定。

（3）争议解决方式：在软法实施过程中，若遇到难以解决的争议问题，一般由当事人协商、民间调解或仲裁机构处理，而不由法院裁决（Keeble et al.，2003）。通常硬法冲突的解决方式是进行诉讼、法院裁决，但由于软法不具有强制约束力，各成员也能自愿遵守软法条款，故通常采用协商、仲裁、民间调解的方式解决争议。

软法的表现形式多种多样，从国家层面来说，软法通常表现为法律多元意义上的社会规范，同时也表现为公法中行政主体发布的非法律性的指导原则、规则、行政政策等（罗豪才和毕洪海，2006）。在治理领域，其常见的表现形式包括多方主体签订的协议书或设立的章程、规范、管理办法及发布宣言、号召、纲要等（Li and Zhang，2010）。

从重大工程管理的角度来看，在重大工程的建设中对软法进行应用，实际上是通过组织间契约力而非国家强制力来进行项目的推动，代表了一种平等、尊重、互利、共赢的契约精神。

2. 软法治理内涵

通过软法进行决策等事项的治理，即软法治理。软法治理的思想一开始出现于公共治理领域。在全球化和区域一体化的背景下，公共治理领域出现了很多由此带来的新问题，而硬法制定时间长、成本高，因此，快速发展的法律需求与相应的供给矛盾日趋严重。在这样的背景下，以平等尊重、协商民主为核心思想的软法治理成为公共治理的新模式，其核心内涵为在自愿参与的基础上，通过合作、谈判、协商、共赢等形成平等互利的多方共治。目前多应用于解决我国区域公共治理问题，各方相互之间签署合作协议，内容涵盖贸易、运输、社会治安等。

具体来说，软法治理的内涵如下。

（1）基本原则：平等互信、关系友好。

多方主体间自愿参加软法的制定，在相互尊重、平等互信的基础上，进行重大工程建设的跨界合作；以维护友好、尊重的相互关系为基础，实施对重大工程的共建共管。

（2）实施方式：协商一致、合作共赢。

在软法治理模式下，多方主体间的主要协调方式为交流、协商、通过的方式，对各大决策治理事项进行商议，在充分满足各方诉求、平衡多方主体的利益的基础上，达成共识实现合作共赢。

（3）表现形式：签订协议、颁布章程等。

达成共识后，通过签订相关协议文件、颁布章程文件，形成具有契约力的软法文件，涉及的主体通过自身的信誉、承诺等，自动遵守相关条款。

港珠澳大桥的软法治理模式，作为"一国两制三法"下粤港澳大湾区跨境共建共管项目的实践先驱，具有重要的创新性与示范性。实践证明，"一国两制三法"下港珠澳大桥的软法治理模式，切实有效地解决了港珠澳大桥跨界合作治理的决策问题，为推动工程建设顺利进展奠定了法律基础。

16.3.2　港珠澳大桥软法治理的必要性分析

在"一国两制三法"的背景下，港珠澳大桥工程建设管理实施软法治理主要有以下两点原因。

首先，在"一国两制"背景下，港珠澳大桥建设三方跨界合作中的法律同一性问题成为最大挑战之一，目前并没有专门的硬法或者相关的章程、先例可循。

其次，软法治理各方面的优越性很适应港珠澳大桥的现实需求，如其灵活性可弥补硬法立法滞后的缺点，快速适应工程进展的需求；其协商性可尊重各方利益、平衡各方诉求，极具人文关怀；其多样性可使解决冲突路径的缺失得以弥补。

事实表明，港珠澳大桥在多项重大决策，如投融资方案选择、口岸布设模式选取、跨界通行政策制定等事项中，都采用软法治理的"平等尊重、协商一致、合作共赢"的思想，体现了具体问题具体分析的原则，取得了很好的效果。实践证明了软法治理为港珠澳大桥跨界合作治理问题的解决提供了现实可行的法律支撑平台。

16.4　港珠澳大桥软法治理下中央政府的主导作用

中央政府在设计和实施港珠澳大桥软法治理模式过程中起到了极为重要的主导与引领作用。在中央政府指导下，设立了由国家发展和改革委员会牵头的协调监管机构——中央专责小组。中央专责小组代表中央政府行使"一国"之权利、履行"一国"之职责，避免软法治理可能存在的协调效率降低的问题，保障港珠澳大桥工程的顺利推进。

中央政府作为最高层次的权力机构，在尊重各方地位、平衡各方利益和诉求的基础上，有效发挥其极为重要的主导作用，是港珠澳大桥法治制度设计的一个基本原则和重要目标。

16.4.1　中央政府主导的跨界协调监管机构——中央专责小组

1. 中央专责小组的成立

2006 年 12 月底，由国家发展和改革委员会牵头，同时由交通运输部、国务院港澳事务办公室、广东省政府、香港特别行政区政府和澳门特别行政区政府代表共同参与，组成港珠澳大桥专责小组，作为代表中央政府行使权力和职责的协调监管组织机构。

在大桥工程建设过程中，粤港澳三地政府对工程决策、建设、运营问题必须经过充分的协商沟通，但由于软法不具备强制执行力，三方主体间很有可能经多轮协商后仍不能达成共识，从而降低了办事效率；另外，大桥一些重大事项，仅靠粤港澳三地政府层面的跨界协调是无法解决的。

因此只有在超越粤港澳三地政府的更高层面上，通过具有更高决策权力的组织机构才能有效协调三方跨界协调问题、解决三方冲突、平衡三方利益，这就是成立中央专责小组的由来。

2. 中央专责小组的职责

中央专责小组成立后，由国家发展和改革委员会副主任担任组长，同时由交通运输部副部长、国务院港澳事务办公室副主任、广东省政府常务副省长、香港特别行政区政府环境运输及工务局局长、澳门特别行政区政府土地工务运输局副局长等作为首批成员组成专责小组。专责小组成员的组成情况，充分体现了中央人民政府对港珠澳大桥建设的重视，也反映了港珠澳大桥建设的"一国两制三法"的特点。

中央专责小组的成立，主要是为了形成比粤港澳三地政府更高级别的协调监管机构，以解决粤港澳三地政府层面不能解决的跨界协调、重大决策事项，如港珠澳大桥项目前期工作中涉及的中央事权问题、粤港澳三地政府间存有重大争议的问题等；同时负责审议由大桥前期工作协调小组提交的决策议案及处理中央政府交办的其他问题。其常规工作会议每年举行一次，听取三地委员会工作报告、大桥管理局工作执行情况报告及专家委员会工作报告，并对相关工作检查和协调。

具体来说，中央专责小组的基本职能包括：中央政府负责批准项目基本设想，指导签订粤港澳三地协调方案，指导和处理项目有关的法律和公权事务协调方案的确定及相应的决策、沟通及协调，在粤港澳三地政府就有关三地之间关系处理意见不一致时进行必要、适当的协调沟通；国务院港澳事务办公室、国家发展和改革委员会、交通运输部等部门职能是，根据中央批准的方案、粤港澳三地协调方案，分别行使基于《中华人民共和国宪法》和组织机构法明确的与大桥项目有关职责，落实相应的政策支持。当有关法律的解释和调整涉及立法机构全国人大的决定时，国务院及有关部门按照中央批准的方案，按程序与全国人大沟通，获得法律批准。

中央政府设立专责小组，代表行使中央政府的协调、监管职权，直接参与港珠澳大桥在决策、建设、运营中的重大事项，在港珠澳大桥的口岸设置、投融资安排、通航与锚地、中华白海豚保护等难题的解决过程中发挥了重要的作用。中央专责小组的设立，发挥了中央政府的主导作用，充分体现了在"一国两制三法"这一特殊的背景下，港珠澳大桥虽然面临跨界合作治理难题，但因"一国"的政治优势而获得中央政府必要的指导与支持，有效避免了在软法治理模式下可能存在的效率降低的问题。

16.4.2　软法治理模式下中央政府的主导作用

依托专责小组，中央政府在港珠澳大桥的跨界协调管理中发挥主导作用，具体体现在以下几个方面。

1. 对粤港澳三地政府和大桥建设提供多方支持

相比粤港澳三地政府，中央政府作为国家最高权力机构，拥有最大的行政权、决策权和最丰富的资源，因此中央政府在港珠澳大桥项目的推进过程中，能够有效提供更多方面的支持，如财政支持、政策支持、资源支持等。同时，港珠澳大桥作为粤港澳大湾区的跨境合作工程，具有重大的社会、经济、政治、文化意义，港珠澳大桥是我国"一国两制"下的国之重器，中央政府必然要对港珠澳大桥项目提供指导与关心。因此，中央政府依托专责小组，为港珠澳大桥提供多方资源，起到主导全局的作用。

2. 协调港珠澳大桥建设过程中的重大事项

"一国两制三法"环境可以通过粤港澳三地政府之间的协商、沟通解决许多重要问题，但依旧会存在一些超越粤港澳三地政府层面决策权限或三方难以达成共识的问题，或者由于各方利益不一致而严重影响管理效率的问题。例如，在港珠澳大桥建设之初，设立专责小组之前，粤港澳三地政府面对一份水土保持的标的金额30万元的合同，用了9个月的时间也没有完成合同签订，各方都从自己的利益角度出发，难以协调一致，拖延了港珠澳大桥项目的整体推进进度。专责小组成立后，对这件事的进展起到了积极的协调和推进作用。除此之外，2007~2008年，港珠澳大桥专责小组成立后，在大桥口岸设置、投融资安排、中华白海豚保护区等重大事项上，协调粤港澳三地政府有效达成一致意见，后又明确了三方合作建设大桥主体工程的范围、投资责任及政府补贴分摊比例、投资还贷模式，并推动港珠澳大桥项目可行性报告的形成，顺利完成了大桥前期阶段的整体工作推进。

3. 平衡粤港澳各方利益

粤港澳三方是港珠澳大桥的投资、建设主体，也是港珠澳大桥的主要受益者，大桥的成功通车、运营对粤港澳三地的政治、经济、社会、生态等各方面都有直接利益，但也有一些跨界问题，如三方政府难以协调平衡各方利益。在软法治理思想下，各方主体平等、尊重、互利、共赢是这一治理模式的基础，专责小组的设立，意味着中央政府的直接介入，可以从宏观视角出发，在协调粤港澳三地利益中发挥主导作用，把握好大局的均衡性。

以港珠澳大桥口岸布设模式决策为例。口岸不仅是一个国家主权的象征，包含多种相关的口岸管理权，同时也是一国对外开放的门户，是国际货物往来贸易的枢纽，因此口岸布设模式的决策，是跨界合作治理问题中的重大问题。最初为了节省建造时间、成本，便于粤港澳三地民众的出入境，港珠澳大桥提出了"一地三检"方案，即在珠海建设三地联合查验口岸，但三地的口岸管区均相对独立。然而，这种口岸布设模式容易引起运营管理、司法管辖方面的混乱，具体来说，"一地三检"模式存在"是否可以将建立在珠海境内的一地三检口岸的部分区域授予香港、澳门以行政管理权及司法管辖权"的问题，这容易造成三方管辖权移交时的协调困难，有可能导致粤港澳三方中某一方的利益受到损害，不符合软法治理思想下各方平等、尊重的理念。后来，港珠澳大桥口岸布设模式这一重大问题提交给中央政府，并由中央政府各部门进行研究和提出意见，结合国务院港澳事务办公室、协调小组的建议和粤港澳三方的协商，最终选定"三地三检"方案，即大桥在香港、珠海、澳门的着陆点处，在各自的辖区分别建三个独立口岸，以港珠澳大桥连接三地口岸。在港珠澳大桥口岸布设模式的问题上，充分体现了中央政府的介入，有效平衡了三方的利益。除此之外，在解决港珠澳大桥融资、航道设置等问题上，正是因为中央政府的直接指导，才保证了在软法治理模式中把握大局，更好地推动了大桥建设。

4. 提升决策效率

软法是不具有国家强制约束力的"法律"，软法治理是在平等尊重的基础上依靠各方契约精神来保障实施的，各方主体必须达成共识，决策事项才能最终确定，有一方不同意，则需要不断磋商，这也是软法治理模式存在的问题。因此，在港珠澳大桥出现冲突事项需要跨界协调时，通常出现一时难以达成共识的状态，影响工作效率。

以中华白海豚保护问题为例。根据前期论证设计，港珠澳大桥路线走向将不可避免地穿越白海豚的保护区。一方面，中华白海豚是国家一级保护动物，对中华白海豚的保护实际上是对地球生态系统的保护，其意义之重大不言而喻；另一方面，港珠澳大桥的建设有着战略性的政治、经济意义，这就导致工程和生态保护之间出现了冲突，一段时间相应对策停滞不前。在此情形之下，有必要由有关政府部门与专业机构组成的统筹协调组织介入这一重大问题的决策，并委托中国水产科学研究院南海水产研究所等进行专项研究，就中华白海豚保护事项做出建议，最终农业部渔业局通过了相关方案，未影响项目进展。

5. 尊重港澳自治权

在"一国两制"背景下，香港和澳门享有高度的自治权，包括行政管理权、立法权、独立的司法权和终审权等。这里需要指出，中央政府牵头的专责小组作为最高层次的协调监管机构，在发挥中央政府主导作用、对项目跨界协调问题提供帮助、推动大桥建设进程的同时，充分做到了不会对香港、澳门自治权产生不当干预。因为"一国两制"体制并不意味中央政府不能以协调人的身份介入港珠澳大桥的跨界管理，而中央政府在港珠澳大桥的跨界协调管理中的主导作用，恰恰有效地发挥了我国特有的"一国两制"制度优势，帮助粤港澳三地共同推进港珠澳大桥这一有着国家战略意义的重大工程建设。同时，粤港澳三方《三地协议》等基本文件的签署，使中央政府的主导作用和协调作用合理有效地发挥，帮助港珠澳大桥更好地应对由"一国两制三法"引发的跨界合作治理复杂性，并更好地体现尊重港澳自治、支持港澳发展的原则。

16.5　港珠澳大桥的软法治理模式

在"中央政府发挥主导作用、适当承担协调职责，粤港澳三地充分沟通"的原则下，港珠澳大桥依据的"软法治理"的理念和模式创新，特别是适用属地法律原则，有效降解了大桥面临的跨界合作治理的复杂性，同时充分发挥我国"一国两制"方针在重大工程建设过程中的政治优势。

16.5.1　软法治理的基本原则——适用属地法律原则

港珠澳大桥工程在"一国两制三法"下具体涉及硬法冲突的问题包括：前期决策过程中涉及政府授权及司法管辖权等问题；工程建设过程中依据何种法律体系，在跨境实施管理中是否允许"跨境授权"及"上下分别授权"等；公共事务管理决策问题，如出入境管理，海关、边防、治安、检查检疫等。

为降解港珠澳大桥在建设、运营、维护、管理过程中出现的跨界合作治理复杂性，在粤港澳三地政府签署的"软法"文件《三地协议》中明确提出了"适用属地法律原则"，并将其作为三地政府在软法治理模式下应遵循的基本原则之一。"适用属地法律原则"指"项目主体部分和各区部分（包括香港部分、珠海部分、澳门部分）的建设、运营、维护和管理按照属地原则，适用属地法律处理各项事务"，这一原则清楚地界定了粤港澳三地政府在港珠澳大桥管理过程中的权利与职责，解决了"三法"冲突下造成的诸多跨界合作问题。下面将对"适用属地法律原则"的内涵及实现方式作进一步解释。

1. "适用属地法律原则"的内涵及实现方式

"适用属地法律原则"的内涵，不仅指港珠澳大桥的建设、运营、管理过程必须遵守相关法律，使其作为"一国两制"下粤港澳大湾区的大型跨界交通工程也能够有法可依、依法管理，还指港珠澳大桥作为一项超大型的桥岛隧集群工程，各子工程应遵循所在属地的法律规范及规章制度。

为有效实行"适用属地法律原则"，可根据近似可分解原则将港珠澳大桥划分为四个相对独立的部分，即主体工程和香港、珠海、澳门各自的口岸及连接线工程。《三地协议》中指出："港珠澳大桥建设内容包括大桥主体工程和三地口岸、连接线工程。其中大桥主体工程东自粤港分界线起，西至珠海/澳门口岸人工岛。"《三地协议》中明确规定："大桥主体工程由三地政府共同建设，三地口岸连接线工程由三地政府各自组织建设。"

现实中,港珠澳大桥决策治理遇到了"三法"下的硬法冲突,如果能够把决策问题分为两类,则第一类不会导致硬法冲突;第二类可能导致硬法冲突,再根据不同类型决策问题的特征,按照软法原则分别提出解决办法自然可以有效降解硬法冲突造成的复杂性。

显然,第一类问题很容易解决,粤港澳三地间按照"适用属地法律原则"对各自管辖范围负责,在各自的属地内行使管辖权力,因此不存在硬法上的冲突。具体来说,"适用属地法律原则"规定了主体工程和珠海、澳门、香港各自管区的建设运营模式和职责分配,其中主体工程部分采用我国内地法系的法律法规,采用"共同投资、共同建设"的模式来进行决策、组织、建设与管理,建设技术标准采用"就高不就低"的原则。对于三方各自的管区范围,以香港管区为例,港珠澳大桥以口岸填海区为分界线(此处指管理界限),香港大屿山至香港口岸区区段为香港管区。在香港管区内,香港特区政府负责香港口岸及连接线的规划、建设、运营各大事项,这些问题的决策均须符合香港地区的法律法规。例如,香港口岸与连接线建设,均按照香港方的技术规范为标准,并且香港承担全部建设责任;进入运营期后也按照香港的运营交通安全管理措施进行管理;若车辆行驶在这一段管区内发生交通事故,也应按港方的事故处置方式进行。同时,珠海口岸及连接线构成的珠海管区、澳门口岸及连接线构成的澳门管区,则分别执行内地及澳门法律法规对工程进行决策、建设和运营管理。

至于第二类那些可能导致硬法冲突的问题,如前期规划论证决策的政府授权及司法管辖权问题、依据何种法律体系认定是否"跨境授权"及"上下分别授权"等;公共事务决策中的出入境管理,海关、边防、治安、检查检疫等。按照软法原则,对此类问题的解决,一般在粤港澳三方自愿、平等的基础上,组织多次会议、协商以达成一致,将一部分协商一致的成果写入《三地协议》;对于三方始终存在争议的决策问题,将上报给代表中央政府行使权力的专责小组,进行沟通、协商、决策。以前期决策阶段对口岸问题的研究为例,产生了管辖权移交、跨境授权等需要全国人大专门立法等硬法冲突问题。如果采取"一地三检"模式,香港、澳门口岸将设立在广东省境内,香港有权在此区域内行使行政管理权、司法管辖权,而这超出了三地法律规定的范围,必须通过一些法律程序,将大桥主体段及海域全部授权给香港管辖,否则不符合法治社会下的基本逻辑规则;同时,在硬法法系冲突下,只有上报最高立法机关——全国人大,才能授权给香港,这一做法具有极高的制度成本。粤港澳三地间就此问题展开了多次讨论、协商会议,均未达成共识,因此于2007年1月9日专责小组会议的召开,将此事的决策层级上升至中央层面进行协商解决。

综上,对于第一类不会导致硬法冲突的决策问题,根据软法原则,采用"适用属地法律原则"处理相关事项；对于第二类可能导致硬法冲突的重大决策问题，则以软法治理原则为基础，进行中央主导下的多方协商来解决。

事实上，软法文件《三地协议》中的"适用属地法律原则"规定了必须根据属地划分遵守硬法规制，这是在对硬法法律尊重的前提下采用软法治理的方式，使港珠澳大桥能够最大限度地适用现有的法律框架和契合三地的法律体系，进行柔性治理，减少法律冲突和争议，达到合作共赢的方式，体现了一种采用软法补充硬法不足、软法和硬法治理相辅相成的有效治理模式的优越性。

2. "适用属地法律原则"面临的特殊问题

根据"适用属地法律原则"，在粤港澳三地政府各自负责建设的区域范围内，基本不再存在"三法"导致的冲突协调问题，但是在港珠澳大桥建设、运营中，由于大桥本身面临的"一国两制三法"的特殊性，仍存在许多跨界协调界面和接口，或在一些情况下，法律属地难以判定、较为模糊，或交通工具的动态性等特征，导致在港珠澳大桥项目的实际推进过程中，"适用属地法律原则"面临一些特殊的情景和问题。这些问题就需要以软法治理为核心思想，结合现有硬法规制规定和软法协议，具体情况具体分析，针对性地采取解决措施。

第一，港珠澳大桥口岸管辖权问题。"适用属地法律原则"对粤港澳三地对各自管区的管辖权及大桥主体工程的管辖权问题做了明确规定，但每一方对本地口岸和边界线之间的管辖问题却较为模糊。由于港珠澳大桥进入运营期后，交通车辆可能出现各种交通事故、意外状况等，这些意外事故都涉及法律及管辖权问题。在"适用属地法律原则"明确的区域内，这类事故的处理有依据可循，但若行为人在出境和入境时发生的各类意外事故正好处于大桥管辖权的"模糊地带"，则事件处理较为复杂。此时"适用属地法律原则"的实施，可以参考国际法基本原理及《中华人民共和国宪法》、《香港特别行政区基本法》和《澳门特别行政区基本法》，为"适用属地法律原则"的实施进行补充。根据以上几种法律，粤港澳三地在各自行政区域内具有管辖权，其范围以行政划分而非口岸布设为界，口岸只是便于各地政府行使其边界管辖权、对出入境人员进行几种检查的地点。也就是说，粤港澳三地政府都是对自身行政区域内的地区具有管辖权，明确这一点后，三地政府对出入境人员发生意外状况的法律处理不受其所在口岸与边界线之间的相对位置影响。因此，对现有法律体系的适当参考，丰富了"适用属地法律原则"的内涵，使得"适用属地法律原则"面临的特殊问题——三地跨界管辖权问题得以解决。

第二，港珠澳大桥运营期车辆跨境运输问题。港珠澳大桥的建设工程完成后，漫长的运营期跨界协调管理需要有效、完善的法律作为保障，但"适用属地法律原则"虽然在运营期符合法律规定，但可能并不是最佳的协调方案。以大桥主体工程部分发生交通事故为例，"适用属地法律原则"规定主体工程采用内地的法律体系，因此如果香港和澳门的车辆在大桥主体工程发生交通事故且对事故处理结果无法达成一致时，则需提交珠海法院进行协调解决。这一跨界车辆交通事故处理的方式虽然合法合规，但是却对事故双方人员造成了不便，无论这场交通事故是否对港珠澳大桥的桥面造成损害，作为香港和澳门牌照车辆的持有人，显然更希望能够回到当地法院解决这一纠纷，这也是更加便利、高效、合乎情理的方式。港珠澳大桥主体工程以"为用户提供优质服务，运营世界级品牌，创造社会和经济价值"为运营目标，在面临此类跨界交通事故处理和纠纷协调时，港珠澳大桥主体也意识到，这是一类"适用属地法律原则"面临的运营期特殊问题，因此在坚持"适用属地法律原则"的同时，针对港珠澳大桥特定的运营问题，粤港澳三地层面应不断进行沟通、协调、推进运营期交通问题的合理、高效解决，逐步完善和细化其跨界协调和跨界合作的方式方法，将三地间运营相关问题的规章制度、协议文件作为软法治理的一部分，逐步充实、丰满起来，从而在"一国两制三法"的特殊背景下最大限度地为大桥的使用者提供更加便捷、高效、完善、人性化的服务。

16.5.2　软法治理的法律保障——《三地协议》与《管理局章程》

1. 《三地协议》的必要性与法律地位

为给大桥顺利建设提供精准性的法律保障，提高大桥决策、建设效率，2010年2月26日，粤港澳三地政府签署了经中央批准的《三地协议》，明确了三地政府参与港珠澳大桥项目设计、建设、运营及跨界协调解决办法等重大事项的基本原则，以及粤港澳政府各方权责、义务等。具体地说，《三地协议》签署的必要性体现在以下几个方面。

第一，明确大桥跨界建设、运营、管理的基本原则。由于港珠澳大桥需要设计不同制度下的粤港澳三方共同投资、建设、管理制度与规章，其属权划分原则、投资经营模式、大桥项目范围等事项都较一般非跨境工程复杂，有必要对此以正式文本方式进行明确。

第二，明确粤港澳各方及跨界协调机构的职责与权力。港珠澳大桥作为涉及不同法律体系的跨界工程，不存在对三方都有行政协调权力和司法权的机构，因此在明确粤港澳三地政府各自权责的同时，应以《三地协议》作为跨界协调管理和法律监督的文件。

第三，提供大桥跨界冲突协调问题的解决方案。由于港珠澳大桥的建设主体涉及香港、澳门，故在前期决策论证和建设运营时不可避免地会由于"一国两制三法"这一根源遇到各种冲突，其中有些冲突在现有的解决机制下缺乏协调途径、解决方法，故有必要根据港珠澳大桥自身的情况，设计有针对性的争端解决机制，而《三地协议》为其提供契约文本依据，以保障有效、妥善的争端解决机制的形成。

第四，支持港珠澳大桥跨界项目融资。港珠澳大桥作为跨界背景下建设的重大基础设施工程，在向社会融资时，需要《三地协议》向公众体现粤港澳三地政府在项目上的共识和承诺，以有效推进项目融资进程，因此《三地协议》这一共识性文件的签署是进行社会融资的有利条件（国务院发展研究中心企业研究所，2007）。

第五，明确了跨境交通管理规则。例如，香港境内几千米若采用右行规则，不符合属地规则，故"三地协议"商定，此问题由港府单独立法解决。

这里需要强调的是，《三地协议》在港珠澳大桥的跨界建设、协调管理中被视为 "基本法"，这里的"法"是软法的概念，是由粤港澳三方政府达成一致、共同签署的软法文件，也是港珠澳大桥软法治理的法律保障之一。

由于和传统的硬法规制有区别，《三地协议》的法律性质及法律地位问题较敏感，根据国务院发展研究中心企业研究所等单位的分析，《三地协议》在传统硬法体系中的法律地位有待进一步研究，因此其不具备强制执行的效力，但它毋庸置疑是港珠澳大桥成功建设的软法保障和基石。《三地协议》的签订意味着粤港澳三方政府达成了共识并做出相关承诺，因此《三地协议》的有效执行实际上并非依靠法律强制力，而是依靠协议契约力和契约精神的作用，即三地政府在签署《三地协议》后为维护其公信力而对承诺进行自觉遵守，这正是软法治理精神的体现。因此，《三地协议》所表现出的契约力不同于具有强制性的法制力，是现代社会环境下对重大工程管理组织主体行为规范的重要约束力量，更是港珠澳大桥应对"一国两制三法"的软法治理中最有效且最符合实际的制约力量（朱永灵和曾亦军，2019；国务院发展研究中心企业研究所，2007）。

2. 《管理局章程》的必要性及制定原则

《三地协议》的签署，明确了大桥跨界共建共管纲领性和原则性的规定，但不能作为实际操作的规章和准则。因此，2010 年 5 月 24 日，港珠澳大桥三地联合工作委员会第一次工作会议召开，会议上通过了《管理局章程》，并于同年 6 月，粤港澳三地政府正式签署《管理局章程》，这是继《三地协议》后，大桥工程建设在执行层面上又一重要的软法治理文件。

为有效发挥港珠澳大桥管理局在跨界合作治理中的作用，制定《管理局章程》应符合以下几项原则。

第一，决策高效原则。港珠澳大桥管理局作为应对"一国两制三法"下跨界问题的职能管理机构，也作为大桥的项目法人，应当以解决港珠澳大桥跨界现实问题为首要任务，以更好、更快地推进大桥项目的建设为己任，切实将软法治理的思想应用到工程各项实践中。因此，《管理局章程》应当明确建立高效的管理架构，同时对项目法人充分授权，最大限度地提高大桥的建设和运营效率。

第二，体现港珠澳大桥公益性原则。港珠澳大桥是在"一国两制"背景下粤港澳三方政府共同投资、建设、运营、管理的大型跨界交通基础设施工程，因此港珠澳大桥管理局作为项目法人应充分履行"为用户提供优质服务、运营世界级品牌，创造社会和经济价值"的运营目标。

第三，适应内地法律规定和组织惯例原则。港珠澳大桥的建设、运营涉及粤港澳三方，但其主体工程全部位于内地，同时根据《三地协议》及"适用属地法律原则"可知，主体工程的建设、运营等应当遵循内地的法律法规，并接受相关部门的组织监督管理，因此《管理局章程》的条例应当能够体现港珠澳大桥管理局适用内地法律规定和组织惯例的原则。

面对"一国两制三法"下港珠澳大桥的跨界合作问题，粤港澳三地政府签署了《三地协议》和《管理局章程》作为软法治理的基本法律行为准则，《三地协议》明确了跨界合作问题中的一些基本原则、重大事项的解决方案等，而《管理局章程》作为大桥项目法人（即粤港澳三地政府）共同设立的事业单位的规章制度，明确了三地跨界协调管理日常事务的处理方案，是《三地协议》的有效补充。《三地协议》和《管理局章程》二者相辅相成，成为港珠澳大桥解决"一国两制三法"下跨界合作治理问题的基础与保证。

16.5.3　软法治理的组织保障——多层级协调架构

1. 三地委、管理局及其职能

为了切实解决"一国两制三法"引发的一系列冲突和跨界合作难题，全面有效地推进港珠澳大桥的建设管理工作进程，将决策、建设、协调、管理等各项工作落到实处，在 2010 年 2 月粤港澳三地政府共同签署的软法文件《三地协议》中，明确提出在港珠澳大桥管理组织架构中设立三地委，三地委切实推动了港珠澳大桥软法治理的实施和相关协调事项的进展。

《三地协议》提出，三地委是协商解决在港珠澳大桥项目实施过程中产生的任何分歧或争议的跨界协调组织机构。广东省政府作为召集人，广东、香港、澳门三地政府各派出 3 个代表共 9 个委员共同组建三地委，其中三个代表中各包括 1 个首席代表，广东省政府的首席代表出任三地委主席。三地委实际上是由中央政府与粤港澳三地政府通过签署协议的方式授权设立的三地政府层面的协调组织机构。

在重大事项问题表决及跨界协调问题上，三地委的决议规则采取主任委员一致通过原则。三地委享有中央政府和粤港澳三地政府共同授予的对港珠澳大桥跨界问题的协调管理权力，其权力和职责主要集中在以下几个方面：负责港珠澳大桥项目前期准备；决策论证过程中涉及粤港澳三方利益的重大决策事项；对港珠澳大桥在决策、建设、运营过程中的跨界冲突问题及相关公共事务进行协调管理；对由粤港澳三地政府共同设立的主体工程项目法人港珠澳大桥管理局实施监督管理。

除此以外，当港珠澳大桥经过前期的可行性论证，进入工程建设协调决策阶段、建设施工管理阶段、后期运营阶段后，更多的协调管理问题表现为稳定、常态的现场协调问题及更加细观的跨界协调合作问题，因此《三地协议》中明确提出由粤港澳三地政府共同设立的港珠澳大桥管理局作为项目法人，负责主体部分建设、运营、维护和管理的组织实施工作，执行三地委的各项决策，行使除了三地委权限外其他主体部分事项的决策权，并向三地委报告主体部分建设、运营、维护和管理方面的工作。

管理局是三地委下的执行机构及辅助决策机构，是在港珠澳大桥可行性论证全面完成后粤港澳三地政府层面的常设职能机构，对三地委决策事项提出方案建议，也是保障港珠澳大桥能够持续实行软法约束下的柔性治理的另一机构。一方面，港珠澳大桥管理局针对"一国两制三法"下的一系列跨界合作治理问题，从粤港澳三地共同利益出发，按照内地适用法律、《三地协议》、经国务院批准的《港珠澳大桥工程可行性研究报告》及补充报告、三地委商定的补充协议和安排等，组织专业小组进行探讨、协商，达成一致意见后报给三地委，为其协调、决策、管理提供支持服务。另一方面，港珠澳大桥前期决策论证阶段的决策力中心下移到管理局，管理局作为粤港澳三地政府层面的常设管理协调机构，被赋予处理日常重要跨界协调管理问题和突发性状况的决策事权。相对于粤港澳三地跨界协调机制中的其他协调机构，管理局的职能配置更加完善、管理机制更加灵活，从而使其在处理跨界协调问题时，办事效率更高、协调的跨界事项更加具体，能够更高效快捷地解决一些现场协调和突发状况。港珠澳大桥管理局的成立，使得港珠澳大桥在"一国两制三法"下的软法治理具有最简洁与顺通的组织架构与模式，能够运用较短的管理路径来解决问题，从而提高协调管理的效率。

2. 港珠澳大桥跨界合作治理三级组织架构

上述三个多层次跨界协调机构，形成了港珠澳大桥独特的"中央政府层面的专责小组+粤港澳三地政府层面的三地委+管理局"这一三级组织架构，三级是指专责小组、三地委、管理局的权利及职能具有层级关系，分别处理港珠澳大桥不同层次的跨界合作与协调事项。

为了更清晰地展示港珠澳大桥软法治理模式下的三级组织架构，图 16.4 展示了该三级组织架构的关系。以港珠澳大桥跨界协调管理三级组织架构为依托，粤港澳三方以中央政府为主导，采取"关系友好""协商一致"的原则，相互之间充分沟通协调、保障对港珠澳大桥的有效管理和具有人文关怀的柔性治理，在"一国两制三法"的难题下成功推进港珠澳大桥项目的建设、运营。

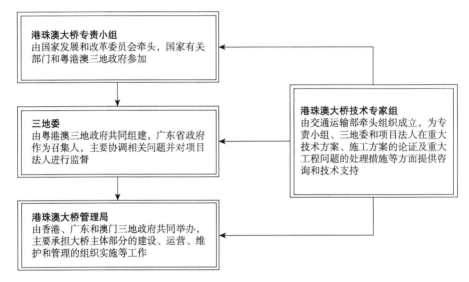

图 16.4　港珠澳大桥跨界协调管理三级组织架构关系图

港珠澳大桥跨界协调管理三级组织架构是多级政府部门和港珠澳大桥管理者为了有效降解大桥"一国两制三法"跨界合作治理复杂性而进行的新的模式探索，也是独具中国特色的软法治理模式的创新产物。实践证明，这一跨界协调管理三级组织架构有效解决了粤港澳三方法律冲突导致的跨界合作治理问题，很好地平衡了三方利益，推动了大桥工程决策、建设的进程，为港珠澳大桥的建设管理提供了组织保障。同时，港珠澳大桥的这一创新实践，即跨界协调管理三级组织架构的设立，也为我国"一国两制三法"下后续建立的其他跨界合作工程提供了一个可参考的案例与借鉴。

16.5.4　软法治理的创新解纷机制——无诉讼争端解决机制

在港珠澳大桥软法治理模式中，港珠澳大桥在《三地协议》中还明确提出了"无诉讼"概念，创建了独特的无诉讼争端解决机制。

1. 无诉讼争端解决机制的实现方式

具体来说,港珠澳大桥无诉讼争端解决机制是以"关系友好""协商一致"为指导思想的,包括以下三种解决冲突和争端、防止矛盾激化的具体方式。

1)友好协商方式

友好协商原则是《三地协议》中明确规定的四项基本原则之一,以该原则为基本点的友好协商方式是建立在粤港澳三地政府相互尊重、耐心聆听对方诉求的基础上的,对参与争端解决的多方主体不构成强制性的要求,因此,在友好协商方式下,粤港澳三方政府在对三方达成一致的事项进行执行、实施时,有较高的执行效率。友好协商方式对争端的解决没有时间限制,对一些三方不能达成共识的问题,友好协商方式往往会使跨界协调效率变低。

2)仲裁方式

不同于司法诉讼方式,仲裁方式由于具有不进行公开审理、不受行政干预、仲裁双方自愿原则等特点,能够有效适用于"一国两制三法"下港珠澳大桥的跨界争端解决问题。其具体实施方式如下:首先,粤港澳三方应在获得上级部门允许和批准的基础上签署仲裁协议,如内地政府应取得全国人大常委会或中央政府批准,港澳政府应取得立法会的批准;其次,在遇到跨界争端或冲突时,可以根据签署的仲裁协议进行裁决,并执行裁决结果。港珠澳大桥为解决跨界争端问题而采用的仲裁方式,是一种高效、便捷、成本低廉的纠纷解决方式。

3)中央裁决方式

中央裁决方式的实施是由于港珠澳大桥面临的"一国两制三法"这一特殊背景。友好协商方式和仲裁方式都是无诉讼争端解决机制在粤港澳三地政府层面的具体实现方式,事实上,对港珠澳大桥在建设过程中由于"一国两制三法"带来的冲突和争端问题的跨界协调,有一些超出了三地政府的权责范围。由于粤港澳三方虽然采用不同的政治制度、法律体系,但都同属中华人民共和国,故超越三方协调权限的事项,可以交予中央政府进行统一裁决。中央政府作为更高层次的且高于粤港澳三地政府的行政权力机构,在充分听取各方利益诉求后,能够公正统筹地进行裁决,解决三方的跨界冲突和争端。

以上即港珠澳大桥无诉讼争端解决机制的三种具体实现方式。无诉讼争端解决机制实际上构建了一个以友好协商方式和中央政府裁决方式为主,三种方式共同作用的跨界高效率争端协调系统,这是最能反映软法治理思想的机制之一,也是港珠澳大桥软法治理模式中最具创新性和代表性的机制之一。这一争端解决机制有效且平稳地在港珠澳大桥的决策、建设、运营、维护和管理过程中运行并发挥了作用。

2. 无诉讼争端解决机制的基本内涵

1）尊重三方硬法差异，寻求合理的软法途径

一般情况下，若工程项目涉及的多个利益主体之间产生冲突，通常诉诸司法渠道，依法处理，但港珠澳大桥由于处在"一国两制三法"这一特殊背景下，其利益主体粤港澳三地政府产生的争端解决无法采用常规硬法司法途径解决，这已在前面介绍了具体原因。

无诉讼争端解决机制有多种实现方式，如友好协商方式、仲裁方式、中央裁决方式等，这三种方式不仅充分体现了粤港澳三地同属一个中国这一基本政治立场，又充分体现了两种制度这一现实情况；同时，这三种争端解决方式与传统的争端解决途径不同，不仅充分地考虑到粤港澳硬法体系的差异，又在这种差异之中寻求到了合理的法律解决途径，在三方的硬法框架下都具有明确的法律适用性，既合理、又合法。通过软法治理的方式有效解决了港珠澳大桥中产生的冲突和争端问题。这是无诉讼争端解决机制的第一个基本内涵。

2）尊重港澳高度自治

香港、澳门作为我国的特别行政区，具有包含独立的立法权、司法权等在内的高度自治权，因此在坚持"一个国家"根本政治原则的基础之上，无诉讼争端解决机制的第二个基本内涵是尊重港澳高度自治，这也是软法治理下的"平等尊重"的基础要求。例如，在友好协商方式中"任何决策事项均需三方政府同意，方能通过"的要求，使得粤港澳三方政府位居对等地位，充分保障了香港、澳门在港珠澳大桥决策、建设过程中的话语权，体现了无诉讼争端解决机制对香港、澳门这两个特别行政区高度自治的充分尊重。同时，仲裁方式和中央裁决方式的设立，在尊重港澳高度自治的基础上，又有效地避免了跨界争端解决时间长、手续复杂的问题，进一步提升了争端解决的效率。

3）尊重主体利益均衡

港珠澳大桥的无诉讼争端解决机制充分地尊重粤港澳三方主体利益，有效地平衡了三方的利益诉求，这是对于软法治理思想的又一深刻体现。对于一般的跨界冲突，粤港澳三方选用友好协商方式进行争端解决，但在面对粤港澳三地的重大利益冲突时，往往会造成三地长时间的利益博弈，最终无法形成共识。此时无诉讼争端解决机制中的中央裁决方式便能够发挥巨大作用，由于中央政府是高于粤港澳三地政府的行政机关，故能够在充分听取三方利益诉求的基础上，对其产生的争端进行公平、中立的裁决，从而保障各方的利益，尊重各方主体的利益均衡，同时又提高决策效率，推动港珠澳大桥项目顺利进展。这是无诉讼争端解决机制的第三个基本内涵。

整体来说，无诉讼争端解决机制的设置为港珠澳大桥项目建设构建了一个公

正、合法、合理、高效的冲突协调体系，是港珠澳大桥软法治理模式下的重要组成部分之一。无诉讼争端解决机制的确立，体现了港珠澳大桥管理者的智慧，是港珠澳大桥的管理者为降解"一国两制三法"下跨界合作治理复杂性而做出的以软法治理为核心理念的有效探索。同时，由于涉及粤港澳三方的跨界冲突和争端解决问题，故该解决机制具有一定的普适性，对于粤港澳大湾区其他待建或在建的跨境基础设施工程合作具有较强的借鉴意义和可参考的价值。

16.5.5 软法治理模式的运作成效

实践表明，港珠澳大桥的软法治理是大桥管理者为降解"一国两制三法"下逐步摸索出的新的治理模式，在解决"一国两制"背景下港珠澳大桥所面临的"三法"难题过程中，取得了许多实际成效和经验。

1. 保障港珠澳大桥重要决策事项顺利实施

在大桥软法治理、柔性治理模式下，港珠澳大桥主体工程于 2018 年 2 月 6 日顺利交工验收，并于 2018 年 10 月 24 日上午 9 时通车运营。港珠澳大桥跨界合作软法治理模式的意义可以从以下两个方面阐述。

第一，三级软法治理架构的有效实施，保障了港珠澳大桥建设、运营的绝大多数决策问题的解决、日常事务的处理。这一治理模式通过签署基础性共识文件，即软法文件——《三地协议》、确立适用属地法律原则、建立无诉讼争端解决机制，为粤港澳三地政府划定各自的职责并提供了有效的跨界沟通协调的途径，使得粤港澳三方在相互尊重、平等互利的基础上能够充分表达各自的意见和需求、充分沟通协商，三地层面的软法治理模式能够解决大桥建设过程中大部分的协调问题，有效降解了"一国两制三法"下港珠澳大桥跨界合作治理复杂性。

第二，中央政府在软法治理中起到了主导作用，专责小组也发挥了积极协调作用。首先，中央政府在软法治理模式中发挥重大的主导作用，具有很高的权威性。特别是，中央政府的主导作用使港珠澳大桥的软法治理始终以粤港澳三地政府相互尊重、平等公正为前提和基础。其次，中央政府通过对专责小组授予一定的权利，使其代表中央政府发挥协调监管作用，针对超越粤港澳三地政府管理权限或者协商无法解决的事项进行跨界沟通、协调管理，代表中央给出指导意见或进行统一的批复。专责小组的设立使得港珠澳大桥软法治理模式纵向更加贯通、有效。

2. 为粤港澳大湾区跨境工程建设提供了经验

港珠澳大桥的软法治理实践为粤港澳大湾区后续工程的跨境合作建设提供了

极具价值的经验与启示。粤港澳大湾区覆盖的港澳两地和广东省九市之间的联系将越来越紧密，这也意味着港澳和内陆之间的基础设施工程将逐渐增多。港珠澳大桥作为粤港澳大湾区三地首次共建的先导示范工程，深入分析了大桥工程决策、建设、运营、管理中的许多跨界合作难题，首次提出了"一国两制三法"这一特殊背景下的软法治理模式，包括软法治理的基本原则——跨界合作原则的确定、软法治理的法律基础——软法文件的签署、软法治理的组织保障——跨界协调组织架构的建立、软法治理的创新解纷机制——无诉讼争端解决机制等在内的一系列实践经验，这些都将成为粤港澳大湾区建设中的宝贵经验。

第 17 章　递阶委托　适应协同
——港珠澳大桥工程管理组织

17.1　港珠澳大桥工程管理组织概述

港珠澳大桥工程管理组织是由港珠澳大桥管理主体群构成的具有对管理对象实施管理功能的系统。因为港珠澳大桥是在"一国两制"背景下,我国内地与香港、澳门首次合作建设的超大型基础设施,也是我国交通建设史上乃至世界交通建设史上的超级工程之一,因此其工程管理组织必然会面临多方面新的挑战并需要妥善解决好一系列新的管理难题。以下分别从三个角度阐述港珠澳大桥管理组织。

1. 管理组织挑战性

从重大工程组织功能角度,港珠澳大桥工程管理组织的基本功能是为了保证大桥建设目标实现并使得工程活动更加有序和有效地进行。当时国内刚开始提出桥梁设计使用寿命不超过 100 年,所以,港珠澳大桥管理主体共同面对的建设目标是建成一个实实在在的 120 年大桥,尚无成熟经验。桥梁设计者要使得港珠澳大桥的使用寿命达到 120 年,同时要应对桥梁所处区域的特殊自然环境、建设过程不破坏当地生态等一系列复杂问题。从这个角度讲,大桥工程管理组织不仅要在管理组织结构上体现完备化与高度协同化,还要在生态环境的保护、风险防范、质量及安全管理等领域实现精细化,并具有能灵活应对各种复杂性挑战的能力。

以港珠澳大桥岛隧工程质量管理为例,对主体工程,港珠澳大桥成立了一套完整的质量管理组织机构,该机构由管理局、监理、承包人、试验检测中心、测量控制中心组成。为做好质量管理的各项工作,各参建单位根据合同职责和要求细致分工,并借鉴国外类似工程设计及施工技术、工程质量管理经验等,为管理局提供技术支持。具体管理结构如图 17.1 所示。

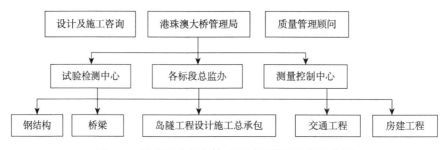

图 17.1　港珠澳大桥主体工程质量管理组织架构图

在上述硬组织机构的基础上，还有一套完整的制度与流程作为质量管理软组织与硬组织配套，以实施质量管理职能和实现质量管理目标。

2. 管理组织复杂性

从重大工程组织管理角度，港珠澳大桥是由中央政府主导，粤港澳三地政府为主体共同建设、协同管理的超大型交通基础设施工程。宏观上港珠澳大桥管理组织面对的是"一国两制"，即一个国家，两种社会制度的特殊政治环境，微观上港珠澳大桥管理主体是对工程决策、建设和运营有决策权、财产权、建设权、监督权、话语权的多方面干系人组成的群体。这些管理主体群在大桥建设过程中各司其职，并且形成了处理各类建设问题的管理组织。这些组织内部与组织之间并不是相互独立的，它们之间存在各种复杂的关联关系，如利益关系、委托代理关系、责任关系等，因此，在总体上形成了一个以中央政府为主导、以粤港澳三地政府为核心的管理组织网络。在总体上，港珠澳大桥管理组织要面对复杂的"一国两制三法"政治环境、要处理各类跨境复杂条件下的建设管理难题、要保证在管理决策过程中有效形成共识和解决冲突的现实路径、要保持管理主体之间的高度协同性，这些都需要思考管理组织如何应对复杂性。

3. 组织协调复杂性

从重大工程组织协调角度来看，港珠澳大桥管理活动，包括管理决策、技术创新、风险管理、现场控制与协同等。面对复杂的工程建设环境，港珠澳大桥管理组织需要为这些活动提供一个分析、协商和形成解决问题方案的环境和条件，即组织"平台"系统。现实中，港珠澳大桥组织平台就是这样一个"平台"系统。同时，在该组织内部，也存在着需要协调的自我管理问题。粤港澳三地政府作为港珠澳大桥管理组织的核心主体，当由于在法律、制度上的不统一或者利益、价值观的不同而引发冲突时，管理组织需要有一套完备的制度体系来防范或者降解冲突、达成共识和形成协同合作的机制。

综上，港珠澳大桥管理组织是以中央政府、粤港澳三地政府为主体的、具有全方位实施大桥工程管理职能的系统平台，也包括组织管理者自身必须遵守的制度与行为准则。

17.2　港珠澳大桥工程管理组织模式

港珠澳大桥工程管理组织模式是港珠澳大桥管理组织中主体构成、管理事权配置、管理流程、组织结构、管理支持、组织行为形成机制等组成的系统形态（盛昭瀚等，2019）。港珠澳大桥工程管理组织是一种递阶式的组织管理模式，即公众—政府—政府部门—项目管理者—专业机构顺次呈委托人与代理人关系，且遵循一定机制与约束的网络架构，称之为递阶式委托代理关系模式。其中，由于政府在决策过程中发挥了重要的主导作用，既作为代理人，又作为委托人，故又称之为政府式委托代理关系模式。港珠澳大桥工程管理主体遵循了递阶式委托代理原理，随着大桥工程建设的不断推进，工程所有权与决策权、管理权、建设权、经营权逐渐分离，并逐渐产生了工程主体之间的这种类型的递阶式委托代理关系（Sheng，2018）。

本节主要阐述港珠澳大桥管理组织的委托代理关系及其基本特征，并由递阶式委托代理关系链架构说明其递阶式机理，即各类关系"流"的传递。

17.2.1　港珠澳大桥递阶式委托代理关系

重大工程管理基础理论告诉我们，港珠澳大桥的所有权、决策权、管理权与建设权等相互分离，这种多层次在实践中形成了一个完整的港珠澳大桥管理组织递阶式委托代理关系链，即公众—中央政府—三地委—港珠澳大桥管理局—建设、运营单位之间的有序关联，如图 17.2 所示。

港珠澳大桥主体群要保证这一委托代理关系的稳定协调，必须遵守一定的组织契约机制，且这种契约机制能保证其管理组织结构稳定和呈现出整体能力，这种整体性的契约关系体系及其稳定运行动力学原理就是港珠澳大桥递阶式委托代理原理。在港珠澳大桥递阶式委托代理过程中体现了以下几类重要的委托代理关系。

1. 社会公众与政府的委托代理关系

社会公众与政府的委托代理关系是重大工程中最具代表性的一种政府式委托代理关系。港珠澳大桥作为世界级的重大工程决定了其准公共品性质，其根

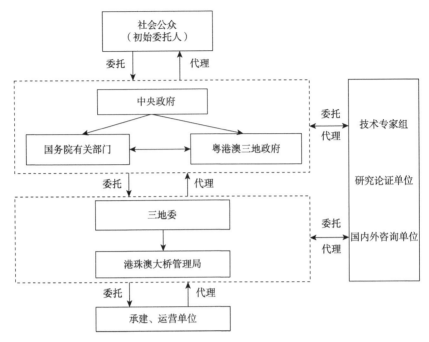

图 17.2　港珠澳大桥递阶式委托代理关系图

本目的是国家安全、发展经济、改善民生与推动社会进步,因此,港珠澳大桥建设管理主体,也即中央政府与粤港澳三地政府等是社会公众的代理人,是站在社会公众的立场上建设、管理工程过程的。社会公众作为纳税人,向国家缴纳税款,并依据法律委托政府实施基础设施工程建设实现社会公众的公共利益,这是一种社会公众与政府之间具有政治意义、法律意义的委托代理关系,但是这种关系因为政府与社会公众的行政公权力不对等,相比于与大桥利益相关的公众,政府行政权力强大,会出现"弱委托、强代理"的现象,并由此可能出现多方面的问题。例如,政府的强代理效应带来信息垄断及公权力行为异化问题,公众和政府之间不存在经济意义上的有形契约与合同,不能利用合同条款激励与约束政府,并且公众监督的成本极高,从而导致政府(其实在实际中往往就是政府中的某些部门或个人)的某些行为有可能背离社会公众委托宗旨而夹带其自身的"寻租""合谋"等异化行为,造成对初始委托人利益的损害。

2. 中央政府与粤港澳三地政府之间的委托代理关系

在港珠澳大桥工程项目组织架构中,中央政府与粤港澳三地政府是最高层次与次高层次的管理组织机构。港珠澳大桥项目所在地大部分在广东境内,且对粤港澳三地有直接的利益影响,衍生了很多超过粤港澳三地政府权限的事项,中央的直接介入可以更好地保证三地政府相对独立性和公平性,有效协调各方利益,把握好大局。这样一种由中央主导，粤港澳三地政府协调处理的委托代理关系，体现了"一国两制"环境下粤港澳三地政府共同建设、管理工程的特点。例如，在立项决策过程中，由于决策问题的复杂性，单一决策主体不能一次性地认识并预估到全部的决策细节，且决策主体的能力也难以驾驭所有问题的复杂性，再加上主观上决策主体决策认知的动态适应性，故需要各决策主体充分意识到自身的需求并逐渐形成共识。在港珠澳大桥的立项过程中，协调小组报备各地政府同意后，再向中央政府报批，即中央政府委托港珠澳大桥所在地的粤港澳三地政府来处理和完成港珠澳大桥建设与管理问题，这个过程体现了三地政府与中央政府之间的委托代理关系，并且体现了尊重各方政府的意见并使各方利益与诉求得到充分的反映和维护。

3. 政府与专业机构的委托代理关系

港珠澳大桥建设、管理事项众多且复杂，有很多关于技术的建设问题，但项目管理者——政府一般不具备重大工程管理所需的专业技术能力，因此，需要委托专业机构对港珠澳大桥的重要管理与技术问题进行分析和论证。为尽量保证和提高认证研究的真实性、科学性和合法性，港珠澳大桥在进行审批与正式投资立项决策前组织专家组对论证研究过程及决策结果进行多次综合审查与评估，其中综合组专家包括了国家发展和改革委员会、交通运输部、水利部、广东省发展和改革委员会、广东省交通厅、珠江水利委员会等多个部门及香港、澳门的代表，由此形成专家组意见。不仅是在立项决策过程中，在港珠澳大桥 120 年的寿命期里，大桥整个组织体系中都有一套完整的决策支持体系。在大桥建设过程中，专家体系主动发挥其专业优势，运用各种有效的技术手段来完成政府委托的任务。由于各方信息可能出现不对等、各方信息优势及利益诉求不同等原因，在这种委托代理关系中也会出现一些道德风险问题。

4. 政府与项目管理者之间的委托代理关系

在港珠澳大桥工程之前，我国已经在过去几十年里对重大工程的项目管理方式进行了从传统的基建办公室和工程指挥部到代建制模式的改革。在国家宏观规划阶段，由于需要对工程的宏观政治、经济、社会效益进行综合评价，对港珠澳大桥工程的重要性、必要性得出结论，并确定是否有必要对该工程开展前期可行性研究。为此，港珠澳大桥成立了以中央政府为核心，包括以粤港澳三地政府为主体的港珠澳大桥前期工作协调小组，负责全面开展港珠澳大桥各项前期工作。在粤港澳三地政府协调决策阶段，港珠澳大桥前期工作协调小组对各项前期工作负责，通过三方一致同意的决策事项并使决策生效等。中央政府协调决策阶段涉及"一国两制"，且牵动三方利益，随着项目的逐渐推进，粤港澳三地政治法律经济环境的复杂性日益凸显，为提高决策效率，在充分吸收粤港澳三地协调决策模式优点和经验的基础上，根据大桥前期决策需求，交通运输部、国务院港澳事务办公室、广东省政府、香港特别行政区政府和澳门特别行政区政府代表共同组成了协调决策、监管的组织机构——港珠澳大桥专责小组；在工程建设协调决策阶段，由于需要有专门机构负责有关的决策执行，且考虑到粤港澳三地是独立的法律和经济实体，为提高决策效率和质量，以及实现和维护粤港澳三地政府的合法权益及公共利益，港珠澳大桥三地委由此成立，协调小组与三地委进行工作交接，并成立港珠澳大桥管理局。项目管理者针对不同阶段管理需求的不同，形成组织的动态适应性变化过程，即港珠澳大桥工程管理委托代理关系的递进。政府与项目管理者的关系，随着工程的进展愈加复杂、细致与深入，从而为港珠澳大桥工程能顺利完成提供了一个结构稳定且灵活的委托代理链。

综上可知，港珠澳大桥递阶式委托代理链的不同层次和不同阶级之间存在不同的委托代理关系，其运行机理即递阶式委托代理原理，为大桥建设管理组织目标的实现筑起理论基石。同时，工程管理主体是由政府、机构代表人所组成的，具有不同的价值倾向，且不同主体群的利益诉求不同，易产生各种协调沟通的冲突风险、决策问题与风险，因此，工程管理组织需要通过一定的治理机制进行协调管理。

17.2.2　港珠澳大桥递阶式委托代理特征

为保证港珠澳大桥递阶式委托代理链整体结构的稳定性及功能有效性，需要签署一系列契约协议，达成一种稳定的契约关系，从而形成港珠澳大桥递阶式委托代理链的基本特征。

1. 港珠澳大桥委托代理关系的统筹性

港珠澳大桥工程管理实践的内涵极其丰富，不仅管理问题多、问题复杂、事关重大，除了包含传统重大工程的决策问题外，还包含一些过去工程没有出现过的管理难题，如对珠江口伶仃洋中华白海豚群体的保护决策、跨境口岸布设方式、口岸选址及口岸的协调管理等。对此，在大桥前期工程论证期间，先委托了不同机构分别开展了数十个专题研究，即对工程开展总体上的综合论证，充分体现了工程目标、主体行为、管理要素及外部环境等综合关系的统筹性。

2. 港珠澳大桥委托代理关系的动态性

随着港珠澳大桥工程项目阶段性推进，以及工程环境的不断改变，港珠澳大桥的决策问题及其相应的决策组织也发生了变化，因此依托于各决策主体的委托代理链也在不断地调整。不仅在建设港珠澳大桥的宏观过程中，委托代理关系对应决策组织的变化发生相应变动，在每一项重大决策过程中，委托代理关系也在做动态回应，这体现了港珠澳大桥递阶式委托代理的一种基本特性，即动态性。

具体而言，在国家宏观规划阶段，决策组织以国家发展和改革委员会为核心主体，形成国务院委托国家发展和改革委员会，香港特区政府与国家发展和改革委员会共同委托综合运输研究所开展论证的委托代理链。在工程可行性研究阶段，委托代理关系进行了重构，初始的基本问题论证和深化研究阶段以港珠澳大桥前期协调小组为核心主体，形成粤港澳三地政府及国务院有关部门组成的协调小组、协调小组委托专业机构开展决策支持工作的委托代理链；进入攻关研究和立项审批阶段，粤港澳三地政府与中央政府构建成专责小组，形成由专责小组委托协调小组、协调小组委托专业机构的委托代理链，专责小组的权力更加凸显。

3. 港珠澳大桥委托代理主体地位的双重性

港珠澳大桥作为满足粤港澳三地陆路交通的基础设施工程，具有较强的公共品属性。不仅主导工程建设的中央政府及粤港澳三地政府在此时具有委托人和代理人的双重地位，且位于港珠澳大桥委托代理链的各层级主体一般都具有这样的双重性质。

改革开放至 21 世纪初，依靠毗邻香港的优势，珠江东岸经济迅速发展，相对而言，珠海、江门等市虽然亦处于珠三角区域范围内，但经济总量却与珠江东岸城市差距日益拉大，珠海、澳门虽与香港隔海相望，但缺乏陆路连接，使得两岸人流、物流无法便捷往来，虽屡次谈及产业合作，却无法更实质地深入推进。在这样一个经济、社会发展需求背景下，粤港澳三地人民作为委托人，中央政府及三地政府作为代理人拥有极强的决策权与话语权。在这个阶段，中央政府及粤港澳三地政府因承担代理人角色，接受委托人的托付，并对委托人负责。粤港澳三地政府协同中央政府先后成立港珠澳大桥前期工作协调小组、港珠澳大桥专责小组，并对其进行代理，同时又委托相关专业机构代表其从事调研、论证等决策（决策支持）工作。此阶段政府部门又作为委托人，对代理人委以重任，并对其监督。后来协调小组、专责小组又再次作为委托主体委托项目公司，对大桥具体的建设事项与各个承建单位签署协议。

因此，不论管理主体处于大桥委托代理链的哪一层级，皆存在委托、代理的双重身份，也正因为这种双重身份，得以形成完整的委托代理链，并且伴随责任的多少和大小，使得"链"紧密或疏松。此外，由于大桥涉及面广，属于"跨区域""跨境"的重大工程，故港珠澳大桥管理主体中出现了多政府式的委托代理模式，即中央政府与多个地方政府间的委托代理关系，在这种层层递阶关系下，港珠澳大桥各工程管理主体体现出委托与代理双重地位的特殊性。

17.2.3　港珠澳大桥递阶式委托代理机理

17.2.2 小节讲述了关于港珠澳大桥管理组织结构上形成的多层次委托代理链，主要关注的是在委托代理关系中，代理人和委托人偏好不一致且在代理人拥有信息优势的情况下如何保障其最大限度地按照委托人的意愿行事。由于其遵循的是递阶式运行机理，各主体间呈现出有序和有层次的组织结构，且在组织中实现各种资金流、信息流、知识流、技术流等的有序流动，如图 17.3 所示。

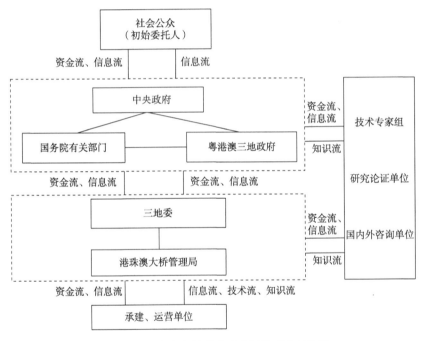

图 17.3　港珠澳大桥递阶式委托代理流的传递

以港珠澳大桥在 2007 年招投标工作为例，在这个过程中，各类关系流有不同的传递方向与路径，其中信息流由社会公众及专家机构流向专责小组和协调小组，即流向政府管理主体。在中央政府与粤港澳三地政府、三地委与项目公司、项目公司与承建、运营单位之间互相流通，且存在传递与反馈；资金流以粤港澳三地政府为主导，由项目投资人流向项目管理者，由项目管理者流向技术专家组、研究论证单位与国内外咨询单位等专业机构，以及项目公司和承建、运营单位。在这里需注意到一点，港珠澳大桥工程既体现了一定的公共品属性，也体现出了一定的商品属性。例如，其工程投融资模式与运作遵循了金融市场规则；知识流、技术流也主要由专家机构、项目公司及承建、运营单位等流向项目管理者。整个委托递阶式代理链框架下的各类关系流传递的方向与路径在港珠澳大桥整个建设过程中不同管理主体间也同样存在。

综上，港珠澳大桥工程管理组织的递阶式机理通过各类关系流的传递所体现，并且其明确的权责关系在一定程度上也大大提高了大桥整体建设管理的效率。除了上述招投标工作例子中体现了港珠澳大桥管理主体之间关系流的传递，由于港珠澳大桥管理组织多层次、多主体的特殊性，关系流存在于大桥建设管理各项事务工作中，并基于这一委托代理链的框架，产生了框架的柔性运作机理，同时成为港珠澳大桥工程管理组织的基本理论原理。

17.3　港珠澳大桥管理组织适应性原理

如果说港珠澳大桥递阶式委托代理关系主要还是一种静态的组织管理模式，那么接下来所要分析的港珠澳大桥组织平台的构建则是一个动态的适应性变化过程。

17.3.1　港珠澳大桥工程管理主体

根据重大工程管理基础理论，基于各个管理主体的职能属性不同，我们将主体分为三类：港珠澳大桥决策主体、决策支持体系及执行体系。

1. 港珠澳大桥决策主体

出于某种需求或者目的，人们萌生了构建重大工程的意图，港珠澳大桥的建造也来源于粤港澳三地为寻求经济进一步增长、政治社会稳定发展的目的。起初香港特区政府为振兴香港经济，寻求新的经济增长点，与内地接洽，提议修建连接香港、澳门和珠海的跨海陆路通道。经研究后，内地与香港方对港珠澳大桥连通粤港澳三地所具有的重大政治及经济意义做出肯定，后获得国务院批准，正式开展港珠澳大桥前期工作，并同期成立由中央政府协同粤港澳三方组成的港珠澳大桥前期工作协调小组。这样一批人就是产生建设重大工程意图的人，他们从宏观上研究并决定港珠澳大桥要不要修建、何时修建及如何修建等问题，这批人便是港珠澳大桥重大工程的决策主体群，即港珠澳大桥决策主体。

2. 港珠澳大桥决策支持体系

港珠澳大桥的建设活动是一项极其复杂的实践活动，决策主体必须拥有对这些重大决策问题做出科学、恰当决定的权力与能力。为针对复杂的决策问题能做出科学、准确的决策方案，以及港珠澳大桥能达到 120 年超长使用寿命的硬性要求，大桥还要有一批多学科领域专家组成的群体，依靠这些多学科领域专家群体的知识和智慧来辅助决策主体做出科学的决策论证意见。该群体中包括了港珠澳大桥技术专家组、研究论证单位及国内外咨询单位，这便是港珠澳大桥的决策支持主体。

3. 港珠澳大桥执行体系

决策支持主体在决策支持体系的支持下，通过对各类预案进行评估、论证与优选，最终形成一整套决策方案。港珠澳大桥执行体系的基本功能是将决策主体确定的一系列整体决策方案付诸实践。在中央政府及粤港澳三地政府协调决策阶段，由中央政府与各地政府部门组成专责小组，负责对各项决策的协调仲裁，三地政府为实现和维护各自的合法权益及共同利益，协同负责港珠澳大桥项目建设、运营和管理、公共事务管理等方面的具体工作。在三地委的指导与协调下，根据分层决策原则，港珠澳大桥管理局作为项目法人在授权范围内进行决策，并对其决策活动提出工作建议。国务院港澳事务办公室、国家发展和改革委员会、交通运输部等部门分别行使基于《中华人民共和国宪法》和机构组织法明确的与大桥项目有关的职责，落实相应的政策保障。

从港珠澳大桥建设全过程而言，三大类工程管理主体所实施的管理活动都属于港珠澳大桥工程重要管理活动。这样一种多主体的属性，既有其优势，也存在难以协调的困难。

17.3.2　港珠澳大桥管理组织适应性

Holland（1995）关于"适应性造就复杂性"的著名论断为主体适应性与复杂性关系做了极好的解释，在很大程度上可作为两者之间关联的答案。适应性即管理主体根据外界环境条件的变化，通过自身特性、行为、组织模式与功能等的改变，保持自身与环境变化相协调的继续生存、发展的能力。其中也包括主体通过适应性行为来提高自身认知、分析和驾驭管理复杂性的行为能力。

港珠澳大桥管理组织作为管理平台，其自身也具有这样的适应性机制。港珠澳大桥在"一国两制"的背景下，粤港澳三地的政治、法律、社会文化、技术标准等各方面都存在着不同程度的差异性。三地隶属于不同的法系，内地实行社会主义法系，香港实行英美法系，澳门实行葡萄牙法系，在这种法律背景下，对港珠澳大桥来说，既是挑战，也是一大优势，如何在现有的法律框架下，充分发挥"一国两制"与粤港澳三地优势具有十分重要的意义。此外，粤港澳三地的技术标准、实验方法、技术参数等方面也均存在显著差异，如何在技术先进性与施工难度、可靠性、时间及资金等约束间寻求一种平衡，需要大桥管理主体在各个建设阶段进行深度协商。

随着工程项目的不断推进，项目的环境、任务等都在发生变化。因此，管理者需要对组织结构、管理目标等不断加以凝练与综合，并形成相应的协调决策体系及机制，这是一个不断迭代、逼近和收敛的过程，也是港珠澳大桥管理组织为应对各阶段重大问题的适应性调整。港珠澳大桥项目协调决策经历了四个阶段，并且根据各阶段主要决策事项不同都进行了适应性调整。

第一阶段：国家宏观规划阶段。

第一阶段任务主要是在政治、社会、经济等宏观层面上，对大桥工程建设的重要性、必要性等进行综合评价，并确定是否有必要对工程开展可行性研究。这一阶段主要的行政权和事权在中央政府，并由粤港澳三地政府做辅助工作。充分听取粤港澳三地政府、国家相关部门与各领域专家的意见和建议，形成初步共识；在此基础上，系统论证大桥项目所产生的各个层面、领域的影响，对项目的重要性、必要性得出结论。这一阶段的管理组织结构如图 17.4 所示。

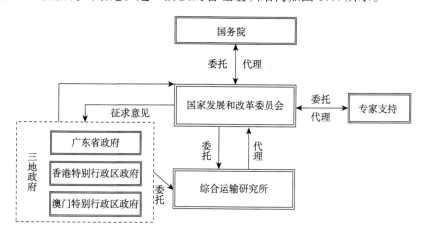

图 17.4　国家宏观规划阶段组织结构

第二阶段：三地政府协调决策阶段——前期工作协调小组。

在第一阶段任务完成的基础上，第二阶段的主要任务是以工程可行性分析为主的各专题论证，如交通量调查与分析、工程内容及主要技术标准、建设条件、桥位方案选择、工程建设方案、口岸及设施布置、环境影响评价、投融资方案等决策问题的可行性论证工作。这一阶段的管理组织结构如图 17.5 所示。

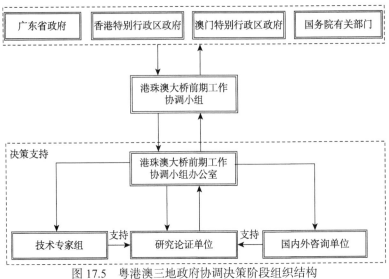

图 17.5　粤港澳三地政府协调决策阶段组织结构

第三阶段：中央政府协调决策阶段——专责小组

随着工程可行性论证工作的进一步开展，粤港澳三地协调决策的复杂性及其难度日益凸显，三地政府是立项与投资的主体，而三地政府对港珠澳大桥工程的立项、投融资、口岸模式等重大决策问题都有着各自不同的管理规则和程序，彼此的差异性必然会增加很多彼此之间的沟通和协调环节。这一阶段的管理组织结构如图 17.6 所示。

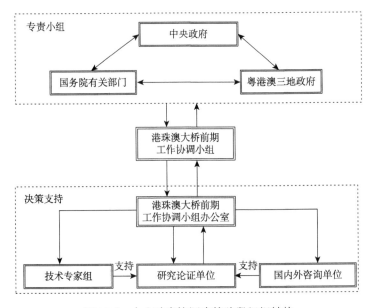

图 17.6　中央政府协调决策阶段组织结构

第四阶段：工程建设协调决策阶段——三地委和管理局。

进入这一阶段的决策问题更多地表现为稳定、常态的现场决策问题。该阶段的重心是保持决策能力的稳定性和执行力，因此需要使用最简洁与顺通的组织架构与模式，以运用较短的决策路径来提高决策效率。因此，这一阶段在保留专责小组、三地委、协调小组的前提下，设立了一个常设职能机构。这一阶段的管理组织结构如图 17.7 所示。

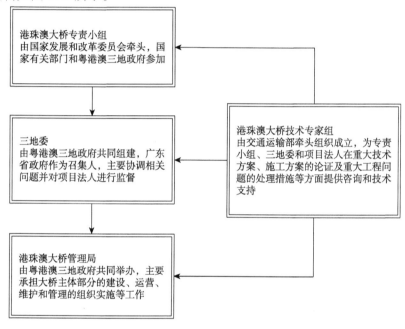

图 17.7　工程建设协调决策阶段组织结构

综上所述，港珠澳大桥在整个建设过程中的组织结构呈现了一种柔性的变动。港珠澳大桥作为一个复杂的重大工程系统，在具有动态性和开放性的决策环境下，随着工程立项论证与建设的逐渐深入，决策问题更加复杂，问题涉及面愈加广泛，大桥管理组织所面临的挑战也越来越严峻。为了保证决策的科学性和高效性，港珠澳大桥管理组织适时进行了力系结构重组和自适应变化来获取更高的组织效能，具体决策组织演变分析见表 17.1。

表 17.1　港珠澳大桥各决策阶段的力系结构演变分析

决策阶段 分析事项	国家宏观规划阶段	三地政府协调决策阶段	中央政府协调决策阶段	工程建设协调决策 阶段
决策问题	工程的政治、经济、社会效益的宏观综合评价	工程可行性分析阶段关于交通量调查与分析、工程内容及主要技术标准、建设条件、桥位方案选择、工程建设方案等基本技术方案	口岸司法管辖权引发的口岸模式、中华白海豚法律约束下的生态补偿问题、投融资模式三地体制的不同等	工程现场稳态的决策问题

续表

决策阶段 分析事项	国家宏观规划阶段	三地政府协调决策阶段	中央政府协调决策阶段	工程建设协调决策 阶段
决策主体	中央政府与三地政府共同开展，委托国家发展和改革委员会负责具体事务	三地政府直接参与，前期工作协调小组进行具体事务决策、协调与管理	中央政府与三地政府共同组建专责小组，由专责小组进行协调仲裁	由管理局作为序主体负责工程建设工作
决策权力	行政权：中央政府 事权：国家发展和改革委员会 执行权：综合运输研究所	行政权：三地政府及国务院有关部门 事权：前期工作协调小组 执行权：前期工作协调小组办公室	行政权：专责小组 事权：前期工作协调小组 执行权：前期工作协调小组办公室	行政权：专责小组 事权：三地委 执行权：管理局
组织动力	行政力为核力，法制力进行约束与保障	行政力与经济力的二元张力作用，经济力维系契约关系，契约力强化职能安排，法制力进行约束与保障	中央政府行政力的强化	力系结构保持简洁、畅通，发挥行政力的优势

17.4　港珠澳大桥工程管理组织治理

在"一国两制"的背景下，粤港澳三地政府是港珠澳大桥工程决策与投资主体，因此，大桥的管理组织表现出一种以权力为主导的强控制特点，并且在递阶式委托代理关系下，组织中的每类管理主体都拥有着一定权力和资源。在实际建设过程中，权力与资源之间又是可以相互转换和相互利用的，所以，港珠澳大桥工程管理组织必须以大桥综合目标为导向，协调工程多干系人利益与行为关系，其中的关键和重点是各类权力的分配与行使准则。

17.4.1　港珠澳大桥管理主体公权力配置

重大工程管理组织内部往往不只存在某一种权力，而是多种权力并存，包括行政权、事权、财权、执行权等（Sheng，2018）。因为港珠澳大桥处于"一国两制"这一极其特殊的政治背景下，所以对大桥管理主体群的行政权配置是大桥建设管理中一大重大问题，因此，本节将对大桥管理主体行政权的配置，即政府间公权力的配置，进行重点阐述。在尊重粤港澳三地法律的情况下，主体公权力如何配置是港珠澳大桥公权力配置中最为棘手的问题之一，也是为避免粤港澳三地政府发生冲突必然要解决的问题。这一问题具有深度复杂性，且涉及如何正确、有效地发挥政府在工程管理活动中的主导作用。

首先，权力配置有两层含义：一是明晰各管理主体的权责安排，使其达到平衡状态；二是如何行使不同的权力。从内涵上来看，权力的分配是将不同权力匹配给合适的主体，而权力的行使则是对权力的范围及权力的实施进行规范和制度保障。权力配置的根本目的在于保证组织的运行效率，提高工程决策质量。权力的不恰当配置会使组织运行低效率乃至无效率，从而影响到决策质量，因此权力的恰当配置具有较强的必要性和重要性。

其次，对港珠澳大桥工程管理者进行公权力配置，需要针对以下两点进行科学安排、均衡和有效制约。

其一，提高管理主体能力适应性。港珠澳大桥工程管理组织的整体性柔性变动的态势形成了一个具有自组织、自适应功能的管理组织体系。随着大桥建设管理问题涉及需要对粤港澳三地法律进行协调时，除要充分利用"一国两制"优势推进问题的解决外，更要构建软法体制来解决三地三法之间的冲突及法律协调路径缺失的障碍。这是法律法规体制创新层面上的对主体适应性能力提高的一种新的权力配置方式。

其二，防范管理组织主体出现权力与能力的缺失、冗余及权力行为的异化。港珠澳大桥工程管理组织根据工程背景与典型问题，表现为有不同管理主体、不同结构的系统演化序列。针对治理机制的"缺失""冗余"，在明确管理主体在不同建设阶段的权力的基础上，为决策、技术、风险管控等问题提供引导性的规范和指导。针对权力行为的异化，《管理局章程》有28处告诫决策者要"根据法律""按照法律""遵守法律""法律允许"等，在一份工程管理文件中如此密集地出现这么多的法律提醒，对工程管理负责人来讲是有十分重要的启发和警醒意义的。

同理，在港珠澳大桥其他权力配置过程中，最为关键的是合理配置权力、保证权力制衡，这是工程管理稳定有效运行的必备条件。对权力合理的配置是管理主体进行管理活动的基础条件，也是奠定高质量工程管理方案的基础。在此基础上，处理各管理主体间的协调或冲突问题，才会有更高的效率、更完善的解决方案。

17.4.2　港珠澳大桥管理组织协调

在对港珠澳大桥权力配置基础上，还要充分关注在港珠澳大桥多层次委托代理下，容易发生的信息传递误差、不对称等现象，并由此产生的沟通和协调困难等问题，为减少信息误差等问题，需充分重视解决管理主体间沟通通畅与协调。以下阐述了三个这方面的协调机制。

1. 多主体间法律冲突协调机制

港珠澳大桥面对着如下独特的法律环境：粤港澳三地同属一个国家，拥有两种不同的社会制度、三种不同的法律机制。在依法治国的前提下，大桥建设者始终遵循着法律属地原则，多主体间法律冲突坚持以属地政府为核心主体，因此，主要的法律冲突在于政府授权及司法管辖权等问题，如工程建设过程中依据何种法律体系，在跨境实施管理中是否允许"跨境授权""上下分别授权"等，这些问题都需要粤港澳三地政府及各类管理主体遵守一定的协调原则与机制。主要包括以下几个方面。

1）属地法律协调原则

属地法律是指在工程项目跨境时，工程应各自适应并遵循其分解后的各子工程所在属地的法律法规。遵守属地法律协调原则使得跨境工程项目能够有法可依、有法必依、依法进行。为实现港珠澳大桥项目统一建设、统一管理的目标，需在保证各地权益的基础上，保证决策方案的公平公正。

2）一致性协调管理原则

为了保证大桥工程结构、功能的整体性，因此对一些涉及粤港澳三地不同法律法规、关于政府管理体制的及建设技术层面的决策问题也必须保证其解决方案的整体性，如必须保持工程质量管理等与技术标准的一致。关于跨境工程一致性协调管理主要包括跨境建设管理、跨境交通安全管理、跨境施工管理等多方面的协调管理。跨境建设管理基于"共同投资、统一建设"的原则，根据不同的协调决策事项类型，需要不同层次的决策组织解决相应问题，不同的协调机构在协调决策中承担不同的职责；跨境交通安全管理主要是针对港珠澳大桥交通规则和监管政策对各地进行一致性协调；跨境施工管理采取"就高不就低"的工程技术标准原则，针对大桥的工程物理方案，落实港珠澳大桥的关键技术问题和建设原则及标准，主要包括建设条件、工程技术标准、工程建设方案（桥位方案、工程方案、口岸）等。

2. 多主体间利益冲突协调机制

港珠澳大桥工程在粤港澳三地经济发展水平不等、法律法规不一致、技术规范与标准存在差异的情况下，容易引起各方利益需求得不到充分满足，并可能导致多主体间发生各种利益冲突。

（1）政府自身经济利益冲突。粤港澳三地政府代表自身经济利益体现了它的"经济人"属性。例如，投融资决策中的投资责任分摊原则的选择、投资主体的选择、资本金投融资模式的选择、资本金以外融资模式的确定等问题，都会给三方经济利益造成重要影响。

（2）社会公共利益冲突。社会公共利益包括粤港澳三地各自的产业布局、城市规划、交通网络、未来社会发展等诸多方面，社会公共利益可以代表广大社会公众的利益诉求，这也是政府利益的本质。例如，根据总体规划，大桥起讫点及着陆点将分别位于粤港澳三地境内，大桥建设将对未来三地的产业布局、城市规划、民生等许多方面产生直接影响，并会对国家安全、发展经济、改善民生与社会进步起到间接的推动作用。

由于粤港澳三地的经济、社会、文化状况存在较大差异，故三地管理主体之间的利益差异是客观存在的，不能从道德层面上约束其利益诉求，更不能用行政权力剥夺主体正当的利益诉求，应尊重主体的利益需求，并探索利益均衡的存在方式。基于此，港珠澳大桥对于多主体利益冲突的协调机制遵循了以下几点。

（1）尊重社会公共利益诉求。社会公共利益可以代表最广大社会公众的利益诉求，这也是政府利益的根本所在。因此，粤港澳三地政府必然会立足于各自立场，充分考虑区域政治、国防和国民经济发展的要求，并且在照顾当地群众利益的基础上，尽量少占土地；避免影响拆地在大桥主体工程段的补贴比例，如迁移有价值的建筑物等；避免海水威胁堤岸安全和淹没农田、村镇等。

（2）寻求主体经济利益均衡点。在工程投融资分摊比例上，从经济效益分析的角度，粤港澳三地政府作为一个组织，会为自身的经济利益考虑，因此在均衡三方经济利益时，通过对三地均摊原则、属地分摊原则、按获益对等分摊原则和按效益费用比相同分摊原则进行不同分摊方案的综合比选，力求在三方矛盾和分歧中寻求均衡三方经济利益的最佳决策方案，最终确定按效益费用比相同原则计算大桥主体工程段的补贴比例。

（3）力求利益诉求充分释放。在港珠澳大桥前期决策中，客观上决策问题的复杂性及主观上决策主体决策考量的动态演变，导致粤港澳三方在决策过程中不断认识自身的需求，不断调整，因此需要一个柔性的机制保障各方的利益得到充分释放。例如，大桥的立项过程是由协调小组报备各地政府同意后，再向中央政府报批的过程，这一过程也是粤港澳三地意见协调统一、利益诉求得到缓慢释放的过程。

（4）尊重港澳特区利益诉求。香港、澳门都是我国特别行政区，中央政府在处理一些具体事务时，表现出对港澳特区利益诉求的充分尊重。例如，在口岸模式决策中，中交公路规划设计院在确定口岸设置方案时，分别征求了香港方和澳门方的研究意见，在尊重和照顾各方利益的前提下，提出方案更改意见。

3. 无诉讼争端解决机制

通过港珠澳大桥多主体间法律冲突和利益冲突的协调方式，可以发现无论是粤港澳三地可协调的冲突，还是粤港澳三地难以协调的冲突，中央政府层面的协调都是港珠澳大桥无司法诉讼争端协调机制的体现。

港珠澳大桥工程项目多主体在工程建设过程中不可避免地产生某些冲突和矛盾，为及时有效地解决项目主体各方发生的争端，避免出现僵局，港珠澳大桥工程项目管理者需要设置一定的诉讼争端解决机制。例如，在2010年2月粤港澳三地政府所签订的《三地协议》中，明确提出了"无诉讼决策"的概念，即港珠澳大桥项目实施过程中产生的任何分歧或争议应通过三地委协商解决，若三地委无法达成一致意见，由各方代表分别上报各方上级政府，三地政府就分歧或争议进行友好协商；若三地政府之间也一时无法达成一致意见，任一地政府均可将争议提交港珠澳大桥专责小组决定，而三地政府之间、项目法人与任何一方政府之间不得在任何区域启动任何诉讼程序。基于"无诉讼"原则，港珠澳大桥项目无诉讼决策争端解决机制可选方式有以下三种。

（1）友好协商方式。这是一种非强制性的政治解决决策争端的方式，如果在签订跨境多主体协议时，对于协议中有关多主体决策争端解决方式未明确约定或约定不明时可由各方友好协商解决。

（2）仲裁方式。仲裁具有协商的自愿性、不公开审理的秘密性、不受行政干预的民间性、专家型仲裁员专业的判断性和效力终局的时效性等特征。跨境主体仲裁制度代替司法诉讼解决决策争端在港珠澳大桥项目中的应用方式如下：港珠澳大桥项目若在决策争端机制中采用仲裁机制，则需在粤港澳三地主体间协议中予以确定，为确保有关仲裁条款的效力问题，各方应分别取得上级主管部门的统一。

（3）中央裁决方式。跨境工程项目的准备、投资、建设、运营和管理必然带来跨界的权力行使问题，而这种权力的行使突破了传统的区域建置和划分，根据我国现有区域的建置和划分，所有的地方政府只能在各自的区域划分范围内行使权力，除非两地之间做出某种合法有效的制度安排。因此，涉及此种因跨区域权力行使而产生的纠纷既不能在一地内部解决，也无法由法律解决，但基于权利归属的方式，这类纠纷可以由中央政府予以裁决。

多主体无诉讼争端解决机制的三种可选方式，为港珠澳大桥工程多主体争端解决机制构建了一个以友好协商方式和中央政府裁决方式为主，三种方式共同作用的跨界高效率多主体争端协调系统。无论是采取哪一种决策争端机制，都需充分尊重粤港澳三地法律法规存在的差异性、尊重各主体利益的均衡性并兼顾决策民主和效率性。无诉讼争端解决机制的设置为港珠澳大桥项目建设构建了一个公正、合法、合理、高效的冲突协调体系，在均衡港珠澳大桥各主体之间利益的同时，有序地推进了大桥工程建设的开展。

17.4.3　港珠澳大桥管理组织平台综合集成

从重大工程管理基础理论中，我们已经了解港珠澳大桥管理组织平台主要包括三大类：决策主体平台、总体决策支持体系平台与总体执行体系平台，这三类平台都属于复杂系统。区别于其他工程的环境条件，重大基础设施工程的环境条件只能是以"平台"的形式存在。因为其覆盖的范围广、跨度大，涉及各个学科、各个领域。这种形式促使它需要一种综合集成模式才能有效处理各类复杂管理问题。在这一过程中，集成基本上是指将两部分要素按照一定的规则整合在一起，包括系统集成和综合集成。组织的集成同样如此，组织系统集成关注于对系统各子系统（管理主体群）的集成，并且认为通过良好的系统设计能够明确各个子系统之间的接口关系，也就是通过结构化的方式将各子系统组合在一起。港珠澳大桥组织的综合集成关注的是管理组织在综合集成之后涌现出的分析与驾驭管理复杂性能力的提升。管理组织集成的过程会面临具有深度不确定性的工程环境，且各管理主体之间会有复杂的关联性。另外，外部环境改变还会引起组织产生适应性，造成集成过程的不确定性。港珠澳大桥管理者在综合集成思想的指导下，针对港珠澳大桥工程管理组织自身的复杂性，在综合集成思想的指导下，采用了诸多创新性的管理措施，为大桥工程建设提供了必要的环境与条件保障。

17.5　港珠澳大桥管理组织专题

17.5.1　专题一：港珠澳大桥建设管理组织模式

港珠澳大桥工程建设管理及运营管理涉及法律、公共事务、技术标准、资金来源、口岸管理、施工边界等一系列因"跨界"而产生的问题。因此，港珠澳大桥建设管理组织除承担一般常规性管理职能外，还要妥善解决港珠澳大桥建设法律、投融资、建设程序等因"跨界"而产生的差异性问题。

1. 港珠澳大桥建设管理复杂性

港珠澳大桥连接香港、澳门、珠海三地，而三地的政治、法律、经济、文化等存在着显著差异，从而必然加深港珠澳大桥建设管理模式选择的复杂性。下面分别从三地法律制度环境及建设程序两个角度阐述港珠澳大桥管理组织复杂性是如何产生的。

（1）三地法律制度环境的不同。在"一国两制"背景下，粤港澳三地处于三种不同法律管辖区，三地法律制度环境的差异性会造成管理主体在如何解决港珠澳大桥建设管理问题时产生分歧，如建设管理方案的确定、投融资模式的选择、口岸模式设置、技术标准确定等。

（2）三地建设程序的不同。三地公路基础设施建设管理的法律法规之间存在着不同程度的相异点，如三地的技术标准不统一、三地建设模式不完全相同和有所不同、三地招投标办法与工程质量监督方式差别也较大。

根据上述分析，港珠澳大桥建设管理模式既是前期决策的一项重要内容，也关系到工程建设及后期运营管理。在这个过程中，港珠澳大桥管理组织机构面对不同阶段新的复杂性问题，灵活处理各层级、各阶段的建设管理问题，这都是管理组织需要不断协调与优化的。

2. 港珠澳大桥建设管理模式方案的确立

港珠澳大桥项目建设环境复杂、投资巨大、回收期长、中间不确定性风险大等特点决定了私人投资建设方案无法实现，只能通过以政府投资为主的工程投资模式，并在此原则下产生可行的建设管理方案。

1）政府投资下的建设管理方案

方案一：各自投资、各自建设。粤港澳三地政府以各自边界划分投资范围，在各自区域范围内对港珠澳大桥建设采用各自建设、各自管理的建设管理原则。由三地政府各自指派自己的工程管理机构，成立各自的港珠澳大桥项目管理办公室，遵循各自的建设管理程序，负责各自境内部分工程的建设管理；三地政府共同组成三地协调小组负责设计方案、工程进度等工作的协调，小组下设办公室主要承担相关的联络、组织工作。

方案二：各自投资、统一设计、各自建设。粤港澳三地政府以各自边界划分投资范围，对各自地域范围内的工程进行管理，但为了统一各项技术标准，需要委托一家设计单位对工程进行统一设计，确定设计参数和方案。其建设管理方式为由三地政府各自指派自己的政府投资工程管理机构，成立各自的项目管理办公室，遵循各自的建设管理程序，负责各自境内工程的建设管理。三地协调小组在该方案中也主要承担联络、协调、决策的职责。该方案基本与方案一的管理方式相同，只是由三地协调小组统一负责项目的设计工作。设计工作结束后，则交由三地各自的项目管理办公室负责，三地协调小组则仅起联络协调作用。

方案三：跨界投资、各自建设。粤港澳三地政府按照协商的方式确定投资比例，对各自投资边界范围内的工程建设进行跨界管理。建设管理方式为由三地政府各自指派自己的工程管理机构，成立各自的项目管理办公室，负责各自投资领域内部分工程的建设管理。三地协调小组在该方案中也主要承担联络、协调、决策的职责。

方案四：共同投资、统一建设。粤港澳三地政府按照协商原则，确定投资比例。按一定投资比例组建项目公司，由其负责项目的投资工作及实行统一建设管理。此处统一建设管理，是指由统一的机构负责项目的总设计、施工、竣工验收等工作。建设管理模式如下：在该方案中三地协调小组应以项目公司的形式出现，相当于项目的出资人，承担项目业主的职责，主要为负责筹集、管理、监督、使用建设资金；负责办理三地工程要求的各项审批手续；负责拨付建设资金，监督承包人资金的使用；负责工程质量、进度的监督；负责工程的竣工验收；负责工程的运营。由于项目跨越三界，在三地界域范围内的部分仍应符合各地的要求，按照当地法律规定进行各项工作，故为了满足此要求，项目公司还需在三地分别下设一个分支机构，以便于具体负责各自界内工作的开展。

综合上述四个方案（表 17.2），考虑到港珠澳大桥建设管理方案的各项原则，可以看出方案二比方案一优越，方案四比方案三优越，方案四具有较好的可行性，即应采取统一建设管理模式。

表 17.2　港珠澳大桥建设管理方案比较

管理方案	优点	缺点	难点
方案一	边界划分清晰，不存在法律上的冲突	技术规范难以统一，工程进度难以保证	三方对技术规范的协调难度大
方案二	建设协调环节，统一技术标准	三地政府招标条件不同，对承包商资格等要求也不相同，协调有难度	在承包商的选择标准、要求及招标办法方面，三地有很大差异
方案三	边界划分清晰	跨界施工难度较高，后期运营产权管理难度大	跨界施工涉及出入境管理、材料运输、行政管理权限、司法管辖权等一系列冲突
方案四	由总承包商统一管理，协调界面少，效率高	存在诸多法律障碍，总承包商的选择等面临三地政府不同的建设要求，难度大	遇到诸多法律问题，技术规范的确定、招标办法的确定、工程质量监督办法等建设中存在冲突

2）"属地分割、共同投资、统一建设"的建设管理方案

依据对上述四个方案的分析，港珠澳大桥工程建设管理的难点主要来自粤港澳三地政府的法律、程序、要求、标准和规范、资金、决策组织、建设模式、招标及施工等一系列问题。上述方案的分析仍没有彻底解决工程建设管理所面临的问题。

在面临类似投融资、建设管理模式等复杂决策问题，由于缺乏可借鉴经验，国务院有关部门和粤港澳三地政府协调时间长，问题解决不顺畅，故港珠澳大桥管理组织进行了进一步改进，成立专门的协调组织机构开展项目的投融资模式和建设管理模式的研究，逐步提出了主体工程和三地分部工程分开处理等原则，并最终通过此模式，于 2010 年 2 月正式签订了《三地协议》。根据该协议，三地政府通过更紧密沟通，在友好协商并遵循属地法律原则下，共同处理及推展大桥各项事务，并就大桥的建设、营运、维护及管理制定出三地间的合作关系和权责。同时，协议由三地政府代表共同构成的三地委纳入项目管理的组织架构，负责相关重大事项决策与公共事务协调，并对主体部分项目法人实施监督。

在一系列管理组织的调整和协议的签订下，各方达成了一致意见方案。其

中，投资原则：主体部分资本金由粤港澳三地政府和中央政府承担，资本金以外部分由项目法人根据内地适用法律向内地、香港特别行政区、澳门特别行政区金融机构举借商业贷款解决。其他各区部分建设资金分别由香港特别行政区政府、广东省政府和澳门特别行政区政府各自负责筹措。

建设原则：采取友好协商原则，在出现争议情况下，相互之间通过友好协商妥善处理，不得采取任何诉讼行为。

非营利性原则：项目主体部分参照内地适用法律规定的"政府还贷公路"模式进行投资建设。

适用属地法律原则：项目主体部分和各区部分（包括香港部分、珠海部分、澳门部分）的建设、运营、维护和管理按照属地法律原则，适用属地法律处理各项事务。

综上，港珠澳大桥管理主体为应对大桥建设管理的复杂性问题，达成粤港澳三地在大桥建设管理模式上的协同一致，积极采取了适应性的组织方式，提升了管理主体的认知能力，实现了对大桥建设管理模式复杂性的降解。

17.5.2　专题二：港珠澳大桥项目法人模式选择与结构设计

如何能保证港珠澳大桥的建设程序顺利运行，需要针对港珠澳大桥项目法人模式进行选择和管理组织结构设计，建立完善的组织机制。

1. 港珠澳大桥项目法人模式选择

港珠澳大桥项目法人模式的选择过程体现了对公权力的规范使用。考虑到港珠澳大桥的"公益性"和"政府还贷型"属性，以及粤港澳三地政府如何在工程建设和运营中发挥作用和提高管理专业化程度及效率，根据《中华人民共和国公路法》和《收费公路管理条例》，建立了非营利性事业单位法人（港珠澳大桥管理局），内部实行企业化管理。该法人治理结构充分融合了中央政府、三地政府、项目法人的决策协调结构和机制。

项目法人是工程建设项目法定责任人的简称，系指具有法人资格和地位，依照有关法律法规要求设立或认定，对建设工程项目负有法定责任的企业或事业单位。项目法人责任制确立了建设项目的投资主体和责任主体，从项目的立项、筹资、建设和生产经营、还本付息及资产的保值增值的全过程负责，并承担投资风险，有效地解决了长期存在的产权主体缺位、国有产权虚置的问题，使建设项目按照产权清晰、职责明确、政企分开、管理科学的现代企业制度进行管理，全面提高投资收益。

2. 港珠澳大桥项目治理结构设计

在明确项目管理法人主体后，接下来对港珠澳大桥项目治理结构设计进行分析。港珠澳大桥在建设过程中会面临着许多来自三地跨界、工程建设招标及施工、工程运营和管理、车辆通行费的确定、开放及关闭、车辆收费权、服务设施经营权或广告经营权的转让等、公共事务管理（通行规则、边境口岸管理、保安、消防及突发事件）及争议解决等一系列需要协调和解决的问题。对项目法人港珠澳大桥管理局来说，处置这些事务需要开展内外部的治理，外部治理更多地依靠政府的力量来加以协调和解决，而内部治理则更加依赖于管理局内部的结构设计、职能安排等。

提到项目法人，即管理主体，就会涉及权力的分配，只有对公权力进行合理分配才能有效防止管理主体间发生冲突和矛盾。港珠澳大桥项目法人——港珠澳大桥管理局的主要任务是负责组织港珠澳大桥中位于内地水域的一条双向六车道（包括公路及公路附属设施）海中桥隧（主体部分）投资、建设、运营、维护和管理的具体措施，积极配合港珠澳大桥各区部分的实施。项目建成后负责收取车辆通行费，兼营主体部分配套设施业务、广告经营业务，收取相关费用。港珠澳大桥管理局在履行自身业务过程中所涉及的利益干系人主要包括中央及粤港澳三地政府、社会团体、企事业单位、内部员工等。在进行治理结构设计时重点解决其决策权、管理权和监督权的分配。

三方共建工程采用政府出资模式建设，三方政府签订《三地协议》为项目建设和运营有关的管理体系设计与三地协调提供了基本法律基础，在此基础上，按照专责小组（中央政府有关部委牵头）—三地委（粤港澳三方政府）—项目法人（港珠澳大桥管理局）建立整体协调和治理结构。

（1）专责小组——中央政府有关部委牵头、国家有关部门参加、粤港澳三地政府参与的协调决策、监督机构，协调解决项目建设、运营过程中涉及中央事权及三地存有争议的重大问题，监督落实《三地协议》。

（2）三地委——由广东省政府作为召集人，港澳政府参加的协调决策、监督机构，具体协调解决项目建设、运营过程中涉及的重要问题，落实执行《三地协议》，监督项目法人。

（3）港珠澳大桥管理局——项目法人，负责主体工程的投资、建设、运营、维护和管理的具体实施。

这种治理结构的设计体现了重大工程主体递阶控制的特征，为大桥项目的建设和实施提供了平台保障，且提高了项目建设质量的保障水平。

第18章 鲁棒原则 科学决策

——港珠澳大桥深度不确定决策

18.1 港珠澳大桥决策概述

18.1.1 港珠澳大桥决策背景

港珠澳大桥决策主要是指工程前期对大桥工程的规划、立项、投融资、环境保护、建设和管理模式及建设施工阶段的重大技术方案与管理模式等主要问题做出的全局性与战略性选择活动，选择的结果为决策方案。与其他重大基础设施项目相比，港珠澳大桥决策涉及领域更广、协调难度更大、组织结构更加复杂，其决策活动在总体上有以下几个特点。

第一，港珠澳大桥决策活动层级高。港珠澳大桥的决策主体不仅包括粤港澳三地政府，在许多重大决策问题上，中央政府还直接参与决策工作。

第二，港珠澳大桥的决策方案受到政治、经济、社会、生态等多方面的制约。例如，在大桥桥位及着陆点决策问题中，大桥的走线方案将受到区域规划、交通组织、环境保护、航空、航道、河势、军事及国家安全等多方面因素影响和制约，需要综合权衡各方案利弊，进行方案比选。

第三，港珠澳大桥决策的法律环境特殊。港珠澳大桥工程是跨境公共工程，粤港澳三地政府彼此在决策过程中对决策目标、流程、价值观上往往会有不同诉求，因此，需要充分尊重和平衡各主体的利益需求，做好多决策主体之间的协调。

18.1.2 港珠澳大桥决策面临的复杂性挑战

与一般的重大设施基础工程相比，港珠澳大桥决策面临着工程环境、决策问题、超长生命周期、政治与法律环境和决策主体认知等多方面的复杂性挑战。

第一，港珠澳大桥决策的工程环境复杂。工程环境的复杂性主要体现于自然环境的复杂性与工程技术环境的复杂性。港珠澳大桥的工程决策面临自然环境的深度不确定性。例如，海洋、海岸地质状况的不确定、非均衡性对桥位、桥型决策的影响都很大；又如，岛隧工程包括了两个深海人工岛的建设，如果按照传统的抛石填海的工法施工，工期至少需要两年。为了快速成岛，岛隧工程做出利用大型钢圆筒进行深海筑岛的技术决策，通过技术创新解决工程技术带来的复杂性。

第二，港珠澳大桥的决策问题属于复杂性决策问题。港珠澳大桥的决策问题的复杂性主要体现如下：大桥决策涉及工程、技术、经济、法律及跨界建设与管理等各个方面，与社会经济环境有着广泛、紧密的关联，决策涉及领域广，协调难度大，不同决策问题之间联系紧密，关联复杂，各部分之间的横向影响与交互作用更加强烈，甚至局部性影响可能会演变为全局性影响，增加了决策的复杂性。

例如，大桥走线决策，要考虑许多社会、经济、区域发展及技术可行性和工程投资因素，对一般大桥而言，这已经是比较复杂的决策过程了。但是，对港珠澳大桥走线决策而言，还涉及伶仃洋海域珠江口的白海豚保护问题。事实上，只要港珠澳大桥走线穿越白海豚保护区，即与国家自然保护区相关法规冲突，随之而来的是一系列调整保护区功能规划、对中华白海豚国家级自然保护区进行生态补偿等衍生决策问题。

第三，港珠澳大桥的设计使用寿命为 120 年，超长的生命周期给工程的决策增添了复杂性。这类复杂性主要体现如下：在对大桥工程方案进行决策时，决策者需要使决策方案能全面体现工程坚固的物理质量与可靠性，同时要求决策方案具有环境鲁棒性，方案的功能和效用要在长生命周期内保持有效，在面对环境的深度不确定变动或情景涌现时仍能保持稳健，同时也不能因工程决策在大桥建成后而诱发新的危害情景。

第四，"一国两制"的特殊背景使港珠澳大桥的决策面临政治与法律环境的高度复杂性。在"一国两制"的背景下，港珠澳大桥作为一项跨境公共工程，粤港澳三地政府是工程立项、投资主体，而三地政府对大桥工程的立项、投融资等重大问题决策过程有着各自不同的行政审批规则与程序，这必然增加了很多彼此间的接口与界面，更增多了彼此的沟通、解释和协调环节，否则由于港澳拥有高度自治与独立的行政管理权，很难形成决策上的共识。其中就有各自依据的与重大公共工程立项、投融资有关的法律的不同，也有政府行政议事规则与程序的不同，在与重大工程管理直接有关的法规方面彼此也有很大差异。此外，在工程施工技术规范与标准、工程设计的具体计算方法、实验方法、技术参数等众多方面，粤港澳三地也各不相同。因此，港珠澳大桥在设计、建造过程中，三地需要统一并确定项目各分部、分项工程设计和建造采用的规范与标准，建立良好的沟通、协调机制至关重要。

第五，决策主体的认知能力不足，缺乏对决策复杂性的驾驭能力。无论从工程建设环境、工程技术及工程管理等各个领域看，港珠澳大桥都将提出和必须解决好一系列重大复杂决策问题。这些问题中的一些问题或者某一问题中的部分问题具有在传统实践与经验意义上的突破性和首创性，这对决策主体而言，客观上就形成了认知能力缺失或不足的现实困难。例如，大桥现场自然环境不确定性强，虽然建设主体前期做了大量的分析与预案，但也很难做到能够穷尽对所有复杂情景的精准认知，当 E10 管节对接时，海域深水深槽的局部暂态的复杂变化，导致沉管在沉放到位后出现了摆动频率、幅度、空间姿态的超过预期的变动，对于这样的突发情景，建设主体无法完全掌控，通过水力压接后才知道偏差的程度与原因（朱永灵，2016）。另外，港珠澳大桥涵盖了路、桥、隧、岛等工程，工程规模庞大，涉及领域甚广，在工程技术层面具有极强的专业性，决策主体关于资源整合的能力就十分重要，但这一点决策主体也很难在事前完全具备；粤港澳三地在"一国两制"背景下在工程建设上的法律体系差异性也对决策主体提出了亟须提高驾驭工程决策复杂性的能力的要求。

18.2　港珠澳大桥决策基本原理

18.2.1　港珠澳大桥深度不确定决策

1. 港珠澳大桥决策基本论述

从总体上讲，港珠澳大桥决策问题有以下三个层次：第一层次的决策问题大量存在于港珠澳大桥管理的基层，具有常规性与重复性特点。这是一类有章可循和程序化的决策问题，多为结构化决策问题。例如，港珠澳大桥工程建设中依据招投标规范来选择常规材料供应商的决策。第二层次的决策问题多出现在港珠澳大桥管理中层，如港珠澳大桥施工标段的划分，这是一个同时涉及工程进度、质量、风险等众多要素且包括多方面不确定性的决策问题，这类问题涉及要素较多、要素间关联紧密且不确定性增强。这一类决策问题中的一部分可建立结构化模型来处理，而另一部分则要通过演绎、类比、比拟等非结构模型方法来表述，多以结构化为主并有半结构化的决策问题。第三层次的决策问题多出现于港珠澳大桥管理宏观层次，这一类决策问题涉及要素多、要素之间关系复杂，决策目标难以明晰化、不确定性严重，充分反映了重大工程管理问题的整体性与复杂性，如工程立项论证、社会经济效益评估、投融资模式选择等，多为结构化与非结构化并存的决策问题。

为了重点体现港珠澳大桥决策活动的复杂性特征，从现在起，我们把港珠澳大桥管理的上述第三层次决策问题作为研究重点，并简称为港珠澳大桥决策问题。至于第一、二层次的决策问题，因其与一般工程决策问题性质和方法基本一致，因此，不再与第三层次的决策问题混在一起。也就是说，本节港珠澳大桥决策问题即指港珠澳大桥管理中第三层次的决策问题。

一般地，以下三类决策问题都属于港珠澳大桥管理中典型的复杂性决策问题。

（1）港珠澳大桥建设中的"基础决定性"决策问题。这一类决策问题一般对港珠澳大桥实体的功能、质量及工程运营具有全局性影响，如工程选址、工程整体方案设计等。这一类问题的复杂性主要体现如下：其一，问题涉及工程几乎所有的重要因素和工程全过程；其二，决策问题多集中于工程建设初期，此时，解决问题所需信息不完全、主体能力不充分等情况更加突出；其三，决策结果对工程后续施工与运营影响大、敏感性强。

（2）港珠澳大桥建设中的"需求创新性"决策问题。这一类决策问题常常面临着难以完全预知的自然环境与技术难题，需要通过创新才能解决，如港珠澳大桥跨越大濠水道的海底隧道及水深 10 米左右的人工岛填筑技术或大跨的桥梁工程建造关键技术选择与主要施工方案设计定为海中桥隧工程总长约 35.578 千米，采用桥隧组合方案（隧道长 6.753 千米，桥长 28.825 千米，其中香港界内桥梁长 5.976 千米）。这一类决策问题的复杂性主要体现如下：其一，决策主体普遍缺乏决策需要的完整的知识与能力；其二，决策主体需要通过构建创新平台才能实现创新目标，而这本身又会引发出一系列新的复杂决策问题。

（3）港珠澳大桥建设中的"发展战略性"决策问题。这一类决策问题的目标具有明显的宏观、战略与全局意义，如港珠澳大桥整体功能目标设计等。首先，港珠澳大桥是技术创新的宝贵资源，而且重要的工程技术创新往往能够超越工程建设本身的需求，进一步向提升行业、产业甚至国家竞争力的高度辐射和拓展，因此，业主在重要的工程技术创新过程中代表国家和政府对相关的技术创新活动进行战略性的组织与安排，如技术创新主体的选择与优化、技术创新平台的构建、技术创新制度设计、技术创新主体的培育及整个技术创新过程的监管等，所有这些，在港珠澳大桥钢梁制造企业整体性技术创新和管理创新自组织过程中都得到充分的反映。其次，根据港珠澳大桥钢梁需求量与相关企业生产能力的预测，钢梁制造企业将形成一个强耦合、分布式的制造商网络，为使业主具有与之匹配的更强大的分析、驾驭、协调和执行能力，需要通过组织创新来保证。

2. 港珠澳大桥深度不确定决策概述

"不确定"在管理学研究中已成为一种常态,而在港珠澳大桥管理活动中,出现了一类"严重"不确定性。从下面具体的港珠澳大桥管理活动现象与情境中我们能够直观地体会到"严重"不确定性是怎样形成的。

(1)港珠澳大桥自然环境形成的"严重"不确定性。表现为港珠澳大桥工程环境情况与情景险恶和复杂,主要包括防洪、通航、海事安全、环保、景观、航空限高、锚地、环境保护、交通组织、军方、国家安全等。决策主体不但缺少许多自然环境与现象的相关信息与数据,而且对其中许多问题的基本规律与原理都了解甚少,更不要说能够对它们有确定、完整和深刻的认识了。

(2)港珠澳大桥社会经济环境形成的"严重"不确定性。港珠澳大桥是由广东省、香港与澳门特别行政区共同建设的重大跨境集群交通工程。工程前期决策与决策管理需要明确的行政公权力体系、清晰的法治环境及重大工程议事协调和争端解决仲裁机制等作为共同的法治环境基础。首先,改变严重缺失共同法治环境基础的不确定现状,构建明确、稳定的社会和法治环境基础。其次,港珠澳大桥投融资方案受粤港澳三地经济发展水平、政府财政状况、项目财务效益及相关法律制度的影响和制约,不仅关系着港珠澳大桥的投资效益,也不可避免地影响着港珠澳大桥的建设方案和运营模式,进而对粤港澳三地经济社会发展产生潜移默化的影响。

(3)港珠澳大桥环境大尺度演化形成的"严重"不确定性。港珠澳大桥立项决策问题不仅涉及项目影响区域的社会经济发展现状的分析与预测、交通运输发展现状及规划等一般性背景问题,还涉及专业性极强的工程物理方案的设计,如气象、水文、航空限高、工程地质的分析及工程建设方案的设计,亦涉及工程复杂性的决策问题,如桥位选择、结构体系、环境保护、防撞抗震等多项难题,这类问题涉及海洋、渔业、海事、港口、航道、水利、自然保护区、环保等相关部门,国内外技术规范与工程标准在这类问题上也很少有成熟的决策经验,包括跨界管理可行性、决策主体的协调管理等。同时,港珠澳大桥立项决策问题又具有高耦合性,相互之间的联系复杂。例如,对于港珠澳大桥桥位及着陆点选择而言,它直接影响着口岸的设置与协调,并直接决定着工程生态及对中华白海豚的保护,该决策方案形成历经了四年之久,决策方案随着中华白海豚保护区的问题、23DY锚地问题、口岸查验模式的变化进行了多次调整与优化。

(4)港珠澳大桥主体认知能力不足形成的"严重"不确定性。表现为主体在认知港珠澳大桥客观不确定性时,可能存在以下几种情况:知道自己掌握了什么信息、知识与能力;知道自己尚未掌握什么信息、知识与能力;不知道自己尚未掌握什么信息、知识与能力。其中,从前两种情况到第三种情况,决策主体主观认知不确定、不确知程度经历了从一般逐渐到严重的变化。

以上提到的四类不确定性比一般意义上的不确定性更"严重"、更"强烈"、更"深刻"，我们称这一类源于港珠澳大桥管理实践活动的、传统和常规处理不确定的思想和方法不再适用的、更为"严重"的不确定性为深度不确定性。

但是，最能体现港珠澳大桥决策的独特性的应是以下现象：决策主体需在一个相对较短的时间内做出一个必须在设计使用寿命长达 120 年内（工程环境）都要能够保证正确性与鲁棒性的决策方案，而在这个相当长的时间内工程环境因为深度不确定会形成各种可能的复杂情景及情景的演化。这样，决策方案关于情景的鲁棒性就非常重要。没有这一品质，决策方案的功能有可能在工程生命周期内受损或夭折，这将直接影响到工程决策主体本来的意图与工程自身价值的实现。

由此可见，由深度不确定性引起的决策方案关于情景的鲁棒性是衡量和评价港珠澳大桥决策质量的一个新的、独特的、带有根本性的视角，正是这种深度不确定性，使得我们发现以下几个方面的问题。

（1）港珠澳大桥决策活动在许多方面与环节出现了更多、更"严重"的数据不精确、信息不完全与情景不明确等现象。

（2）港珠澳大桥决策目标与方案功能谱同时呈现多层次、多维度与多尺度等新的特点。

（3）情景鲁棒性所反映出的港珠澳大桥决策方案功能谱在工程全生命周期内与环境情景变动之间的适应性成为重大工程决策的一种新的客观属性，以及港珠澳大桥决策方案质量的核心度量标准。

（4）决策主体需要逐步确定和深化对决策深度不确定的认知，才能形成"好质量"的决策方案。所以，港珠澳大桥决策方案只能通过迭代式生成过程才能形成。

（5）基于上述情况，需要提出针对深度不确定特征的港珠澳大桥决策新的研究方法。例如，关于情景预测与发现情景的方法、度量与优化决策方案情景鲁棒性的方法等。

由此可见，深度不确定性对港珠澳大桥决策形成了深刻的、全面的、根本性的影响，而决策的多尺度、迭代式等特征，都可以基于深度不确定这一特质得到延伸或拓展。可以认为，深度不确定是最能体现港珠澳大桥决策活动的本质特征，因此，称港珠澳大桥决策属性应为港珠澳大桥深度不确定决策。

3. 港珠澳大桥深度不确定决策基本原理

首先，港珠澳大桥深度不确定决策是决策范畴中的一种类型，因此，一般决策的基本原理自然也是它的基本原理。例如，港珠澳大桥决策活动同样由决策主体、决策问题、决策流程、决策目标、决策方案等基本要素构成。特别是，由于任何决策方案都是决策主体关于人工系统功能的设计，故系统分析既是决策的基础，也是决策的辅助技术，自然也是港珠澳大桥决策活动的重要组成部分。

其次，就一般程序而言，港珠澳大桥决策活动也是以具体的决策问题为导向的，确定整体性的决策目标，构造备选的决策方案，通过搜集与分析数据、信息与资料，运用定性定量相结合方法及计算机模拟仿真技术等，对备选决策方案进行比对、重组与优选，在一定的准则下构成决策方案，或者进行上述程序的重新迭代，并最终得到认可的决策方案。

当然，既然是重大工程决策，港珠澳大桥必然要体现重大工程管理活动的基本原理。例如，根据复杂性降解原理，在重大工程目标及功能谱设计的基础上，一般会把整体性的决策问题适当分解为若干个相对独立的子决策问题，并对其分别进行决策，得到各自的决策方案。进一步地，在此基础上，在适应性选择与迭代式生成原理的指导下，或者直接形成一个同时与这些子方案兼容的整体方案，或者对部分子决策方案进行调整而形成一个整体性的兼容方案。图 18.1 是对上述决策过程的示意。

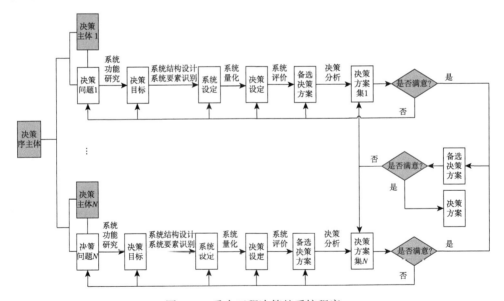

图 18.1　重大工程决策的系统程序

另外，在工程思维与可操作层面上，完整的重大工程决策活动是由多阶段相互独立又相互关联的子决策活动过程所组成，这些子活动过程在决策实践中同时又表现为决策实践中的实际管理职能（图 18.2）。

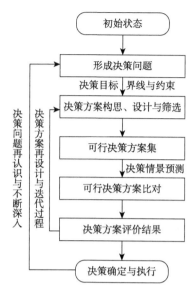

图 18.2　重大工程决策过程

就这两个基本点，港珠澳大桥决策原理是如何体现深度不确定固有的特征并形成有着自身规则性的技术路线与方法的呢？简单地讲，在工程思维的筹划与操作层面，港珠澳大桥决策原理要能充分体现出以下几个方面的内容。

（1）有效降解深度不确定而导致的港珠澳大桥决策复杂性，提出能够体现港珠澳大桥决策特有质量概念的决策方案形成路径；

（2）设计好能够适应深度不确定的决策组织平台与功能；

（3）构建与深度不确定决策相匹配的决策方法体系和决策支持体系；

没有以上这些基于深度不确定性的关于港珠澳大桥决策新的认知、组织模式及关键技术与方法，就不能认为已经确立了关于港珠澳大桥决策特有的基本原理。因为正是在以上各个综合作用的基础上，才能形成较为完整的港珠澳大桥决策主体行为原则、决策流程与决策方法，进而形成港珠澳大桥决策的基本原理与一般范式。

18.2.2　港珠澳大桥决策质量

港珠澳大桥决策方案质量关键体现在决策方案的规定性对全生命周期环境情景变动具有的稳健性与适应性（低敏感性），即情景适应性，这也是港珠澳大桥决策方案质量的核心属性。港珠澳大桥决策情景是指在决策过程中的工程环境（包括社会、经济、自然等）综合状况及演化。港珠澳大桥决策情景适应性是决策方案对工程全生命周期情景变动的稳健性的属性。从情景适应性角度进一步分析，港珠澳大桥决策质量包含以下两层含义。

（1）决策方案对工程全生命周期情景变动的稳健性或适应性，一般包含决策方案形成过程中要着重考虑的方案对工程全生命周期情景变动预期的适应（适应性正问题）。例如，由于港珠澳大桥跨越珠江口伶仃洋水域，受到伶仃洋周边岛屿及地形的制约、伶仃洋下泄径流和近岸陆架水与沿岸流的影响，港珠澳大桥工程附近水域涨潮水流形态及流势变化也十分复杂。前期的工程研究表明，工程前期决策中推荐的碌石湾北线方案阻水比约 20%，大桥兴建后口门的潮汐动力将大大减小，直接影响作为泥沙主要输送通道的伶仃洋西滩水域流速，使泥沙落淤速度骤然加快，并将导致高、低潮位骤然升高的不利局面。同时，潮汐动力减小后，将使上游水域及网河区河道流速降低，输沙能力减弱，易使河道及潮汐通道泥沙淤积加快，口门地区河床抬高，并对上游地区防洪、口门泄洪、纳潮、排涝及伶仃洋河势稳定等因素产生不利影响，这种影响还会随着上游网河区及浅海区的淤积加快而逐步明显，也就是决策方案要能够"扛得住"工程环境未来可能出现的情景变化带来的各种风险。

（2）由于港珠澳大桥对社会经济环境具有重大影响，决策方案从概念变成实体后，将会重构原来的社会经济系统，这有可能产生新的社会经济系统的情景涌现，特别是可能出现破坏性情景，如引发了生态和自然环境的恶化、区域经济发展的衰退等情况，即产生了负面的情景涌现。决策适应性差表现为决策方案形成的工程实体引发了生态和自然环境的恶化、区域经济发展的衰退等情况，这样的决策方案就很难说是为社会造福，而会成为危害社会的导火线。

港珠澳大桥决策质量本质上是决策过程规范性与决策方案科学性的综合体现。研究港珠澳大桥决策质量，除要研究港珠澳大桥决策方案质量外，还必须研究港珠澳大桥决策过程质量。以港珠澳大桥立项决策为例，其决策过程遵循国家基本建设程序，包括：提出工程项目建议；工程可行性研究；工程项目总体评估；投资立项审批。很多研究者认为提高决策质量的一种有效手段是提出好的决策流程或决策框架，决策者只要按部就班地执行这一框架就可以提升最终的决策效果。于是，很多研究者把精力放在如何改进决策流程的方向上，然而，由于决策主体在决策过程中可能出现行为异化，一个规范的决策流程并不能保证一定产生好的决策过程质量，故在充分发挥政府在港珠澳大桥决策中积极作用的同时，应当十分关注如何规范、约束好主体的决策行为，防范其行为的异化，这是保证决策过程质量的关键所在。

18.2.3　港珠澳大桥情景鲁棒性决策原理

1. 港珠澳大桥决策情景

我们在 18.2.2 小节提到，港珠澳大桥决策情景是指在决策过程中的工程环境

（包括社会、经济、自然等）的综合状况及演化，情景适应性是港珠澳大桥决策方案质量的核心属性。港珠澳大桥工程规模庞大，工程环境复杂，设计使用寿命长达 120 年，其决策情景在其复杂工程背景下具有独特的内涵。在此，我们对港珠澳大桥决策情景提出更深层次的认知：港珠澳大桥决策情景是指港珠澳大桥在决策时面临的工程环境或港珠澳大桥–环境复合系统在整体层面上形成的宏观现象、现象的演化及形成该现象的可能路径。

下面对港珠澳大桥决策情景的变动与演化做进一步说明。

第一类，港珠澳大桥建成之前，环境系统在大时空尺度意义下产生的复杂情景及情景的演化。近百年来，伶仃洋河床演变的显著特点是西滩外延，桥位附近的西部海区的海床在历史演变中逐渐淤高。大桥的建设桥位东侧海床，其演变主要受伶仃水道、铜鼓水道和矾石浅滩演变的影响，矾石浅滩以横向展宽为主，桥位东侧海区变化不大。桥区所在海域的演变受制于伶仃洋的总体演变，经过专家学者对伶仃洋演变的研究，普遍认为伶仃洋正处于缓慢淤积的状态。因此，虽然从近期桥位附近海区的演变趋势分析来看，海床冲淤变化不大，但从长远来看，桥位处海床总的发展趋势以缓慢淤积为主。

桥区西段浅滩在自然状态下属微淤状况，海床相对较稳定。珠江河口径流虽主要经由这里向海排泄，但径流动力至此已与潮流动力融合而消能，淡水至此亦已与盐水混合形成了混合水，故此区段不论是径流还是潮流的动力作用均不强，不会造成该处海床的大幅冲淤变化，海床稳定性较好。桥区东段海区的海底高程一般都在–5 米以下，水深较大，水流亦较强，并有伶仃水道深槽与铜鼓浅滩分汊水道在此汇聚，高盐陆架水常年由此入侵和上涌，是侵蚀冲刷的主要地段。该水域水动力环境的主要特征是洪季呈高度分层状态，上层水体以"河口羽"的形式漂浮在中、底层高盐陆架水之上并迅速向海排泄，其最大流速可达 2 米/秒，中、底层水体以上溯流为主。由近期演变分析可知，海床冲淤变化幅度不大，处于相对稳定的状态，如果其上游的滩槽不发生较大的改变，这种状态应会保持下去。根据海床相对稳定的变化趋势，可以确定在未来的一百多年里，海床演变以缓慢淤积为主。上述情景演化是港珠澳大桥建成之前，环境系统在大时空尺度意义下可能产生的复杂情景及情景的演化，港珠澳大桥决策者在进行决策活动、提出决策方案时要充分考虑到决策方案对上述情景变动与演化的情景适应性，从而保证决策方案有好的决策质量。

第二类，港珠澳大桥建成之后，工程–环境复合系统在大时空尺度下涌现出来的情景。新的复合系统的情景涌现与演化主要表现在以下三个方面。

一是地形累积性淤积。在港珠澳大桥"岛—桥—隧"工程决策中，人工岛的几何尺寸较大，对伶仃洋河口涨落潮动力环境的局部影响也是显著的，尤其在东、西人工岛背流区形成缓流的泥沙落淤环境。大桥建设后，其周边地形变化以及其对相邻的滩槽影响是大桥建设对伶仃洋河口三滩两槽影响的关键问题之一。对长期维持三滩两槽伶仃洋河口地貌格局而言，西滩的变化对伶仃洋河口这一独特的地貌格局演变起主导作用。

二是人工岛局部冲刷。根据试验结果及分析，人工岛周边淘刷的泥沙集中在冲刷槽和人工岛两侧，并且约有 80%的泥沙淤积在人工岛两侧的环流区内。同时，冲刷后泥沙将主要淤积在人工岛上游和下游区域。在人工岛附近，潮位抬高最大值可达 0.06~0.10 米。

三是大桥桥墩局部冲刷。通过实验研究，在潮流作用一年后，桥墩上下游均有冲刷，桥墩上游冲刷范围较小，深度较大；桥墩下游冲刷范围较大，深度较小。受桥墩阻水作用的影响，墩前水流受到挤压，开始出现冲刷，随着冲刷范围的扩大，承台前沿两侧紊动作用增强，最终可在桥墩北侧形成月牙形冲刷形态。当水流绕过桥墩后，分别在桥墩后面出现多个尾流漩涡，中间为小流速区，由于桥墩后面尾流漩涡的作用，桥墩南侧的冲刷形态为两侧冲刷深度较大且长度较长、中间深度浅且长度短的变化形态。在邻近冲刷区后面，会出现一定范围的淤积，淤积形态呈带状分布，淤积分布呈近大远小变化。

面对上述两类情景变动与演化，决策者当然希望港珠澳大桥决策方案对工程环境未来情景不仅是恰当的，而且面对未来情景的可能变动，决策方案的效用仍然是有效的，即对情景变化是稳健的。从工程风险防范意义来讲，决策方案基于未来情景的鲁棒性非常重要。如果决策方案不具备情景鲁棒性，那么决策方案的功能和效用有可能会在大桥工程全生命周期内由于情景的变动与演化而遭到破坏，这将直接影响到决策主体工程建设目标的达成与港珠澳大桥本身建设价值的实现。

2. 港珠澳大桥情景鲁棒性决策

我们在 18.2.2 小节已经指出，港珠澳大桥决策具有质量属性。对于港珠澳大桥的决策者而言，其所有决策活动的价值和意义就在于努力形成一个质量"好"的决策方案。那什么样的决策方案才属于一个质量"好"的决策方案呢？港珠澳大桥的设计使用寿命为 120 年，面对如此长的生命周期，决策者要在一个相对较短的时间内做出决策，并需要保证决策方案的功能和效用要在工程的全生命周期内保持其有效性和稳健性，在面对环境的深度不确定变动或情景涌现时仍能保持有效和稳健，同时还不能因工程决策在大桥建成后而诱发新的危害情景。事实上，以上认知已经充分反映出在深度不确定环境下决策方案的质量属性，我们称之为港珠澳大桥决策的情景鲁棒性。第一类决策情景鲁棒性问题主要考虑港珠澳大桥实体尚未形成，环境作为工程背景，类似于工程系统的"外生变量"。第二类决策情景鲁棒性问题主要考虑港珠澳大桥实体形成后，大桥工程与原有的环境系统已耦合成一个新的复合系统，这时的环境类似于工程系统的“内生变量”。

既然一个高质量的决策方案是具有情景鲁棒性的决策方案，那也就是说，不具有情景鲁棒性或者情景鲁棒性较弱的决策方案属于低质量的决策方案，而这样的方案在决策选择时应尽量避免。例如，在港珠澳大桥桥位与着陆点决策中，澳门初选的着陆点主要有三种方案：路环九澳、氹仔北安和明珠。如果选择大桥在澳门路环岛的九澳着陆，则总体线路走向为自大屿山礅石湾跨海在澳门机场南登陆到九澳，然后穿越澳门路环岛、氹仔岛，经莲花大桥或新建桥梁连接到珠海横琴，接入珠海路网。决策者在分析路环九澳方案的可行性时，发现大桥若在九澳着陆，的确会为九澳港带来发展机遇，但同时也会产生很多问题。路环岛远离市区，港珠澳大桥建成通车后，交通流量势必剧增，现有的道路网络难以适应与大桥接驳的客、货流量。另外，路环岛属生态保护区，从环保的角度考虑，路环岛是澳门城市的市肺，大桥的着陆点选择在此，工程建成后车流、人流往来穿梭，必然对当地植被的环境造成破坏。长时间尺度下的破坏累积将会对澳门仅有的自然海滩和大量植被的环境保护产生十分不利的影响，最后可能产生危害生态保护的危害情景。因此，从决策的情景鲁棒性上考虑，澳门排除了在路环九澳着陆的方案。由此可见，在港珠澳大桥的决策中，对备选决策方案进行选择时，决策方案的情景鲁棒性是决策者必须要分析和考量的重要因素。为选择一个高质量的决策方案，决策者必须要对每个决策方案的功能与效果是否会随着未来情景的变动与演化而保持有效和稳健、决策方案是否会在工程建成后对周边环境产生新的不利影响进行慎重的分析与论证。

由此可见，情景鲁棒性是重大工程全生命周期内关于决策方案作用稳健性与契合度的整体性概念。如果把环境系统（工程-环境复合系统）看作一个系统，决策方案看作另一个人工系统，则情景鲁棒性就是该方案系统的功能谱与环境系统之间情景意义下的耦合度的度量。如果把情景鲁棒性看作港珠澳大桥深度不确定决策的重要质量属性，那么我们把以情景鲁棒性作为设计决策方案思想准则的决策活动称为情景鲁棒性决策，也就是说，港珠澳大桥的深度不确定决策即情景鲁棒性决策。

18.3 港珠澳大桥决策专题

18.3.1 专题一：港珠澳大桥中华白海豚保护决策

2005 年 4 月 2 日，港珠澳大桥前期工作协调小组第五次会议在珠海召开，粤港澳三方政府同意大桥东岸着陆点为大屿山礠石湾，西岸澳门着陆点为明珠点，珠海着陆点为拱北，优先考虑采用礠石湾北线-拱北/明珠桥隧组合方案。推荐的桥位方案中大桥线位将穿越中华白海豚保护区的核心区、缓冲区和实验区，即大桥的建设势必会对中华白海豚产生影响。由于中华白海豚是极其珍贵的野生动物，因而工程建设与生态保护产生了矛盾。中华白海豚保护决策就是在大桥穿越保护区的前提下，通过研究大桥建设对白海豚的不利影响，采取各种可行的保护措施，将不利影响降到最低限度。

1. 中华白海豚保护决策的挑战

1）决策时机紧迫

中华白海豚保护是在桥位走线方案基本确定之后出现的一个新的决策问题，这个决策问题并不属于基本的工程方案，因此在前期决策中的19个专题和29个分报告中并未出现。在桥位走线初步确定之后，桥位走线决策决定了大桥必须要穿越中华白海豚保护区，因而大桥建设与白海豚保护这一矛盾便浮出水面，这一问题并非决策者之前毫无考虑，只是当走线不确定时，开展这一决策问题研究，时机尚未成熟，可以说这个问题对于决策者而言是"意料之中，计划之外"的事。

就时机而言，中华白海豚保护决策主要有如下两方面的挑战：一方面，时间紧迫容错空间小，留给决策者的时间比较短，而且中华白海豚保护问题涉及的部门众多，问题非常复杂，如果这一问题不能得到妥善解决，工程就通不过环评，无法立项。另一方面，缺乏可借鉴的经验：中华白海豚保护关键为海洋中的动物保护区保护，相对比陆地动物保护区而言，缺乏通用的做法，决策者也缺乏相关的经验。

2）生态环境影响重大

中华白海豚保护决策基于大桥对白海豚的生态环境影响，因此，整个决策过程都把工程建设与中华白海豚生态环境保护相互均衡作为宗旨。例如，大桥施工干扰了白海豚的生活环境，并会挤占它们的活动空间，迫使它们离开世代生活的空间甚至长距离迁移。和许多哺乳动物一样，当工程施工完成后，海豚还会恢复其原来的活动范围，有的迁移到较远水域的海豚可能还会回迁。例如，1996~1997年香港赤鱲角新机场施工期间，大屿山北水域白海豚的数量明显下降，但1998年香港新机场启用后，白海豚数量逐渐回升。但是，它们以前的生活空间已经被修建的大桥工程改变甚至破坏了，因此即使离开的中华白海豚回来了，也可能面临家园被毁坏。

3）法律制约条件严格

中华白海豚保护实际上是港珠澳大桥工程遵守国家法律的社会责任。由于大桥走线方案穿越珠江口中华白海豚保护区，与我国现行环境保护法及其相关法律法规有冲突，大桥直接穿越现行保护区核心区或缓冲区进行施工存在法律障碍，所以大桥要顺利建设需要考虑在法律允许的范围内寻找解决措施。

4）决策目标的多元化

按照决策内容逻辑顺序，中华白海豚保护决策包括是否同意大桥线位穿越保护区、调整保护区内部功能区划、生态补偿方案等。这些决策事关珠海相关地区的经济发展、中华白海豚的未来生存状况及白海豚物种的兴衰。因此，从决策的时间维度上看白海豚保护决策属于超长期决策。同时，此决策需要基于生态环境、法律环境、经济环境、政治环境等取得动态平衡，将港珠澳大桥对白海豚的负面影响降至最低程度。

2. 中华白海豚保护决策的历程

1）中华白海豚保护预决策——桥位穿越中华白海豚保护区

根据《中华人民共和国自然保护区条例》，国家自然保护区的核心区禁止任何单位和个人进入，缓冲区也禁止开展生产经营活动，无论在核心区还是在缓冲区，均不得建设任何生产设施。然而，港珠澳大桥北线及南线方案均穿越了珠江口中华白海豚保护区。这意味着大桥线位走向若要穿越保护区会面临着相当大的障碍。

要解决这一问题有两种可供选择的思路：①调整保护区范围/功能区划，为大桥提供通道；②调整大桥线位走向，以绕过保护区。根据现有的工程线位比选方案，如果选择调整大桥线位走向，则碱石湾北线方案和南线方案均将不能满足要求，大大限制了工程方案选择空间，且上述方案均是中交公路规划设计院经过多方面综合评价得出有比选价值的方案，若对方案进行大规模调整，将可能带来造价激增、工程难度加大等问题，不利于工程总体目标的实现。因此，从大桥线位走向来看，大桥线位只能穿越白海豚保护区，从而将决策问题转化为如何解决大桥线位穿越白海豚保护区与法律之间的冲突。

2）保护区不做调整

大桥线位穿过保护区问题理论上涉及调整自然保护区问题，从中华白海豚保护的实际出发，调整保护区的方案存在多种不利因素，事实上保护区也几乎是无法进行调整的。因为保护区建立以来，周围已布满了各种海洋功能区，包括航道、锚地、各类码头、经济开发区等；保护区的边界几乎寸步难移。在生态保护非常敏感的背景下，要把一个已经规划好而且已经投资动工的区域重新圈入保护区的范围是非常困难甚至是不可能的，即调整保护区的初步方案都难以提出，协调困难且过程也长，现实性甚微。

在现实面前，经过细致的分析，南海水产研究所和广东省相关政府部门都认为保护区内功能区划可以不做调整。2005 年 4 月 21 日，广东省海洋与渔业监督管理局召开了港珠澳大桥工程对珠江口中华白海豚的影响研究工作大纲专家评审会，会上形成评审意见：①在保护区不调整的情况下开展研究；②报告要补充大桥的施工工艺和方法及营运等有关情况的介绍，进行大桥工程对白海豚的影响因子筛选论述；③提出有针对性的后续研究专题。五个月之后，中国水产科学研究院南海水产研究所编制完成了中华白海豚影响问题专题研究报告，提出"保护区不做调整"的结论。

随后，南海水产研究所和广东省海洋与渔业监督管理局做了相应的配套工作，以使"保护区不作调整"的结论更加具有可信性和可行性。2005 年 9 月 21 日，南海水产研究所召开《港珠澳大桥工程对珠江口中华白海豚的影响专题研究报告（征求意见稿）》专家座谈会，会上形成以下意见：①关于生态补偿问题提出的补偿建议，可供工程单位与主管部门作进一步协商时参考。②建议保护区暂不调整。③对《港珠澳大桥工程对珠江口中华白海豚的影响专题研究报告》（以下简称《专题研究报告》）作补充完善：补充影响因子筛选表；补充具体数据，量化分析；编制简本。补充完善后再次评审。同年次月，广东省海洋与渔业监督管理局召开《港珠澳大桥工程对珠江口中华白海豚的影响专题研究报告》专家评审会，会上形成如下评审意见：①同意"保护区不做调整"的结论；②对生态补偿的论证不足，希望充分考虑其经费保障；③加强施工期和营运期的中华白海豚种群及其栖息环境变化的检测、监管和研究工作。

3）临时调整保护区内功能区

桥位走线方案已经形成，中华白海豚保护研究也已经成熟，一切就绪，中华白海豚保护决策似乎可以告一段落，就等着大桥开始修建。然而，合理的决策结果是要考虑到所有的关键影响因素，要能够经得住重大困难的考验。

2006 年 7 月 14 日，协调小组第六次会议上粤港澳三方政府一致同意将原来的"一地三检"口岸查验模式改成"三地三检"的模式。面对这样的变化，中华白海豚保护决策的决策者们做出了迅速的反应。2007 年 3 月 31 日，南海水产研究所更新专题报告，形成了《专题研究报告（送审稿）》。该报告（送审稿）主要是在原报告基础上，采用大桥"三地三检"口岸方案，补充了白海豚周年观测资料，讨论并提出了建议的生态补偿金额，并就大桥穿越白海豚保护区的问题参考珠江口最近大型基建项目的经验，提出了"临时调整保护区内的功能布局区划"的解决思路。同年 7 月 12 日，协调小组办公室召开由国家渔政渔港监督管理局主持的《专题研究报告》专家评审会，会上专家建议进一步开展相关研究，加强相关分析内容，完善生态补偿方案，提出对保护区现有的功能区划分进行调整的可行性方案。

中华白海豚预决策与是否调整保护区及怎样调整这两个决策问题是随着《专题研究报告》的不断修改与完善而逐步得到解决的，而《专题研究报告》的不断修改与完善是通过一次次地上报审查得以实现的。在这里，笔者对报告上报审查过程进行梳理和总结，得到图 18.3。

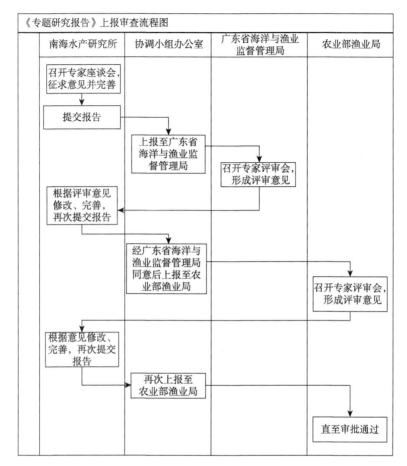

图 18.3　《专题研究报告》上报审查流程图

4）生态补偿

中华白海豚保护决策的生态补偿主要是港珠澳大桥对中华白海豚可能会造成的影响所做的补偿，主要进行白海豚救护保育基地建设、白海豚生态保护科学研究、施工期监管费用、施工和运营期海豚监测费用、保护区内白海豚饵料生物资源增殖和海上人工岛海豚监管站的补偿。

在中华白海豚保护决策正式立项约一年后，南海水产研究所就生态补偿问题提出一系列补偿建议，供工程单位与主管部门作进一步参考。经过广东省海洋与渔业监督管理局、国家渔政渔港监督管理局和协调小组为时一年多的层层论证、条条把关、步步完善后，2007 年 12 月 4 日，广东省海洋与渔业监督管理局提出了初步的生态补偿方案，共计约 1.5 亿元人民币，具体方案见表 18.1。

表 18.1　生态补偿建议方案

序号	项目	内容	补偿估算/万元
1	白海豚救护保育基地建设	基地功能：白海豚的拯救、保育、科研、放生野化等	7 000
2	白海豚生态保护科学研究	主要包括生态学、声学、行为学、繁殖生理学、遗传学、疾病防治、理化环境、摄食等	4 000
3	施工期6年监管费用	（1）淇澳岛监管站建设（200万元） （2）现场监管船只一艘（280万元） （3）海上海豚救护（300万元） （4）船只运作费（510万元，其中燃油费280万元，维护费230万元） （5）聘请管护人员5人（136.8万元，3 800元/人） （6）行政管理及补贴300万元（50万元/年）	1 726.8
4	施工和运营期各5年海豚监测费用	（1）每年监测费用100万元，按10年计 （2）海豚搁浅救护动态监测系统建设300万元	1 300
5	保护区内白海豚饵料生物资源增殖	饵料生物增殖放流（500万尾/年、0.25元/尾，按10年计）	1 250
6	海上人工岛海豚监管站	建设面积200平方米（无偿划拨建设用地）以及相应观测设备配套，由建设单位规划建设后，交保护区管理使用	
	合计		15 276.8

　　初步的生态补偿方案是以总体方案计算生态补偿估算的，但考虑到工程建设的实际情况，生态补偿问题分两期解决，一期补偿针对优先保障措施，二期补偿在大桥建成开通后一年内，根据生态影响进一步评估结果再定。由于港珠澳大桥施工期比较长，对营运期可能出现的一些情况细节尚需进一步深入探讨，建议暂时只考虑施工期的生态补偿问题，故生态补偿方案从总体研究走向分期方案研究。其中具体金额变化需依珠江口中华白海豚生态调查及研究成果而调整。为此，广东省海洋与渔业监督管理局于 2008 年 7 月 21 日交补偿协议书（样本），生态补偿问题分二期解决，一期补偿费用为 8 000 万元，具体方案如表 18.2 所示。

表 18.2　一期生态补偿方案

序号	项目	内容	补偿估算/万元
1	白海豚救护保育基地建设	基地功能：白海豚的拯救、保育、科研、放生野化等	5 500
2	白海豚生态保护科学研究	主要包括生态学、声学、行为学、繁殖生理学、遗传学、疾病防治、理化环境、摄食等	360
3	施工期6年监管费用	（1）现场监管船只一艘（280万元） （2）海上海豚救护（300万元） （3）船只运作费（510万元，其中燃油费280万元，维护费230万元）	1 090
4	施工期海豚监测费用	每年监测费用100万元，按6年计	600
5	保护区内白海豚饵料生物资源增殖	饵料生物增殖放流（300万尾/年、0.25元/尾，按6年计）	450
	合计		8 000

　　而后，协调小组将生态补偿方案转发粤港澳三地政府，之后根据三地政府反馈意见最终确定补偿方案。具体的生态补偿问题协调确定的流程总结见图 18.4。

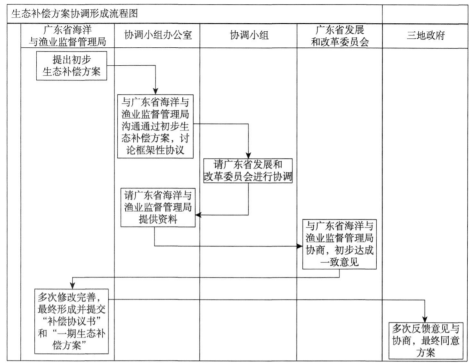

图 18.4　中华白海豚保护生态补偿方案协调形成流程图

从图 18.4 中可以看出广东省海洋与渔业监督管理局是方案的提出与修改完善者；协调小组办公室和协调小组是粤港澳三地政府的协调者；广东省发展和改革委员会受协调小组委托，是生态补偿方案决策过程的协调主体；粤港澳三地政府是协调决策过程的意见提供者与最终决策者。

与专题报告的审查上报过程不同，生态补偿决策过程不需要农业部渔业局的参与，这一点在后文会详细解释。

2008 年 11 月 10 日，港珠澳大桥工程对珠江口中华白海豚的影响专题研究报告获得农业部渔政渔港监督管理局的批复。这一事件代表港珠澳大桥中华白海豚保护决策已大致完成，为港珠澳大桥的建设与营运提供重要的基础，港珠澳大桥白海豚保护专题也形成了合适的方案。

5）中华白海豚保护决策历程的整体分析

从中华白海豚保护决策专题研究正式立项到最终方案的形成历时四年之久，期间面临重重挑战，可谓一波三折！从最初的保护区不调整，到推倒重来，临时调整保护区内功能区，从初步的整体生态补偿方案的出炉，到反复修改、步步细化的分期的生态补偿方案的形成，每一步所处的因素都是极其复杂的、困难是巨大的。每一次小小的推进都凝聚着研究所、政府机关部门各级决策者们的智慧和汗水。这一段艰辛的、波折的、具有重大意义的过程以决策问题为导向总结如图 18.5 所示。

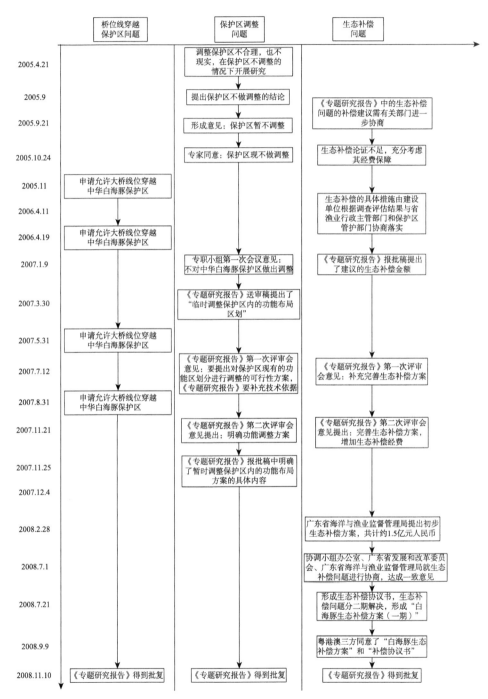

图 18.5　中华白海豚保护决策问题的决策过程

中华白海豚保护决策组织的决策过程如图 18.6 所示。

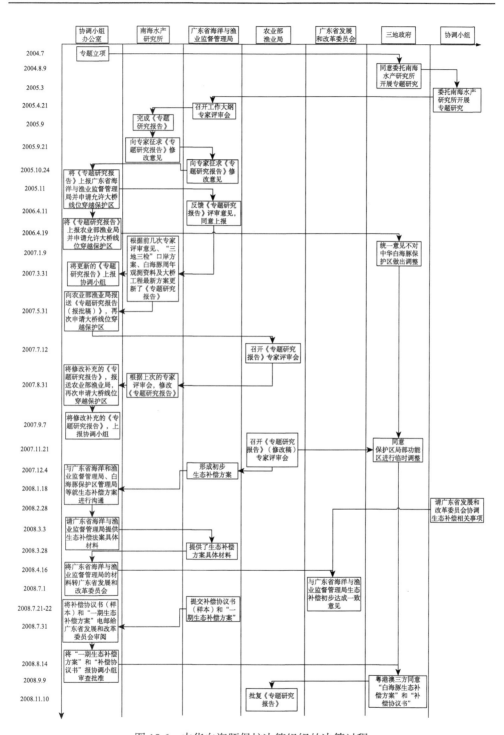

图 18.6　中华白海豚保护决策组织的决策过程

中华白海豚保护决策主要包括桥位穿越白海豚保护区、保护区调整、生态补偿三大问题，这些决策问题与外部环境之间存在着物质、信息与能量的交换，具有开放性，因此决策问题并非静止固化，其自身也处于动态的发展变化之中。

18.3.2　专题二：港珠澳大桥投融资决策

1. 港珠澳大桥投融资决策复杂性

港珠澳大桥投融资决策中的主要问题主要包括以下几个方面。

（1）选择主体工程投融资模式：如何在众多投融资模式中针对港珠澳大桥项目的特殊性，选择合适的、具有开放性与长期适应性的投融资模式成为港珠澳大桥主体工程投融资决策首先要解决的问题。

（2）确定投资责任分摊原则：针对海中桥隧主体工程需要粤港澳三地政府共同补贴的情况，进行三地政府投资责任分配的研究，可能存在四种分摊原则：费用均摊原则、属地划分原则、获益对等原则、经济效益费用比相等原则。如何在四种责任分摊原则中选择相对最优的原则，以便最大限度地缓和三方因坚持各方利益而产生的矛盾，成为港珠澳大桥投融资决策中具有关键性的问题。

（3）明确资本金以外资本融资模式：港珠澳大桥项目海中桥隧主体工程总投资（不含息）约为 320 亿元，项目的资金结构是 40%资本金和 60%债务融资，因此大桥主体工程资本金以外部分的融资方案的选择同样是港珠澳大桥投融资决策中不容忽视的问题。

港珠澳大桥投融资决策主要面临三个方面的挑战：决策问题的特殊性、法律事项对决策的影响、决策多方主体博弈。

（1）决策问题的特殊性：如上所述，港珠澳大桥资本金投融资决策需要解决选择投资主体、选择资本投融资模式、资本金在粤港澳三地政府之间分配比例以及资本金以外资金的融资方式等问题，而各个问题之间对内是相互联系、相互影响的，对外又影响着港珠澳大桥的建设方案和运营模式。港珠澳大桥投融资决策的复杂性主要是由港珠澳大桥决策的特殊性决定的，其特殊性具体体现在融资额巨大、法律影响因素突出及公共工程融资理念差别化。

（2）法律事项对决策的影响：对于港珠澳大桥而言，投融资模式与建设管理模式及运营管理之间有着直接紧密的关系，并且投融资模式选择本身需要综合考虑建设管理及运营管理中的诸多问题。由于大桥跨界的性质，上述诸多问题需在粤港澳三地法律法规框架内进行。对于港珠澳大桥投融资决策而言，不仅需要寻求影响多因素的合理的解决途径，更需要根据现有的法律框架寻求合法的解决途径，这些都进一步增加了投融资决策的复杂程度。

（3）决策多方主体博弈：为更好地平衡粤港澳三地政府的责、权、利关系，资本金在三方的分摊比例需要按照一定的原则来确定，港珠澳大桥投融资决策必须在三地利益综合关系中寻找一个平衡点。

2. 港珠澳大桥投融资决策确立

港珠澳大桥投融资方案的决策是在"不断对比、逐步逼近"的过程中逐渐确立的，整体呈现不断迭代和螺旋式上升的趋势。

1）投资原则与投资主体选择方式的明确

2005 年 4 月 2 日，在协调小组第五次会议上，粤港澳三方一致同意采用招标方式确定投资主体。由于粤港澳三地法律冲突、项目工作难度大、所需周期长，内地段和香港段投资主体招标模式也有所不同。在求同存异的思想下，粤港澳三方于 2007 年 4 月对投资主体的招标方式达成共识，三方一致同意"通过邀请招标方式选定由内地国有企业控股的项目投资者（组成粤港澳三地的联合体），中标人负责大桥海中桥隧主体工程的建设管理及运营，政府（三地或加上中央）给予一定的资本金补贴"的建议框架方案。

2）投资责任分摊原则的比选

《港珠澳大桥工程可行性研究报告》主要从经济费用效益分析的角度，对费用均摊原则、属地划分原则、获益对等原则和经济效益费用比相等原则进行了综合比选。在经济效益费用比相等原则进行分摊的情况下，项目整体、香港、澳门和内地的经济内部收益率均大于社会折现率，说明项目是可行的，并且无论是从项目整体还是从粤港澳三方的角度来看均具有较强的抗风险能力。

3）资本金以外融资模式的选择

在综合考虑三种方案利弊，并结合粤港澳三地政府征集的银行反馈信息之后，粤港澳三地政府在 2008 年 11 月 27 日的协调小组第九次会议上最终确定"资本金以外部分建设资金采用银行贷款，运营期资金缺口采用包括政府提供支持或采取承诺类似形式获得银行提供短期贷款/循环贷款的方式"进行项目资本金以外部分资金融资，即项目建设期所需的 218.7 亿元人民币采用银团贷款解决；运营初期负现金流部分由三地政府提供支持或采取承诺等类似形式获得银行提供短期贷款/循环贷款。为了保留方案的灵活性，在项目建成运营前，三地政府可与项目法人机构根据项目实施情况及政策与融资环境，进一步优化上述方案或寻求更好的替代方案，在征得银行意见的情况下妥善解决。

4）初定 BOT 投融资模式的过程

在 2006 年 7 月 14 日的协调小组第六次会议上，粤港澳三地政府结合以上三种可选投融资方式，从金融风险、监管成本、法律约束、投资人选择难度、建设期间协调难度、对项目的影响、前期准备时间、财务收入八个角度出发，通过了大桥投融资方案深化研究计划，并制定出五种具有可操作性的投融资方案。

2007 年 1 月 9 日，港珠澳大桥专责小组第一次会议召开，综合考虑五种可选方案以及港珠澳大桥投融资专题研究小组提交的《港珠澳大桥融资方案深化报告》，进一步确定了"三地政府分别负责口岸和连接线的投资，大桥主体以吸引企业、社会投资为基本模式"的原则开展进一步的资本金投融资模式研究。

2007 年 4 月，专题研究小组完成了对深化研究的修改和完善，提出了"口岸设施及接线工程三地各自负责，在中央专责小组的指导下，港珠澳大桥三地协调小组负责协调相关事宜。通过邀请招标方式选定由内地国有企业控股的项目投资者（组成粤港澳三地的联合体），中标人负责大桥海中桥隧主体工程的建设管理及运营，政府（三地或加上中央）给予一定的资本金补贴"的建议框架方案。

同年 5 月 2 日、8 日、24 日，澳门、香港、广东省分别提出对《港珠澳大桥融资方案深化研究报告》的反馈修改意见。

在 2007 年 6 月 1 日召开的港珠澳大桥前期工作协调小组第七次会议上，香港方提出"考虑到跨境项目建设管理的复杂性，香港境内大桥主体由香港特区政府出资兴建，作为港方政府对本项目的补贴"的建议模式方案；澳门方亦希望发挥政策的优势，但对大桥主体的补贴要在澳门特区政府财政能够承担的范围内，此外还要求明确政策边界条件并加以量化；广东方则表示专责小组会议已经明确大桥主体工程由社会投资，政府可在政策上给予支持。三方政府就大桥主体工程是采用"统一建设"还是"分界建设"建设管理模式的分歧，使主体工程投融资模式的选择陷入了僵持的阶段。直到 2008 年 2 月 28 日，粤港澳三方在港珠澳大桥前期工作协调小组第八次会议上达成共识，明确三地政府采用统一建设模式，合作建设大桥主体工程，并确定了"政府全额出资本金，资本金以外部分由粤港澳三方共同组建的项目管理机构通过贷款解决"的融资方式，项目性质为政府出资收费还贷公路。

至此，港珠澳大桥主体工程的投融资模式初步确立：大桥长 29.6 千米的主体工程将由中标财团以 BOT 形式建造，即按建设—经营—转移三步走，由企业承担大部分投资额。港珠澳大桥的投资主体将由内地企业牵头，鼓励内地、香港、澳门企业投资，并希望通过招投标竞争，吸引大型国有控股企业、跨国公司等有实力的企业参与，中标企业将获得港珠澳大桥 50 年的经营权。由于港珠澳大桥投资巨大，招投标得到的企业投资金额与总投资估算额之间的差额，将由粤港澳三地政府按照"效益费用比相同"的原则做出补贴。按照"效益费用比相同"的原则，通过计算，粤港澳三地政府将按 50.2%、35.1%、14.7%的比例分摊政府补贴投资。同时，三方还将各自建造并运营各自境内的口岸及连接线，香港境内的连线工程有 12.6 千米，广东境内的连线工程有 13.6 千米，这些工程将由各地自行建造。

5）放弃 BOT 确定政府全额出资

随着融资对象的界定、法律可行性及粤港澳三地政府承担责任和风险分配工作的完成，三地政府就投融资方案达成最终共识，确定本项目桥隧主体采用"政府全部出资本金，资本金以外部分由粤港澳三方共同组建的项目管理机构通过贷款解决"的融资方式。按照粤港澳三地经济效益费用比原则的投资责任分摊比例，香港为 50.2%，澳门为 14.7%，内地为 35.1%，在资本金约占项目资本总额 35%的情况下，香港、澳门、内地政府各自分配投资 67.5 亿元、19.8 亿元和 47.2 亿元。中央政府对海中桥隧主体工程给予资金支持，内地政府资本金由 47.2 亿元提高至 70 亿元，香港、澳门特区政府的出资额不变，得到项目资本金总额为 157.3 亿元，资本金约占项目资本总额的 42%。

项目资本金以外部分，由粤港澳三地共同组建的项目管理机构通过贷款解决，大桥建成后，实行收费还贷，项目性质为政府出资收费还贷性公路，粤港澳三地政府分别负责口岸及连接线的投资。将各自连接线从大桥及连接线工程剥离后的海中桥隧主体工程部分若在政府特批 50 年收费期情况下，按照较为乐观的收费方案，具备"政府全部出资本金，其余采用银行贷款"进行建设的可能。

至此，港珠澳大桥投融资决策方案最终形成。从港珠澳大桥投融资决策过程中我们可以看出，港珠澳大桥主体工程投融资决策是一个不断深化、逐次逼近的演进过程。

18.3.3 专题三：港珠澳大桥口岸模式决策

1. 港珠澳大桥口岸模式决策概述

港珠澳大桥口岸的作用主要是对香港、澳门、珠海的出入境货物、人员和交通工具进行依法监管，包括边防检查、海关查验及检验检疫等。三地口岸是港珠澳大桥工程重要的、不可或缺的组成部分，因而口岸问题是港珠澳大桥前期决策的关键问题。

1）口岸模式决策问题

港珠澳大桥的口岸模式决策主要包括以下几点内容：①口岸布设方式。港珠澳大桥横跨三个行政区，在口岸设置与检验中，口岸布设方式是采用一地两检、一地三检，还是采用三地三检是最基本的口岸模式决策问题。②口岸选址。口岸选址牵连甚广，对粤港澳三地的交通、环保及建设规划会产生较大影响，同时合理的选址有利于减少工程成本，因此要慎重决策。③口岸模式需明确的事项，包括口岸设计通过能力、口岸布置问题、通道验放时间、口岸面积等问题。

2）口岸模式决策挑战

港珠澳大桥口岸模式决策的挑战主要体现在以下几个方面。

第一，港珠澳大桥口岸决策与大桥跨界实施、运营和管理紧密相关。例如，粤港澳三地关于口岸建设技术标准及规范选择问题，运营期三地口岸内各查验部门的运作及管理要求存在差异的问题，港澳及内地不同的"左行、右行"交通规则，等等。口岸问题决策需要建立在对粤港澳三方需求和特殊性充分了解和认识的基础上，决策方案既要符合三地要求，又要满足三地需求。

第二，港珠澳大桥口岸决策涉及粤港澳三地的法律问题，增加了决策难度。特别需要注重的是在口岸方案制定过程中需要考虑由于口岸布设方式不同带来的管辖权问题，主要包括相关两地口岸间区域的管辖权由谁行使、如何行使等，港珠澳大桥管辖权移交是否有必要，若移交管辖权，则管辖权移交/接受需经过的立法程序等问题。

第三，对于港珠澳大桥来说，根据目前已有的跨界工程口岸布设经验所提出的两个备选方案都存在明显的不足之处。"一地三检"模式在操作过程中由于没有充分考虑双方在检验程序方面的差异，会引发一系列管理及司法管辖方面的冲突。"三地三检"相对"一地三检"，将涉及香港、澳门和珠海三个口岸选址问题和设计问题，大大增加了论证难度，同时也不可避免地会增加投资成本，加大投融资决策的难度。

2. 港珠澳大桥口岸布设方式决策历程

口岸布防方式的确定是口岸选址、口岸相关问题协调决策的基础。因而，港珠澳大桥口岸模式决策首先要进行口岸布设方式的决策。

1）口岸布设方式的备选方案

港珠澳大桥横跨粤港澳三地，涉及三地间的交通联系，其口岸布设方式共有"一地三检"、两个"一地两检"、"三地三检"三种口岸布设方式。"一地三检"是指在同一地点建设三地联合查验的口岸，但三地的口岸管区均相对独立。两个"一地两检"是指在大桥靠近澳门、珠海的地方，分别建设两个独立的口岸区（可填筑两个独立的人工岛），即香港/澳门口岸、香港/珠海口岸。"三地三检"是指大桥在香港、珠海、澳门的着陆点处，在各自的辖区分别建三个独立口岸，以港珠澳大桥连接三地口岸。

2）"一地三检"的初步决策

港珠澳大桥选择"一地三检"模式除了协调问题比较复杂外，还存在管辖权移交的问题。2005年5月27日，港珠澳大桥口岸专题研究小组针对"一地三检"可能产生的问题及对口岸设置和管理进行专题调研、深入论证。2005年9月至10月，在对香港和澳门调研的过程中，香港和澳门分别表示管辖权移交是"一地三检"模式下两地关注的重要问题。因此，"一地三检"模式除却较多的协调问题外，司法管辖权也是需要特别重点关注的问题。甚至可以说，司法管辖权问题或许直接决定了口岸布设方式是选择"一地三检"还是"三地三检"。

3）口岸布设方式的管辖权分析

港珠澳大桥布设的口岸将采用传统的口岸设置模式，三地均有各自独立的口岸管区，按照各自的法律规定对进出口岸的人员、车辆及货物进行查验，并根据各自的法律在各自的口岸管区内独立行使行政管理权和司法管辖权。

"一地三检"涉及的法律问题：是否可以将内地部分区域的管辖权交由香港、澳门，由香港、澳门根据各自法律行使行政管理权和司法管辖权，甚至就该区域涉及的问题行使立法权。因此，"一地三检"法律问题的实质是是否可以在内地区域实行香港、澳门的法律制度。

"三地三检"涉及的法律问题：两辖区（如广东、香港）口岸间区域的管辖权由谁行使及如何行使，特别是边境管理权如何行使；香港、澳门间往来的人员、车辆及货物经过广东境内桥体但不经过广东口岸区产生的问题。

"三地三检"口岸布设方式的形成：经国务院港澳事务办公室协调，港珠澳大桥口岸布设方式确定采用"三地三检"模式，即三地在各自行政区域分别建立独立查验的三个口岸，三地按照现行的查验模式进行各自口岸总体布置。

由港珠澳大桥口岸布设方式的整个决策历程可见，口岸模式决策的过程并不是通过简单的思维找到最优方案，需要综合考虑各种因素，经过反复统筹协调完善，逐步逼近较为满意的决策方案。从最初中交公路规划设计院推荐 "一地三检"口岸布设，到各方关于此方案的意见不统一，再到深入分析法律问题后发现这一方案存在较大问题的这一决策历程可见，港珠澳大桥口岸模式的决策问题涉及法律、政治、经济等诸多问题，不能仅通过基础的综合比选来确定决策方案，而应从每一个影响因素入手，深入比选备选方案的优劣点，其中应该特别注重与该决策问题密切联系的因素，如司法管辖权、管理的协调性与口岸布设方式选择的关系和影响的大小，也正因如此，港珠澳大桥口岸布设方式决策方案的科学性得到了很好的保证。

第19章 创新生态 需求牵引
——港珠澳大桥技术创新

19.1 港珠澳大桥技术创新概述

19.1.1 港珠澳大桥面临的技术挑战

1. 工程环境的挑战

港珠澳大桥坐落在珠江入海口区域,横跨伶仃洋,地理位置比较特殊,面临气象、水文、地质、通航、环保等方面的严峻考验,给工程建设技术提出了更新更高的要求。

首先,港珠澳大桥所在的珠江水域属于亚热带与热带过渡型海洋性气候,每年6级以上的大风天气超过200天,平均每年1.84个台风,近年最多高达6个,属于台风频发地。一般地,桥梁建设以现场施工作业为主。在这样恶劣的工程环境下,港珠澳大桥施工存在很大的风险,而且跟常规工程相比,其有效作业时间也必将大大减少。因此,建设者需要研发一套新的建设技术与方法,不但可以在有效的时间内完成工程建设要求,而且在建设过程中要尽可能降低施工风险,保证大桥的工程质量。

其次,严格的阻水率限制改变了传统的工程结构与施工方法,大大增加了施工难度。伶仃洋属于典型的弱洋流海域,为了降低港珠澳大桥建设对珠江水利防洪的影响,防止伶仃洋变伶仃滩,水利部要求其阻水率必须小于10%。其中,阻水率就是能够衡量水中物体(如桥墩)对水流阻流作用大小的值。港珠澳大桥为了满足阻水率这一要求,一方面,对人工岛设计提出了新的更高的要求,考虑其结构对阻水率的影响,尽量缩短人工岛的长度,通过数学、物理模型试验等对其结构进行优化来尽可能降低人工岛的阻水率;另一方面,经过严格的勘察与分析，最终决定承台将全部采用埋置式承台，即将承台埋入海床面以下 8~15 米，这在之前的桥梁工程中从未出现过，传统的现场浇筑混凝土施工方法不再适用，使得桥墩的制造和安装难度大大提升。

再次，航道与航空航线的综合要求使海底隧道方案成为唯一选择。珠江口海域是国内最繁忙的海上交通区段之一，船行密度大，每天的航运流量最高超过 4 000 艘/次。考虑到未来的可持续发展需求，航道至少要保证 30 万吨游轮的通航能力，相应的桥面高度需要大于 130 米，桥塔高度需在 200 米以上。然而，大桥又与香港大屿山机场航线相交，限制了其建设高度，最高为 120 米。为了同时满足通航净空尺寸要求和机场航空航线限高要求，大桥必须采用海底隧道的方案穿越伶仃西航道和铜鼓航道，且要埋在海床 20 米以下。在珠江这样恶劣的环境下，海底隧道无疑给整个项目建设带来巨大的挑战。

最后，白海豚保护给港珠澳大桥设计施工技术提出了更高的环保要求。港珠澳大桥刚好跨越珠江口中华白海豚国家级自然保护区，对白海豚海洋生态环境有着重要的影响，需要高度重视。在港珠澳大桥工程建设过程中，要尽可能避免现场施工对白海豚的影响，施工所产生的全部淤泥、泥浆均需配置专用船舶远距离抛卸至指定的抛泥区，降低对海洋环境的污染。

2. 工程结构的挑战

1）桥梁方面面临钢结构自动化制造和大面积桥面铺装等挑战

港珠澳大桥桥梁工程全长约 22.9 千米，是目前世界上最长的钢结构桥体。大桥桥位处于水文地质条件复杂、海域风浪条件严酷、离岸作业距离长、通航要求高、阻水比率要求严苛、服役年限要求高的复杂背景之中，面临较高的建设条件和技术标准带来的挑战。而且，根据设计方案，在桥梁上部结构中大规模使用钢箱梁，总用钢量为 42.5 万吨，相当于 60 个埃菲尔铁塔，并且要求在 3 年内完成制造，不但时间紧，而且要求在整个生产制造期间保持生产质量的一致性与稳定性。然而，目前我国的钢结构制造以半自动化和全人工化制造为主，不能满足大桥钢结构制造质量要求。另外，桥面铺装面积达 50 万平方米，是我国跨境公路桥已完成钢桥面铺装面积的四分之一，是目前世界上最大规模的钢桥面铺装工程。国内钢桥面铺装成功案例不多，故要在一年的工期内完成全部施工任务并保证 15 年的设计使用寿命，其困难是显而易见的。

2）海底隧道方面面临沉管预制、基础处理和浮运安装的挑战

港珠澳大桥海底隧道全长 5 664 米，由 33 节钢筋混凝土结构的沉管对接而成，是迄今为止世界上最长、埋入海底最深、单个沉管体量最大的沉管隧道。考虑到未来通航需求实现可持续发展，伶仃西航道和铜鼓航道至少要预留 30 万吨级航道。为了满足如此大的航道需求，沉管隧道最大埋深达海床以下 23 米，这样的

沉管隧道在世界工程领域内一度被认为是技术"禁区"（陈心羚，2016）。沉管隧道在建设过程中面临外海深水、厚软土地基、回淤荷载大、地震烈度高、管节长度长、纵向地层差异大、沉降控制难、水下对接难度大等特点。目前，在沉管隧道设计理论与方法、施工技术与装备、关键材料与产品等方面均不满足港珠澳大桥建设需求。海底隧道建设程序如下：首先，在工厂内进行管节预制；其次，进行隧道基础施工，控制基槽沉降；最后，进行沉管的外海浮运安装。工厂流水线生产管节在国内属于第一次，没有什么经验可循。管节浮运路线位于伶仃洋最繁忙的航道区域，浮运过程中操控难度大，且外海沉管浮运安装技术在国内处于空白，国际上也只有少数国家掌握。即使有一些掌握沉管隧道相关技术的国家，也会对我国进行技术封锁，上述种种因素使沉管隧道建设成为整个工程建设的重点和难点。

　　3）人工岛面临快速成岛和软基处理的挑战

　　人工岛是桥梁与沉管隧道进行衔接与转换的重要工程，用以满足岛上建筑物布置需要，并提供基本掩护功能，保障隧道的顺利建设和正常运营。人工岛地基分布着非常厚的淤泥、淤泥质黏土，地基条件差；同时，建设中还要面临外海环境波流、潮位对施工的影响，而人工岛对功能和建设速度的要求极高。为了满足工期要求，港珠澳大桥人工岛在国内外首次采用"钢圆筒围护结构+岛内填筑"方式快速成岛。东西人工岛总面积约为 20.1 万平方米，钢圆筒沿人工岛岸壁前沿线布置，其中西人工岛钢圆筒总数为 61 个，东人工岛钢圆筒总数为 59 个。钢圆筒直径为 22 米，根据海床地质情况高度 40.5 米至 50.5 米不等，堪称当时世界上最大的钢圆筒，设计垂直精度偏差为 1/200，需要超强的振沉设备，目前的振沉设备没有足够的振沉能量，无法满足钢圆筒的振沉需求。而且，两个人工岛所在海域水深约 10 米，软土层厚度在 20~30 米，需要将直径 22 米钢圆筒主铺仓格板插入几十米深的不透水黏土层，形成止水型岛壁结构，经回填砂形成陆域后，再进行软基处理并展开岛上段隧道建设。在这一过程中，如何进行地基加固并解决异常软弱的海底地基的稳定性与沉降问题，成为建造者必须直面的难题。

　　3. 120 年使用寿命的挑战

　　为了达到 120 年使用寿命的设计要求，增强耐久性、采取防腐措施、控裂措施及测量控制技术是关键。其中前三个因素保证了每一个子工程的使用寿命，测量控制技术保证的是由桥、岛、隧组成的大桥工程整体的使用寿命。

　　对于增强耐久性方面，一方面要有科学的耐久性设计方法，然而工程寿命影响因素复杂，加上耐久性的工程数据需要长时间的积累，现有的耐久性设计只能在已有工程经验的基础上，按标准规范的规定进行。这样的设计方法缺乏定量的理论依据，可靠性不足。另一方面要生产出满足性能需求的混凝土，然而港珠澳大桥构件种类繁多，性能要求各不相同，不同的性能要求对应的配合比不同，这使得混凝土的配合比设计变得十分复杂。

对于防腐措施方面，港珠澳大桥所处的珠江口水域环境具有"三高"的特点，即"高温、高湿、高盐"，这里比其他海水具有更强的腐蚀性。而且，港珠澳大桥构件类型众多，不同的构件可能会存在不同的防腐需求，这给施工建设者在选择采取何种防腐措施时带来巨大挑战。

对于控裂措施方面，一般来说，混凝土结构尺寸体量越大，越容易出现裂缝。例如，我国首次建设的由 33 节沉管构成的 6.7 千米沉管隧道，最深超过 40 米水深，任何一处出现裂缝都会给大桥带来致命的危害。沉管隧道的每节管节具有 3 400 立方米混凝土，对于这样超大体量沉管的裂缝控制又是一项挑战。

对于测量控制技术方面，港珠澳大桥跨海距离长、工程规模大，含桥梁、隧道、人工岛等多种工程类型，精度要求高，分多标段施工，参建单位多，并且在施工过程中，桩基施工、埋置式墩台吊装、墩身施工、制作安装、梁板安装、斜拉桥主塔施工及斜拉索定位、沉管隧道基槽开挖及管节沉放、软基位移及沉降监测、施工期变形监测等，几乎所有项目都需要测量控制工作的严密配合，任何测量数据的细微差错，都可能导致重大质量事故。传统的施工测量方法已经不能满足大桥建设的应用需求，这给大桥建设测量工作带来了巨大挑战（熊金海和李书亮，2012）。

19.1.2　港珠澳大桥技术创新认知

1. 港珠澳大桥技术创新内涵界定

工程技术的本质是对工程一般规律的认识与反应，是指人们根据工程建设实践和自然科学原理总结积累起来的经验、知识而形成的工程造物必需的各种工艺、方法、技能与手段。技术缺失现象实质上反映了工程建设者对工程及其环境的一般规律认识不足，是工程产生新技术需求的关键原因。为了满足技术缺失产生的新技术需求，港珠澳大桥不得不进行技术创新。港珠澳大桥技术创新主要是指在港珠澳大桥的工程设计阶段和工程施工阶段，为了解决技术缺失问题、推进大桥工程顺利建设和实现其工程建设目标，通过对现有技术的改进或者科研、试验等手段实现港珠澳大桥建设所需新技术并实现新技术在工程建设阶段成功应用的过程。例如，为了快速成岛，项目部讨论研发出"大圆筒围堰快速成岛+岛内填筑"工艺，但是该工艺所使用的是世界上最大的钢圆筒，目前没有相应的振沉设备满足其振沉需求。为了实现人工岛的成功建设并且确保港珠澳大桥工程的顺利施工，项目部联合上海振华重工和美国 APE 公司共同研发 8 台大型液压振动锤联合振沉系统，实现了相应的技术创新，不仅保证了人工岛的顺利建设，同时满足了工期要求（刘亚平和陈维仑，2011）。

2. 港珠澳大桥技术创新价值

技术创新价值可以理解为技术创新的一种目的，是技术创新活动成功与否的一个评价指标。因此，港珠澳大桥技术创新价值主要是指港珠澳大桥技术创新活动创造的新技术成功满足工程建设需求，以及在其他项目中得以推广应用的意义。在此基础上，我们将港珠澳大桥技术创新价值分为两方面：工程价值和市场价值。

1）港珠澳大桥技术创新的工程价值

港珠澳大桥技术创新的工程价值是指创造的新技术满足工程建设需求，可成功应用于大桥工程造物的实践活动当中，推动工程建设的顺利进行。港珠澳大桥工程环境具有复杂性和深度不确定性，创造的新技术在工程建设中发挥效用的同时又存在一定的风险，所以技术创新工程价值的实现必须要遵循技术工程一体化原则。技术工程一体化是指实现技术效用与工程需求之间相互耦合，不断逼近工程需求，从而保证新技术施工质量和可靠性的过程。港珠澳大桥技术创新的新技术方案在应用于工程之前，需要在原理正确的基础上进行必要的工程荷载试验、模型试验、足尺试验、现场试验等，同时要经过实验室试验、中间试验、扩大试验等中间环节与过程。需要从工程现场实际需求出发，获取真实信息与数据，不断修改、完善技术方案，再回到工程现场。如此反复多次，可最大限度地降低技术风险、确保技术方案的可行性与可靠性，这是新技术适应港珠澳大桥建设需求的工程价值。

2）港珠澳大桥技术创新的市场价值

港珠澳大桥是我国由桥梁大国向桥梁强国迈进的里程碑项目，代表了当前跨海通道工程建设的最高水平，其突破了多项大桥世界之最，具体表现如下：港珠澳大桥是世界上最长、综合难度最大的跨海大桥；修建了世界上最长、埋深最大及世界上最大规模深水无人对接的海底公路沉管隧道；采用了世界上最大尺寸的高阻尼橡胶隔震支座；海底隧道"半刚性"沉管结构、深插式钢圆筒快速成岛技术均为世界首创。因此，港珠澳大桥不但是国内桥梁行业的典范，而且引领了国内外桥梁行业的发展，跟一般工程相比，港珠澳大桥技术创新的市场价值显得尤为重要。港珠澳大桥的目标不但是要建设世纪工程、精品工程，还要将其工程技术变为一种行业规范，推向世界，从而成为世界级的工程范式。例如，将港珠澳大桥建设过程中形成的一些技术标准进行整理输出，转化为行业标准；或将港珠澳大桥的技术创新系统转移到其他项目或为其他项目提供指导，推动相关类似项目的顺利进行，进而推动整个行业的发展。可以说，港珠澳大桥技术创新市场价值不仅是对港珠澳大桥技术创新工程价值的升华，更是代表了我国的综合实力，具有极大的推广应用价值，是我国桥梁行业从"引进来"到"走出去"的关键，是我国实现从桥梁大国走向桥梁强国的重要机遇。相关部门在港珠澳大桥建成后，结合港珠澳大桥中桥、岛、隧多元化集群工程的施工建设经验，逐步系统总结出我国重大交通基础设施的原创管理方略，并形成行业技术标准，对粤港、粤澳间类似跨境项目及珠江口东西两岸间同类跨海通道项目甚至国外类似跨海跨境项目，提供成套、成体系的管理理论及技术标准输出，为大湾区乃至国内外通道建设提供重要参考，增强我国在国际上的竞争力。

综上所述，港珠澳大桥技术创新价值体现了港珠澳大桥技术创新活动的目的，技术创新价值的实现与否决定了技术创新活动的成败。港珠澳大桥技术创新价值主要包括工程价值和市场价值，工程价值通过新技术在工程施工过程中的成功应用来实现，市场价值通过技术标准体系的形成与推广来实现。可以说，工程价值是技术创新的基本价值，市场价值是工程价值的升华，要先实现工程价值才有可能实现市场价值。市场价值的实现不但有力推动国内桥梁行业的发展，而且有利于增强我国在国际上的竞争力，增强我国在该工程领域的话语权。

19.1.3　港珠澳大桥技术创新复杂性分析

由 5.1.2 小节可知，港珠澳大桥技术创新活动是为了满足工程的建设需求进行新技术的创造活动，应将港珠澳大桥技术理解为一个支撑和保证实现工程实体完成的技术体系，而不仅是一项或几项单元技术。港珠澳大桥技术创新复杂性主要体现在以下四个方面。

1. 港珠澳大桥技术创新需要多主体协同创新

港珠澳大桥技术涉及多个领域、多个学科，如桥梁建设、人工岛建设及隧道建设，需要运用多学科知识综合创新，单个的创新主体所涉猎的知识有限，难以满足港珠澳大桥技术创新知识需求，需要由多个创新主体共同进行技术创新。正如我们前面提到的，技术创新实质上是对资源的重新整合与配置，多个创新主体极大地增强了创新主体群的资源整合能力，但同时也不可避免地形成了多元价值观和多元利益并存的格局，而这正是形成港珠澳大桥技术创新复杂性的原因之一。港珠澳大桥技术创新主体群主要包括业主、设计单位、施工单位、大学、科研单位、监理、咨询单位及承包商、供应商等，其中，业主在港珠澳大桥工程建设中代表政府，代表社会与公众的价值取向，而在市场经济体制下的承包商与供应商不仅有着各自的利益诉求，彼此还会有许多错综复杂的矛盾，甚至出现各种尖锐的冲突和异化行为。因此，多主体协同创新虽然提高了创新主体群的创新力，但是构建怎样的创新体系来平衡多个创新主体之间的利益，建立怎样的运行机制来不断提升创新主体群的创新力以不断适应港珠澳大桥工程建设需求，这些问题增加了技术创新的复杂性。

2. 港珠澳大桥技术创新具有独特性

港珠澳大桥技术创新的独特性体现了港珠澳大桥技术创新活动的不可逆性以及工程本体和工程环境的唯一性。首先，港珠澳大桥的技术创新活动具有整体不可逆性，因为它不是针对某一技术单元的单一活动，而是一个技术创新活动体系，其集中在工程前期规划设计阶段进行的技术创新活动的基础性设计与论证工作上，并在工程施工阶段落实。因此，绝大多数的技术创新活动基本上是在工程规划设计阶段经反复研讨、多方论证完成的，在施工阶段基本不会有大的变动。

其次，每一个重大工程的施工建设都是在一个环境系统中进行的，并具有一定与周围环境相适应的工程结构，港珠澳大桥的技术创新要考虑其独特的工程建设环境。例如，港珠澳大桥的桥位刚好穿过伶仃洋最繁忙的水运航道，附近又离香港机场很近，航道对大桥的高度要求及机场航线对大桥高度的限制决定了港珠澳大桥的建设只能采取海底隧道的形式建设。那么问题在于，如果采取桥梁和海底隧道两种方式来建，如何进行衔接，于是便有了桥岛隧集群的设计方案；另外，港珠澳大桥地处珠江口水域，根据水利防洪要求，避免沉积的泥沙阻塞航道，桥墩的阻水率要低于 10%。因此，传统的桥墩现场浇筑方式不再适用，港珠澳大桥在国内首次在非通航孔桥采用低桩埋置式承台，即将承台埋入海床面以下。受水深、波浪、地质环境的影响，埋置式承台的海上装配也面临极大的技术挑战。港珠澳大桥业主提前组织研究试验，确定了一套基本方案，并在招标文件中允许承包人根据自身技术力量、设备状况、管理水平、科研成果及施工经验，提出适应各自施工海况及地质情况的更好的替代方案，最大限度降低了海洋环境对施工的影响。其中，CB03 标采用了钢圆筒围堰干法施工安装方案；CB04 标采用了附着式方形钢套箱+分离式胶囊柔性止水招标方案，自主研制了新型封堵止水装置及相应工艺，较好地解决了 16 米水深处埋置式承台与钢管复合桩间的止水问题；CB05 标采用双壁锁口钢围堰封底干法安装方案（高星林等，2016）。

3. 港珠澳大桥技术创新具有重大突破性

港珠澳大桥技术创新的重大突破性体现的是港珠澳大桥技术创新的原创性以及实现了一批重大技术突破。港珠澳大桥在一个颇具挑战性的工程环境下实施建设，且工程集桥梁、海底隧道、人工岛于一体，设计使用寿命达 120 年，技术标准高于同类工程。港珠澳大桥作为一项超级工程，引领国内外桥梁行业的发展，在很多方面实现了重大突破，如港珠澳大桥是世界上最长的、用钢量最多的钢结构桥梁；港珠澳大桥沉管隧道是世界上最长、埋深最深、技术最复杂的海底隧道；港珠澳大桥沉管预制厂是世界上最大的沉管预制厂；等等。港珠澳大桥的这些特点均可堪称世界之最，对现有技术的一般性改进、优化与完善已无法满足其建设要求，需要针对工程问题具体分析技术需求，然后根据技术需求在原理、材料、设备等方面实现阈值突破，从而率先创造出满足大桥工程建设需求的前所未有的新技术，这便是港珠澳大桥技术创新的重大突破性。例如，面对国外技术封锁，港珠澳大桥岛隧项目关键技术走上自主研发道路，成功实现世界上最大沉管管节预制，创新性提出了"复合地基组合基床方案"，可控制沉管均匀沉降，并创造了具有知识产权的施工专用设备及工艺，实现了沉管管节在外海域的浮运安装。另外，港珠澳大桥作为世界上最长的钢结构桥梁，其钢桥面铺装长 15.824 千米，铺装面积达 50 万平方米，相当于 8 座苏通大桥的铺装量。然而，国内的桥面铺装技术与理论尚不成熟，施工多半都是半自动化的，防水层施工更是全部人工化操作。为了保证港珠澳大桥钢桥面铺装质量，港珠澳大桥组织相关人员对工艺进行改良，将半自动化的设备改良为车载式，研发了机械化设备取代人工操作。港珠澳大桥通过技术创新，桥面铺装由原来的半自动化和人工化转化为全自动化，体现了港珠澳大桥技术创新的重大突破性。

4. 港珠澳大桥技术创新所处的环境具有深度不确定性

环境的深度不确定性要求港珠澳大桥技术创新必须具有动态适应性。港珠澳大桥技术创新集中在工程前期规划设计阶段，但是，港珠澳大桥地处珠江入海口，高温潮湿，台风频发，环境条件具有深度不确定性，使得创新主体无法准确掌握港珠澳大桥工程环境的变化规律，且工程施工也会影响其演变规律。随着施工过程的推进，工程环境规律有可能发生重要变化，或者出现创新主体在设计阶段从未预测到的现象，影响工程建设的顺利进行，或者出现新的技术创新需求。例如，在沉管隧道的施工安装过程中，伴随沉管沉放深度的加深，施工主体十分关注海流对安装的意料之外的影响。海流的一般规律是，水面下三分之一处的流速最大，越接近海底越小，然而分析发现，在第 10 节沉管安装时，水下 40 米处的流速要远远大于水下 10 米处。原有的预测模型已不能满足需求，紊流使得沉管在海底产生低频长周期摆动，很难精确测量，国内外对深水基槽紊流的研究均属空白。监测团队不折不挠，四处调研，经过多方比选，最终选定了测试仪器，并在国防科技重点实验室同步进行超低频大振幅监测室内试验研究。最终形成的沉管运动姿态实时检测系统与之前的小区域、精细化、长周期的海洋环境预报系统共同组成三维的立体监测系统，不仅解决了深水深槽的沉管沉放问题，还可以更好地为沉管安装选择更加精确的施工窗口（任明朝，2014a）。

为了实现港珠澳大桥技术创新的工程价值和经济价值，降解港珠澳大桥技术创新的复杂性，更好地适应和满足港珠澳大桥建设需求，值得思考以下两个问题：①港珠澳大桥需要建立怎样的创新体系或系统来增强创新力，满足技术创新需求；②港珠澳大桥通过制定怎样的技术创新战略来指导创新主体更好地进行技术创新活动。

19.2 港珠澳大桥技术创新生态系统

19.2.1 港珠澳大桥技术创新生态系统的认知

跟一般工程技术创新和企业技术创新相比，港珠澳大桥技术创新涉及的技术往往非常复杂、技术标准高，包含多个领域和学科。因此，港珠澳大桥的技术创新需要的是多学科跨领域的综合知识体系，单个创新主体的知识体系及认知能力远远不能满足港珠澳大桥技术创新需求，需要由不同专业、不同领域的专家组成技术创新系统，共同解决港珠澳大桥的技术难题。在以往的重大工程建设过程中，往往通过构建相应的技术创新平台进行技术创新。虽然技术创新平台可以为港珠澳大桥工程的技术创新提供相应的环境与条件，使得创新主体的创新能力得到提升，但是传统的技术创新平台体系具有静态性，只能解决某一类相对简单的问题，不足以应对港珠澳大桥所面临的如此复杂的技术挑战。因此，为了推动港珠澳大桥建设的顺利进行，其技术创新平台不得不从一般技术创新体系向技术创新生态系统演化。在港珠澳大桥技术创新生态系统中，创新主体不断涌现更替，并在全生命周期不同阶段以自组织、自调节和自适应的方式，通过资源和要素的有机整合，形成不同的创新群落，并不断耦合、演化以提升创新能力，通过多主体进行协同创新，推动技术创新生态系统的进化（曾赛星等，2019）。在技术创新生态系统中，生态网络是进行知识交换和信息传递与共享的基本通道，是技术创新能力提升的基本路径，也是创新资源有效配置的通路。

港珠澳大桥技术创新生态系统是指在港珠澳大桥技术创新过程中，业主、设计方、施工方、咨询机构、高校及科研机构、政府部门等创新主体为港珠澳大桥所面临的技术挑战寻求系统有效解决方案所形成的多主体交互演化的、具有"生命力"和"进化力"的生态系统（曾赛星等，2019）。跟一般的技术创新生态系统相比，港珠澳大桥技术创新生态系统具有动态性、自组织、自演化等特点，具有较强的适应港珠澳大桥技术需求不确定性的能力和技术创新能力。另外，基于生态学角度，有一些技术创新主体可实现的创新活动或创新功能类似，我们称由这些技术创新主体组成的群体为技术创新种群，即不同技术创新种群中的技术创新主体其创新功能有着本质的不同。进一步地，不同技术创新种群的部分创新主体通过一定的内部结构形成技术创新联合体，这个联合体可实现主体间的知识共享、功能互补，从而保证大桥工程技术创新的顺利进行，我们称这个联合体为技术创新群落。例如，在港珠澳大桥建设过程中，由中国交通建设股份有限公司牵头，由中交公路规划设计院有限公司、艾奕康有限公司、丹麦科威国际咨询公司、上海城建（集团）公司、上海市隧道工程轨道交通设计研究院及中交第四航务工程勘察设计院有限公司组成的联合体就是一个技术创新群落，负责岛隧工程的设计及施工等工作，支撑着岛隧工程建设的顺利进行。另外，国家科技支撑计划团队与技术专家组事先介入，攻克技术瓶颈，整合多方需求，引导创新方向。

在港珠澳大桥技术创新过程中，不同的技术创新种群和群落针对工程建设所面临的技术难题进行竞争、合作（如信息交流和知识传递等）及共生等一系列活动，从而演化成具有一定内部结构的可以应对大桥工程技术难题的生态系统，即我们前面所说的港珠澳大桥技术创新生态系统。在港珠澳大桥技术创新生态系统中，不同的创新主体具有不同的创新内容、领域和位置，我们称创新主体在创新生态系统中所对应的创新内容、领域和位置为技术创新主体的创新生态位，并且，针对具体的技术问题，不同创新主体的创新领域在具体的创新过程中又有着不同的重要性，因此，我们称创新主体创新内容的重要性为创新生态势。伴随工程建设的推进，技术创新生态系统中创新主体的创新生态势可能在不断地发生变化。

19.2.2　港珠澳大桥技术创新生态系统的动态演化

1. 多主体共生竞合

港珠澳大桥技术创新是一个"群决策"过程，是由多个创新主体协同进行的，具体地，在技术创新生态系统中，不同创新主体之间表现为共生关系、竞争关系和合作关系三种模式。其中，共生关系是指港珠澳大桥技术创新主体之间相互依赖，为解决港珠澳大桥技术难题或瓶颈共同努力，实现技术突破。例如，在港珠澳大桥的建设过程中，中铁山桥集团有限公司（以下简称山桥）是港珠澳大桥工程钢箱梁的主要制造商，其不但希望通过钢箱梁的制造获得经济上的利润，而且希望作为港珠澳大桥钢箱梁重要供应商而提升自竞争力，而港珠澳管理局主要考虑选择优秀的供应商以保证桥梁建造的质量。在港珠澳管理局科研计划的推动下，山桥借助港珠澳大桥工程加速了本企业在钢箱梁制造上的技术创新，包括新设备与新工艺的研发和应用，在港珠澳大桥技术创新生态系统中，两者表现为共生关系。

竞争关系是指不同创新主体之间相互竞争，通过自身比较优势完成港珠澳大桥技术创新。例如，在港珠澳大桥建设施工过程中，钢箱梁落到墩台后，需要通过数个千吨级千斤顶调位，从而达到毫米级的精度要求。这要求同一平面的数个千斤顶动作一致，调位误差不超过 1 毫米，这一精度调节体系在国内桥梁建设中首次使用。最后中标的技术方案融合了其他 4 个厂家的长处，增加了 103 个细部条目，成为确保钢箱梁毫米级吊装精度的重要保障。在这一过程中，这 5 家千斤顶供应商在港珠澳大桥技术创新生态系统中一度表现为竞争关系。

合作关系是指不同创新主体之间通过合作联盟或项目合作等方式，实现技术交换、知识转移和信息共享，从而完成港珠澳大桥的技术创新。例如，在沉管隧道的安装过程中，面对深水水流紊乱等难题，岛隧工程项目与中国航空工业集团公司建立合作关系，通过知识交流与共享实现海底水流流速的精准测量，建立了全方位监测系统，解决了安装过程中的紊流问题。

2. 多阶段交互演化

港珠澳大桥技术创新生态系统是由来自不同种群的创新主体组成的，不同种群的创新主体有着不同的创新生态位，不同创新主体对应的创新生态势也有一定的差异。创新生态势越高的创新主体，其在港珠澳大桥技术创新生态系统中越重要，越靠近核心地位。因此，我们称技术创新生态势最高的技术创新主体为港珠澳大桥技术创新生态系统中的技术创新序主体。与其他重大工程的技术创新体系不同，港珠澳大桥的技术创新生态系统不是为了实现某一固定的网络状态或者功能产出而构建的，而是通过技术创新主体之间的资源共享、知识传递、信息交流、有效学习和共同抉择等实现创新主体与环境之间的动态演化，最终形成自适应、自调节和自组织的联合体（丁荣余，2018）。所以港珠澳大桥技术创新生态系统的结构不是一成不变的，而是随着工程施工的进行，不断与工程环境发生动态演化与耦合。

港珠澳大桥技术创新生态系统的多阶段交互演化是指技术创新主体的内部结构将根据港珠澳大桥工程目标与环境的变化进行相应的调整与变动，表现出一定的"柔性"，以不断适应和满足港珠澳大桥的技术创新需求。具体地，港珠澳大桥技术创新生态系统融合了工程技术创新的过程与内容，在技术创新过程中表现为纵向性和横向性。纵向性是指从时间维度描述港珠澳大桥技术创新生态系统中创新主体功能与行为的动态演化，强调大桥的技术创新的有序过程，即在不同的工程阶段，技术创新生态系统中的技术创新主体的生态势的变动，特别是技术创新生态势最高的技术创新序主体发生的变化。横向性是指从空间维度描述港珠澳大桥技术创新生态系统中创新主体的任务变化，强调大桥的技术创新的功能内容。港珠澳大桥技术创新生态系统是一个包含多个子系统的综合系统，每一个子系统的创新功能与目标都各不相同，所以每一个子系统的技术创新主体的创新生态位都会有所不同。

由此可知，港珠澳大桥技术创新生态系统具有多阶段交互演化特性，无论是从其横向性还是纵向性看，均能更好地适应港珠澳大桥技术创新过程和技术创新内容的变化，从而满足其技术创新需求。

3. 跨项目动态迁移

在港珠澳大桥技术创新生态系统中，创新主体所拥有的生态位和生态势会产生相应的生态势能，即满足大桥工程建设需求实现技术创新的创新力。港珠澳大桥涉及的技术难题大多属于行业内较普遍的技术难题，因此，能够解决港珠澳大桥技术难题的创新生态系统正是行业内所需要的生态系统，其所具备的创新力不仅可以解决项目自身的技术难题，还可以促进其他类似的工程项目的技术难题得以解决，有利于加快行业技术研发，推动整个行业技术发展，因此，港珠澳大桥创新生态系统还存在创新势能的溢出效应。港珠澳大桥创新生态系统创新势能的溢出效应是指某一技术创新成果可以通过创新生态系统转移到其他类似重大工程系统中，通过扩散、转化促进该创新生态系统的发育和进化。

港珠澳大桥工程技术聚集了桥梁行业最顶尖、最复杂、最困难的建设技术，其技术创新生态系统有着强大的创新力，其创新成果不仅引领桥梁行业的发展，同时也为类似工程提供了相应的借鉴。例如，在建设过程中为了满足粤港澳三地政府协议和工程建设需求，港珠澳大桥管理局组织行业相关单位，针对设计、施工、验收及运维等环节，编写了 58 项系列内部技术标准，这些标准是基于技术创新活动对工程实施过程中关键技术的高度总结及概括。中国公路学会开展团体标准研制工作以来，始终把服务港珠澳大桥项目科技创新及成果转化作为重点工作跟进落实。2017 年以来，中国公路学会已协助港珠澳大桥管理局完成了《港珠澳大桥设计规程》《港珠澳大桥施工技术规程》《港珠澳大桥项目运营维护设计指南》《港珠澳大桥沉管隧道设计与施工指南》《港珠澳大桥混凝土结构耐久性设计指南》《港珠澳大桥混凝土耐久性质量控制技术规程》《港珠澳大桥节能减排技术指南》《港珠澳大桥工程建设职业健康安全环境管理指南》《港珠澳大桥施工及质量验收标准》《港珠澳大桥测量技术规程》共 10 项内部技术标准，并将其提升转化为中国公路学会标准的组织及实施工作，这 10 项内部技术标准涵盖了沉管隧道设计施工、工程主体结构耐久性控制、施工环境保护等各个方面，在工程实施过程中发挥了至关重要的作用[①]。技术标准的转化与推广充分发挥了港珠澳

---

① 资料来源：中国公路协会：https://www.cast.org.cn/art/2018/10/26/art_381_49113.html。

大桥标准的技术引领优势，依托海外工程，建立"中国标准"，服务我国"一带一路"倡议，引领我国跨海通道技术发展到一个新的更高的水平。

19.2.3　港珠澳大桥技术创新生态系统的创新力提升路径

在港珠澳大桥技术创新生态系统中，具有不同生态位和生态势的创新主体在港珠澳大桥科技创新规划和工程目标驱动下，通过自组织和自适应过程形成技术创新生态系统，从而形成有机、有序、动态平衡的创新场。港珠澳大桥在工程建设过程中，为了充分发挥并提升技术创新生态系统的创新能力，主要采取了以下三种途径。

1. 强化业主的创新引导力

在港珠澳大桥技术创新过程中，业主设计技术创新综合体系的基本框架，因为不同的企业在市场中的竞争力不同，拥有不同先进水平的技术、人才与设备，所以市场通过企业竞争在该框架内进行资源配置，尽可能地让实力较强的龙头企业获得更多的资源，促进其进行相应的技术创新，充分发挥企业的创新引导力。强化企业的创新引导力是指在港珠澳大桥技术创新生态系统中充分发挥企业特别是龙头企业在技术、设备、工艺、专业等方面的优势，引领技术创新活动的顺利进行，从而推动大桥工程建设。

例如，山桥已通过 ISO 9000、ISO 14000、ISO 18000 和 UKAS（United Kingdom Accreditation Service，英国皇家认可委员会）等认证，其管理、制造与服务覆盖于生产全过程，在钢桥梁、钢结构产品生产方面可以说是国内的龙头企业，被誉为中国钢桥的摇篮。当港珠澳大桥面临大量钢结构生产质量问题时，为了实现技术创新，充分发挥了业主的创新引导力，基于山桥的技术、设备及人才，并以山桥为创新主力通过联合科研机构研发、技术引进等各种手段进行设备研发与工艺改进，最终成功实现钢箱梁的自动化制造，保证了钢结构的生产质量。港珠澳大桥通过充分利用山桥拥有的资源与专长实现了技术创新，解决了港珠澳大桥钢结构产量大、标准高的技术难题。

对于港珠澳大桥而言，建设过程中需要多个行业、多个专业、多门技术集成，跨地区整合资源、处理诸多复杂矛盾，业主往往不完全具备担负如此繁重的资源整合任务的能力，因此，在以业主为主导发挥企业创新引导力的同时，需要多方支撑。多方支撑是指由于重大工程在建设过程中面临的复杂问题与建设难度，技术创新生态系统不但需要业主、承包商、学研单位之间的相互协作与促进，还需要来自其他咨询单位、设计单位等的支持与建议。例如，需要通过业主代行政府职能，帮助进行资源整合，为其创新提供良好的环境；需要联合设计、施工、高校、科研机构等针对具体的技术难题共同进行研究；需要咨询单位进行审查和召开专家会议进行方案的评审；等等。

2. 发挥业主的培育作用

对于港珠澳大桥管理局而言，注重对国内企业的扶持与培育，适当采取手段进行激励是非常必要的，这能够从整体上提升我国各方面的技术创新水平。港珠澳大桥管理局既要培育技术创新的环境与文化，又要进行文化资源、科技资源的整合，在港珠澳大桥技术创新生态系统中，为大桥工程技术创新提供良好的生态环境与基础。

例如，在港珠澳大桥钢箱梁供给过程中，港珠澳大桥管理局对企业采取了以下几种培育措施：①在标书里面强制要求实施科技创新。对企业增添钢梁制造必需的自动化设备提出了强制性要求，凡设备不满足要求者，将不予通过招投标资格审查。同时，在评价办法中，设置了独立的自动化水平评分项，并在技术分值中占很大比重等，以此来约束和激励投标企业在投标阶段就加大资源投入，引进自动化技术和设备，最大限度地缓解中标后的工期压力和项目风险。②在经济上和技术上进行保障。③在合同中设置联合公共科研项目，助力钢箱梁自动化生产技术体系的开发与完善。在经济上，我国工程行业竞争激烈，为了能够中标，投标企业通常压低自己的投标价，国内竞争的单价使得像山桥这样的企业没有办法和小企业去竞争，这种情况也使得企业根本没有能力在技术创新上进行投入。

3. 促进创新主体的交互协同

港珠澳大桥技术创新生态系统的目的是通过技术创新主体间的交互协同实现价值共创，从而满足大桥的技术创新需求。前面已经提到，技术创新生态系统除了要以企业为主外，同时也离不开多方主体的支撑。需要注意的是，如果只是简单机械地将这些创新主体组合在一起，各个主体之间不进行相应的知识传递与交流，那么技术创新生态系统也不能很好地满足港珠澳大桥技术创新需求。只有技术创新主体之间形成一种稳定的结构，主体间不断地进行交互，系统内部才能更好地进行知识交流与共享，从而实现价值增益，即达到"1+1>2"的效果。交互协同是指港珠澳大桥技术创新生态系统中技术创新主体通过知识共享和信息交流实现价值增益，各个技术创新主体通过相互协作共同为港珠澳大桥面临的技术挑战提出独特的、系统的解决方案的过程。

港珠澳大桥技术创新生态系统中技术创新主体之间的交互包括内部交互和外部交互。其中，内部交互主要是指港珠澳大桥技术创新生态系统中同一种群的技术创新主体之间或者不同种群的技术创新主体之间通过技术交底、专题讨论等活动进行知识共享和信息传递。例如，港珠澳大桥在岛隧工程建设施工过程中，E10 管节清淤面临水深、淤泥点位置特殊等特点，使得清淤活动比以往要困难许多。港珠澳大桥管理局组织清淤技术专题会，各个技术骨干进行相应的技术交底和专题讨论，最终大家就这一问题达成了共识："捷龙"轮争取在平潮时段施工，靠近 E9 管节清淤时进行"盖章式"清淤，对淤积较严重处要反复多遍清淤，坚决不留死角。外部交互体现了港珠澳大桥技术创新生态系统的开放性，即技术创新生态系统中的技术创新主体不但在内部彼此之间进行交互，而且与外部的一些创新主体进行知识共享、经验学习、技术引进等。例如，港珠澳大桥技术创新过程中针对港珠澳大桥大面积桥面铺装问题，引入中国香港安达臣沥青公司、瑞士埃施利曼沥青工程公司等，为解决桥面铺装问题提供了一定的指导；山桥通过引进日本神钢先进的电弧跟踪技术，研制了反变形船位焊接机器人，大幅度提升了板单元制造设备的机械自动化水平，确保板单元制造质量的稳定和高效。

由此可知，港珠澳大桥技术创新生态系统中的创新主体通过信息交互实现功能互补、知识共享、价值增益，使技术创新生态系统发生进化，涌现出更高的技术创新能力，共同实现技术创新并满足港珠澳大桥的关键重要技术创新需求。

19.3　港珠澳大桥技术创新战略

由 19.1 节的分析可知，港珠澳大桥技术创新是指造桥过程中为满足工程建设需求实现新技术的发明创造与成功应用的一个过程，可以说是一个完整的复杂系统工程。根据港珠澳大桥造桥活动的属性及作用，港珠澳大桥技术创新战略选择主要包括以下战略要点。

19.3.1　推行"四化"建设理念

粤港澳三地政府对港珠澳大桥提出了很高的要求：建设世界级的跨海通道，向用户提供优质服务，成为地标性建筑。在上述建设目标和背景条件下，完成工程建设需要新的建设理念，因此港珠澳大桥提出大型化、工厂化、标准化、装配化的建设理念来指导工程设计，并把这种理念贯彻在工程建设的全过程，这就是已经被广泛理解和接受的"四化"理念。"四化"理念是指装备的大型化、生产的工厂化、管理的标准化、构件的装配化，该理念实质上是先"化整为零"再"由零到一"，以"搭积木"的方式实现工程实体建设的一种建设理念。

"四化"理念可以说是当今世界工程建设的先进理念，西方国家就此已经有了多年的实践，但是在工程建设中，港珠澳大桥第一次明确而系统地提出这一工程管理理念，并且有严密的保障体系和配套的技术支撑。"四化"的核心是工业化，目标是力争使传统工法模式中存在的质量、安全、难度、环保等问题规范和稳健，其中大型化、工厂化、标准化、装配化都是工业化的表现。结合日常工作中的工业化生产经历，这一点是很容易理解的。从桥墩到桥塔，从钢箱梁到深达海底 45 米的隧道沉管，浇筑工艺变成了产品制造——工厂按照标准生产大型预制件；建设企业通过自己研发制造或购买大型先进施工装备、大型浮吊、大型船舶，将产品运输到海中现场，像搭积木一样，一件一件地组成"钢铁巨龙"。在交通基础设施建设乃至工程建设中，采用"四化"理念或者工业化的建设模式，将是一场深刻的革命，认识这一点尤为重要。工程建设的工业化，还有另一个关键意义，即它是一个国家工业化水平的表现。大型的施工船舶、大型设备的研发制造，取决于国家装备工业化水平；大型构件的生产制造安装，体现了国家工业化生产能力及标准化水平的高低，取决于国家工业管理水平，因此，可以说"四化"是国家实力的反映。

19.3.2　多层次需求导向

近年来，桥梁规模不断增大、技术复杂性不断增强，长大桥梁建设面临着诸多行业级乃至世界级技术难题，港珠澳大桥亦是如此。因此，港珠澳大桥的自主创新不应仅局限于满足工程建设的需求，还应考虑技术创新的溢出效应与行业目标、与国家战略目标的一致性。所以，港珠澳大桥技术创新需求表现为多层次性，即在解决工程建设具体问题的基础上，积极开展具有工程行业共性价值的科技问题集中攻关，实现行业科技水平与国家科技竞争力的提升。

具体地，港珠澳大桥技术创新需求主要包括以下三个层级：工程级需求、行业级需求和国家级需求。港珠澳大桥在技术创新过程中，始终坚持"项目来源于工程、研究依托于工程、成果应用于工程、服务于行业"的理念，注重科研与生产的紧密结合，突出科研成果的精准实际应用。因此，港珠澳大桥技术创新主要是为了满足工程需求而进行的，其目的是将创新成果应用于解决大桥面临的技术挑战，推动大桥的顺利建设。在这一过程中，明确其技术创新需求是保证港珠澳大桥技术创新实现其价值的重要前提，因此，在港珠澳大桥进行技术创新之前先要对技术创新需求进行分析，首先进行技术扫描，掌握现有的可靠技术供应状况，比较工程需求和技术供应矛盾来确定技术创新点；其次针对工程技术创新点属性确定创新层次。

行业级需求是指考虑到港珠澳大桥技术创新的溢出效应，在满足工程需求的同时，解决行业存在的普遍性问题，推动行业发展。例如，港珠澳大桥面临的钢结构传统制造质量不稳定和效率不高问题、大面积钢桥面铺装问题、构件的工厂预制问题等既是工程建设所需解决的工程级需求，又是桥梁行业面临的共性问题，因此，为保证钢结构的制造质量、降低传统工艺的人为影响，港珠澳大桥钢箱梁板单元制造全面采用了自动化智能化的先进制造工艺和装备，建成了全新的自动化生产线。钢结构所有板单元实现自动化制造，相比传统工艺，生产效率提高了 30%以上，且质量大幅提升。通过本项目的平台，催生了我国桥梁结构的产业升级，推动了我国钢箱梁制造行业创新及变革（朱永灵和苏权科，2016）。

　　国家级需求是指考虑到港珠澳大桥技术创新的溢出效应，在满足工程需求的同时，解决跨行业或者国家层次“卡脖子”技术难题，提升国家的国际竞争力。重大工程不仅是重大基础设施的建设工程，也是我国社会经济的发展工程，更是我国工程领域技术发展的宝贵战略资源，是工程领域创新活动的主战场。《国家中长期科学和技术发展规划纲要（2006—2020 年）》明确指出：交通运输是国民经济的命脉。当前，我国主要运输装备及核心技术水平与世界先进水平存在较大差距。全面建成小康社会对交通运输提出更高要求，交通科技面临重大战略需求。

　　2009 年，港珠澳大桥前期办公室组织编制了《港珠澳大桥科研规划纲要》，部署了 140 余项攻关任务。2010 年港珠澳大桥主体工程初步设计获得交通运输部的批复，为提升我国跨海集群工程建设创新能力和技术竞争力、促进交通行业科技进步和技术创新，港珠澳大桥管理局牵头申报了国家科技支撑计划 “港珠澳大桥跨海集群工程建设关键技术研究与示范”（陈越，2011），项目于 2010 年 9 月正式启动，总预算约 1.2 亿元。该项目由交通运输部组织实施，研究参与单位包括 21 家企事业单位、8 所高等院校，形成了以企业为龙头，产学研用结合，覆盖桥、岛、隧工程全产业链的“智能团”，整个科研队伍人数超过 500 人，组成了港珠澳大桥项目强而有力的“技术先锋队”。该项目针对外海厚软基大回淤超长沉管隧道建设技术，外海厚软基桥隧转换人工岛建设技术，海上装配化桥梁建设关键技术，混凝土结构 120 年使用寿命保障技术，跨境管理、防灾减灾及节能环保技术这五大课题设 19 个子课题、73 项专课题研究。截至 2015 年底，项目突破了一批国际桥隧界公认的关键技术难题，实现“零的突破”，形成了系统性关键技术成果，包括项目创新工法 31 项、创新软件 13 项、创新装备 31 项、创新产品 3 项，申请专利 454 项等（陈心羚，2018），最终形成专著 18 部、技术标准 60 册。这一系列项目研究成果大范围应用于项目实践，不仅解决了工程推进中的重点难题，有力支撑了港珠澳大桥工程建设，还带动了国内行业和相关产业的跨越发展，对我国大型跨海通道工程技术进步发挥了重要推动作用，并在很大程度上提升了我国的自主创新能力及在该领域的核心竞争力，促进了我国桥梁行业从“引进来”到“走出去”的升级。

19.3.3　多维度创新选择

跟一般工程相比，港珠澳大桥技术内涵丰富，它除了需要以坚实的科学原理为基础外，还要能够依靠科学原理形成新的设计施工方案与工艺，或者形成新的关键装备、新的工程材料，成为对工程实体建设的必要支撑。在具体创新过程中，为了满足工程需求，往往需要选择新技术、新工艺、新材料、新设备等多维度进行集成性创新，我们称之为多维度创新选择。实践中，不同的工程需求需要选择不同维度进行创新，这里的维度指的是新工艺、新设备、新材料、新结构等不同维度。具体地，港珠澳大桥多维度创新选择包括以下内容。

（1）新工艺维度：在施工过程中创新性地采用新的施工工艺保证了工程建设的顺利进行。例如，墩台吊装是在桩基和钢箱梁架设之间起着承上启下作用的一道关键工序，墩台吊装作业处于伶仃洋海域深海区，海况条件恶劣、技术工艺复杂、所需大型船机设备多、墩台单体重量大、船舶交叉通航安全风险大。目前国内较成熟的胶囊止水工艺无法保证安装精度和安装质量。因此，2012 年项目部提出了钢圆筒围堰干法施工这一全新的工艺设想，并先后牵手四航院、天津大学、浙江大学等一流的设计单位、科研院校展开合作，聘请了国内外知名专家进行首件施工评审，对钢圆筒结构进行了 23 次优化设计。经试验验证，该工艺可以解决传统止水工艺风险大、墩台止摆难、施工船舶多、相互干扰大等诸多难题，大幅度降低了施工难度，推动了我国首个整体埋置式墩台的顺利安装，为桥梁工程基础施工开辟了新思路（纪子骁，2015）。钢圆筒围堰这一新施工工艺的使用保证了整体埋置式墩台施工技术的顺利实施，满足了其安装需求。

（2）新设备维度：在港珠澳大桥技术创新及工程建设过程中涉及大量的新技术、新工艺等，需要研发相应的新设备推动其顺利实施并发挥效用。例如，为了实现人工岛的快速成岛，项目部首次提出了深插式钢圆筒外海快速筑岛技术，钢圆筒直径 22 米，最高 50.5 米，共 120 个，是世界上最大的钢圆筒，对其施工需要足够能量的振沉锤，港珠澳大桥管理局在此基础上提出了 8 台振沉锤联动振沉系统的构想。经全面理论测算和反复论证明确振沉系统性能要求后，中交一航局联合上海振华重工和美国 APE 公司共同研发。在整个振沉系统中，振动锤、同步装置、动力站、液压油管、液压夹头等从美国引进，共振梁、吊架等由上海振华重工制造，最终，由上海振华重工进行振沉系统的组装。2011 年 4 月 23 日，振沉系统空载试振一次成功标志着世界上最大的振沉系统研发成功（刘亚平和陈维仑，2011），8 台振沉锤联动振沉系统的成功研发保证了大圆筒围堰快速成岛技术效用的发挥。另外，为了控制隧道管节均匀沉降，需要严格控制基床的平整度。港珠澳大桥沉管隧道基槽要在水下 40 多米铺设 5 664 米的"石褥子"，基床的平整度要求控制在 40 毫米之内。为此，中交一航局联合上海振华重工在国家科技支撑计划助力下，研发建造了一艘新的碎石整平船。为了保证施工精度和施工效率，先后引进了石油钻井平台抬升系统、电动抬升系统，挑战精细加工极限，4根90米长的齿条钢，实现1厘米的误差。最终，这艘世界最大、国内第一外海施工的深水碎石整平船于2012年10月19日抵达港珠澳大桥岛隧工程施工现场进行作业。深水碎石整平船的研发保证了基床平整度，是实现大桥工程120年使用寿命的有力保证。

（3）新材料维度：工程建设材料的性能是保证工程质量的重要因素，港珠澳大桥的质量要求突破了目前世界的最高水平（如120年使用寿命），现有的工程建设材料在性能方面无法满足大桥的工程建设需求，因此，需要研发新的工程建设材料，满足大桥的工程质量要求。例如，珠海属于典型的海洋大气环境，空气中的氯离子含量高，对大桥钢结构及混凝土的侵蚀异常严重。为了有效防止海水腐蚀，桥面板施工中采用了环氧树脂钢筋，即在钢筋表面涂一层环氧树脂涂层，就连绑扎钢筋的扎丝都涂有一层环氧树脂，环氧涂层不与酸、碱等发生反应，具有极高的化学稳定性。另外，为了提升混凝土的耐久性，现浇承台墩身最外层钢筋使用的是一种耐空气、蒸汽、水等弱腐蚀介质和酸、碱、盐等化学侵蚀性介质腐蚀的钢筋，这是我国自主研发、首次在桥梁上大规模使用不锈钢钢筋（吴广定和许鸣，2013）。为了提高港珠澳大桥的抗震性能，港珠澳大桥采用了高阻尼橡胶隔震支座，可在地震来袭时，如同打太极一样，一方面能通过发生弹塑性变形来延长桥梁结构变形的时间，另一方面能将地震能量进行转换消耗，即将地震瞬间传递的动能转化为分子间的动能，继而转化为热能，进行消耗，从而"避免"桥梁受到震动的影响，大大降低地震对桥梁的破坏力（郭琦琳和吴广定，2013）。由此可知，提高混凝土的抗腐蚀能力及桥梁的抗震能力均为实现120年使用寿命提供了保障，这些都离不开创新性的新材料的引进、研发与使用。

（4）新结构维度：港珠澳大桥是国内外首次集桥、岛、隧于一体的跨海集群工程，首次面临外海施工作业挑战，建设难度及技术标准前所未有。新结构设计可以保证港珠澳大桥更好地适应工程环境及建设条件，进而保证工程实体的建设质量。例如，港珠澳大桥沉管隧道采用"半刚性"结构设计，在港珠澳大桥沉管隧道建设之前，沉管隧道结构体系分为整体式管节和节段式管节。整体式管节（长度一般在80~120米）从受力体系上称为刚性管节，节段式管节（长度一般在120~180米）的节段之间无刚性连接，从受力体系上称为柔性管节。港珠澳大桥沉管隧道在柔性管节的基础上保留预应力受力，增强节段间的刚度，使管节的整体刚度介于整体式管节和节段式管节之间。半刚性结构体系是沉管隧道在世界范围内首次提出并应用的（林鸣，2016）。

由此可以看出，在港珠澳大桥建设过程中，新工艺的采用，新材料、新设备的引进、研发及新结构的创新设计等不仅推动了港珠澳大桥的工程实体成功建设，保证了施工质量与作业效率，同时也作为新技术的实施基础，在一定程度上支撑和发挥了新技术的效用。因此，多维度创新选择实现了创新主体对港珠澳大桥的整体性认识，推动了港珠澳大桥建设的顺利进行。

19.3.4　技术-管理综合创新

港珠澳大桥技术创新活动离不开相应管理创新的支撑，技术-管理综合创新是指通过实施相应管理创新活动来支撑港珠澳大桥技术创新活动的顺利进行。直观地看，港珠澳大桥工程建设中的关键技术突破似乎只是技术创新范畴的事，由于技术本身即技术资源整合，技术创新必然需要资源整合的环境和机制，故重大工程技术创新活动需要更大更强的管理体系来支撑和保证。港珠澳大桥在建设过程中进行了以下管理创新活动来支撑技术创新活动的顺利进行。

1. 构建技术-管理综合体系

技术-管理综合体系是把港珠澳大桥技术创新中所必需的创新管理，如大桥的创新生态系统、创新组织、创新制度、创新机制等进行系统分析与系统设计，以形成一个完整、有效和可操作的管理体系，并与港珠澳大桥技术创新活动综合集成，成为"系统的系统"。在这一体系中，既能充分地发挥政府的主导作用、企业的主体作用、其他单位的支撑作用；又能使港珠澳大桥自身管理机制、流程和程序有效地运转起来，使港珠澳大桥技术创新活动不断逼近创新目标。同时，该体系还要规范与优化技术创新的目标与功能，不使港珠澳大桥技术创新出现"冗余"以及不给大桥工程成本、工期、安全、质量等方面造成不合理的负面效应。

以港珠澳大桥钢箱梁制造为例，面对港珠澳大桥钢梁制造在工程量、工程质量和施工时间等各方面的挑战与困难，唯一的出路只能是进行技术创新和管理创新，并将技术创新与管理创新综合为一个完整的协同体系。该体系的管理理念可以概括为：板单元制造"人最少"，整体拼装"人最好"；不仅强调"标准化"，更强调"高标准"；不仅注重"工厂化"，更注重"自动化"和"智能化"，即通过技术-管理综合体系，实现系统性的资源优化配置，提高驾驭钢梁制造复杂管理问题的能力。港珠澳大桥钢梁制造技术-管理综合体系从规划、设计至实施，历经 3 年多时间，虽然工程体量大，质量标准严，但经过业主主导、设计支持、企业积极参与，形成了"全新厂房、尖端设备、先进技术、一流质量、科学管理、系统创新"的全新制造格局，相比传统制造工艺，生产效率极大提高，焊缝外观优美，质量稳定，生产效率和生产质量大幅提升，推动了桥梁钢结构的产业升级。此外，还促进了技术和管理层面上的工程创新，推动了我国钢箱梁行业创新及变革，使得钢箱梁制造业实现跨越，达到了世界领先水平。

2. 推行标准化管理

和企业的标准化管理不同，港珠澳大桥的标准化管理是指大桥工程建设相关的现场管理、施工工艺、产品生产等按照统一的原则或制度标准进行，保证大桥施工现场的有序性、施工工艺的一致性及产品生产质量的稳定性。标准化管理为港珠澳大桥建设者创造了一个有利的技术创新环境，是成功实现港珠澳大桥技术创新的必要条件之一。

在港珠澳大桥建设过程中，为了实现标准化管理，港珠澳大桥进行了以下活动：①构建标准化管理体系。岛隧工程项目按照扁平化思路搭建的"项目总部"和"施工工区"两级管理结构，减少了界面，消除了矛盾，为推行标准化管理、简化工作流程提供了组织保证。②搭建信息化支撑平台。以项目建设需要和管理流程为导向规划项目信息化建设，先后建成及运行的办公自动化系统、气象窗口系统、施工监测系统、试验数据采集系统等，实现了施工生产监控、信息快速发布、项目资源共享、文档资料存储，为标准化管理落地提供了强大的支撑平台。③推进 6S 现场管理。桂山沉管预制工厂肩负着 33 个管节的生产重任，能否使每一个沉管管节从原材料的输送到最后的顶推、浮运在流水线上有序流转，让每一个操作者做到专业化、标准化操作，关系到管节的生产质量与工期进度。为此，项目组高起点、高标准地推行 6S 现场管理（林鸣，2012）。

3. 实行设计施工总承包

港珠澳大桥沉管隧道的成功建设离不开设计施工总承包模式的成功实施。《关于培育发展工程总承包和工程项目管理企业的指导意见》规定，"设计—施工总承包是指工程总承包企业按照合同约定，承担工程项目设计和施工，并对承包工程的质量、安全、工期、造价全面负责"。设计施工总承包是国际上较为成熟的工程承包模式，在香港交通基建工程中有较为成熟的应用，如青马大桥等。内地的公路工程设计施工总承包真正起步是在 2000 年以后，标志为 2006 年 12 月交通运输部颁布的《关于开展公路工程项目设计施工总承包试点工作的通知》。

岛隧工程的建设成败决定了港珠澳大桥的建设成败，面对国外的技术封锁，中国沉管隧道在设计、建造和装备等方面都面临着前所未有的挑战，对中国建设者而言，在建设环境如此复杂的外海建设沉管隧道几乎是一个未知的领域。设计施工总承包管理模式一方面帮助建设者整合中国乃至全世界最好的设计和施工资源，强调工程设计，包括施工设计、装备设计、结构物设计，把施工和设计紧密结合起来，联合体可以采取边设计边施工的组织安排，有利于新技术、新工艺的开发和应用，对确保工程质量和推进工期起到了很好的效果。另一方面，施工单位在设计阶段介入并提出合理化建议，可以大大缩短设计方案和施工工艺的磨合期，减少施工期间的设计优化过程，避免设计优化导致的不必要返工。而且，在具体工作中，设计不是切块，而是整合，消除了条块之间过多的接口，设计和施工都能够充分考虑利用对方的优质资源，实现设计和技术上的突破。因此，岛隧工程的成功建设离不开技术创新，技术创新的成功离不开设计施工总承包管理模式的实施。

19.4　专题：港珠澳大桥沉管隧道技术创新

19.4.1　沉管隧道技术创新背景

港珠澳大桥是我国修建的第一项集桥、岛、隧于一体的跨海工程。其中，沉管隧道是我国建设的第一条外海沉管隧道，也是世界上最长的公路沉管隧道，更是目前世界上唯一的深埋沉管隧道。港珠澳大桥之所以要修建海底隧道，是因为港珠澳大桥地处伶仃洋海域，横穿伶仃西航道和铜鼓航道，航运密集，这两个航道对通航要求比较高，其中，伶仃西航道是 10 万吨级以上大型运输船在此海域通行的唯一通道。考虑到对通航的远期需求，航道至少要保证 30 万吨游轮的通航能力。在这样的条件下，如果采用桥梁方案，桥面高度需要大于 130 米、桥塔高度达 200 米方可满足通航要求。然而，大屿山机场就在附近，飞机航线对此处的高度限制为 120 米。因此，桥梁方案既无法保证车辆通行时的舒适度，桥塔高度又满足不了香港机场的限高规定。这便迫使工程师们挑战看似不可能的提议：修建海底隧道。

为了同时满足伶仃洋海域的通航要求、香港机场的限高要求及珠江阻水率的控制要求等，沉管隧道成了港珠澳大桥的必然选择，而且隧道必须深埋在 20 米的海床之下，施工水深达 48 米，约长 6.7 千米，是世界上迄今为止在外海修建的最长、埋深最深的海底隧道。然而，中国以前只修建过内河沉管隧道，并且只有几百米，所以中国的建筑工程师在海底隧道建设方面可以说是毫无经验，一切"从零开始"。

但是，沉管隧道技术在欧洲已有百年历史，其中外海沉管隧道的核心修建技术基本上都掌握在荷兰等少数国外公司手中。但是，国外公司在沉管隧道修建方面对中国进行技术封锁。例如，港珠澳大桥岛隧项目团队为了争取在摸索过程中少走弯路，曾想去韩国釜山参观沉管隧道项目并学习一些建设经验，但是对方只允许在三四百米以外观望，拍一些照片等，其他的几乎什么都接触不到。又如，后来和欧洲某些公司谈合作，希望对方可以提供一些核心技术和建设经验，但是对方以自己拥有的技术为"后盾"，要价奇高并且还只提供咨询服务，面对国外的技术"卡脖子"手段，中国必须要走依托自主研发进行技术创新的道路。

19.4.2　沉管隧道面临的技术挑战

传统概念的沉管隧道只有刚性、柔性两种结构体系，但都仅适用于浅埋隧道，在深埋的条件下采用这两种沉管结构其安全得不到保障。这不得不要求工程建设者创新一种适合港珠澳大桥沉管隧道的结构方案，新的结构方案要同时满足工程需求和经济性。在这样的条件下，设计师们查阅了世界范围内的相关资料，开展了大量的计算分析研究，在基础、结构、接头等方面想了很多办法，反复尝试，创造性地提出了"半刚性"结构。为了证明"半刚性"结构的有效性，设计团队不断细化方案设计工作，开展模型试验，并邀请国内外 6 家专业研究机构平行开展分析计算，均证明了"半刚性"是从结构上解决沉管深埋的科学方法，最终得到了各方面的一致认可（林鸣，2016）。因此，港珠澳大桥沉管隧道最终设计方案如下：管节采用节段式柔性管段，节段长 22.5 米，8 个管段组成一个标准管节。标准管节混凝土约 2.7 万立方米，重达 7 万吨，长 180 米，共 33 节，全部采用两孔一管廊界面形式，总长度为 5 664 米，最大水下深度达 46 米，是迄今为止世界上规模最大、技术标准要求最高的海上沉管隧道（黄育波，2012）。

岛隧工程项目部在以上设计方案的基础上进行自主研发，充满了无数的艰辛，面临着各种各样的世界级技术难题，主要包括沉管预制、隧道基础处理、沉管浮运安装这三个方面。

1. 沉管预制

纵观国内外，沉管隧道的管节均采用预制的方法，而且港珠澳大桥属于外海作业，为了满足其较高的质量标准和环保要求，只有采用工厂预制法才能最大限度减少环境因素对沉管预制质量的影响。但是，港珠澳大桥沉管管节混凝土总量约 87 万立方米，是世界上最大的沉管管节。世界上唯一使用工厂法预制沉管的工程是厄勒海峡大桥，那个沉管断面尺寸要比港珠澳大桥的沉管断面尺寸小很多，而港珠澳大桥的钢筋用量是厄勒海峡的 4 倍。在沉管预制厂的建设过程中，相关参考资料只有一本介绍性的英文参考文献 *The Tunnel*，并且只有寥寥不到 30 页关于预制厂的介绍，可以说是几乎没有经验可循。巨型沉管预制最基本的前提就是需要合适的预制场所，沉管管节具有体积庞大、体重惊人、陆上和水上复杂工序交叉作业、配套设备复杂等特点，大大限制了流水线施工生产的采用。所以，如何建设世界上最大的沉管预制厂，沉管预制完成后如何将巨大的沉管管节平稳推出生产区，如何实现顶推轨道各支点根据滑移面的高程变化自动调节支撑反力，且保证各点反力误差不超过 1%等一系列问题成为工程建设的难题。

2. 隧道基础处理

首先，港珠澳大桥整条海底隧道基槽并不如人们想象中那样位于同一水平面上，而是整体呈现一个"锅底形"。出于对隧道基槽底部土质承载力和确保通航安全等综合因素的考虑，整条隧道基槽都具有纵横向不同坡度的变化，无论是横切面还是竖切面，这个"大炒锅"的断面都是不同的，这种作业难度远远超出了平整开挖的难度（贺宗富，2013）。

其次，地基相当于沉管隧道的"床"，经勘察发现，港珠澳大桥隧道大部分位于软弱地基，即沉管隧道这一张"床"的"材质"大都是淤泥和淤泥质黏土，厚度为 30~40 米，其承载能力极低。然而，地基不均匀沉降直接影响沉管结构安全及防水，是影响沉管隧道质量和使用寿命十分关键的因素（朱永灵和苏权科，2016）。

最后，沉管隧道基槽开挖是一项在水下近50米作业的"隐蔽工程"，需要挖泥船在完全封闭的"看不见"的海底作业，并且要求下手力度必须刚刚好，误差不能超过 0.5 米。这样的误差水平已经远远超出了目前的疏浚工程技术规范，也是目前世界上同类工程中施工难度最大的。

所以，为了保证沉管隧道的施工质量以及 120 年使用寿命，项目部必须突破常规的施工方式，采用更先进的基础设计理念及精细化的施工作业进行海底清淤，夯实基槽，这给港珠澳大桥项目部带来巨大挑战。

3. 沉管浮运安装

港珠澳大桥沉管隧道的一个标准管节重约 8 万吨，犹如一艘航空母舰，其浮运路线位于伶仃洋最繁忙的通航水域，属于外海作业，操控难度极大。并且，伶仃洋水域台风频发，环境十分恶劣，有效的施工作业时间十分有限。

首先，每个沉管高度有 11.4 米，在这样的环境中，如果不能很好地控制沉管浮运，一旦沉管所受的水流力大于拖轮的控制能力，就会发生航向的偏移，甚至沉管搁浅，这是绝对不允许的。

其次，沉管对接精度要求很高，达到厘米级别，然而伶仃海域多有万吨级大船航行，存在水深空前、大径流等问题。在这样的条件下，为了保证沉管隧道的顺利建设，如何操控沉管管节、如何精确预测作业时间窗口、如何在海底实现精准对接等一些问题亟待解决。另外，外海沉管浮运安装技术在国内属于空白，国际上也只有少数国家掌握。

19.4.3　沉管隧道技术创新历程

1. 沉管隧道技术创新理论指导

在沉管隧道技术创新过程中形成了以中交联合体、岛隧工程监理单位为主体的岛隧工程技术创新生态子系统，在沉管隧道技术创新过程中采取了以下战略性指导。

首先，将"四化"建设理念和需求引导创新战略贯穿沉管隧道技术创新的整个历程。一方面，在沉管隧道建设过程中，"四化"理念既是核心思想，亦是指导思想，在 19.3.1 节已有相关介绍，这里不再一一赘述。另一方面，所有的技术创新均以实践为基础，脱离实际需求的技术创新将变得毫无意义。以沉管隧道工程级需求引导创新为例，由于国内没有外海修建沉管隧道的经验，故为了成功建成沉管隧道就必须进行技术创新。而且，沉管隧道的成功建设离不开管节的成功预制、隧道基础的精细处理及沉管管节的顺利浮运和精确安装。所以，沉管隧道的建设需求可以分解为沉管预制、隧道基础处理及管节的浮运安装顺利施工的需求。进一步，这三方面的施工需求又产生了具体的技术难题与技术需求。面对这些具体的技术需求，项目部需要进行相应的技术创新。因此，工程建设需求给技术创新指引了方向，保证了技术创新活动的意义和新技术的使用价值。

其次，面对国外技术封锁，港珠澳大桥岛隧工程项目部决定走自主研发的道路。要想成功建成沉管隧道，就要多维度选择创新战略，即从新技术、新设计、新设备等各个方面进行创新，从整体上更好地认识沉管隧道工程规律。同时，沉管隧道的整个技术创新过程中的创新方式以自主创新为主，辅以引进消化吸收再创新和集成创新。创造的新技术同时要遵循技术工程一体化原则。例如，在新技术、新方案实施之前进行多次演练、足尺模型试验等，保证新技术的可靠性，实现新技术与工程需求和工程环境变化相适应、相融合，从而更好地发挥技术效用。

最后，推行技术-管理综合创新是沉管隧道修建过程中必需的关键战略。沉管隧道是我国修建的规模最大、埋深最深、单节管节最长的世界级海底隧道工程，面临着技术难度大、作业面广、涉及领域多、协调难度大等复杂问题。要想顺利开展技术创新活动，那就离不开相应的管理创新。因此，港珠澳大桥岛隧工程向国外学习，采用了设计施工总承包管理模式，并以《港珠澳大桥主体工程岛隧工程设计施工总承包管理制度汇编》为依托，初步建立了沉管安装施工标准化作业流程，而且，设计施工总承包模式的实施促进了设计与施工紧密结合，有效融合设计及施工的各自优势，有利于充分发挥承包人的技术、资源优势，统筹解决技术、质量、进度等难题。具体地，一方面联合体可以采取边设计边施工的组织安排，有利于新技术、新工艺的开发和应用，突破了以往先有设计后有施工的常规惯例。另一方面施工单位在设计阶段的介入可以大大缩短设计方案和施工工艺的磨合期。并且，在新技术、新工艺的施工作业过程中，也可以根据具体环境和工程需求及时做相应的调整，进行新技术改进完善甚至再创新等，从而更好地实现技术工程一体化。

2. 沉管隧道技术创新内容

2010 年 12 月 21 日，大桥主体工程岛隧工程设计施工总承包合同签约，中交股份联合体获得主体工程首个施工合同。接下来，在沉管隧道的建设过程中，基于港珠澳大桥技术创新体系，以中交股份联合体为创新主体进行相应的技术创新。具体的技术创新历程主要包括以下三部分：沉管预制、隧道基础处理、沉管浮运安装。

1）沉管预制

沉管管节的成功预制是沉管隧道工程成功建设的重要前提，只有保证预制沉管管节的质量稳定性与持久性，才能使管节顺利对接。面对大体量、严标准等问题，项目部与全球顶级设备制造商合作研究解决方案，认为只有采用工厂预制法生产沉管管节才能满足质量要求。专家结合以往沉管预制不断总结经验，推陈出新，在干坞法的基础上继承和发展，依托独特的产区布置和设备匹配，如振华重工制造的自动液压模板成套设备，瑞士设计制造的管节支撑和同步顶推设备，日本制造的钢筋加工设备和发电机组，德国及其国内独资公司联合提供的混凝土输送与布料设备，依靠多方支撑在全球整合资源，最终建设了世界上最大的超级预制厂。在此过程中，为了实现沉管流水线生产预制，主要进行了以下三方面的创新：制造模具、顶推系统和绞缆系统。

第一，制造模具。预制模板系统是岛隧工程的关键设备，这套结构复杂、精确度高的"大家伙"要重复使用上百次，要求非常高。沉管模板由设计经验丰富的德国 PREI 公司负责设计，生产制造能力强大的振华重工负责制造。传统的大型模板通常需要用对拉螺丝杆增加刚度，这会在管节上形成孔洞，预制完成后需要进行封堵。面对国外的技术封锁，项目部提出，在传统隧道沉管模板的基础上进行改进，增加模板刚度，采用反力墙支撑，不再使用对拉螺丝杆，避免了中间留孔，保证了沉管的顺利预制，并且提高了沉管的使用寿命（米金升等，2013）。好的预制模具保证了沉管管节稳定的质量，面对国外技术垄断，项目部决定自主研发，经过对传统模板的改进成功解决了中间留孔问题。

第二，顶推系统。为了实现巨型管节的流水线生产，整个钢筋绑扎流水线都设置在滑移轨道上，滑移方钢、滑移梁和顶推梁形成了钢筋笼支撑顶推系统。每完成一道工序，钢筋笼就可以直接向前滑移至下一绑扎区域。设备部在试验过程中发现了顶推系统压力过大、受力不均等问题。经过多次实验，设备部采取降低滑移轨道粗糙度、加大液压油缸、制作 π 形防尘罩遮盖滑移梁、打磨特氟龙滑板棱角等方法，确保了钢筋笼顶推系统的正常运行。并且，设计师们巧妙地将浇筑模板和顶推系统融为一体，浇筑模板下就是管节支撑与同步顶推系统，布置在四条滑移轨道上。这种千斤顶可以根据滑移轨道的表面平整度情况，自动调节支撑高度，确保每个支撑千斤顶均匀受力（郭文宇，2013）。顶推系统与浇筑模板创新性地结合，确保浇注完成后的管节在移动过程中均匀受力，向深浅坞顺利推进。

第三，绞缆系统。标准管节预制完成后，为了平稳、安全地完成这一系列的"重量级"的高难度动作，项目部设计出绞拖、定位、系泊功能于一体的系泊绞缆系统。绞缆系统由低水位缆桩、高水位导缆桩（组合型桩柱导缆器）、卷扬机、索具、监测定位系统和操作控制系统组成。低水位缆桩主要用于管节寄放系泊；高水位导缆桩、10 台卷扬机与缆绳组成绞缆系统（郭文宇，2013）。绞缆系统的创造性提出，确保了预制完成的管节在深浅坞之间平稳起浮移动。

由此可知，为了实现沉管管节稳定高效生产，项目部采用了"工厂法"流水线生产这一新工艺。并且，为了实现流水线生产，项目部不仅从国外引进了一些先进设备，还自主研发了沉管管节生产模具、顶推系统、绞缆系统等新设备。在沉管预制过程中，新工艺的使用和新设备的研发集中体现了多维度创新选新战略的实施。另外，管节的"工厂化预制"不仅保证了管节的生产质量与效率，同时推动了工程的标准化管理，体现了技术创新标准化的战略原则。

2）隧道基础处理

基于港珠澳大桥岛隧项目中沉管隧道所面临的厚软基等各种技术难题，基础设计的全体设计师们引进、吸收近几十年来水工专业在基础处治方面的先进技术及工艺。隧道两端的人工岛地基相对稳定，需要实现隧道基础纵向刚度的协调过渡，有效控制整条隧道的不均匀沉降。经过三个阶段的方案研究，最终设计师们因地制宜地为超长、深埋沉管隧道设计出一套技术可靠、质量可控且能较好地协调隧道结构变形的集成方案，即复合地基组合基床方案。具体地，建设者们依据地质与荷载的不同，选择了不同的基础施工方案，E1~E6 及 E30~E33 管节段设计了复合地基，通过挤密砂桩联合堆载预压进行基础处理，而在 E7~E29 管节段则采用天然地基作为隧道基础的底基层。

另外，中间隧道段基础需坐落在开挖的高平整度的深水基槽当中，为了解决这一难题，建设者们首先需要利用"金雄"号专用大型挖泥船对基槽底部进行精挖处理，并对水域的潮流及回淤进行监测，在此过程中，研发了"金雄精挖直接数字控制系统"，并对设备进行了相应的改进。其次，启用大型"捷龙"号清淤船开展水下清淤，直至形成一条海底平整、无淤的天然地基层，随后，"振驳"28 抛石夯平船将一船个体单重七八十斤（1 斤=0.5 千克）的大块石抛向基槽，再利用一个 80 吨的巨型液压锤，把高低不平的块石基床慢慢砸平、夯实，压缩块石之间的缝隙，同时保证基床表面平整度 30 厘米以内的精度。最后，自主研发的平台式深水碎石整平船"津平 1 号"进行碎石垫层铺设，将直径 4~6 厘米的石子通过抛石管将碎石输送到海底，分 7 个施工段铺设 62 条碎石垄，通过调整供料速度、抛石管行走速度并精确计算石料方量，确保在最大水深 50 米条件下铺设平整度在±4 厘米以内的碎石垫层，为沉管隧道提供一个舒适平整的"石床"，也为超级沉管安放提供坚实的基础，可以有效防止沉管的不均匀沉降（林彦臣和张志刚，2014）。

由此可知，为了有效控制沉管管节沉降，建设者们依据地质与荷载的不同，选择了不同的基础施工方案，这体现了技术创新的独特性，同时也遵循了技术工程一体化原则。在具体施工过程中，项目部不仅自主研发了碎石整平船、挤密砂桩船等，还根据需要研发了"金雄精挖直接数字控制系统"，对设备进行了改进，这体现了多维度创新选择战略及以自主创新为主的创新方式。

3）沉管浮运安装

为了在海上浮运过程中有效控制管节浮运，E1 管节浮运编队由 1 艘 6 900 匹、1 艘 6 800 匹和 2 艘 5 200 匹大马力全回转拖轮进行吊拖，4 艘全回转拖轮进行帮拖。在进入榕树头航道时，海水流速逐渐加大，同时波浪翻滚，不断冲上管节顶面。16 个 GPS（global positioning system，全球定位系统）测控点实时传输信号，指挥室内通过浮运导航软件和现场观测下达拖轮变化指令，浮运技术人员不断观测海水流速流向，计算沉管和拖轮受力情况，25 名船机操作人员认真应对每一个按钮的动作，32 名工人敏捷高效完成带缆换缆工作，拖轮吊拖和帮拖方式各自发挥优势，完成上千次配合变换。最终沉管浮运编队顺利到达沉管系泊区。

在完成沉管系泊作业和关键部件拆除后，开始进行沉管沉放。沉管沉放需要专用沉放船，类似于起重船。项目部根据沉管安装需求，提出了安装船的建造理念和总体设计，然后由振华重工来设计制造。沉放船的起吊装置在船底下，这样就可以控制沉管下沉到海底，进行海底沉管对接。另外，针对"开敞海域、超大管节、深水工艺"的特点，项目总经理部在全球范围内整合资源，自主研发多项专用管节沉放控制和保障设施，具体如下：①形成了带有位移传感器的拉合系统，在拉合千斤顶连接后，可以精确测量管节安装的距离，使沉管缓慢而精确地移动，最终实现精确对接。②管节压载系统。为了使管节间的对接达到最好的效果，对接过程应用了海水涨潮的压力，进行水压对接。一个管节端面是一个平整精度毫米级的环状钢板圈，另一个管节端面是一个坚实耐用的特种橡胶圈，精确对接之后，巨大的水压将使一刚一柔两个管节严丝合缝地贴在一起。③管内精调系统，用于管节水力压接后二次精确调位。两个管节对接后，形成密闭系统，在安装船的配合下，对沉管进一步微调，实现精度控制的"精益求精"，满足了 46 米水深下的对接精度要求。并且作业窗口管理系统、回淤监测及预警预报系统等同时为沉管沉放提供了施工保障（米金升和王有祥，2013）。

最终接头位于 E29 和 E30 沉管之间，呈楔形结构，其质量决定了此前长达 7 年建设长跑的成败。以往隧道最终接头都是用止水模板、钢围堰，需占用整个海域，对通航及环境有很大影响。为解决这一问题，港珠澳大桥采用了钢壳混凝土"工厂化预制、现场安装"整体化施工工法，化现场浇筑为工厂化制造，化被动止水为主动式压接止水，化人工作业为机械作业，大大提高了工效，降低了水下作业强度，确保了施工质量，更降低了现场作业风险，是我国工程建设者的又一次大胆创新和尝试，从理论到具体实施环节，形成了高流动性混凝土设计与施工技术的完整体系，填补了国内"三明治沉管结构"的技术空白，同时也为最终接头开创新的思路和方法（陈立通，2017）。

由此可知，为了保证沉管管节的顺利浮运，拖轮船、数据监测、指挥员等各方面进行全方位协调统一，促进了施工技术效用的有效发挥。另外，为了实现沉管的精准对接，港珠澳大桥项目部采用集成创新方式，形成了集拉合系统、水压对接技术、管内精调系统、作业窗口管理系统、回淤监测及预警预报系统为一体的沉管安装系统，确保技术与工程一体化，保证了沉管管节的精确对接。最终接头的创新结构与施工工法体现了多维度创新选择战略的实施，不仅保证了整个沉管隧道的工程质量，同时也显示了建设者进行自主创新的自信与才干。

第 20 章　综合协调 统筹管控
——港珠澳大桥现场综合控制与协同管理

20.1　港珠澳大桥现场概述

20.1.1　港珠澳大桥现场内涵

重大工程现场一般是指主体工程位置所在地，也是人们物化工程实体的最终场所（盛昭瀚和曾赛星，2018a）。港珠澳大桥的"现场"不仅是指大桥所在的建设现场，如跨海大桥、人工岛、海底隧道等建设场地，还包括建造大桥构件、部件的场所，如牛头岛上沉管的建造现场，还有分布在全国各地的板单元生产现场等，因此，港珠澳大桥现场是包括了部件和构件生产制造现场以及大桥主体施工现场等整个大桥建设项目所有相关的生产建造场所。

任何工程的现场都由人、事、物及现场环境组成，如港珠澳大桥现场要素——人可以按照职能划分，分为现场管理人员和现场施工作业人员，事务可以按照紧要程度划分，分为常规事务和非常规事务等。除此之外，港珠澳大桥现场还可以按照硬资源和软资源来进行划分，如硬资源包括现场的材料、设备及技术等要素，软资源包括信息、组织、管理等。需要关注的是，港珠澳大桥现场要素拥有不同的属性、作用和功能，与此同时，港珠澳大桥现场各要素之间相互联系、相互作用、相互影响，港珠澳大桥现场各要素综合在一起形成要素无法单独产生的功能，最终实现建设港珠澳大桥的目的。

20.1.2 港珠澳大桥现场复杂性概述

1. 港珠澳大桥现场环境的不确定性导致大桥现场复杂性

首先，港珠澳大桥现场自然环境不确定性导致的复杂性。其次，"一国两制"的背景使得港珠澳大桥具有浓厚的政治与法律色彩，同时港珠澳大桥现场管理也会受到这些因素的影响。最后，港珠澳大桥技术标准高、项目海域作业条件差、地质情况及通航状况复杂、地材价格上涨严重、防台防汛频繁、现行定额难以准确反映项目工程造价等特点。承包人碰到的资金问题是现实存在的，这些问题会进而影响工程进度和质量，甚至会导致大桥建设的停工（朱永灵，2015）。以上都体现了现场的社会经济环境的不确定性，进而导致大桥现场的复杂性。

2. 港珠澳大桥现场的多要素以及要素之间的差异性带来大桥现场复杂性

一是港珠澳大桥现场多主体复杂性。除大桥现场众多管理主体外，由于港珠澳大桥是集路、桥、岛、隧为一体的跨境集群工程，大桥涉及专业面广泛，现场还包括众多的施工作业主体。例如，港珠澳大现场是海洋工程、气象工程、水工工程、机电工程、通信工程、房建工程、消防工程、给排水工程、船机设备、自动控制等多学科的交叉和集成的现场，这些方面决定了港珠澳大桥现场是一个包含多方面施工作业主体的综合集成系统。虽然多主体的主体群极大地增强了大桥工程管理资源的整合能力，但是也不可避免地形成了多元价值观和多元利益并存的格局，进一步会导致大桥现场利益诉求多、信息不对称等情况，这是大桥现场管理复杂性的原因之一。此外，大桥现场多主体共存，在多主体之间的信息交流层面上，各主体自身的利益及信息交流机制，往往会导致现场施工各主体间的界面衔接不协调、信息流通不通畅，这也加剧了港珠澳大桥现场的复杂性。

二是港珠澳大桥现场设备复杂性。前面一段提到，港珠澳大桥现场涉及多学科交叉并存，不同的学科需要借助不同的设备来完成相关施工作业，如港珠澳大桥现场的沉管制造设备、路面铺设设备、大型拖船等。这些设备设施在属性、作用和功能之间都有很大的差异性。大桥的建设设备的不确定性是多方面且显而易见的。例如，"津平1号"高精度碎石整平船、"捷龙"号清淤船、"津安"号沉放驳都是港珠澳大桥专用的、唯一的设备，这些设备的完好性是港珠澳大桥能否顺利建成的基本保障。整平船一旦出现故障，导致作业窗口改期，进而导致封航时间调整，最终给海事部门带来巨大的通航管控压力，造成连锁反应，如打乱航运企业，尤其是国际班轮的航行计划，造成严重的社会影响。

3. 港珠澳大桥现场各要素高度集成造成的现场复杂性

港珠澳大桥的大型化、多专业、多工种、多主体参与属性，导致大桥现场各要素复杂关联形成的复杂性。面对这样的复杂关联关系，港珠澳大桥在前期规划论证的时候并不能完全地进行预测。同时，在大桥现场建设过程中原来比较简单直观的因果关系在工程高度集成后，也会变得模糊不清。例如，在港珠澳大桥施工过程中，因为前后工序衔接不畅，导致停工窝工的现象时有发生。例如，2015 年 5 月 CB02 标运梁顺序与 CB04 标的吊梁计划没有协调好，运到桥位的 L20-2 钢箱梁在海上漂了整整 43 天，并造成 CB02 标局部出现停工；东、西人工岛上的房建工程由于设计和施工脱节，施工图纸不能及时提交，多次出现停工待图的情况；138 号钢塔运输和吊装的工况不匹配，造成方案反复变更，既耗钱财又费精力，增加了不少工作量；岛隧工程管内图纸不稳定，交通工程的设计就经常反复。由此可见，大桥现场由于工程的高度集成化，其界面协调，尤其是不同标段、不同施工单位之间的界面协调至关重要，往往对工期、质量、造价产生重大影响（朱永灵，2016）。

4. 港珠澳大桥现场主体局限性造成的现场复杂性

首先，现场管理主体要在管理理念、组织模式、技术与管理等诸方面综合创新来应对现场复杂性。例如，港珠澳大桥岛隧工程是国内第一例、世界第二例先铺法施工的外海沉管隧道工程，规模大、工艺新、难度高。大桥首节沉管的成功安装实现了核心工艺和施工组织方法自主研发、自主创新。由此可见，学习与创新是解决大桥现场主体思维与能力局限性的有效途径，也是成功实现港珠澳大桥建设的必由之路。需要关注的是，港珠澳大桥技术创新"度"的把握，要避免为了创新而创新，避免"创新冗余"的出现，保持大桥建设技术创新的实用性才是最根本的选择。同时，要注意防范创新技术对大桥建设可能带来的不稳定性甚至是负面作用，并因此而引发许多的复杂性管理、技术问题。

其次，现场主体资源整合能力的不足同样会带来复杂性。工程建设是通过整合资源造物的活动，在重大工程建设与管理过程中，主体在资源整合能力方面一般会遇到两个方面的挑战：第一种情况是工程主体拥有必要的工程资源，但资源整合难度大。港珠澳大桥现场是一个多方面专业的综合系统，现场的交叉作业大量存在，现场建设协调难度大（盛昭瀚和曾赛星，2018a）。现场管理主体要求把这些资源进行综合性整合，并确保大桥各个施工现场按计划、保质量地进行。然而，由于现场主体资源整合能力的不足，很难保证大桥的各个项目中的资源可以被整合并充分地利用，从而加大了大桥现场管理的复杂性与不确定性，影响大桥建设进度及建设质量。第二种情况是工程主体不具备完备的工程资源，这时主体的首要任务是要先获取尚且不具备的资源，再进行整合。港珠澳大桥作为世纪工程，在世界范围内无法找到大桥建设的类似经验，其 120 年设计寿命也要求大量的技术创新来保证。资源是多样性的，不同的资源需要不同的专业人才来进行整合，同样新资源与现有资源的兼容性也是不得不正视的问题。以上种种不确定性对现场主体的资源整合能力提出了巨大的挑战。

最后，除了以上两种现场主体的局限性，还存着两种人员的不确定性会加大现场复杂性——人事变化不确定性和人的情绪、心态、行为不确定性。港珠澳大桥自开工以来，人事变化频繁。例如，港珠澳大桥的决策机构——港珠澳大桥三地委主席、成员都发生过变更。尽管粤港澳三地政府档案管理完善，港珠澳大桥所有重大决策都有文字记录，但每一位委员在参与决策前不可能把多年的文档资料全部了解清楚。不曾亲历决策实情实景的后来管理者很难理解当时决策的艰难。新的决策者以今天的视野来看待过去的决策，很容易挑出毛病，很难保障港珠澳大桥决策的连续性。此外，工程建设进入后期，参建人员的情绪和心态会发生一定的变化和波动，精神懈怠和情绪焦虑是这个时期人的正常心理反应。现场人员的心思一旦分散，质量和安全的风险随之放大。多次重复的作业，如在沉管隧道完成 73% 的安装，钢箱梁完成 87% 的吊装任务后，大的技术难关已经攻克的时候，很难避免产生麻痹思想。对于港珠澳大桥这样一个超级工程，即使一分钟，甚至几秒钟的疏忽大意，也可能导致无法挽回的巨大损失。由于员工情绪的波动而带来的不确定性同样也会增加港珠澳大桥现场管理的复杂性。

20.1.3 港珠澳大桥现场的管理挑战

1. 现场管理挑战一：现场自然环境复杂性带来的现场管理挑战

大桥现场自然环境复杂性带来的管理挑战主要有现场自然环境的非完全确知性。例如，多变的大径流、大流速、盐度梯度、台风路径、长周期波和季候风、强对流天气等。纵使施工人员已经对现场做了大量的调研与勘探工作，也难以确保全面、深刻确知大桥施工现场环境细节和规律。又如，人工岛的建设对于珠江口泥沙淤积的影响，泥沙的淤积是否会对大桥建设、大桥质量造成反作用影响都是难以准确预测的。

港珠澳大桥作为一座体量巨大的人工构筑物横亘在珠江口伶仃洋海域，既受周边环境的影响，也反过来影响周边环境。东西两个人工岛和 300 多个水上桥墩既改变了水流环境，也改变了通航环境，增加了船舶管控的困难和船舶对桥墩撞击的风险。尽管在大桥设计研究阶段做过详细的环境影响评估，在隧址位置开挖了试验基槽，了解回淤和边坡稳定情况，在三角岛和九洲岛建立了测风塔观测风的变化规律，在桥位附近投放了波浪仪试图找出风、浪、流的关系，相关论证工作严谨全面，但由于现场环境的复杂性，始终存在着太多的不确定性。此外，现场施工主体对海洋复杂性的认识还不足，越靠近东岛，水流潮汐状况似乎越复杂，管节的安装面临着异常大的挑战与困难，在管节的曲线段和最终接头的预制安装，没有任何经验可循，只能在摸索中前行，故而给港珠澳大桥建设进度、施工安全、建设质量等各个方面造成了极大的挑战。

2. 现场管理挑战二：大桥现场多要素综合集成带来的挑战

港珠澳大桥现场是多要素综合集成的复杂系统，大桥现场管理问题牵扯部门多，涉及多方主体利益。现场多要素综合集成的问题复杂性主要体现在以下方面：大桥现场管理涉及工程、技术、经济、法律及跨界建设与管理等各个方面，除此之外，现场管理还与社会经济环境、现场自然环境有着广泛、紧密的关联。现场的管理涉及领域广，协调难度大。不同现场问题之间联系紧密，关联复杂，各部分之间的横向影响与交互作用更加强烈，甚至局部性影响可能会演变为全局性影响，增加了现场管理的复杂性。例如，大桥作为粤港澳三地联合共建的一个跨界项目，必然要满足三地、协调三地的建设目标和建设理念。又如，大桥现场多专业同时进场施工作业，如何保证各专业之间施工的相互协调。再如，港珠澳大桥供应链大空间分布与资源调配问题都决定了现场管理问题要综合考量多要素、要素权重及优先级等。由此可见，港珠澳大桥现场建设管理面临的问题与挑战都不是单一的简单问题，很多问题都是相互交织在一起的。

3. 现场管理挑战三：环境保护以及现场防灾减灾挑战

港珠澳大桥项目建在珠江口，又连接珠江口三个具有代表性的城市，对环保要求极高。为了保护水环境，大桥建设必须将珠江的阻水比控制在 10%左右，作为桥、岛、隧一体化的项目，要做到这一点，需要付出巨大的代价和努力。例如，两个人工岛有较大的阻水作用，最终选中了最小的人工岛，选用了沉管隧道，使人工岛的尺度做到最小，比盾构隧道小了将近 1 半。桥梁绝大部分的承台是埋入海床的，最大限度减少了对水环境的干扰，还有对白海豚的保护等。同样，大桥现场防灾减灾，如海上施工安全、航运安全也是一项巨大的管理挑战。港珠澳大桥项目从 2009 年开工建设到 2018 年正式通车运营前后共十年时间，该水域每天有四五千艘船只往来穿梭，施工必然对繁忙的航运交通有所干扰，如果采取传统的建大桥的技术和施工组织，显然将造成伶仃洋上的交通安全隐患。

20.2　港珠澳大桥现场管理基本原理

20.2.1　港珠澳大桥现场复杂性降解原理

1. 大桥现场复杂性降解内涵

不论重大工程管理有着多少不同的形态与特征,究其分析和解决问题的核心和关键应当是如何应对和驾驭问题的复杂性,即从思维层面上,把问题的复杂性尽量减少和降低(盛昭瀚和曾赛星,2018a)。因此,针对前一节中提到的港珠澳大桥现场的复杂性,首先进行港珠澳大桥现场的复杂性降解。

港珠澳大桥现场的复杂性是由大桥实体决定的。与此对应的是,大桥的实体是由最初的港珠澳大桥工程概念、设计方案等一步步演化而来的,这个过程是从抽象一步步到具体,最终演变为港珠澳大桥实体。港珠澳大桥现场的复杂性降解,首先,依据“工程虚体”思维(盛昭瀚和曾赛星,2018a),运用理论思维把港珠澳大桥的工程硬系统的属性进行抽象,并连同属性之间的关联系统化,最终形成港珠澳大桥复杂工程属性的逻辑体系。其次,在港珠澳大桥工程虚体的逻辑体系上,在不改变大桥固有物理复杂性的前提下,运用一定方法、技术路线来“降低”和“分解”港珠澳大桥的固有复杂性,以上的“降低”和“分解”要在大桥要素抽象的属性与关联层面上开展,是一种概念化和逻辑化的形态,不会影响和破坏港珠澳大桥固有的物理复杂性。通过以上的方法,港珠澳大桥现场的主体可以更加清晰、简便地认识和分析原本难以理解和认识的工程固有复杂性(盛昭瀚和曾赛星,2018a)。

2. 大桥现场复杂性降解路径

1)提高管理主体认知

通过大桥现场的复杂性分析,港珠澳大桥现场复杂性主要源于两个方面:一是源于管理环境与问题自身的复杂性;二是源于主体的认知缺失,如知识、经验与能力不足等(盛昭瀚和曾赛星,2018a)。大桥现场主体的认知局限性造成的复杂性是大桥现场复杂性的主要因素。要提高大桥现场主体的复杂性管理能力,其基本要素在于现场主体的学习能力,现场主体的自学习是提高主体认知能力并降低问题复杂性的重要途径。

港珠澳大桥建设时期,多次组织技术管理人员去国外学习考察,学习了解国外大桥建设经验、方式方法,这是一种典型的通过自我学习提高管理主体的认知来降低现场管理复杂性的方法。除此之外，引进国外先进技术，寻求多方合作，以及现场运用智能信息系统等，这些方式方法都是为了提高现场主体人员的认知水平或者提高现场主体工作能力的方式方法，最终达到降低现场复杂性的目的。港珠澳大桥的信息化，可以有效地降低甚至避免因人的阅历、性格、情绪、思维方式和价值观等产生的认知局限，从而有效降解因为人的局限性而造成的现场管理复杂性。

2）改进现场管理方法

一是凝练与统筹管理目标。港珠澳大桥现场管理复杂性主要体现在以下几个方面：管理目标的多层次与多元化；管理目标之间的矛盾和冲突；管理主体价值观变化，导致管理目标出现动态性与复杂性（盛昭瀚和曾赛星，2018a）。港珠澳大桥现场涉及专业繁多，导致其现场的管理目标也是多元化的，进而导致大桥现场管理的复杂性。基于以上因素，可以通过目标凝练与统筹来降低管理复杂性，即在目标设计的基础上，对大桥现场的构成性目标、生成性目标及涌现性目标进行筛选、合并与提取，突出和保障战略型、基础型目标的地位。

二是管理方案的对比和迭代。港珠澳大桥工程多目标、多主体，这就会导致大桥现场的管理方案及技术难以确定，这也是大桥现场管理复杂性的原因之一。因此，管理主体可进行多次对比、调整、逼近，将整体性的问题复杂性化解为分阶段、分领域、相对简单的复杂性分析和处理，并最终获得解决方案（盛昭瀚和曾赛星，2018a）。

三是关联性切割。港珠澳大桥现场不但是材料、装备、资金和技术等硬资源的集成，而且是组织、管理、信息、价值观等软资源的集成，各要素相互影响，相互关联，形成一个复杂的全局性网络关系，这样导致港珠澳大桥管理中的因果关系不完全直接和显而易见，也是难以预测的。

3. 大桥现场复杂性降解的"度"

港珠澳大桥现场复杂性降解的目的是抓住问题管理的主要矛盾，降低主体进行现场管理的难度。因此，港珠澳大桥现场复杂性降解并不意味着是无限的，现场管理的复杂性降解只要达到能够把大桥现场复杂性问题降解至项目管理范畴内能够解决，就是有效和恰当的。这就是大桥现场复杂性降解的"度"（盛昭瀚和曾赛星，2018a）。

20.2.2　港珠澳大桥现场综合原理

1. 大桥现场综合原理内涵

港珠澳大桥现场是集多学科、多专业的复杂系统，因此，要保证工程现场各专业界面之间的协调有序，保证港珠澳大桥按照计划有序建设就需要考虑各个方面的因素，将各方面的实际情况、影响因素等综合起来，用整体、全局的思维来指导现场施工作业活动。

什么是综合？综合，即将大桥现场活动各个部分、方面、因素和层次的认识关联起来，形成对港珠澳大桥现场的整体认识。由此可见，"综合"的管理思想，首先要先确定综合的对象是什么，只有确定了综合的对象，才能形成对综合对象的详细、精确的认知，如对象的属性、对象的影响因素等；其次通过深入的分析，探究港珠澳大桥现场的自然环境、社会经济环境、工程建设、人员管理、供应链管理等各方面之间的相互关联与相互影响的方式，并进一步形成一种对港珠澳大桥现场新的整体性认识，这种新的综合可以有效指导大桥现场建设、管理工作，这便是综合原理。

2. 大桥现场综合控制管理路径

1）大桥现场复杂性分析

在大桥现场综合管理的过程中，综合控制管理对象的复杂性分析可以理解成减少无关因素干扰的过程，通过对控制管理对象的复杂性分析，管理者抓住控制管理对象的主要矛盾点，只有这样，管理者才可以在综合考虑各个部分各个方面的基础上，做出最有利于港珠澳大桥现场工程管理的最佳决策。

复杂性分析的方法是多种多样的，可以依照管理者的经验来进行分析，也可以采取定量方法。例如，2014年9月港珠澳大桥 E13 管节安装过程中，前期的管节安装准备工作已经就绪，在一切按照计划有序进行时，台风"海鸥"生成。依照国家海洋中心的预测，台风"海鸥"会在9月15日晚至9月16日下午影响施工海域，而 E13 管节的安装日期正是9月16日。除此之外，台风"海鸥"之后，还有可能生成新的台风影响施工海域，这给 E13 管节的顺利安装工作带来了巨大挑战。最后，现场总工程师凭借国家海洋中心提供的分析数据，并综合现场的各方面因素，最终选定在台风"海鸥"过境后的9月18日作为管节浮运安装窗口期。正是凭借精准的国家海洋中心高新技术，通过对台风"海鸥"的复杂性分析，确定台风的行进路线及破坏力，最后综合各个方面的影响因素，做出正确的管理决策。

2）综合管理对象的选择

综合管理对象的选择问题是以管理主体为主导的。主体在选择综合管理对象的过程中大多以自我认知或者经验来选择，但管理主体知识水平、认知的差异性，可能会导致综合管理对象选择上的差异性。要有效避免产生这样的差异性，如复杂性降解原理所述，提高管理主体认知水平是很重要的一环，管理主体通过学习、培训等方式提高自我认知水平以避免综合管理对象选择过程中的误判。此外，可采用定量的方法来辅助管理主体做综合管理对象的选择。例如，在对综合管理对象的复杂性分析之后，运用科学定量的方法来对各对象进行重要程度标注，划分出各个对象的优先级，这样可以有效提高管理主体选择综合管理对象的效率及正确性。

3）综合控制管理中的协调

在综合管理中，综合和协调是并存的。在综合管理中进行协调工作，是因为即使前期对综合管理的对象进行了详细的复杂性分析，并抓住了各对象各方面的主要矛盾，但这些对象综合在一起的过程中也不可避免地会造成管理上的冲突，这时候的协调工作显得尤为重要。

综合管理的对象主要分为两部分，一个是物，另一个是人。在对工程人的管理中，综合管理中的"协调"充分体现了综合集成管理模式中的诱导控制（或称自组织控制）的重要思想。诱导控制是指对具有自组织行为的被管理对象实施的控制。众所周知，如果被管理对象是具有自学习、自适应能力的主体，那么管理对象就有自主行为倾向，整个管理系统也就具备了自组织特征，这就使我们不可能期望对被管理对象实施的任一协调方案一定实现设计好的因果规律。相反，因为有自主行为，极有可能出现"上有政策，下有对策"的情况。在综合管理中采用"协调"机制，正是考虑到这种自组织复杂性，是一种对"活的"系统的有效控制策略。

20.2.3　港珠澳大桥现场协同原理

1. 大桥现场协同背景

港珠澳大桥现场工程复杂性程度高、主体多，多主体之间普遍存在着目标和利益上的冲突，现场不同作业活动之间也难以形成有序协同局面，这些都给工程现场管理带来困难与挑战。

2. 大桥现场协同原理的内涵

协同，就是多主体、组织之间相互配合、协作、同步完成一项工作。从表面上来看，港珠澳大桥现场的各个环节由某个部门或某些人员负责，事实上这些环节之间有着千丝万缕的关系，它们都为整个建设大桥共同目标而运作。

港珠澳大桥现场建设与管理主体有管理局（业主）、设计施工单位、供应商、监理单位等；现场需要调度各种设备，使用不同的材料、构件。港珠澳大桥现场的协同原理就是指大桥现场各主体以共同的目标为导向，实现大桥现场人力资源、设备资源、技术资源及时空资源的合理整合与配置，保证现场造物活动的协调有序进行。

3. 大桥现场协同的方式

港珠澳大桥现场的协同管理要把现场造物的基本资源包括人、财、物、信息、技术等整合起来，并通过信息化的管理手段进行统一配置和调度，因此，现场的协同包括了人与人、人与物、物与物的统筹，以实现现场活动在整体时空上的高度有序与有效。

现场协同管理先要明确现场要素之间的关系，根据现场整体活动的目标对现场人、事、物进行调配和管控。另外，当今重大工程现场需要建立先进的信息系统平台，对信息流、资金流、技术流、知识流等多种资源进行数字化、互联化与智能化的协同管理，以最大可能优化资源配置和提高现场活动效率。

4. 大桥现场协同的作用

有效的协同管理在大桥现场的运作中发挥了重要的作用，首先，信息化平台提高了现场各环节的集成化程度，改善了现场信息不完全、不对称甚至信息孤岛现象，从而使现场各个环节的实际运作更加有序、高效；其次，各参与方通过合作协作的方式，使资源综合利用效率大为提升。

另外，现场协同管理还有效提高了大桥现场施工质量，保证了大桥的工期要求。其中，港珠澳大桥的钢梁制造就是一个典型的案例，虽然钢梁制造工程量大，质量标准严格，但经过现场供应链的协同管理，形成了全新的现场供应链模式，相比传统工艺，生产效率提高了 30%以上，焊缝质量稳定，一次探伤合格率达到 99.9%以上。同时，在国内率先实现了大型钢箱梁拼装的车间化作业，从传统的工程工地粗放式管理转变为自动化、精细化管理模式。

20.3　港珠澳大桥现场质量综合控制专题

20.3.1　港珠澳大桥现场质量目标的统筹规划

港珠澳大桥的质量目标是建设世界级跨海通道，要求在设计、建造阶段采用国际先进理念，确保大桥设计使用寿命达到 120 年，其设计技术、施工标准、现场管理、产品质量等方面均达到国际领先水平；同时为用户提供优质服务，通过高质量的设计和建造、标准化的管理制度和工艺流程，确保港珠澳大桥拥有完善的硬件系统，并提供舒适、便捷的服务。

根据复杂性降解的思想，港珠澳大桥的建设者对质量目标进行了凝练、分解和降维，质量目标的多元性得到一定的压缩，质量要求更加具体和规范，有效降低了港珠澳大桥现场质量的复杂性。将港珠澳大桥 120 年寿命的质量目标经过一定的分解，最终落实为每一个分部分项工程达到质量要求和标准，如主体工程设计定位精度标准、沉管隧道对接精度标准等，再到材料、构件的质量标准即每一块板单元每一方混凝土的质量保证。从复杂的质量目标到各项专用的质量标准，实现了高维向低维的降解，即实现了复杂性的降解。在此过程中，也充分注意到层次之间的关联性，不能再对实际存在的管理要素物理关联性进行实体意义的肢解和破坏。

通过对质量目标的复杂性进行降解，还要按照整体论的思想，对复杂性降解进行一定的补偿。依据统筹原则，保证质量目标之间的整体均衡。例如，兼顾好直接与间接、眼前与长远、部分与整体及功能性、战略性目标之间的均衡。又如，在分项工程的建设过程中，既要保证材料、构件、每一部分的质量达到要求，同时要考虑整体结构的性能；既要满足每一项专用标准的稳定性，又要保证工程整体的质量耐久性，通过技术、工艺、方法、资源的综合控制，以及现场整体质量目标的协同管理，最终实现整体的质量目标。港珠澳大桥钢箱梁制造的制造过程运用了这一整体论思想，在保证每块钢板、每种焊接材料、每一个板单元质量的同时，通过计算机模拟等各种分析方法，综合考虑拼装焊接后钢箱梁的整体性能，确保钢箱梁各桥梁段的质量、耐久性达到设计标准，满足钢箱梁 120 年设计寿命的质量目标。

20.3.2　港珠澳大桥现场质量控制体系

作为一个超大型的工程项目，港珠澳大桥现场的质量管理与工厂化、企业化的质量管理有着很大的区别。港珠澳大桥现场的质量控制，贯穿着整个工程项目从策划到竣工验收的全过程，为确保高质量的建设，港珠澳大桥管理者建立了一个全面、稳定、有效可控的现场质量控制体系，包括控制实体性能稳定性和耐久性的技术标准体系，以及进行全过程控制、现场监管的质量管理体系。

1. 技术标准体系

港珠澳大桥在策划阶段就已经确立技术标准遵循"就高不就低"的原则，以统一粤港澳三地的工程技术标准和规范，形成工程项目专用的技术标准体系。根据港珠澳大桥工程在设计、施工及运营阶段的要求，先后发布了《港珠澳大桥项目设计指导准则》《港珠澳大桥工程专用施工规范指南》《港珠澳大桥施工及质量验收标准》《港珠澳大桥专用营运及维护标准》等系列标准，全面规范和指导大桥设计、施工及营运等活动。

港珠澳大桥设计要求高，技术标准严苛，如主体工程设计定位精度要求达到平面±2厘米，高程±3厘米；墩台平面控制误差1厘米，垂直度1/3 000；钢箱梁喷砂除锈等级都高于 Sa2.5 级，环境温度要求在 5~38℃，相对湿度要求小于等于80%，钢板表面温度应高于露点温度 3℃以上等。各项工程的施工和验收工作都有相应的标准，并且严格按照标准执行，以满足大桥 120 年寿命的设计目标。

2. 质量管理体系

由于港珠澳大桥工程的复杂性和主体的多元性，项目管理体系需要严格遵循工程质量管理的法规和指令，同时结合重大工程管理的特点和项目自身的独特性予以创新、提升。港珠澳大桥管理者结合粤港澳三地的要求，建立了质量管理体系，以"分部、分项工程合格率 100%，无严重质量缺陷，无重大质量事故"的质量目标为底线，提出了明确的创优计划，按照国家优良工程的标准来自我要求。

港珠澳大桥现场质量管理体系由多个子体系构成，按实施的主体包括业主项目管理的质量管理体系、勘察设计企业质量管理子体系、施工企业质量管理子体系、监理企业质量管理子体系、材料设备供应商质量管理子体系；按体系内容包括工程项目勘察设计质量控制子体系、材料设备质量控制子体系、施工安装质量控制子体系、竣工验收质量控制子体系等。以上各质量子管理体系在现场发挥协同交互作用，同时又和外部的行业、企业的质量管理体系有着协同联系，如政府、建设行业实施的质量监督管理体系、各参与方的质量管理体系等，共同保证港珠澳大桥的现场质量（鲁华英，2019）。港珠澳大桥的质量管理体系是将工程建设管理模块与国际质量体系模式相互融合、深化形成的，其内容借鉴国际通用的 PDCA（plan-do-check-action，计划–实施–检查–改进）质量管理办法，共分为20 个模块，具体见表 20.1（鲁华英，2019）。

表 20.1　质量管理体系模块

体系策划（plan）	体系实施（do）		体系检查（check）	体系改进（action）
1. 质量责任制	5. 勘察设计质量管理	10. 工程材料管理	15. 项目质量检查	19. 不合格品与质量事故处理
2. 项目人员培训与考核	6. 监理质量管理	11. 混凝土认证	16. 政府质量监督	20. 质量分析与改进
3. 施组/质量计划审查	7. 施工质量管理	12. 首件制认可	17. 质量监督系统	
4. 工程档案管理	8. 试验检测管理	13. 施工标准化	18. 质量验收	
	9. 测量控制管理	14. 合同管理		

结合上述技术标准体系和质量管理体系形成了大桥工程现场质量控制体系，实现了对现场质量活动中人、事、物的协同管理，打造优质高效的质量工程。

20.3.3 港珠澳大桥现场质量综合控制路径

1. 工程思维的综合控制

根据工程思维原则，在工程现场施工前，先根据实际的情况确定初步的设计方案，再对关键的施工活动进行模拟试验，事先设立技术测量中心和实验室，建立起试验室体系，确保所有的工程质量管理活动都建立在科学、可靠、可信的数据基础之上。实施足尺试验制，对重要或关键部件预先进行 1∶1 尺度的试制或试验，从而获取和确定相应的现场施工工艺与参数，为优化施工方法和编制指导书提供施工经验和实证材料，对设计方案进行改进和优化；开始生产制造后，坚持对每一批同类产品实行首件认可制，规范具体的工艺、参数、操作步骤等，同时对方案进行反馈，进一步优化。实践证明，通过首件认可制可以总结施工工艺、方法和具体的质量控制措施，对于提升施工质量、确保零缺陷具有重要的示范作用。实现工程思维的综合控制，可以对施工方案和工艺进行一个完整的、系统的检验和优化工作，使得方案反复迭代、对比、优化、生成，对复杂性进行有效的降解，并且逐步逼近现场的真实性，在确保其可行性的基础上，对后续工作起到良好的规范和指导作用。

港珠澳大桥的沉管预制将技术方法的构想与各种试验相结合，综合质量控制全过程，进行深浅坞蓄水及混凝土浇筑等试验，实行预制沉管的足尺试验、首件认可制，确保整个沉管预制过程的质量和安全。

1）深浅坞蓄水试验

沉管预制之前，研究团队创新性地提出了深浅坞方法，与传统方法不同，此方法利用浅坞来进行舾装过渡，紧接着在深坞进行管节的寄放和浮运，使得各道工序在各自互不干扰的场地内有序推进。港珠澳大桥建立了世界上规模最大的深浅坞，在使用前进行了蓄水试验并顺利实现试灌水至+15.35 米标高。蓄水试验取得圆满成功，确保了预制沉管的舾装作业和浮运出坞施工的质量和安全。

2）足尺试验

港珠澳大桥海底沉管隧道共 33 个管节，每个管段长 2 250 厘米，宽 3 795 厘米，高 1 140 厘米，底板厚 50 厘米，侧墙及顶板厚 150 厘米，中隔墙厚 80 厘米，标准管节重约 8 万吨，设计寿命 120 年。面对如此巨大而复杂的工程和前所未有的挑战，大桥管理局决定在管节正式生产之前，开展每段长 5.8 米的两段足尺试验，以验证结构设计、工艺的可行性及混凝土的控裂指标。沉管足尺试验的质量要求十分严格，技术指标几近苛刻：沉管每个管段长度误差≤2 厘米，每个管节长度误差≤3 厘米；钢筋长度误差≤1 厘米，角度误差≤2°，绑扎间距误差≤2 厘米，保护层厚度误差≤0.5 厘米；钢端壳安装精度每米内不平整度＜1 毫米，周长达 91 米多的钢端壳总体误差＜5 毫米；混凝土振捣的间距、插取都有明确的要求，大量预埋件的安装精度均以毫米记。同时，分区经理组建了一支团结高效、科学严谨的施工队伍，保证足尺试验的质量。

在足尺试验过程中，根据施工现场出现的各类问题，及时优化设计方案，实现了设计与施工的联动。在第一次足尺模型试验中，出现了一系列问题：钢筋安装工艺顺序与预埋件安装工作不协调，剪力键预埋件大而重，且锚筋过长，造成钢筋笼变形；混凝土输送距离过长，造成泌水、坍落度变化大；等等。项目总工和技术团队及时制订整改方案，设计部技术人员一次次深入现场，详细听取现场施工人员的意见和建议，从而进行分析、比对、优化，根据实际情况及时整改，保证了试验的圆满成功。同时，突然"试验"性，采用多项方案，进行工艺工效对比，模拟施工中可能出现的问题和障碍，为正式管节的生产积累了大量宝贵的经验，保证了沉管生产过程的质量。

3）首件认可制

预制沉管正式生产时，严格实行首件认可制，树立隧道沉管的样板，先后经历钢筋加工、绑扎、钢筋笼顶推、体系转换、预埋件安装、模板复位、混凝土浇筑、管节养护等工序，每一个工序又有许多小项，工区按照总体施工组织计划，制定分项工程实施计划和质量标准，落实质量保证措施、技术负责人和质量责任人，实行责任倒溯。每完成一项工序，在质量自检合格后，进行下一道工序的实施，做到事前预防控制和实施过程控制，保证管节的高标准、高质量。在安装过程中，施工人员对安装工序和节段布局进行优化，反复精调，选用二氧化碳焊接工艺，减小高温焊接的变形量；测量、质检同时进行，进行全断面的多点观测，既使质量符合标准，又保证了管节的水密性（李正林，2012）。预制管节首件制的实施，使在首件制环境下获得的施工经验及其工艺参数固定下来并使之规范化、标准化，推广应用到后续工程实施中。此类标准化管理，较之以往的管理经验更具有针对性和可操作性，效果更好。

港珠澳大桥生产制造了世界上最大的沉管，从确定技术方案到各类专项试验、足尺试验、首件制，到最后正式大量生产，其间工艺和方案经历了反复迭代和优化，一步步逼近现场的真实性，实现了工程思维下全过程的综合控制。

2. 多层次的综合控制

工程实体归根结底是材料构成的，控制原材料的质量稳定性是工程管理活动的基本任务。港珠澳大桥建设过程中用量最大的是混凝土。目前，国内桥梁的设计使用寿命一般为 70 年左右，少数为 100 年，而港珠澳大桥的设计使用寿命为

120 年，无论是对于设计者、管理者、监理者还是建设者而言，这都是一项世界性难题。在混凝土使用标准方面，世界上只有英国具有混凝土使用寿命 120 年这一概念，而困扰港珠澳大桥建设的首要难题便是缺乏公共标准。在港珠澳大桥建设过程中，国内桥梁领域的专家们将国际和国内标准进行了研究论证，取长补短之后形成了《港珠澳大桥混凝土耐久性质量控制技术规程》。这一专用技术规程的首要原则就是各种标准、指标就高不就低。混凝土材料达到设计要求的质量标准，是港珠澳大桥工程质量的重要保证。从混凝土材料的选取、配合比的试验和确定、防腐蚀、认证到养护，整个质量控制过程充分体现了港珠澳大桥对于基础性材料质量的综合控制。

除了对混凝土的质量控制外，港珠澳大桥钢箱梁的制造和吊装过程也体现了多层次的综合控制。在钢箱梁的设计和施工过程中，将钢箱梁 120 年设计寿命分解到对每一块板单元、每一种焊接材料、每一个桥梁段的质量及耐久性要求中；同时，又通过计算机技术等各种分析方法，在钢箱梁实际制造过程中综合考虑拼装焊接后的整体使用性能，达到微观和宏观质量的统一；在钢箱梁制造到钢箱梁吊装的过程中，施工的实时监控对于钢箱梁制造线形、装船、运输、吊装及体系转化过程的应力、线形及实时温度提供了指导和控制的作用。为确保施工过程结构质量和安全，监控单位反复验算了各种姿态下的成桥状态，对结构中的力学进行综合计算和分析，对索塔水平位移等进行前后对比分析，根据结果及时对钢箱梁制作和吊装单位发出监控指令。整个过程通过实时监控和调配，实现了钢箱梁质量的动态控制。

3. 资源的综合控制

港珠澳大桥主体工程实行"大型化、工厂化、标准化、装配化"的建设原则，钢梁制造推行"车间化、机械化、自动化"的制造理念，在此基础上，对人员的分配和使用、设备的使用和管理、资金的投入等进行了有效的综合控制。其中，钢箱梁的制造过程是一个很好的范例。

1）板单元生产线

围绕高标准的要求，制造企业在前期投入了大量的人力、物力、财力，花费大量的时间和精力，对钢箱梁的机械自动化生产进行了深入研究，设计了全新的板单元生产线，研制了世界领先的自动组装和定位机床技术，同时引进了日本先进的电弧跟踪技术，研制了焊接机器人，大幅提升了机械自动化水平，保证了板单元的生产质量。

2）板单元组装

在板单元组装过程中，制造企业与唐山开源机器人公司联合研制出的"U"形板单元自动组装定位机床和板式加劲肋板单元自动组装定位机床首次在钢箱梁板单元制造中得以应用。机床轨道间距 6 米，长 30 米，具有组装前钢板焊缝区域自动打磨、除尘功能，取代了常规的人工打磨工艺，使施工环境得到很大的改善；机床的自动化操作，改变了以往人工画线、组装、定位焊的手工操作方式，使板式加筋肋的组装定位完全实现了机械自动化（胡广瑞，2012）。自动化的组装过程减少了人工操作，通过无人化的操作保证了组装的质量。

3）板单元焊接

板单元组装后需要焊接成块体，为了提高钢结构焊接的质量和稳定性，港珠澳大桥首次将数字化焊接机器人应用于钢结构拼装场地。立位轨道式焊接机器人技术的使用，使自动化焊接代替了人工施焊的传统工艺，大大减少了焊接接头，提高了焊接质量和生产效率。关键焊缝如采用人工焊接，则质量不能保证，而无损检测的结果也表明焊接机器人的焊接质量远高于人工，且焊缝外观成型美观。

4）大节段拼装

港珠澳大桥小节段钢箱梁拼装完成后，用运输车运送到涂装厂房进行打砂、涂装作业。整个涂装作业均在厂房内自动化进行，实行工厂化、标准化、精细化施工模式，避免了室外的雨水、光照等环境因素对质量稳定性的影响。板单元组装、焊接都采用机械自动化的工艺，接着需要技术员将钢结构进行大节段拼装，形成完整的钢箱梁结构。依靠数据采集监控网，对大节段拼接过程进行全程监控，确保拼接的精度和质量。按照施工监控单位给定的吊装段长度和线形，在厂房内完成大节段的拼装作业需要结合现场实际情况和采集的数据进行调控，因此安排技术员专门负责，保证拼装精度和质量。

4. 方法的综合控制

港珠澳大桥现场面临多方面的复杂性，现场施工很难通过单一的方法或手段形成解决方案，往往需要结合定性分析、建立模型、定量计算及计算机模拟技术等方法综合考虑，各种方法的综合运用和控制对于效率的提高和质量的保证有着十分重要的意义。

港珠澳大桥海底沉管隧道的建设因其特殊的深海环境而面临极大的挑战，在 40 多米深的海底，修筑着一条全长 6.7 千米的双向 6 车道海底隧道。港珠澳大桥的沉管隧道工程充分利用了定性和定量分析、结构化的模型计算及计算机模拟技术，丰富了沉管隧道的设计理论和方法，形成了沉管隧道设计与施工核心技术，编制了符合质量要求的设计与施工指南，确保了工程的质量。不仅实现了港珠澳大桥沉管隧道安装的质量控制，也对我国沉管隧道的发展具有重要意义。

20.4　港珠澳大桥现场供应链协同管理专题

20.4.1　港珠澳大桥现场供应链的内涵

港珠澳大桥工程规模大、环境复杂、制造智能化等特点，赋予了港珠澳大桥现场供应链新的内涵和特点。港珠澳大桥现场供应链地域分布广，其中"现场"的概念不仅是指大桥施工现场，其包括了部件和构件生产制造厂、物资运输道路等整个工程项目建设活动场所。港珠澳大桥现场供应链活动是指从供应商选择、原材料采购、构件生产制造、仓储和运输直到现场施工的全过程，其中采购与供应管理、库存管理、仓库选址、运输管理等供应链集成管理都是十分重要的环节。

港珠澳大桥现场供应链的管理主体包括港珠澳大桥管理局（业主）、设计单位、总承包商、分包商及各供应商和制造商。随着智能化制造技术的推广，港珠澳大桥现场供应链呈现出高度集成化、标准化的特点，其中施工现场的建造活动与供应链的一体化管理是大桥现场供应链协同管理的关键。

20.4.2　港珠澳大桥现场供应链模式的特点

港珠澳大桥现场供应链模式呈现出以下新的特点。

1. 工程现场呈现出大范围分布式形式

港珠澳大桥工程需要大量的大型部件，为保证其质量的稳定性，普遍采用工厂自动化生产再将部件运送到施工现场的方法。工程中的大量关键部件不直接在施工现场制造，而是由设计、制造、物流、施工单位在世界各地的工厂中生产制造，再运送至施工现场。例如，港珠澳大桥西人工岛岛壁钢圆筒在上海振华重工长兴制造基地进行工厂化生产，制造完成后通过滚装泊位工程从上海运输到珠海的施工现场，再进行施工。其中，工厂、运输途中、施工现场都属于工程现场，每一个环节的质量都要严格控制。因此，港珠澳大桥的工程现场已经不仅是建设活动的施工现场，而是包括了整个供应链中从生产到施工的各个现场，呈现出大范围分布的特点。

2. 工程现场施工和工厂制造呈现实时强关联模式

港珠澳大桥实行供应链的集成化、信息化管理，工程现场施工和工厂生产制造不再是两个相互独立的环节，而是通过实时的信息共享和反馈实现施工与生产制造的强关联。工厂根据现场施工的需要和现状生产出符合要求的材料和部件，现场施工时将监测的数据和信息实时共享、反馈给工厂，使工厂的生产针对实际问题及时调整和改进，以提高整个过程的质量和效率。此外，工厂还要针对港珠澳大桥现场的特点和建设要求进行必要的技术创新与管理创新。

3. 供应链形成由多个同质或异质供应商、生产商为节点的递阶复杂网络

港珠澳大桥工程规模大、标准高，现场施工需要大量高端设备和先进技术，很多时候光凭国内的生产制造技术无法满足工程的需求和标准，大桥管理者在全球范围内寻找最合适的供应商和生产商，甚至在同一个分项工程中与多个来自世界各地的供应商、生产商合作。例如，在沉管预制的项目中，决策团队与多个全球顶级设备制造商合作，共同研究技术方案，进行设备的研发和配置。其中包括德国设计、上海振华重工制造的自动液压模板成套设备，瑞士设计制造的管节支撑和同步顶推设备，日本制造的钢筋加工设备和发电机组，德国及其国内独资公司联合提供的混凝土输送与布料设备。众多不同技术领域中具有顶尖水平的供应商、制造商汇集起来，形成了港珠澳大桥供应链的复杂网络。

此外，港珠澳大桥供应链运作本质上是一种市场行为，各个供应商、制造商的技术水平、市场地位都不尽相同，大桥管理者在尊重市场基本规则和规律的基础上，对相关的技术、设备选择和创新活动进行战略性的安排，对不同层次、不同阶段的供应商、制造商进行合理的选择和组合，以满足设计的要求，整个供应链呈现为多个同质或异质供应商、生产商为节点的递阶复杂网络结构。

20.4.3　港珠澳大桥现场供应链柔性管理

港珠澳大桥工程建设的复杂性及资源工序的不确定性使得现场资源供应链管理需要具备柔性能力，并且实现柔性供应链管理。港珠澳大桥现场供应链的柔性管理要体现在以下方面。

1. 运作协调管理

运作协调是指通过设计合理有效的工作流程，被管理系统中的各个自主主体通过合理合法的自利行为与其他自主主体合作与协调，同时保证实现系统整体的目标和要求。为此，基于港珠澳大桥供应链现场大空间分布，供应链高复杂性的特点，需要制定港珠澳大桥供应链现场的协作规划、激励契约、风险担保、补偿机制及构建信息共享平台等（盛昭瀚等，2013）。

2. 利益协调管理

利益协调是指主体基于责任共担、利益共享的原则，通过合理的协调机制，"诱导"各自主体确定自身的最优决策，并能与被管理系统的整体利益相一致，最终实现被管理系统的整体完善。港珠澳大桥供应链现场涵盖了多方的利益主体，在整个现场供应链管理过程中，多方利益主体会因为自己不同的利益诉求而产生冲突，往往很多时候，现实中的现场供应链并没有预想计划中的那样，供应链现场管理还是要多多考虑供应链管理外的其他因素，如利益冲突等。

3. 文化协调管理

文化协调是指通过建立具有统一价值观的工程文化，对各自主体的价值观念、行为等进行约束与引导。文化协调主要是从精神层面出发，通过精神引导、伦理规范到愿景感召等方式激发自主主体的使命感、责任感，促进自主主体之间的合作（盛昭瀚等，2013）。

20.4.4　港珠澳大桥现场供应链全方位管理

1. 人与人的协同管理

港珠澳大桥管理局与供应商、生产商之间形成了基于"政府—市场"二元作用下的规范关系，体现了港珠澳大桥对于现场供应链多主体之间的协同管理。

港珠澳大桥振沉系统的供应链管理充分体现了多主体之间的协同管理。港珠澳大桥岛隧工程钢圆筒直径22米，最高达到50.5米，一共有120个。要振沉世界上最大的钢圆筒，对振动锤的能量要求极高，然而目前世界上大功率的液压振动锤均为近几年开发，可供参考的案例和经验较少，因此设备选型和方案选择的难度很大。

为了确保港珠澳大桥振沉系统技术方案的可靠性和实际操作的安全性，中交一航局成立了专题组，对技术方案和理论测算进行了深入探讨和论证，创新性地提出了"岛壁结构与基坑围护结构结合""钢圆筒插入采用多台大型液压振动锤联动振沉"等构想。经过全面的分析和验证，中交一航局明确了振沉系统的性能要求，并向全球发出了联合开发振沉系统的邀请，在全球范围内寻找合适的供应商和制造商。随后，美国APE公司、美国ICE公司、荷兰ICE公司和中国上海振中公司四大供应商结合自身的优缺点和港珠澳大桥对于振动锤的要求，分别对各自的设备进行了创新和优化，并给出了振动锤的设计方案。中交一航局组织专家组针对各供应商的优缺点，综合分析了从液压油管的种类、长度到振沉系统总功率和同步可靠性等一系列技术难题。最终，美国APE公司的方案凭借振动锤技术可靠、结构便于操控、工期有保证、商务报价和服务承诺优越等条件，得到了中交一航局的认可，并签订了合同（刘亚平和陈维仑，2011）。在整个振动锤选型的过程中，中交一航局对于整体的技术方案和创新设计进行把控，并对供应商进行了权衡和选择；供应商根据需求和自身的情况，对方案进行创新和优化。

在整个振沉系统中，除了从美国 APE 公司引进振动锤、同步装置、动力站、液压油管、液压夹头等设备外，共振梁和吊架等由中国的制造商上海振华重工制造。美国 APE 公司制造的振动锤要运往中国上海进行振沉系统的组装调试，再一同运往珠海施工现场。因此，APE 公司、上海振华重工长兴制造基地、港珠澳大桥西人工岛及运输航程共同组成了整个供应链现场。中交一航局与 APE 公司和上海振华公司达成一致，为了建设世界最大的振沉系统的共同目标，保质保量按期地完成振动锤、共振梁等所有设备和装置的制造和运输工作，实现了各主体间的协同管理。在制造过程中，供应商和制造商都进行了相应的创新和改进活动，以配合中交一航局的技术要求。美国 APE 公司通过技术的创新解决了各锤主油路等压力、偏心齿轮组装精度、8 锤同步操作等难题，中国上海振华重工依靠工艺的改进使共振梁具有足够的刚度和极高的制造精度，完美完成了各自的任务。

在现场供应链的管理中，运输过程也同样重要，制造商和供应商要确保物资运输的质量和安全。为保证振沉系统海上长距离运输的安全，在航程中通过日本 WINI 公司提供的海象导航信息和英国 BMT 公司提供的海区海浪谱数据进行实时的监测和计算，保证运输过程的安全。

港珠澳大桥振沉系统的建设，融合了多项中国的技术和思想，以及美国高端制造业的优势。中交一航局作为管理者，对于整体的技术选择和创新活动进行了合理的统筹安排，选择了合适的供应商和制造商等主体。在中交一航局的领导下，各主体达成了共同的目标，对港珠澳大桥振沉系统的设计标准进行了相应的创新和优化，在保证工程质量和效率的同时实现了各方的利益，体现了现场供应链多主体之间的协同管理。虽然港珠澳大桥钢圆筒振沉系统是世界上规模最大的，8 台 APE600 振动锤联动振沉也是世界首次，难度高、标准严，但是经过有效的协同管理，钢圆筒通过振沉系统达到了入泥深度不低于 30 米的设计标高，钢圆筒振沉工作顺利完成，实现了钢圆筒超大直径、超深入土的首例成功。

另外，由于港珠澳大桥现场质量要求高、技术标准严等特点，国内的技术和设备无法满足需要，大桥管理者在全球范围内选择合适的供应链主体，故供应商、生产商、制造商在全球大范围分布。虽然港珠澳大桥现场供应链主体的分布比较分散，但是通过多主体之间有效的协同管理，实现了世界范围内顶尖技术和思想的融合，以各方优势保证了工程的高质量与高效率。

2. 人与物的协同管理

针对港珠澳大桥规模大、材料用量多、标准严的特点，管理者创新性地提出了"四化"的理念，即大型化、工厂化、标准化、装配化。港珠澳大桥工程中用到了大量大型的构件和装备，如每个钢圆筒直径 22 米、每个沉管标准管节重 8 万吨，这些大型构件的制造质量和运输安全是现场供应链管理的关键；港珠澳大桥充分利用国家强大的工业化成果作为技术支撑，大桥的桥梁构件、隧道构件等都在工厂中自动化生产、制造，在工厂化的制造流程下，制造的质量和成本得到了有效的控制，同时还提高了生产效率，确保了港珠澳大桥 120 年的设计使用寿命；工厂化的制造带来了生产流程的标准化，大桥构件的生产、装配都有细致的分工，进行标准化的流水线作业，保证质量的稳定性；大桥推行建设装配化，把成批预制好的大型构件运送到现场，再通过大型的设备、机器进行大节段的组装和装配。

在九洲航道桥的制造过程中，钢塔钢材的特殊厚度带来焊缝质量、残余应力等方面的问题。目前国内的桥梁钢结构制造行业，钢梁板单元的组装、焊接等关键工序主要依靠手工或半机械化作业，虽然已经实现了工厂化，但自动化水平较低，钢结构的质量受焊工水平和机械设备的限制，不仅质量稳定性较差，生产效率也较低。九洲航道桥的建设者们在充分吸收国内外自动化造桥经验的基础上，结合大桥自身的特点，在钢塔板单元预处理、切割下料、组装和焊接上投入大量的自动化设备，在提高生产效率的同时，还能保证产品质量的稳定性，消除质量隐患。大力提高制造过程的自动化程度和机器人水平，使制造过程中人工的参与度"最小化"，保证生产制造的质量。例如，九洲航道桥钢塔焊接中首次将数字化焊接机器人用于焊接，经无损检测后表明，机器人焊接质量远高于工人，焊缝外观更美观。九洲航道桥"风帆"形钢塔的自动化焊接程度高达 90%，无论自动化程度还是焊接难度，都超过以往的钢塔，实现了钢塔制造水平的提升，体现了九洲航道桥制造过程工厂化、标准化的优势，保证了现场供应链中部件的质量稳定性。

在港珠澳大桥的桥梁工程中，整个现场供应链围绕"大型化、工厂化、标准化、装配化"的"四化"理念，大力提升板单元下料、组装、焊接的自动化程度，节约一线高水平人力资源，使桥梁装配阶段有充足的高水平人员进行监控和操作，从而保证整体的拼装质量。标准化的工厂流水线生产可以取代人工的制造从而提高质量，专业的技术人员通过监控设备和管理信息系统的综合运用可以保证整体安装过程的质量与安全。通过工厂化向自动化和智能化提升，实现板单元制造"人最少"，整体安装"人最好"的过程控制，对人和物进行系统性的资源配置，实现现场供应链自动化和智能化的协同管理，保证大桥建造的质量和效率。

3. 物与物的协同管理

港珠澳大桥工程对于原材料、构件等物资需求量很大，一个稳定的供应链对于保证大桥建设过程的质量和效率尤为重要。港珠澳大桥从质量控制和库存管理两个方面实行物资的协同管理。

1）物资的质量控制

港珠澳大桥现场大宗关键物资的供应链协同管理是保证大桥质量稳定性的关键环节，其中主要是大宗材料与构件质量的稳定性。对于每一个生产制造的工厂，选择不同的原材料供应厂家，其运输成本和材料质量各不相同，因此，对于材料供应厂家的选择和组合，是现场供应链协同管理的关键。港珠澳大桥管理者将原材料的质量视为第一要素，材料和构件先要满足质量的标准和要求，再综合考虑成本、工期等其他要素。按照质量第一的原则，管理者对现场供应链进行协同管理，保证质量的稳定性。

港珠澳大桥桂山沉管预制厂对于石料的采购选择可以充分体现供应链协同管理中的质量控制。桂山沉管预制厂位置偏僻，四面临海，交通不便，沉管生产所用的各种设备如钢材、石料、水泥、添加剂等原材料都要靠船只运输，因此，该预制厂施工组织难度大，条件保障要求高，对于供应链有着很大的挑战。在实际管理中，既要保证大宗物资的采购地点临近河道，便利运输，又要保证物资质量和厂家水平满足沉管生产的标准和需求。

在石料厂家的选择中，管理者在保证质量的基础上，综合考虑成本、工期等因素，选定了最合适的厂家。沉管预制厂所在地有一个颇具规模的石料厂，按照预先的设想，就近采购石子，不但运输方便、运费低廉，而且可以减少库存，节约资金成本。该石料厂按照工区的要求进行改进和优化后，除了含泥量外，其他各项指标都满足设计标准，受限于当地淡水资源稀缺，含泥量等指标再提高存在很大的困难。如果选用这种石料，一旦石料生产出现不稳定的状况，就会使得混凝土配合比的设定可调空间缩小，影响混凝土的性能和质量稳定性；如果另选厂家，整个管节的生产仅石料一项就将增加近 2 000 万元的成本。针对这一复杂的状况，岛隧总经理部与监理和业主联系，能否将含泥量指标适当放宽，经过试验对比后，管理局坚持维持原标准；随后，工区物资部的采购继续到各处联系厂家，取样试验，综合比对后最终选定了质量符合标准，但位置稍远、性价比最高的石料厂家。经检测，石料的各项指标都超过了设计标准，供应链的质量控制使预制沉管的生产制造质量得到了保障。

2）物资的库存管理

港珠澳大桥管理者十分重视现场的仓库管理和库存控制，通过建立数据管理系统、实时数据记录等方法对物资进行了有效的协同管理。其中，港珠澳大桥信息化焊接数据管理系统是一个成熟的范例。

港珠澳大桥信息化焊接数据管理系统是山桥引进的，这一系统大大提高了港珠澳大桥的焊接质量和效率，同时也充分体现了港珠澳大桥科学、高效、创新、创优的管理模式。港珠澳大桥信息化焊接数据管理系统是一套数字焊机焊接数据管理系统，应用计算机通过局域网络对输出电流、输出电压、焊接用量等焊接参数进行记录。焊接设备通过局域网络、U 盘拷贝等方式，将焊机工作状态、焊接参数、焊接时间等信息上传至服务器（华兴，2013）。港珠澳大桥信息化焊接数据管理系统的应用，为焊接工作中焊丝等材料的库存、调配等环节提供了强有力的技术支撑，对不同供应厂家提供的各种材料都进行了有效的安排和配置，实现了供需平衡和资源的合理利用及与现场供应链有效的协同管理，使施工过程更加有序、高效。

综上所述，港珠澳大桥针对现场的复杂性和大桥现场的特点，分别从人与人、人与物、物与物的角度对供应链实行了多主体之间的协同管理、自动化与智能化的协同管理，以及物资之间的协同管理，切实保证了施工现场大宗材料与部件的质量稳定性，优化了资源配置，同时有效地提高了施工效率，保证了大桥的工期要求。

20.5 港珠澳大桥现场综合防灾减灾专题

20.5.1 港珠澳大桥综合防灾减灾背景

重大工程建设和建设后的功能释放与环境有着密切关联，特别是自然环境在工程全生命周期内可能出现的各类自然灾害对重大工程影响和威胁最大；另外，虽然重大工程基本出发点是为人类造福，但在形成人造工程实体过程中，常要改变甚至破坏原来的自然环境与生态平衡，这本身就可能破坏了原来的自然规律，而成为某种自然灾害的诱因（盛昭瀚和曾赛星，2018a）。因此，港珠澳大桥现场作为复杂的综合系统，其现场的防灾减灾工作也是综合性的。经过分析，港珠澳大桥现场的灾害分为两大类：一类是自然灾害，如地质灾害、地貌灾害、气象灾害、水文灾害等。另一类是人为灾害，如工程经济灾害、社会生活灾害、生态灾害等。

在自然灾害方面，港珠澳大桥面临的灾害主要是台风。港珠澳大桥位于中国南海，此海域位于台风高发区域，容易遭受台风等自然灾害的侵袭。台风会对大桥的建筑结构造成不可预测的损害，对大桥的质量安全带来巨大的挑战。此外，台风对大桥现场的设施设备以及现场施工人员安全可能造成不可估量的威胁，同时影响大桥现场的施工进度，进而影响整个大桥现场建设的各个方面；除台风这一类常见的自然灾害外，对大桥能够造成灾难性影响的还有海啸等。

港珠澳大桥面临的另一类灾害是人为灾害。例如，大桥现场的复杂性和现场管理者认知的局限性会引发大桥现场主体做出错误的决策，而决策的失误往往是造成大桥现场人为灾害的主要原因，并可能对大桥造成不可挽回的重大损失。又如，大桥的质量是大桥建设的重中之重，大桥世界一流的质量标准也是实现港珠澳大桥 120 年使用寿命的基础保障，因此，港珠澳大桥要严格防范因大桥工程质量低下造成大桥现场出现灾害。再如，大桥现场是涉及多专业、多领域的复杂系统，大桥现场人员的操作失误与不当可能造成大桥损毁，如大桥现场位于繁忙的航运水域，船舶驾驶员的操作不当可能会致使船装危险，造成大桥的灾害性损失等。

综上所述，港珠澳大桥现场面临的两大类灾害都有可能给大桥带来巨大损害，需要港珠澳大桥据此进行深入的综合防灾减灾。

20.5.2 港珠澳大桥综合防灾减灾路径

1. 现场灾害复杂性分析与降解

基于港珠澳大桥现场高复杂性的特点，港珠澳大桥现场的综合防灾减灾工作先要以港珠澳大桥现场复杂性研究为基础，通过对大桥所面临灾害的复杂性分析与复杂性降解，找到港珠澳大桥防灾减灾的关键所在，并在保证大桥实体固有的物理复杂性没有"损坏"的情况下，进一步提高港珠澳大桥现场主体分析和驾驭复杂性的能力。

港珠澳大桥位于中国南海，此区域为台风高发区域，容易遭到台风的侵袭。为此，港珠澳大桥与国家海洋环境预报中心建立全面合作，由国家海洋环境预报中心为港珠澳大桥提供实时预报台风位置、行进路径等方面的服务，大桥建设者基于国家海洋环境预报中心提供的预报信息，借助现代高新技术，提高对台风灾害的认知，综合考虑台风对大桥可能造成的损害，最后做出相关对策。

针对防灾减灾，还可以通过足尺试验机制实现灾害的复杂性分析及复杂性降解。港珠澳大桥科研团队建设了 1∶1 全尺寸隧道综合防灾实验平台，利用 3 年时间，对大巴、中巴、小巴车进行多次燃烧试验，在世界上首次获取了火灾中隧道内温度、烟雾扩散规律、消防、逃生时机等第一手数据，这一试实验主要是为了辨别危险源与预测可能发生的火灾及其带来的对大桥的严重后果。依据这一试验，可以针对大桥隧道不同情形的火灾来采取不同的减灾救灾方案，具有重大的大桥防灾减灾意义，并形成了《沉管隧道防火安全管理分级指南》《沉管隧道通风与消防布设设计指南》等港珠澳大桥防灾减灾的成套关键技术，并在此基础上，形成了跨境集群工程离岸特长沉管隧道建设防灾减灾关键技术，在行业内具有很高的应用价值和很好的推广前景。

2. 防灾减灾关键因素综合管理

在对大桥现场的复杂性分析和降解的前提下，对大桥建设现场的防灾减灾还要充分考虑大桥现场的各类影响因素，从全局层面上综合各种关键要素信息，依据综合原理，把港珠澳大桥防灾减灾的影响因子综合起来。港珠澳大桥现场工程内容复杂，现场施工点多，设施设备多。港珠澳大桥现场工程内容包括海中桥梁、海中人工岛、海底隧道等，需要建设大量的海上临时施工平台、材料堆放平台、大型拌站、材料堆场、加工棚等设施设备。施工人员和设施设备往往分散在各个施工平台和临建点；另外，现场施工人员和船、机械设备数量众多，施工高峰期需要投入成千上万的施工人员，高峰期参与施工的塔吊、起重船舶、工程车辆、施工船舶都是数百辆（艘）计，需要搭设的脚手架、支撑数量更是巨大，而且，无动力的大型特种船舶占有相当大的比重。据不完全统计，港珠澳大桥主体工程施工高峰期，投入现场施工人员约 8 000 人，各类塔吊、起重设备约 50 部，参与施工的工程车辆约 300 辆，施工现场船舶约 260 艘，其中约 60 艘为无动力大型特种船舶，足见工程现场防灾减灾的复杂性。

工程现场人为因素灾害主要体现在大桥建设过程中人为决策行为失误导致的灾害。前面提到，现场工程内容复杂，现场施工点多，临建设施设备多，多专业之间信息不顺畅及界面衔接的不协调往往会造成关键因素或关键信息缺失，并可能导致现场主体做出错误的决策，造成灾害性破坏。需要注意的是，决策形成的结果可能需要时间的多尺度来显现，即有的决策对大桥带来的灾害性影响可能需要长生命尺度才会体现，有的会立即发生，这些都是难以预测的。除决策失误外，还有如工程方案设计、关键技术选择、质量标准低等也会造成大桥灾害事故，或对周边地区及环境造成灾害性影响。

例如，港珠澳大桥区域是船只通航繁忙的水域，同时在大桥建设期间会有大量的施工船舶作业、通行及停靠。船撞事故是重大的安全风险之一，极有可能对船只、大桥主体结构及现场人员造成重大灾害。有专家、学者对国内外船撞事故进行分析后发现，事故发生的原因极为复杂，主要可分为如下 4 个方面：人为因素（船舶驾驶人员、导航人员的失误等）；桥位处通航环境变化（航道变化、气象和水文条件变化等）；船舶自身状况（关键导助航设施、船舶保养维护等）；桥位附近通航管理及服务状况（导助航工程、通航监管与航行指导等）。基于以上原因，港珠澳大桥的防船撞工作要综合全面地从桥梁设计、现场施工、运行管理等各方面采取措施。

由此可见，港珠澳大桥现场的综合防灾减灾工作，通过复杂性降解原理，抓住港珠澳大桥防灾减灾的主要矛盾，以提高大桥现场主体的灾害管理管控能力，降低因人的决策行为等失误而导致大桥灾害发生的概率，通过综合大桥各个方面的资源、分析各方面的影响因子，将大桥现场防灾减灾工作综合协同起来。

3. 防灾减灾协同管理

在港珠澳大桥综合防灾减灾的管理活动中，复杂性分析与降解、关键因素综合之后，进行现场防灾减灾的协同管理，其目的是实现港珠澳大桥现场综合防灾减灾最优效果。在综合考虑各方面影响因素后，港珠澳大桥对台风引起的自然灾害从两个方面进行了协同管理。

1）技术层面协同

在大桥现场，建立高清无线视频监控系统，将施工现场的画面实时传送至施工单位、建设单位的防台应急指挥中心，另外，运用现代化的定位手段和技术，掌握每一个施工人员的动态位置并显示在控制终端上；引入船舶自动识别系统，实时掌握施工船舶动态状况；建立台风预警发布平台，保证能及时将气象信息和预警信息发布至现场施工人员和船舶；建立指挥、通信、调度系统，保证能够随时和现场负责人及船舶保持联系；应在应急指挥中心建立应急工作办公系统，全过程记录防台工作；根据工程特点和作业现场的实际情况，配备完善、可靠的应急响应设施、设备，包括但不限于应急抢险物质、急救物品、应急生存物质、紧急避难场所、应急联络设施。

在营运期间，建立桥梁全段高清视频监控系统（含红外线夜视功能），将监控画面实时传入防台应急指挥中心，充分考虑台风可能引发的风暴潮等不利影响，建立应急排水系统；建立防台应急指挥、引导、疏散系统，保证能够及时疏散人群和车辆；建立应急抢险系统，保证能够应对台风引起的一切次生灾害。

2）管理层面协同

进一步，及时发布防台应急预案，建立防台应急响应管理机制和管理流程，明确防台工作责任机制，防台应急预案经过相关主管部门的审查和备案。防台应急预案在响应级别及管理要求上，在充分考虑海上作业人员、船机设备安全撤离的前提下，保持和各级主管部门的预案一致，并在管理流程上保持紧密衔接。

建立防台工作布置、检查、整改、复核、提高的安全管理责任制；加强和省、市三防主管部门的沟通联系；加强与救助单位、高速客船公司等相关单位的联系，建立桥梁附近水域的应急资源分布资料库和应急救援紧急联系机制，力求增强应急抢险能力。

针对防台应急决策与指令具有"渐进决策"的特点，建立完善的内部会商与决策、执行机制。这一点在桥梁施工期的防台应急响应实施过程中尤为重要。一个好的内部会商与决策、执行机制必须具备以下三个特点：一是能够严格遵从国家防总、省、市三防部门指令和目标宗旨；二是能够根据工程现状、自身防台能力和台风进展情况，在准备阶段、分步实施阶段渐进完成各项防台响应工作；三是能够游刃有余地面对突发事件和突发恶劣情况，即在发生任何突发、意外情况下，均能够指挥、调度后续资源储备完成防台处置工作。

第 21 章　防范为先　减灾为本
——港珠澳大桥复杂性风险管理

21.1　港珠澳大桥复杂性风险管理概述

21.1.1　港珠澳大桥复杂性风险背景

工程风险，指造成工程发生损失的不确定性。工程风险一旦发生，不但会对工程主体造成损伤，而且影响工程目标（质量、工期、投资、项目干系人满意度等）和预期功能的实现，甚至影响工程后期的正常运营。港珠澳大桥的工程风险主要源于工程复杂性的以下几个方面。

1. 源于自然、社会、经济环境的复杂性

港珠澳大桥位于自然环境恶劣、气候复杂多变的伶仃洋海域，持续不断的高温、破坏力巨大的台风、规律复杂的深海紊流、几十米厚的深厚软土、密集繁忙的航运交通、敏感脆弱的生态环境、濒危的一级保护动物中华白海豚等多种因素相互交织在一起，使得港珠澳大桥所处的自然环境愈加复杂、愈加具有挑战性。除此以外，由于港珠澳大桥是由国家投资，具有明显社会公共品属性的重大公共基础设施，同时又受到市场经济因素和规则的约束，且目前中国市场经济体制还不健全，这种政府与不健全的市场、社会、经济环境对港珠澳大桥建设和管理的各个方面都产生着深刻影响，故其建设和管理的风险进一步加大。

2. 源于工程多主体及"一国两制"制度环境的复杂性

港珠澳大桥建设和管理的工程主体包括政府、业主、设计单位、承包商、供应商、监理人员、科研机构、咨询单位等，这一主体群形成了多元价值观和多元利益并存的格局，不同的主体有各自不同的利益诉求，他们之间会出现矛盾乃至冲突和各种异化行为，而这正是形成港珠澳大桥复杂性的原因之一，工程多主体导致了港珠澳大桥管理复杂性的加剧。进一步地，由于"一国两制"制度的特殊性，港珠澳大桥面临的复杂性又大大增加。港珠澳大桥为跨境工程，粤港澳三地政府的政治、法律、经济政策、文化及工程建设的标准均有所差异，这就加大了建设管理人员多方沟通及协调的复杂性和困难程度，使得大桥的管理风险进一步加剧。

3. 源于工程高度集成化的复杂性

港珠澳大桥作为一个桥岛隧集群工程，本身具有高度集成化，工程各部分之间相互作用十分紧密，一个局部的问题可能造成大范围的影响。进一步地，由于集成化程度高，港珠澳大桥在建设过程中将被划分为多个子项目并且从属于多个部门，而各部门之间的协调效率和效果将深刻影响大桥的建设效率。以上这一系列的因素都会增加新的管理风险。

总的来说，港珠澳大桥的工程复杂性，在全生命周期中带来了超越一般工程的、更加难以预知、潜在危害更严重的风险，我们把这类风险称为复杂性风险。需要说明的是，下文中提到的"风险"均指这类"复杂性风险"。在港珠澳大桥的建设管理过程中，需要把对复杂性风险的管理和防范放在极为重要的位置。港珠澳大桥复杂性风险有以下特征和表现。

（1）港珠澳大桥风险复杂性具有普遍性与客观性。港珠澳大桥作为自然环境恶劣、技术标准高等复杂情况下的重大工程，在工程实践中必然存在大量的复杂性风险因素。无论建设者和管理者如何重视风险管理，由于工程本身的建设和管理复杂性，仍会存在意外事件发生的可能性，故复杂性风险在客观上是普遍存在的。

（2）港珠澳大桥风险复杂性具有种类多样性和后果严重性。由于大桥建设管理的构成因素众多，故造成环境风险、技术风险、施工风险、协调风险、认知风险、决策风险等一系列的风险类型，即复杂性风险表现在其种类的多样性上。同时，港珠澳大桥建设周期长、投资量巨大、社会影响深远，一旦造成风险，极有可能大大延缓工期、损失巨大、造成不良社会影响，相比于一般工程，后果更为严重。

21.1.2　港珠澳大桥复杂性风险管理的挑战

21.1.1 节主要介绍了港珠澳大桥复杂性风险产生的背景，同时提出了港珠澳大桥复杂性风险是其自身的工程复杂性导致的，本小节将具体探讨港珠澳大桥的复杂性风险带来的一系列管理挑战。

1. 管理挑战一：管理主体难以把控大时间尺度下的环境演化风险

港珠澳大桥的设计使用寿命为 120 年，在这 120 年间，情景演化的形态和路径对于管理主体而言都是极难甚至无法预知的。港珠澳大桥的复杂性风险管理除了要考虑大桥所处环境系统的变动及其演化，还要考虑大桥和自然社会经济环境形成的复合系统的情景演化及涌现，防范这一复合系统有可能产生的潜在危害和风险，给管理者带来了远超一般工程的风险管理挑战。

例如，港珠澳大桥所处海域设有中华白海豚国家级自然保护区，环境敏感点众多，海洋水质和生物保护要求高。虽然在建设阶段，建设管理者考虑了施工过程中可能对白海豚种群造成的各种影响，为了建筑物与海洋生物和谐共存采取了一系列的措施，但是在未来的长运营期内，还不能确保不会涌现出某些对海洋生物而言的严重情景，存在极大风险。这为港珠澳大桥管理者未来的海洋生态保护工作带来挑战。

2. 管理挑战二：管理主体难以准确认知复杂性风险

港珠澳大桥由"一国两制"下的三地共同建设，这在全国乃至全世界都没有出现过，因此，在港珠澳大桥的论证决策阶段及前期规划阶段，建设者和管理者对港珠澳大桥的环境、施工技术、管理模式等各个方面都缺乏经验、知识和能力，实际掌握的信息也很不足，对整体的认知把握不够到位，这使得管理主体难以准确认知风险复杂性。

在实际建设过程中，管理者对港珠澳大桥的认知程度可以分为以下几种情况。

（1）建设者和管理者知道自己掌握了港珠澳大桥的哪些信息、知识与管理能力。

（2）建设者和管理者知道自己尚未掌握港珠澳大桥的哪些信息、知识与管理能力。

（3）建设者和管理者不知道自己尚未掌握港珠澳大桥的哪些信息、知识与管理能力。

上述的三种情况层层深入，主体的认知不足逐步加深，造成的不确定性也越来越严重。随着对港珠澳大桥的各方面进行论证和深入调研，管理者对港珠澳大桥的管理认知不断深入和尽可能多地识别可能造成的风险，但仍会存在管理主体难以完全认知和预测的风险。

例如，在港珠澳大桥岛隧工程建设期间，遇到了珠江流域河川径流量特别丰富的典型雨型河，丰水期每日最大径流量约 3 万米^3/秒。按照实际观测，岛隧工程建设期间的最大径流量每秒比历史同期增加了 1 万立方米，这是港珠澳大桥建设人员完全没有想到的。汛期季节变化莫测，海流、洋流难以预测，在这种情况下进行汛期岛隧工程建设，存在认知盲点，无疑风险<u>丛生</u>（黄育波，2015）。

3. 管理挑战三：工程高度集成化导致管理主体难以防范复杂性风险

港珠澳大桥的建设、运营不仅只是建设材料、施工设备及技术等"硬资源"的集成，还包括过程中的信息、组织与管理等"软资源"的集成。这加大了港珠澳大桥各部分之间的集成度，使得各部分之间的横向影响与交互作用更加强烈。由于工程高度集成化，一些常规的风险防范措施及方法可能收效甚微，或变得不再有效，甚至因为系统间的强关联及其隐形的因果关系，这些风险防范措施成为打开工程事故的"阀门"，故原来可能不会发生的风险发生了，酿成更大的事故。

4. 管理挑战四：采用新技术引发的复杂性风险

港珠澳大桥建设过程中普遍需要技术创新支撑，而技术创新是一项复杂的系统工程，其复杂性会带来一系列风险问题。技术创新之所以如此复杂，是因为其需要构建相对独立的创新平台与管理体系，以科技攻关为主线，可以分为工程需求、科研管理和成果转化三个阶段，充分体现了创新与实践相互推动的旋进式前进路径。在这一路径中既有对自然环境、工程技术等客观规律认识的不断深化，又有创新主体共识的逐渐形成。

同时，港珠澳大桥的技术创新是以工程实际需求为导向的，所有这些技术创新与工程实践的互动过程，都是一个不断比对、迭代和收敛的过程，而且在此过程中充满了不确定、反复甚至失误，因此这一过程本质上是深度不确定的、高度复杂的，从而形成了一系列潜在危害和风险，这给管理者带来了极大的风险管理挑战（Sheng，2018）。

21.2　港珠澳大桥复杂性风险管理基本原理

21.2.1　港珠澳大桥复杂性风险分析

1. 环境大尺度演化形成的深度不确定性带来的复杂性风险

从整体上看，在大时空尺度和基于"港珠澳大桥-环境复合系统"意义下理解港珠澳大桥所处环境，会有新的深度不确定性内涵，而这种深度不确定性带来的工程复杂性，极有可能导致复杂性风险的形成。

首先，港珠澳大桥所处地域水文地质状况复杂、气象条件恶劣、局部自然灾害频发，不但严重缺少许多自然环境与现象的相关信息和数据，而且对其中许多问题的基本规律与原理都很少了解，正是在这种状况下，环境大尺度演化更加加深了港珠澳大桥的客观不确定性。

其次，港珠澳大桥的周边环境自身就是一个复杂的自组织系统，在工程长生命周期内，环境行为不仅有一般动态性而且还会出现复杂的自组织、自适应现象，这些现象一般不是构成性或生成性的，而是涌现性的，是一类机理复杂的不确定性现象。另外，港珠澳大桥建成通车后形成的新的"港珠澳大桥–环境复合系统"也可能会涌现产生出过去和现在从未出现过的新的复杂现象，而这类现象一般是人们凭借传统的经验、知识及常规方法难以发现和预测的。也就是说，在港珠澳大桥大尺度演化意义下，工程环境的动态变化是深度不确定的，这一类现象对于复杂性风险管理影响尤为重大。

例如，地震灾害的发生是深度不确定的，根据中国地震局的数据，大桥所在的珠江口海域附近，自 1970 年来记录到 2 级以上的地震 20 次，最大的地震是1991 年 2 月 24 日发生的 3.5 级地震，震中距离桥址的最小距离为 30 千米。这说明港珠澳大桥位于东南沿海地震带内，只不过近场区范围内的地震活动比较弱。由于地震是影响桥梁安全性的重要因素，故建设单位委托重庆交通科研设计院、广州大学等科研机构进行研究，设计施工时将大桥的抗震烈度定为 8 度，以抵御此类环境大尺度演化形成的深度不确定性带来的复杂性风险。

2. 管理主体认知不足导致的不确知性带来的复杂性风险

在港珠澳大桥复杂工程系统背景下，管理主体认知不足导致的不确知性而引发的复杂性，是另一类引发复杂性风险发生的主要源头。之所以管理主体对港珠澳大桥建设工程管理问题难以完全认识透彻，主要还是因为港珠澳大桥的复杂性本质属性。

由于认知能力不足与对事物的规律和信息掌握不完全，港珠澳大桥的管理主体可能无法对建设过程中的特定状态、工程运行趋势及未来演化情景认识透彻，并做出确凿的描述、预测和判断，这种管理主体认知不足导致的不确知性很有可能引发复杂性风险。在面对这一类复杂性风险时，应该格外重视，从人员调配、专家咨询、科技运用等方面做好充足的准备和风险的防范，尽可能降低不确知性带来的复杂性风险的发生概率，这对港珠澳大桥复杂性风险的管理尤为重要。

例如，沉管隧道需要安装在 40 米深的海底，这里暗流涌动、海流情况复杂，还有可能遇到大降雨与大径流等情况。另外，这里的流体运动规律以及其他的力学性能也不符合一般海流的规律，至今是人类未能完全掌握的，被称为"深海兼流"。对于港珠澳大桥的建设者们而言，需要在这种情况下安装重达 8 万吨的沉管，且精确度要求极高，两节沉管的对接误差要控制在几厘米之内。在这种情况下，对事件的不完全把控并非来自管理主体本身努力不足，而是客观上无法精确掌握事物的本质或规律，无法精准地做出预测和判断。这种不确知性隐含着一定的潜在风险。

21.2.2 情景思维下的港珠澳大桥复杂性风险管理

1. 港珠澳大桥复杂性风险的情景认知

港珠澳大桥风险情景是指港珠澳大桥一类显现出复杂性风险的情景。从港珠澳大桥复杂性风险管理的角度出发，可以对港珠澳大桥情景与港珠澳大桥复杂性风险管理间的关系做出以下几点解析。

（1）港珠澳大桥情景关联性导致了港珠澳大桥中一类潜在风险情景的演化和涌现。港珠澳大桥情景指的是工程管理活动中的一个连贯过程，因此，港珠澳大桥情景不仅关注管理活动中"未来"可能发生的情景，还关注已经发生和正在发生的情景。也就是说，情景的连贯性告诉我们未来情景与现在及过去情景之间存在一定的因果、关联关系，但这些关系一般非常复杂，管理主体不易清晰感知和梳理出其中的规律。这就造成一些复杂性风险因素"潜伏"在这类未知的情景关联之中，而随着时间的推进，这类"潜在的"风险情景关系很可能演化和涌现出复杂性风险。

（2）港珠澳大桥情景本质形态的复杂性和深度不确定性特点，是造成港珠澳大桥风险复杂性的起因。在管理过程中，管理主体仅能在一定程度上依据自身已有经验、知识来判断未来可能出现什么样的情景，但并不能完全确定未来情景的形成和形成路径。这是导致港珠澳大桥风险是"复杂的"的原因所在，这时，仅仅依靠风险概率估计对未来风险情景做出概率预判显得并不那么可靠。在港珠澳大桥管理活动中，那些从未遇见过、从未想象过、几乎不可能提前预测到的"意外"情景的出现往往使工程建设者和管理者措手不及。这类"意外"情景的发生往往具有突发性的特点，不但使大桥建设过程面临极大的潜在风险，而且是对大桥应急风险管理的巨大挑战，更对复杂性风险管理水平提出了高标准、高质量的要求。

（3）港珠澳大桥情景广泛性使得港珠澳大桥在全生命周期内都将面临复杂性风险。港珠澳大桥情景空间具有广泛性特点，对于大桥建设过程中的每一个固定时点来说，未来的可能情景空间都是十分大的，任何情景都存在发生的可能，这是港珠澳大桥施工过程中不断强调风险辨识评估的原因，也是大桥建设期所秉持的复杂性风险管理思维之一。从工程全生命周期管理的角度来说，港珠澳大桥-环境复合系统在大桥寿命期内可能演化和涌现出一系列"意外"情景，运营期内管理者依旧需要对可能出现的情景进行充分估计，预估"意外"情景可能对大桥造成的影响，重视各类情景风险。

通过以上分析可以发现，港珠澳大桥复杂性风险基本上呈现为以港珠澳大桥情景为依托，在工程建设所处的大时间、大空间尺度下潜伏和演化、产生和发展。情景的这类深度不确定性使得在工程寿命期内往往会涌现出"意外"情景。值得一提的是，重大风险经常伴随"意外"情景的出现而产生，即便能够顺利化解，往往也会一定程度上给工程建设带来资金、工期、材料等方面的损失。因此，港珠澳大桥情景概念与思维对于解决港珠澳大桥复杂性风险管理至关重要。

2. 港珠澳大桥复杂性风险管理的情景防范

复杂性风险防范措施是复杂性风险管理的一个重要内容。下面就港珠澳大桥复杂性风险情景防范思维进行详细的分析与介绍。

首先，风险情景防范思维作为复杂性风险管理的基本前提，对于港珠澳大桥复杂性风险的管理十分重要。港珠澳大桥 120 年的超长生命周期、珠江口海上繁忙交通、施工现场高度开放、综合协调难度大等特点，使得港珠澳大桥在建设过程中可能涌现出各种风险情景，因此，工程风险情景防范工作十分重要。这要求管理主体应该对工程建设每一阶段各种可能出现的情景进行充分估计。同时，深入分析与评价不同情景对大桥建设与管理造成的可能影响程度，并采取针对性措施，减少"意外情景"的发生。秉持这一理念，在港珠澳大桥沉管最终接头施工中，施工团队进行技术攻关的思路便是以风险辨识评估为主线，从第一轮的 17 个风险源逐步深化到第 4 轮的 51 个风险源，用风险情景防范的思维穷尽工程盲区，将风险应对与具体技术措施相结合，工程管理主体在工程实践中解决了一个又一个的现实风险问题。

其次，港珠澳大桥情景风险防范以风险制度、风险教育在内的序列化管理活动或管理行为来实现。衡量情景风险防范工作是否到位，重点在于衡量风险管理方案关于环境情景变动的适应性，即面对复杂性风险的深度不确定性，风险管理方案在未来可能发生各种可能情景，包括在某些极端情景情况下，管理方案所释放出的效用是否有效。为了使风险管理方案具备适应性，管理主体要能够通过自组织和自学习等适应性行为来提高自身认知、分析和驾驭复杂性风险的行为能力。说到底，复杂性风险管理方案是管理主体适应性行为的物化反映，主体行为适应性的效果直接影响管理方案适应性作用的发挥。

综上，管理主体在复杂性风险管理过程中，必须树立情景防范的理念，采取一系列措施，做好必要的情景风险防范，进而降低复杂性风险发生的概率和造成的损失。

21.3　港珠澳大桥 120 年质量风险管理

21.3.1　港珠澳大桥 120 年质量风险管理面临的挑战

港珠澳大桥 120 年设计使用寿命的质量风险问题本质上是港珠澳大桥质量耐久性问题，要解决这一问题，主要面临以下两方面的挑战。

1. 工程自然环境复杂性带来的潜在质量危险与灾害巨大

首先，从工程建设条件来说，港珠澳大桥工程建设区域地处外海复杂环境，距离珠海岸边 30 千米，外海施工作业量大且施工工序极为复杂。对于海洋环境下的土木工程来说，最大的潜在质量隐患就是"海水腐蚀"。其次，虽然在港珠澳大桥工程前期论证时，已经对工程环境，特别是工程所在地的地质、水文、气象等自然环境做了尽可能详细的调查与勘探，但是自然环境复杂性使得工程主体在前期包括在施工准备阶段，也难以完全明确自己应该掌握哪些信息对于工程施工来说是完备的，甚至不知道哪些是自己实际上没有掌握但应该掌握的信息，这使得管理主体面临认知能力不足的复杂性，大大增加了复杂性风险的管理难度。再加上港珠澳大桥工程规模大、调查勘探很难全面深入地获取整体环境信息，造成质量问题的隐蔽性很强。因此，一旦所获取的环境信息之间存在非连续性，则很有可能造成施工环境突变的风险。最后，由于港珠澳大桥位于环太平洋地震带，意味着深海隧道可能面临地震灾害的威胁，即大桥质量面临十分"严重"的发生自然灾害的不确定性。

2. 港珠澳大桥面临工程主体结构新材料的挑战

对于项目整体而言，虽然一些可替换、可修补的部件，如栏杆等，可以通过监测检测进行及时修补或替换，但是对于混凝土、钢筋这类构成港珠澳大桥桥梁、隧道、人工岛的主要材料来说，必须要保证这类材料在 120 年长寿命周期内的耐久性，因为这类材料一旦出现耐久性保障不足的问题，将是对港珠澳大桥 120 年质量目标的巨大威胁，同样是可能造成港珠澳大桥 120 年质量风险发生的潜在因素和隐患。

总的来说，"工程寿命"是一个涉及设计、施工和后期管养维护的复杂系统问题。港珠澳大桥 120 年的质量目标使其面临一类重大质量风险，这类重大质量风险主要来源于大桥建设过程中所面临的多方面复杂性，属于一类复杂性风险管理问题。因此，大桥管理者必须在深刻认识和准确把握外部环境的深刻变化的基础上，采用复杂性思维和风险思维相结合的方式去认知和分析工程全生命周期内的各项工作，保持对于复杂性风险的警惕性。只有增强风险意识，提高防控能力，着力防范化解重大质量风险，不留下任何的质量和安全隐患，才能确保港珠澳大桥达到 120 年的设计使用年限，避免工程质量风险的发生。

21.3.2　港珠澳大桥 120 年质量全过程风险管理

1. 设计阶段的 120 年质量风险管理

面对复杂的自然环境带来的可能危险与灾害，港珠澳大桥能否达到 120 年的设计使用年限要求，重点在于能否满足港珠澳大桥质量耐久性要求，形成满足 120 年使用寿命的技术保障体系。这不仅是工程建设过程中需要解决的关键技术问题，也是应对 120 年工程质量耐久性风险问题的关键。

1）工程腐蚀环境分析

只有对工程所在地的地质、水文、气象等自然环境做了尽可能详细的调查与勘探，降低管理主体对复杂性自然环境的认知不确定性，在设计阶段就增强大桥建设者的信息完备性，才能避免施工阶段的信息缺失情况，降低潜在风险发生概率。根据工程前期环境勘察资料，港珠澳大桥工程结构处于"三高"的环境中，即高温、高湿、高盐下，腐蚀问题严重。具体而言，港珠澳大桥主要构件处于海洋氯离子侵蚀的Ⅲ-C 到Ⅲ-F 的环境作用区间，箱梁和沉管内壁处于 I-B 的碳化环境，部分泥下构件处于 V-D 的化学腐蚀环境。由于港珠澳大桥兼有人工岛、沉管隧道和海中桥梁等多种结构形式，意味着港珠澳大桥混凝土结构将具有多种不同形式，结构形式多且复杂，故需要对不同结构的混凝土构件所处的腐蚀环境进行详细划分。在这种情况下，为了更准确反映不同结构构件的情况，对于人工岛、隧道，按照无掩护条件下的港工设计水位算法划分；对于桥梁等结构，按照无掩护条件下的天文潮划分（王胜年等，2012）。

2）120 年设计使用年限分析

工程腐蚀环境分析之后，进而对港珠澳大桥 120 年的设计使用年限进行分析。从理论上来说，只有在工程性能上有明确的量化指标与 120 年设计使用寿命目标相对应，120 年寿命才有可靠保障。工程性能指标的合理程度直接关乎工程质量目标的实现。在这个意义上，耐久性设计是设计阶段的质量风险管理的关键。从具有 120 年以上设计使用年限的工程建设经验看，如美国新奥克兰海湾大桥、中国香港的昂船洲大桥等，采取合理设计指标、严格控制施工质量、有明确的后期维护等措施是工程耐久性保障的基本思路（王胜年等，2012）。基于此，港珠澳大桥耐久性设计的基本思想是在材料和设计施工水平能够达到的前提下，从材料性能和结构上最大限度地提高结构的耐久性水平，同时对腐蚀风险较高的重要构件关键部位采取合适的附加防腐措施。

3）混凝土结构耐久性设计

为了解决以上问题，港珠澳大桥的工程师们对"跨海集群工程混凝土结构120 年使用寿命保障关键技术"进行探索研究。港珠澳大桥耐久性设计的基本思路是以华南地区长达 20 多年的海洋暴露试验和海港实体工程调查分析为基础，将暴露试验和工程调查样本数据进行统计分析，解析上述模型中关键参数的统计分布特征，建立基于可靠度理论的耐久性设计方法，确定与设计使用年限相对应的耐久性设计指标。随后，研究人员从近 30 年来所获取的 5 500 多组暴露试验数据、1 400 多个实体工程耐久性调查样本入手，对大量数据进行筛选、修正和完善，并按照可靠性设计方法进行概率统计分析，反复校验，最终建立了基于可靠度理论的"港珠澳模型"。

2. 施工阶段的 120 年质量风险管理

在施工阶段，最主要的是要解决大桥主体结构所面临的腐蚀问题。港珠澳大桥选择采取海工高性能混凝土联合外加防腐蚀措施的双重综合防护技术。

1）增加混凝土自身抗腐蚀性能

为提高混凝土自身的抗腐蚀能力，要配制出能够支撑 120 年寿命的高性能混凝土，其中材料的配合比是关键。沉管是港珠澳大桥主体结构中造价高且无法更换的主要构件，因此，为了保证主体结构的使用寿命，在沉管预制施工中需要采取有效措施以防止裂缝的产生。针对沉管隧道而言，沉管隧道的裂缝控制是个艰巨的挑战，港珠澳大桥具有由 33 节沉管构成的 5.566 千米沉管隧道，最深处超过 40 米水深，任何一处出现裂缝，都会给大桥带来致命的危害。一般来说，混凝土结构尺寸体量越大，越容易出现裂缝，对于这种每个小节段具有 3 400 立方米混凝土的超大体量沉管，裂缝控制的难度不言而喻。为了应对这一难题，研究人员在初步设计时，就论证了整段沉管全断面一次浇筑的可行性。此后，又系统开展了沉管混凝土配合比设计、管段结构温度-应力场数值分析、施工期季节性环境温度对开裂影响等方面研究，找出了沉管裂缝最可能发生的部位和出现的时间，规定了避免裂缝发生的温度控制技术指标，并通过 6 次小尺寸模型试验、2 次足尺模型试验的验证，制定了裂缝控制技术措施（黄育波，2017）。扎实的前期技术基础，加上对施工质量的精心管理及试验检测中心严格的质量控制，港珠澳大桥最终历经 6 年，33 节沉管无温度应力裂缝，完美应对混凝土腐蚀和开裂所带来的潜在工程质量风险。

2）防腐蚀措施

在采取具体的防腐蚀措施之前，需要对港珠澳大桥主体混凝土结构进行腐蚀风险评估。这里，通过定量分析港珠澳大桥不同腐蚀区域的环境指数和混凝土结构的耐久指数，比较环境指数和耐久指数之间的关系来评估港珠澳大桥主体混凝土结构的腐蚀风险。如果耐久指数大于环境指数，港珠澳大桥混凝土结构在 120 年维修期内因钢筋腐蚀引起耐久性下降的风险很小，耐久指数与环境指数的差值越小，腐蚀风险越大，耐久性保障越困难。

以港珠澳大桥桥梁工程 CB05 标为例，对某一具体工程在施工过程中为应对由于环境复杂性带来的质量耐久性风险采取的防范措施进行介绍。

首先，为了使混凝土表面与海洋环境相隔开，对承台墩身混凝土表面进行硅烷浸渍。硅烷是一种有机化学物，其分子结构可穿透胶结性表面，渗透到混凝土内部与暴露在酸性或碱性环境中的空气中的水分子发生化学反应，形成一道斥水处理层，从而抑制水分进入基底中，且具有防水、防氯离子、抗紫外线、透气性好的优秀性能。根据工程设计文件的不同要求和不同的混凝土构件，采用不同的硅烷产品和相应的喷涂方式，从而达到保护混凝土的目的。

其次，桥梁、水工建筑物和海上建筑物等处于恶劣环境和暴露性环境中，经常因钢筋锈蚀而导致结构破坏，建设者开创性地在浪溅区（即平均水面以上 8 米的高度）最外层钢筋采用不锈钢钢筋。不锈钢钢筋是一种耐空气、蒸汽、水等弱腐蚀介质和酸、碱、盐等化学侵蚀性介质腐蚀的钢筋。不锈钢钢筋中含有镍、钼、钛、铌、铜、氮等合金元素，这些元素不容易被氯离子腐蚀，因此，具有较好的耐腐蚀性。除此之外，施工过程中 CB05 标项目 2 842 块桥面板全部采用环氧树脂涂层钢筋，可在钢筋表面形成阻隔其与水分、氧气、氯化物或侵蚀性介质接触的物理屏障，从而有效防止外界物质对钢结构的侵蚀。

再次，针对 CB05 标项目钢铁使用量非常大，采用钢结构约 8.57 万吨，钢筋 6.67 万吨的情况，除钢筋采用不锈钢钢筋和环氧树脂钢筋外，钢管复合桩和墩台墩身还采用了牺牲阳极保护措施。当海水、钢管复合桩及更活泼的金属片形成原电池的时候，更活泼的金属优先充当负极，失去电子形成阳离子，这样就保护了钢管复合桩。

最后，为了实现钢结构内部防腐，切断氯离子扩散的介质，除去水分，让钢结构内部处于干燥状态，减轻对钢结构的腐蚀，在组合梁和九洲航道桥主塔内安装了除湿机，来达到干燥钢结构内部环境、减轻腐蚀的目的。其他标段也采取了相应的措施。

以上这几点措施，对于应对由于工程复杂性属性带来的桥梁质量风险至关重要，能够大大降低桥梁质量复杂性风险发生概率，从而降低或规避 120 年质量风险的发生。

3. 运营阶段的 120 年质量风险管理

为了对大桥后期营运实施科学维护，建设人员制定了一套港珠澳大桥暴露试验、原位监测、实体检测相结合的耐久性维护策略。

首先，制定了一系列运营期耐久性维护制度。港珠澳大桥工程部件复杂且种类繁多，不同环境下的结构部件的耐久性承受能力变化也不同。所以说，需要围绕不同的主体部件情况，制定整个寿命周期内的包括结构检测、监测和检查等的主体结构维护管理制度，确定需要定期检查监测、特殊检查监测的具体项目、频率，从而及时发现和掌握工程建筑物的耐久性状况。

其次，进行耐久性监测及结构定期评估。对于一些不可更换的主体混凝土结构构件，如海底沉管等，在施工期就需要埋入耐久性监测传感器，以便后期实时掌握运营期钢筋混凝土的结构变化状况（王胜年等，2012）。另外，在西人工岛建设与工程同寿命的港珠澳大桥暴露试验站，按水下区、水位变动区、浪溅区和大气区设置，放置与工程一致的混凝土试件和钢挂片 3 000 多件，用于今后定期观测取样，定期掌握海水对结构的腐蚀进程，获取腐蚀数据，用于对工程未来寿命的预测。除此之外，实施实体工程耐久性原位监测，选取桥梁主塔、承台、桥墩、箱梁及沉管等重要构件，分别在代表性的关键易腐蚀部位（如浪溅区、水位变动区和大气区）埋设可监测氯离子含量、pH 和钢筋腐蚀情况的耐久性传感器。

最后，在港珠澳大桥管理局开展工程维护的各项工作的过程中，注意到随着技术的发展，耐久性维护系统需要与智能物联、大数据传输处理结合起来，实现对大桥的实时监测、动态评估、提前预警和主动维护，确保在预定 120 年服役寿命周期内不发生重大危及安全耐久性的事件。

21.4 港珠澳大桥沉管隧道施工风险管理

21.4.1 港珠澳大桥沉管隧道施工风险背景

港珠澳大桥沉管隧道的施工过程十分复杂，各阶段之间相互联系，环环相扣，具体可以分为以下几个阶段：沉管隧道的基槽粗开挖和精开挖、基槽清淤、基床铺设、沉管的工厂化预制、管节的出坞及浮运安装、管节的沉放对接以及全阶段测量、管内作业……每一项具体的建设过程，一方面具有各自的设计施工难点，另一方面又相互关联、相互影响，使这项工程成为一项复杂的系统工程。除此以外，港珠澳大桥沉管隧道的建设施工面临很多世界级的复杂难题：世界最大的沉管预制工厂建设、开创曲线沉管预制先河、深埋沉管、外海深水深槽沉管安装……每一道难题，都加剧了沉管隧道施工过程的复杂性，使工程整体建设任务充满了未知的挑战。

挑战总是与风险并存。港珠澳大桥沉管隧道施工建设过程超越一般工程的高度复杂性，形成了沉管隧道施工建设过程中一些独特的、超越一般工程的复杂性风险，具有新的成因与形成机理（Sheng，2018）。港珠澳大桥沉管隧道的施工风险并非一般的、不确定的常规风险，而是由于其工程建设的复杂性本质，造成的超越常规的一系列难以控制的风险。港珠澳大桥沉管隧道建设的复杂性是导致其施工风险的根本原因，也是形成沉管隧道施工风险的基本原因。

21.4.2　港珠澳大桥沉管隧道复杂性风险分析

总的来说，港珠澳大桥沉管隧道的施工风险主要来自以下几个方面（林鸣，2017）。

（1）外海复杂环境：工程建设区域离珠海的岸边 30 千米；建设区为白海豚保护区的核心区；珠江口特有的问题，如异常回淤、异常波浪；珠江口交通繁忙。

（2）四深：深埋、深水、深槽及深厚软土，东人工岛软覆盖层大约达到 50 米，西人工岛大约 30 米。

（3）工程价值高：价值近 10 亿元的沉管预制工厂；价值近 30 亿元的专用装备。

（4）工程技术要求高：6 千米沉管隧道基础；33 节 8 万吨沉管安装。

21.4.3　港珠澳大桥沉管隧道施工风险管理体系

1. 港珠澳大桥沉管隧道施工风险管理思想

沉管隧道的建设管理者提出，在施工过程中，面对风险要时刻保持"如临深渊、如履薄冰"的风险意识，把每一次沉管管节的安装，都当成第一次完成。同时，港珠澳大桥岛隧工程总工程师提出了"技术重要，管理重要，风险管理特别重要"的风险管理指导思想，以风险管控为核心导向，坚持"全员、全过程、动态、实用"的管理理念。

1）"全员"理念

在沉管的施工过程中，通过全体成员集思广益尽量防范在每一次沉管施工作业中可能发生的风险；从一线的建设施工人员，到沉管隧道的项目领导，再到整体工程的骨干成员，每个人都是风险防范的责任人。具体而言，风险识别与管理的具体实施过程包括"自上而下"和"自下而上"两个阶段,这一系列的风险管理活动,涉及了与港珠澳大桥沉管隧道施工有关的各方面人员,包括一线施工人员、管理者等,深刻地体现了"全员"风险管理的理念。

2)"全过程"理念

港珠澳大桥沉管隧道的主要施工过程包括沉管隧道的基槽精确开挖、基槽清淤、基床铺设、沉管的工厂化预制、管节的出坞及浮运安装、管节的沉放对接以及全阶段的测量、管内作业等。在沉管隧道的施工建设过程中,建设者和管理者树立起"全过程"的风险管理理念,对复杂性风险的管理贯穿整个沉管隧道施工建设全过程中的每个阶段。在横向上,覆盖施工过程中所有的作业工序;在纵向上,覆盖沉管隧道安装中所有的施工管理阶段。同时,在沉管隧道安装的每个阶段,建设人员都按照"人、机、料、法、环、测"的生产要素管理法来进行沉管隧道的施工风险管理,从而从各个方面和角度实现了对施工风险的全过程管理。

3)"动态"理念

港珠澳大桥沉管隧道的施工建设是一个长周期的过程,对其风险的管理也应当是长周期的、持续的。例如,港珠澳大桥一开始大规模采购钢材水泥的时候,国际国内市场不景气,能够以较低的成本采用较好的材料,但从 2013 年 9 月开始,石料等地材价格疯狂飙涨,市场供求关系剧烈波动,多次造成关键线路停工待料,大大影响了现场施工的进度,造成了进度风险。因此,在沉管隧道的施工过程中,风险管理应是一个动态的过程。基于此,管理者树立了风险管理的"动态"理念,自工程开始就确立了在整个施工过程中,按照每一个沉管管节安装为一个循环,提出一轮风险管理的目标和要求,同时在每个循环中,都按照风险识别、风险源分类、风险分析和评估、风险处置、总结评审等 5 个环节开展动态循环的风险管理和防范活动。这一风险管理的举措,深刻体现了港珠澳大桥沉管隧道建设的"动态"风险管理理念。

4)"实用"理念

在沉管隧道的施工建设过程中,管理手段的有效性与其实用特性密切相关。因此,本着更实用、更贴近施工一线的原则,管理者坚持"简洁、高效"的思路,在风险管理手册中将风险源划分为通用风险、专项风险和特属风险等 3 大类,并针对不同的作业队将管理手册进行分册编排,给现场施工人员的使用及风险防范带来便利,有利于各专业班组能快速查找风险源、有针对性地落实处置措施(尚乾坤等,2018)。

以上介绍了港珠澳大桥沉管隧道建设过程中对施工风险的管理思想——"全员、全过程、动态、实用"的管理理念,这说明建设主体在施工过程中把风险管理放在极为重要的位置,时时刻刻保持"如临深渊、如履薄冰"的态度,更好地降低沉管隧道建设中施工风险发生的概率，确保沉管隧道的高质量建设。

2. 港珠澳大桥沉管隧道施工风险管理体系分析

沉管隧道建设把风险管理放在极为重要的位置，从尚未进行建设之前，就已经开始进入风险管理的初步研究阶段。从方案设计阶段开始，建设者就思考风险管理问题，探索启动关于风险管理体系的研究；经过几年时间，到2012年中形成风险管理体系报告。港珠澳大桥沉管隧道施工风险管理体系包括组织体系和文件体系两大部分，共梳理出 3 类风险源，分别是通用风险、专用风险和测量风险。其中，通用风险 11 类 196 项，专用风险 7 类 67 项，测量风险 23 类 140 项。综合起来，该工程共计 41 类 403 项风险。沉管隧道的施工风险管理采用最低合理可行原则。

港珠澳大桥沉管隧道施工风险管理体系包括风险识别、风险归因、风险分析评估、风险处置和总结评审五个阶段（尚乾坤等，2018）。

1）风险识别

在沉管隧道建设中，由于工程复杂性的存在，施工风险是无处不在且深度不确定的，这就造成风险的不可预知性。通过事前对施工风险进行识别，并对其进行风险防范，可以在一定程度上降低施工风险发生的概率，因此风险识别是风险分析和管理中的重要步骤，同时也是对风险进行评估和处置的基础。

风险识别的目的，是识别出所有可能对沉管隧道建设造成影响的风险源，以及产生的原因和可能造成的后果。例如，不断变化的气象条件、难以测量的水文条件和地质条件、独特的白海豚保护问题、技术创新等都是导致风险发生的可能因素。在实践过程中，建设者结合头脑风暴法和专家调查法，对风险进行识别，为后面的风险管理打好基础。具体参与风险识别的人员包括沉管施工风险管理组、任务组、作业班组所有相关管理人员、操作人员和咨询专家等。

2）风险归因

在进行风险识别后，管理者对风险因素进行分类，从而更好地防范沉管建设过程中的施工风险，按照其通用程度及特性的不同分为三个类别，分别是通用风险、专项风险和特属风险。

通用风险是指沉管安装施工全过程存在的共性风险，分为"施工作业条件、通航安全、环境保护、作用人员、施工装备"5 大类。

专项风险是指在不同的工序下，由于作业内容和施工环境各异，其所具有的不同于共性风险的独特风险，分为"碎石基床整平、管节出坞、管节浮运系泊、管节沉放对接、管节回填、测量与控制、作业窗口"7 大类。

特属风险是指在不同的区段沉管，针对沉管本身的特点及环境，形成港珠澳大桥岛隧工程沉管的特属风险，分为"岛头区、最终接头、深水深槽、强回淤、曲线段"5 大类。

3）风险分析评估

风险分析评估的主要实施人员是现场施工人员和作业班组，根据已经识别出的风险源对沉管隧道的各种风险进行分析评估，使用《风险分析评估表》，按照风险评估的流程、标准，对各项风险处置前、处置后的等级进行评定，经审定、汇总后提交沉管安装风险决策组。风险等级的判定由经验丰富的施工人员综合现场施工情况确定，最终风险等级参照发生概率和后果严重程度，并按照"安全健康、环境、质量、时间、成本"五个类综合评定。针对风险评估结果，对那些不可接受的风险运用避免、转移、减小、承受风险的策略制定缓解措施、控制措施和应急预案。

4）风险处置

风险处置手段主要包括规避风险、降低风险、分担风险和保留风险，并根据通用风险、专项风险、特属风险的分类情况及风险等级划分情况采取具体风险具体处置的方法。例如，针对通用风险，主要通过制定风险防范措施，将风险发生的概率降低至可以接受的程度，也就是尽量降低风险的危害；对于专项风险，针对具体的专项，通过专项研究、方案优化、工艺改进等手段降低风险，预防危害；针对特属风险，在施工之前对具体问题具体分析，如根据不同管节所在的位置和各自的特点，进行具体的风险防范，并落实到施工过程当中。

5）总结评审

一系列风险管理措施完成后，由沉管安装风险管理组定期组织任务组、作业班组对风险管理体系进行自查，并对风险进行动态管理，定期对已发现的风险进行总结检查再评估，并由施工管理顾问对体系进行外审。

任务组、作业班组根据风险管理的现场实施情况，对风险管理体系运行情况进行反馈，对各风险的状态（开放、闭合）进行检查总结，对新的风险点进行辨识，并动态更新风险登记表。

以上简要介绍了港珠澳大桥沉管隧道的施工风险管理体系，可以看出，整个风险管理过程体现了管理者面临复杂施工建设及其风险时的"全员、全过程、动态、实用"的管理理念，且始终将复杂、深度不确定的施工风险放在极其重要位置的风险意识。下面以港珠澳大桥沉管隧道建设中十分重要的一环——沉管浮运为例，介绍其施工风险管控。

3. 港珠澳大桥沉管隧道施工风险管理实践——以沉管浮运风险管控为例

1）沉管浮运的复杂性风险分析

尽管沉管浮运过程由于各类复杂性而无法确切识别、梳理出所有的风险，但对沉管隧道施工风险的复杂性分析，能够尽可能做好浮运过程的风险防范和风险管理。在沉管浮运中，共筛选出浮运风险 20 余项，下面是几大加剧浮运施工过程复杂性的因素，也是引发复杂性风险的重要原因。

一是沉管自身的超大体积。

港珠澳大桥沉管隧道采用的沉管管节共 33 节，每节管长 180 米，高度相当于60 层高楼；每节沉管宽 37.95 米，重达 78 000 吨，如一艘航母的重量。如此巨型的沉管，在海上进行浮运，沉管的迎流面积大，惯性大，沉管姿态控制难度极大，一旦有任何突发事件发生，价值上亿元的沉管管节就有可能报废。因此，这一超大体积、超大重量的沉管自身带来的施工风险和危险不言而喻。

二是外海施工环境恶劣。

沉管隧道的施工区域位于外海海域，那里的气候条件捉摸不定，海浪、海流条件极其复杂，有时甚至依靠监测和预报也不能完全掌握施工环境条件。因此，为了降低外海海流对沉管浮运、安装的影响，选择每月的小潮汛期间作为沉管的浮运作业窗口。即使这样，沉管施工过程中经常还会遭遇台风的袭击，虽然台风可以预报，但是台风的风力、风向对沉管浮运姿态与浮运速度的影响等都是无法精确预测的，因此，给沉管浮运带来了极大的风险。

三是浮运航道狭窄，船舶难以配合。

沉管隧道从预制厂浮运至安装地点，浮运航道总长度约为 12 千米，基槽内浮运长度约为 3 千米，浮运长度很长。同时，由于海上交通繁忙，为了不对社会船舶的通航造成过大影响，沉管隧道的浮运分为三条浮运线路，每个管节浮运均需要进行 3 次航道转换，浮运的路线很复杂。浮运航道和基槽最窄宽度仅为 240 米和 76 米，对于这样一个长 180 米、宽 37.95 米、重达近 8 万吨的超大型管节来说，这样的航道十分狭窄。同时，在这样狭窄的航道、复杂的线路内，需要 10 艘拖轮配合拖带沉管，为了降低风险，又安排了 4 艘起锚艇随航应急。这 10 艘拖轮需要在狭窄的航道内相互配合控制沉管拖航速度和浮运的姿态，而指挥人员则需同时协调 14 艘船舶，整体浮运的协调难度相当大，船只之间若协调不当，会带来严重危害。

四是沉管浮运面临的水流力大。

超大型沉管在海中浮运时面临的水流力不可小觑。当沉管纵拖时，按照流向180°、流速 1 节、绝对航速 2 节计算，标准管节纵拖阻力约为 500 千牛，考虑20%的波浪增阻，水流力合计约为 600 千牛；当沉管横拖时，按照流向 180°和流速 1 节、绝对航速 1 节计算，标准管节横拖阻力约为 1 000 千牛，考虑 20%的波浪增阻，水流力合计为 1 200 千牛。这相当于在拖动重量近 8 万吨的管节前进的同时，还要多承受几十吨的重量，同时外海水流的流向复杂，一旦遭遇恶劣天气，施工难度更大，其间面临的风险程度也大大增加。

五是施工现场警戒难度大。

港珠澳大桥沉管隧道施工现场位于珠江口伶仃洋东部、大屿山以西水域，安装区域及附近水域现有的通航航道多，主要包括伶仃航道、铜鼓航道、榕树头航道和龙鼓西航道等。为了不对航线通航造成潜在危害，在沉管隧道施工期间，需要对通航航道进行警戒。由于这几个通航航道的航线密集，通航密度大，船舶种类复杂多样，几乎涵盖了所有船种，现场海事部门警戒、封航难度大，这给沉管浮运安装的施工带来了极大的不确定的、难以预测的风险。

2）沉管浮运的风险防范措施

一是浮运演练。

为了降低沉管浮运施工现场的风险概率，在施工之前进行了四次浮运演练，以更好地识别出浮运中可能发生的风险，同时减少因不熟练等原因造成的突发事故。

在首节沉管浮运前，使用排水量超过 45 000 吨的半潜驳替代沉管进行了四次浮运演练。第一次进行了全航线拖运演练、航道内断缆应急演练、基槽内断缆应急演练、基槽稳船演练；第二次进行了全航线拖运演练、直拖演练、"出"字形演练、倒拖演练、刹车演练、基槽稳船演练；第三次进行了全航线拖运演练、绑拖提速演练、刹车演练、起拖演练、直拖演练、艉端拖轮不受力演练、基槽搁浅应急演练；第四次进行了全航线拖运演练、艉端拖轮不受力演练、基槽稳船演练、回拖演练、大流速基槽拖航演练、大流速转向演练。可以看出，每次演练内容的难度逐步加深，考虑了更多的浮运场景。

二是实时海流预测、预报。

在港珠澳大桥沉管施工过程中，海流的影响巨大，若不能准确掌握浮运航道和路线的海流特征和变化规律等情况，有可能对沉管的浮运造成极大的潜在危害和风险。因此为了给沉管浮运提供水文条件等数据，设立了多个海流观测点，安放固定的测流仪。例如，在沉管浮运路线的重要转折点、回旋水域和基槽南北侧，共安放测流仪 5 台。同时，在一些重要的水域和海流流速、流向比较复杂的区域（如坞口和沉管基槽等）进行定期、多点测量，以尽可能掌握复杂、不确定的海流规律，降低沉管浮运的施工风险。

除了对海流进行预测外，还联合专业单位对各航道进行潮位和海流的预报，同时在流场复杂的区域增加潮位、流速的预报点，以更好地预报海流的流速及规律，如在坞口设置了 3 个预报点。

最终，利用对海流的测量和预报数据来选择符合作业窗口的时间段，编制浮运计划，最小化可能发生的风险概率。

三是浮运时采用导航软件。

沉管浮运时采用导航软件是为了准确定位路线、防止路线偏移等情况，以降低潜在风险。浮运导航系统利用一台双天线信标机作为沉管定位设备，主界面实时显示沉管信息，指挥室通过有线传输视频信号实现软件显示。主要硬件配置包括信标机、无线电台、无线接入点、电脑等。为了降低风险，现场配备三套独立的浮运导航系统。

沉管浮运的导航系统能够同步、实时采集 GPS 的坐标数据，计算各特征点与 GPS 之间的空间关系；显示沉管在深坞及出坞编队区的地理位置；实时显示实测的流速、流向数据，实时显示现场实测的海水密度……

通过导航软件的使用，降低了在浮运过程中的不确定性和施工过程中的风险，形成有效的风险管控。

四是制定应急预案。

在港珠澳大桥沉管浮运的施工过程中，由于其自身的复杂性和深度不确定性，风险具有难以预测、潜在危害大、不可预知等诸多特点，故不可能在施工之前识别和排查出所有的风险，在真正的施工过程中，必然会出现各种突发事件，从而带来不确定的、潜在的风险。沉管隧道的管理者制定了应急预案，以应对各种突发状况，如根据前期施工经验和现场发现的风险点，制定了一系列包括坞口编队、搁浅、强对流天气等的应急预案，以更好地降低施工风险发生的概率。

总的来说，港珠澳大桥沉管隧道的成功建设实属不易。从 2013 年 5 月 2 日首节沉管浮运出坞，到 2017 年 5 月 2 日最终接头沉放完毕，用时整整 4 年时间，终于在一路充满曲折与风险的施工过程中顺利完成。沉管隧道工程作为港珠澳大桥的控制性工程，每一节沉管都有自己独特的故事，建设施工过程的难度极大、挑战极大、复杂性极大、不确定性极大、风险极大，建设者和管理者时刻强调"如临深渊、如履薄冰"的风险意识，树立"全员、全过程、动态、实用"的管理理念，认真、踏实做好沉管隧道建设这项世界级工程的施工风险管理，最终建设成功，在多个方面创造了中国之最、世界之最，创造了一大奇迹。

21.5　港珠澳大桥现场风险的应急管理

21.5.1　港珠澳大桥现场"正常性事故"风险分析

1. 港珠澳大桥现场"正常性事故"风险认知

港珠澳大桥现场是一类涵盖要素种类多，且要素与要素之间存在紧密关联性的复杂系统。系统要素之间的紧密关联使得当一部分要素发生故障后，可能会传递给其他要素，从而引发新的故障，使得对于意外事故"防不胜防"。系统要素之间的强关联使得局部的小故障能够被演化为全局性的风险，并对工程主体造成重大损失。但是，依据正常性意外事故理论，这类系统风险的发生是"正常"的，因为风险发生的根源来自复杂性。需要注意的是，要素间多重故障的引发及演化趋势往往是难以预料的，即具有深度不确定性，也就是说，具有明显的风险特征。对于这类风险来说，无论是形成前，还是风险出现时，人们都往往无法理解它的成因与形成机理。这对于我们运用复杂性思维看待、分析工程现场一类源于要素强关联的突发事件风险的形成与演化具有重要意义（Sheng，2018）。

例如，2014 年 11 月 15 日，E15 沉管首次出征，在沉管抵达沉放区域正进行各项安装准备时，意外发生了，超过预定标准的回淤覆盖住了部分 E15 管节的基床。如果强行安装，万一基床上的淤泥让沉管发生滑移，对于设计使用寿命 120 年的港珠澳大桥来说，未来可能是致命的隐患。不得已，E15 管节只能历经 62 小时的艰难海上旅程返回桂山沉管预制厂。为弄清楚上下游泥沙的因果关系，技术人员开展每天 18 千米长距离巡测，即每隔一千米取样检测一次，每天取样 18 个点，持续奋战几个月后，才得出了统一结论：海底突然出现的回淤，主要来源于上游海域采砂船采砂洗砂产生的悬浮物。这一突发事件的发生，并没有具体的责任人，在事件发生之前，很难预测到上游采砂船产生的悬浮物能够对沉管安装产生并造成如此大的影响，在此之前，我国海洋泥沙领域从未有过这么深度的研究，而现在要求对泥沙研究的时间单位从年或月缩小到天，研究的淤泥厚度从米缩小到厘米。

2. 港珠澳大桥现场"正常性事故"风险管理的基本原则

以上对于现场"正常性事故"风险的认知对于我们确立现场复杂性风险管理理念以及风险管理的基本原则具有重要的指导意义，具体如下。

1）强调工程规划时期的风险评估

为了降低工程发生安全事故的概率，工程规划时期的安全评估相当重要。风险评估目的在于能否保证有可靠的装备、材料、工艺、技术来实现设计。另外，在常规安全控制基础上，应当充分运用正常性意外事故思想，从以下六个方面分析工程的复杂程度：工程的设计、工程施工的设备、工程操作流程、工程操作人员、工程材料与设备的供应、工程的外部环境，从而深入了解工程复杂程度，推测出其发生安全事故的可能性。需要说明的是，要把风险评估放在一个重要的环节保证安全。如果风险评估认为危险性较高，则可以考虑使用其他替代的工艺流程降低整个工程的复杂程度，提升安全性。

例如，在港珠澳大桥 HSE[①]管理过程中，十分重视做好施工风险分析、评估

---

① HSE：health（健康）、safety（安全）、environment（环境）。

工作，作业前 HSE 技术交底，现场巡回检查与隐患整改，实现闭环管理，积极推进施工标准化及 HSE 标准化，以平安工地建设为载体，提升工程风险监管能力，努力实现"绿色交通、安全发展"。

2）强调风险意识的重要性

在工程施工阶段，对工程的风险控制除了采用一些传统的方法外，还应谨记正常性意外理论，增强风险意识。在现今条件下，解决一般性认知清晰的工程问题不是最大的风险挑战。最大的风险挑战是对一些问题有认知盲区，容易忽视它，或者看不清。风险管理的水平与能力就在于全面增强风险意识，在风险管理的过程中不断地进行全员性的、反复渐进的辨识评估活动，尽量减少对风险认知的盲区。只有具备风险意识，加强对未知因素，也就是"隐患"的分析和排查，并采取预防措施来化解风险，才能有效降低风险或降低风险造成的损失。

例如，在港珠澳大桥沉管工程风险管理过程中，强调全过程制度、全员智慧、全覆盖责任，工程施工具备极高的风险意识。"全过程"强调每一节沉管都是第一节，每一节都全面地开展风险辨识、评估、处置、总结等活动，严格落实；"全员智慧"强调每一次沉管的安装，都需要全体人员的集思广益；"全覆盖责任"强调每一次都像第一次那样进行风险排查，不让隐患出坞门。

3）强调突发事故的预防与应急

通过正常意外性理论可知，对于港珠澳大桥而言，一些源于复杂性的事故难以避免，但是通过一定的手段，可以降低其发生率，通过规范化、程序化的控制手段对这些因素进行监控，重点是对风险做到"防范为上"。除此之外，应对突发事故，不仅要靠事先防控，还要做好针对可能发生的不同紧急情况的应急预案，一旦出现意外事故，能够快速、准确和有序地进行响应。

例如，在桥梁工程 CB03 标钢圆筒围堰试验振沉时，面对海上突发的疾风骤雨，施工人员冒雨奋战，启动港珠澳大桥最大 4 000 吨起重船振浮 7 号，通过 8 台振动锤牢牢夹稳钢圆筒，虽然出现了一些突发难题，但是海上人员紧急召开讨论会，启动事先筹备的几套应急方案，通过不断调整动力系统激振力、频率及上拔力度，最终成功将钢圆筒拔出水面。

4）强调风险管理的持续改进

随着工程的推进，工程的环境也会发生变化，所以降低工程的复杂程度，避免系统强关联复杂性导致的风险发生，港珠澳大桥现场风险管理只能是一个以尽量降低风险发生率为目的的不断改进和完善的过程。这一过程应重视以往事故教训所带来的经验，把相关的经验变成持续改进和完善工程风险控制方法的宝贵资源。

21.5.2　港珠澳大桥现场风险应急管理分析

通过 21.5.1 节我们分析了港珠澳大桥现场一类源于强关联的风险发生的本质，了解到这一类事件的不可预见的突发性使得人们在事故前和事故发生时无法清晰准确地认识它，再加上港珠澳大桥工程项目具有高度开放性、施工多样性、劳动密集型等特点，而且受海上环境所限，其建设具有极高的风险性和不确定性。面对这类客观存在的突发事故风险，不仅要靠事先防控，还要在紧急情况下能够及时组织并实施应急救援与处理。因此，本节从应急管理的角度出发，结合港珠澳大桥主体工程建设安全应急管理实际，对项目应急管理需求进行分析，进而对主体工程应急管理框架及相应的对策进行介绍。

1. 港珠澳大桥现场风险应急管理需求分析

根据工程现场管理活动需求特点，可以从以下四个方面进行应急管理的需求分析。

1）管理目标层面

港珠澳大桥工程现场施工涉及大量外海作业，采用船舶设备繁多，穿越白海豚保护区，环保要求高，突发事件或事故造成的危害主要有个体或群体伤亡、施工设备及材料破损、海洋生态环境破坏等。在这个意义下，实施应急管理的目标可分为三个方面的内容：第一，最大限度地避免个体或群体伤亡；第二，最大限度地降低突发事件对工程结构及相关船舶设备的危害；第三，最大限度地降低突发事件对海洋生态环境的破坏。

2）管理需求层面

港珠澳大桥涉及粤港澳三地政府，有设计、施工、监理、供应商等众多参与方，为了达到应急管理的目标要求，最大限度地减少突发事件带来的损失，需要工程属地政府监管部门、行业管理部门及工程参建各方协调好管理要求分解、管理责任分担、管理制度制定、管理接口衔接，只有这样，才能有效指导应急管理及提高应急管理水平。

3）管理过程层面

应急管理过程是指按时间次序的应急管理工作流，包括工作流规划、应急管理体系建设与完善、应急管理实施与执行。应急管理过程应遵循 PDCA 控制方法，按照"计划—实施—检查—改进"实现闭环管理，追求在管理效能的释放中实现稳步持续的提升。应急管理过程主要是应急管理体系的建设和运行，是应急管理工作的核心与具体手段。

4）管理因素层面

管理因素是管理活动的组成单元。港珠澳大桥的每一项单项工程均涉及众多的特种作业设备及船机机械、施工工艺与工法等，从工程预制构件的制造、运输、安装，到海上工程的地质勘探、桩基施工、地基处理、吊装沉放，再到交通工程附属设施的预留预埋、安装调试及试运行等，风险因素众多，潜在危害因素使得任何类型的事故都有可能发生。再加上自然危害，如台风、地震、雷电、高温、潮汛等都有可能对主体工程建设期主要施工作业活动造成影响。例如，在岛隧工程的沉管作业中，沉管的预制、张拉、浮运、沉放、压载，每一个环节都可能出问题。因此，在应急管理中应强调对管理要素的全面与全过程管理（朱永灵，2013）。

2. 港珠澳大桥现场风险应急管理体系

港珠澳大桥主体工程应急管理体系主要包括五个方面，分别为应急组织管理体系、应急预案体系、预警/预控体系、应急保障体系、外部应急组织管理及救援体系。下面，针对每一个子体系的功能进行介绍。

1) 应急组织管理体系

应急组织管理体系包括管理局、设计咨询单位、监理单位、承包人及下属各工区等组成的组织架构、责任分工等。其中，管理局为管理核心，设计咨询单位和监理单位主要受管理局委托，在应急组织管理中为辅助角色，承包人及下属各工区为实施应急管理的核心执行主体。就职责而言，管理局安全环保部负责组织制定管理局总应急预案和专项预案，组织进行管理局应急预案演练、培训和评审，按照管理局应急总指挥的指令，下达应急状态的起始令和解除令，并监督、检查承包人的应急管理；监理单位负责对承包人的应急管理进行监督和指导；承包人则负责本单位具体的应急管理工作。

另外，考虑到工程的特殊性，管理局和承包人在应急组织管理中设置应急指挥中心，统一进行信息采集、决策及指令传达，应急指挥中心在平时和工程现场管理调度中心相结合。同时应急组织管理体系要和外部（属地政府/行业主管部门应急组织管理及救援体系）相衔接，并接受其指导。

2) 应急预案体系

应急预案体系是应急管理的核心，是应急管理活动的纲领性文件和实施应急反应、处置活动的操作性文件。应急预案体系的编制应以"机构健全、权责分明；措施得当、保障有力；符合实际、操作性强"为原则，系统考虑风险分析、组织机构、应急管理各方面流程及运行机制等方面因素。就工程项目建设期的应急预案体系而言，一般分为三个层次：第一层次为整个主体工程建设期应急预案，由管理局负责制定，包括重大事故（事件）总应急预案和专项预案。总应急预案主要是从整个项目的层面进行风险分析、构建组织机构、明确应急管理流程等，并与政府主管部门预案进行有效衔接；专项预案分为职业健康、生产安全、环保专项应急预案三类。第二层次为各承包单位应急预案，由承包人编制适用于本单位的重大事故（事件）总应急预案和专项预案，在组织机构建设、事故上报等方面与管理局相衔接，并详细制定施工现场各类应急处置的方案和措施。第三层次为工区层面的现场处置方案，由承包人所属施工队伍编制事故（事件）现场处置方案（段国钦和胡敏涛，2013）。

　　3）预警/预控体系

　　鉴于大桥主体工程建设远离岸基的实施特点，必须建立完善的预警/预控体系，实时掌控工程建设过程风险源及建设工程情况。就工程建设期应急管理预警/预控体系而言，主要包括视频监控系统、船舶自动识别系统、船舶交通管理系统、防台路径实时发布系统等，与现场 HSE 管理人员的直接监控相配合，从而实现应急监控的目的。施工现场视频监控系统，通过在海上重要施工地点布置视频监控点，实时将施工现场的情况通过视频发送到调度中心（应急指挥中心），管理局和各参建单位可以对重要施工进行远程指挥，尤其在一些重大事件的应急处置过程中，可在第一时间掌握现场总体形势，进行统筹指挥和救援。船舶自动识别系统，可以实时掌握施工区域的海上各类船只动态，以应对主体工程施工船舶多、通航条件复杂的难题，在应急过程尤其防台期间，能及时对船舶所处位置进行定位、监视，统筹开展调度指挥和应急撤离。船舶交通管理系统，通过远程监控可以实时掌握施工船舶动态，判断社会船舶穿越施工区域对工程的影响程度，也可为海事部门对海上交通事故分析提供依据。防台路径实时发布系统可以跟踪了解台风预警信息，及时做好应急准备及响应（段国钦和胡敏涛，2013）。

　　4）应急保障体系

　　突发事件发生时，除了要有专门的组织进行指挥、决策，有专门的应急预案、预警系统作为支持外，还应有完善的人力、物力等可调度资源作为应急保障。应急保障体系是指为有效实施应急行动而提供的人力、信息通信、物资设备、资金的保障措施。应急保障措施在项目各级管理单位制定的预案体系中已经严格列出，可按照要求给予提供。同时，通过定期清点、检查、补充等手段保证应急物资的齐备及完好，在应急响应过程中能及时进行调配。

　　当项目内部应急保障资源难以满足应急需求时，可以通过求助外部应急组织机构，申请外部应急保障力量。

　　5）外部应急组织管理及救援体系

　　外部应急组织管理及救援体系是指应急事件发生时来自属地政府、行业主管部门及社会的应急救援力量，在应急预案中有明确的各单位的联络沟通机制及外部救援力量分布。以海洋工程水上应急管理及救援体系为例，所涉及的外部单位主要有海事部门、渔业执法部门、三防指挥部门、各级海上搜救中心及海上救助打捞部门等（段国钦和胡敏涛，2013）。

3. 港珠澳大桥现场风险应急管理实施分析

为了积极应对可能发生的各类紧急情况，提高港珠澳大桥各参建单位的快速反应能力，做好主体工程应急管理，应切实结合工程建设特点，在应急管理的具体实施过程中须注意以下几个方面。

1) 全过程应急管理

针对工程复杂性风险的整体性特点，在工程全寿命周期内的任何一个阶段都有可能存在潜在危险与灾害，因此应开展全过程应急管理。全过程应急管理在工程准备阶段，就要尽可能全面厘清特定施工过程中面临的潜在风险源，对可能造成重大损害的危险源提前制定预案措施，同时深入了解工程施工时各参建单位权责和对工程施工的影响因素，保证就近应急资源充足，最后，在施工过程中强化各项应急管控的落实。总的来说，对于应急管理工作的开展与实施应遵循顶层设计，系统规划与统筹，在各单位所编制的应急管理总体规划方案和实施计划的基础上，以应急管理预案为核心，切实开展各项应急准备工作。

2) 统一的应急指挥中心

在港珠澳大桥应急管理实践中，以管理局为管理核心，分层级构建应急组织机构，建立整个项目应急指挥中心，从而进行统一的全覆盖式的各类信息采集、统一的决策指挥调度，对不同级别的应急事件做出不同的应急措施及响应。另外，为了明确应急管理的流程、措施，在管理局、承包人 HSE 管理体系中均建立了应急管理程序文件，以保障应急响应的及时性、有效性、科学性。

同时，港珠澳大桥在应急管理中建立了各级应急联动机制，在保证统一领导、分级管理的前提下，建立完善的预警预控系统，加强沟通协作。主体工程建设在项目内部及同外部应急管理机构（气象、三防、海事、边防、海洋、环保等）之间均建立了各层级联动机制，通过共享应急信息，提升沟通协作能力，做到及时、有效、科学处置各类应急事件。

3) 强化应急培训与演练

各应急组织机构须注重应急知识方面培训教育，加强应急预案演练和培训工作。通过应急培训教育和应急演练工作，提升参建人员应急技能素质，检验应急管理各模块体系运作效能。各参建人员将组织制订年度应急培训与演练计划：应急培训的主要内容包括应急预案培训、应急基本知识与技术培训、应急自救与互救基本知识与技能培训、应急器材使用培训、应急预案编制、评价与修订方法要点培训、事故案例培训、应急演练与响应总结培训等；一般每年至少组织进行一次应急预案综合性演习，通过模拟演练和应急技能演练，检验和提高应急反应系统对突发事件及事故险情的协同应变和处置能力。另外，在开展应急培训与演练的同时，还要注意做好分析、评价工作。通过以上工作内容的开展，确保应急预案体系的可操作性以及开展应急管理的有效性，实现应急管理的闭环管理和可持续管理。

4）快速应急抢险与救援

现场应急抢险的总原则是以人为本、生命至上。当事故发生后，首先抢救人员，其次抢救生产设施与保护环境。岗位员工要立即按照应急处置程序进行操作并及时向现场领导报告事故和处理情况。事故现场的最高职务人是现场抢险负责人，有权决定现场抢险指挥事宜并及时向上级领导报告相关情况；当上级领导到达现场后，进行指挥权交接。事故现场指挥应优先做好险区人员疏散和防护，确保受伤人员医疗急救措施及时到位。应急抢险预案的逐级启动条件及应急抢险程序按照应急抢险预案要求执行。

21.5.3　港珠澳大桥沉管隧道突发事件的应急管理

1. 事件叙述

港珠澳大桥沉管 E15 管节前后历经三次浮运、两次返航，均是施工现场的突发事件导致，属于典型的"正常性意外"事故。第一次出坞浮运是在 2014 年 11 月 16 日，当施工人员经过连夜浮运，正准备开始一系列系泊作业并做好沉放准备时，观测到前两天刚刚通过监理验收的碎石基床内突然出现了大量、异常的强回淤，回淤物的平均厚度超过 40 毫米，由大量的泥沙组成，浓稠到用手拨都拨不开，这样的情况在前面14个管节的安装中从未遇到过，施工人员毫无可参考的案例和经验，也没有人预测到居然会出现这样的异常突发情况。

面对这样的异常突发情况，如果对出现的回淤物不管不顾，继续安装 E15 节沉管，沉管隧道的质量不能得到保证，更不用提 120 年寿命周期内这节沉管会发生怎样的变化，或者引发更加复杂和严重的风险。如果将沉管暂留附近海域，清淤后继续安装，由于清淤量较大，无法预测何时能彻底完成并再次通过监理验收，而长时间滞留海上，这期间密集的海上交通、航运极有可能对沉管造成影响；如果把沉管拖回，不但会耽误工期，增加施工成本，而且没有预案。

综上可见，面对这样的突发状况，港珠澳大桥的现场人员面临着进退两难的艰难抉择，但必须在短时间内做出决定，这是一次典型的现场突发事件应急管理实例。

2. 风险应急与管控

为解决这一突发的异常回淤问题，为安装沉管做好十足的准备，沉管隧道的施工人员立马对 E15 管节基槽进行清淤工作，全面展开了整平船清淤技术改造、基床刚性盖板覆盖试验、增设拦淤沟、采用大型耙吸船清淤等各项工作。

另外，必须彻底搞清楚为何在监理验收通过后一天的时间内，就发生了回淤突然增大等异常回淤情况；这些泥沙从何而来；如果清淤完成后再次出现这样的异常回淤事件怎么办；面对这样的突发事件和随之而来的巨大风险，有什么应急措施可以应对，这些都成为必须要迅速解决的潜在风险问题。

为此，现场决定：首先，最重要的任务是查清回淤原因，使得 E15 管节顺利安装；其次，建立一套回淤预警预测系统，为后续沉管安装提供保障，防止再次面临同样的突发事件和未知风险。

为了对此次发生的风险进行分析，在交通运输部的协调下，来自天津水运工程科学研究院等全国各大研究院和高等院校的 25 位对珠江口泥沙、潮汐和气象方面最有研究的专家集结于此，开展基槽回淤专题研究；在 E15 管节基槽周围海域布设了 6 组定泥沙观测站和数十组流动观测站，每天进行近百千米长距离巡测，对沉管基槽周边 200 平方千米的海域进行了水下地形测量和海底底质取样普查，完成了上千次的泥样粒径、密度检测。通过长距离的观测、无数次的试验，终于找到了异常强回淤的来源：异常回淤的原因主要是内伶仃岛海域采砂洗砂产生的悬浮物，通过直接输移和二次搬运而来。

既然已经得知事故发生的缘由，便立即采取了相关管控措施。广东海事局会同海洋与渔业局、大桥管理局对采砂作业进行了协调，7 家采砂企业近 200 艘船舶在不到两天的时间内全部撤离了现场，从而对沉管继续安装过程中可能出现的风险进行有效防范。同时，建立的一套回淤预警预测系统，能够监测基槽内回淤物的情况，对回淤进行预测，从而为后续沉管安装做好准备，防止再次安装过程中面临同样的突发事件和未知风险。这两大举措充分体现了对类似复杂性风险的有效防范及应急处置。

解决了这一突发事件之后，在第二次沉管浮运时，多波束监测数据显示，基床面出现大面积的异常堆积物，总量约 2 000 立方米，最厚处达到 60 厘米，E15 管节第二次遭遇异常回淤事件。有了第一次的经验，现场决策组很快弄清了沉管再次受阻的原因：基槽边坡回淤物滑塌毁损了沉管基床。建设者们只好再次让沉管返航，并按流程进行应急措施，继续进行基槽的清淤等工作。直至 E15 管节第三次浮运，才最终成功完成深海沉放，并精准完成对接。

至此，这一管节历经了三次浮运、两次返航，历经了两次突发事件，以及多次风险与可能发生的潜在危害，终于成功安装。E15 管节再次发生突发事件，正是反映了沉管隧道安装的巨大潜在风险，也体现了沉管隧道安装作为港珠澳大桥的控制性工程，其面临的风险的高度复杂性和深度不确定性。

3. 复杂性风险分析

回顾并详细分析 E15 管节经历的风险及现场应急场景，专家组发现，在伶仃洋海域，即使在自然环境相对平稳的情况下，潮流、波浪、径流等海洋的动力条件也会影响海域含沙量，从而引起沉管的基槽中有淤积的泥沙。在气象、潮汐、海流等多方面因素的综合下，海域的含沙量就更为复杂、难以计算，这是沉管隧道前期风险分析工作未曾意识到，也从未遇到过的情况。这场事故，其本质上是港珠澳大桥所处的复杂多变的自然、社会环境、工程的高度集成、人员的认知能力不足等几方面因素综合所导致的复杂性造成的。可以说无论哪方面的因素，单独作用可能都不会引起这次异常回淤事件，但它们都是最终导致的异常回淤事件及其风险的促发因素，洋流、气候、采砂活动等多种因素耦合交织在一起，最终导致了这次突发事件。

　　总的来说，在这次事件中，没有具体的责任人，如果一定要找出一个责任人，那么就是诸多复杂的因素耦合在一起，共同形成了突发的、难以预知的风险，也就是说，责任人是沉管隧道施工建设本身的复杂性。由于这类风险无法预知，故建设者除了做好应急措施外，须在事后进行复杂性分析，总结经验，以降低同类事件发生的可能性。

第 22 章　绿色和谐 责任担当
——港珠澳大桥全景式社会责任的协同管理

22.1　重大工程社会责任概述

22.1.1　重大工程社会责任背景

根据国际标准 ISO 26000《社会责任指南》对社会责任的解释，社会责任是指组织通过透明及合乎道德的行为，为其决策和活动对社会和环境的影响而承担的责任。这些行为建立在符合适用法律和国际行为规范的基础上，总体目标是致力于可持续发展。重大工程具有极广的利益相关者，包括直接参与者（政府、设计方、供应商、承包商、员工等）和其他利益相关者（公众、社区、非政府组织等）（Salazar et al.，2012）。由于重大工程社会责任的管理目标也是致力于可持续发展，即追求和实现人类的经济、社会与环境协调发展，故在上述社会责任的定义基础上，重大工程社会责任可被解释如下：重大工程各利益相关者在工程全生命周期内，以可持续发展为目标，通过透明和合乎道德的行为，为其决策和活动等人类社会带来的影响而承担的责任（曾赛星等，2018）。

重大工程社会责任的概念包含了三个基本要素：第一，责任主体，即各利益相关者，包括中央政府、地方政府、业主、承包商、供应商、公众等，随着工程生命周期的推进，在各个阶段表现出不同的主体类型。重大工程的目标是追求利益相关者的整体利益，实现各方利益均衡，而不仅是某个别主体的利益。第二，责任客体，即"对谁负责"，也就是负责任的对象。重大工程社会责任的责任客体是重大工程的决策活动对社会和环境产生的影响，包括实际影响和潜在影响，也可以分为积极影响和消极影响。重大工程应发挥其最大的积极影响，尽量避免消极影响。第三，责任方式，即利益相关者如何对"影响"负责。重大工程应充分考虑利益相关方的利益，在符合法律法规和国家行为规范的条件下，通过透明且道德的行为，对决策活动造成的影响负责。

目前人们对社会责任的研究集中于企业社会责任，而重大工程社会责任与企业社会责任在很大程度上存在共性，二者在社会责任相关议题、限制因素等方面有很多重合之处，如二者均重点关注环境问题、伦理问题、利益相关者问题等，均受到市场环境、政府干预、资源配置等因素的影响。由于重大工程本身的特点，其社会责任涉及的社会问题更为丰富，且社会对于重大工程社会责任的要求也远远高于对企业社会责任的要求。与企业相比，重大工程的生命周期更长，利益相关者的范围更广泛，社会责任的内容也更丰富。从生命周期的角度看，重大工程从前期规划与设计到建设与运营，整个工程生命周期比一般项目持续时间长得多；从利益相关者的角度看，重大工程包括了政府、业主、设计方、承包商、监理方等范围更广的利益相关者，存在更复杂的利益冲突；从社会责任的角度看，重大工程项目建设和投资规模大、对政治和经济环境影响深远，关系到国计民生，由此所带来的政治、伦理、法律、经济方面的责任也更高（曾赛星等，2018）。

22.1.2 重大工程社会责任的必要性

随着经济社会的不断发展，可持续发展理念在社会各界愈加普及和深入，越来越多的重大工程组织已充分意识到社会责任对于组织自身根本利益和长远发展的重要性。可持续发展的核心思想是经济发展、保护资源和保护生态环境协调一致，让子孙后代能够享受充分的资源和良好的资源环境。可持续发展所追求的目标是既要使人类的各种需要得到满足，个人得到充分发展，又要保护资源和生态环境，不对后代人的生存和发展构成威胁。它特别关注的是各种经济活动的生态合理性，对资源、环境有利的经济活动表示鼓励，反之则应予以摈弃。对于具有社会责任感的重大工程组织而言，应努力发挥其最大的积极影响，尽可能避免消极影响或使消极影响最小化。

重大工程发展目标通常包括促进区域经济发展、大幅改善居民生活、合理配置公共资源及落实国家战略部署等（曾赛星等，2018），其建设的主要战略意义是政治与经济意义。重大工程的建设不可避免地会产生一些负面效应，故而可能引发剧烈的公众冲突和环境破坏，使得工程建设的社会、经济类目标与环境类目标发生冲突。为支持和响应可持续发展理念，重大工程的建设必然要有可持续性，在经济建设的过程中，不仅考虑重大工程经济目标，还应考虑自然环境、社会稳定、不同利益相关者诉求等多个目标。重大工程社会责任履行的关键是要缓解和协调经济与社会、环境目标产生的冲突，以实现三者的协调发展（曾赛星等，2018）。努力成为对社会和环境负责任的重大工程，既是可持续发展背景下时代的要求，也是重大工程自我的社会价值追求。

与一般工程相比，重大工程建设规模庞大，工程环境复杂，其冲突属性尤为突出，如决策目标冲突、工程建设与环境保护冲突、利益相关者的利益诉求冲突等。实现重大工程社会责任，需在众多冲突中寻求一种平衡，以追求和实现经济、社会与环境的协调发展。践行社会责任在重大工程的建设和运营过程中意义重大，如果不能较好地践行社会责任，导致工程项目的社会责任缺失，轻则影响工程建设目标的实现，造成工程失败（刘哲铭等，2018），重则引发严重后果，演化成一系列严重的社会问题，如造成生态破坏，甚至可能危及国家安全。

22.2　重大工程全景式社会责任的内涵

22.2.1　重大工程全景式社会责任的概念

任何重大工程建设管理活动都是在特定情景意义下实施和开展的。既然重大工程社会责任是利益相关者为其决策等活动对人类社会带来影响而承担的责任，那么工程管理主体作为核心利益相关者和责任主体，其践行社会责任的一系列活动自然也是基于特定背景进行的。重大工程社会责任不是孤立存在的，不可脱离于工程环境，要对重大工程社会责任形成科学认知并积极践行，势必要考虑其情景。如重大工程决策活动有其独特的情景一样，重大工程社会责任也是置身于"情景"之中。基于此认知视角，结合重大工程管理理论中的"情景"内涵，我们赋予重大工程社会责任一个新的概念：全景式社会责任。重大工程全景式社会责任是指重大工程各利益相关者，在工程全生命周期内的整体性和全过程性的情景意义下，为其决策等活动带来的影响而承担的责任。

要理解重大工程全景式社会责任的概念，先要明确重大工程社会责任的情景。下面我们对重大工程社会责任的情景进行认知。

重大工程社会责任的情景源于工程责任主体践行社会责任所面临的环境，既有工程环境系统产生的情景，也有重大工程-环境复合系统涌现出来的情景。

第一，责任主体对社会责任的规划和实现需要基于重大工程的实际背景。重大工程的类型、规模、建设环境、投融资模式等都是社会责任的重要情景要素，这些情景要素相互耦合交织，共同决定了工程责任主体面对的主要社会责任内容（谢琳琳等，2018）。

第二，重大工程的责任主体是各利益相关者，他们系统地构成了践行社会责任的管理组织。不同利益相关者在工程建设过程中存在不同的利益诉求，在践行社会责任时彼此之间又有紧密的关联，在法制力、文化力、经济力等主体力系的综合作用下容易表现出复杂的行为形态。每个利益相关者自身的行为、心理及其社会性特征都会发生自组织变化，因而在管理组织内部可能出现行为异化、合谋行为等丧失行为规范的现象（Sheng，2018），影响重大工程管理目标与社会责任的实现，因此管理组织的内部关系会对重大工程社会责任的实现产生影响。

第三，社会责任的实现行为须建立在符合适用法律和国际行为规范的基础上，法律法规、建设行业规范、合同文件等是重大工程最具强制性的约束力量，指导、限制着重大工程社会责任的实现行为，是重大工程社会责任主要的外部情景（谢琳琳等，2018）。

第四，重大工程还需考虑工程建成后，在重大工程-环境复合系统涌现出的情景之下需承担的社会责任，避免在大时间尺度的作用下由于工程建设对社会造成新的危害情景。简言之，重大工程社会责任正是置身于上述各类复杂情景之中，其复杂情景又主要是各利益相关者、工程与环境在内的复合系统的自组织结果。

第五，重大工程社会责任的情景是逐渐发生动态演化的，并非一成不变。重大工程生命周期的推进、管理目标与管理任务的改变、管理组织与管理模式的适应性变化等会使社会责任的情景不断发生动态演变。这就决定了重大工程社会责任情景不是静态的、局部的、片面的，而是动态的、全局的、完整的。因此，看待和分析重大工程社会责任应从全局的角度出发，不能仅局限于局部情景，应在工程全生命周期的完整情景意义下去认知和规划。

综上所述，重大工程社会责任有其复杂情景，其情景是由工程本身属性（工程类型、规模、建设环境等）、利益相关者关系、工程外部环境（法律制度约束等）等众多情景要素相互交织而成的，并在工程全生命周期内不断发生演化。基于此视角，重大工程"全景式社会责任"这一概念中的"全"既包括工程的"全生命周期"，也包括工程责任的各个维度。"全景"则体现了重大工程社会责任的整体性，对重大工程全景式社会责任进行研究，要对社会责任的相关情景在全生命周期内尽可能全面、完整地进行重构、生成和预测，而不能仅得到一个情景的局部、片段和剖面。重大工程全景式社会责任在重大工程社会责任原定义的基础上，强化了社会责任情景的作用和意义。

22.2.2　重大工程全景式社会责任的属性

1. 全景式社会责任的综合性

先需要明确的是，重大工程全景式社会责任是一个综合性的概念。我们常说的社会责任分为几个层次和多个维度，这其实是工程管理者在理论思维层面上对社会责任复杂性进行降解的结果，属于一种人为的拆解和划分，并不是社会责任本身的现实形态。综合性是重大工程全景式社会责任的一种客观属性，是重大工程全景式社会责任在整体意义上的抽象，这要求我们应基于整体论思维形成对重大工程全景式社会责任的认知。

具体地说，重大工程全景式社会责任的综合性强调重大工程各利益相关者在工程全生命周期内的整体性和过程性的情景意义下，为其决策等活动带来的影响而承担的责任，这种责任是由一些相互联系、相互作用、相互影响的内在组成要素（如对环境的影响而承担的责任、对经济的影响而承担的责任等）构成的整体性责任。全景式社会责任的整体性意味着它不是各类社会责任的简单叠加，而是整体涌现的结果。基于整体论思维分析重大工程全景式社会责任，应该注意以下两点。

（1）许多时候要把全景式社会责任当作一个整体，分析其结构，研究其整体、要素和情景的关系和变动的规律性。

（2）研究重大工程全景式社会责任除了采用传统的分析、分解、解剖等方法外，还要关注社会责任内部要素的关联性、整体性及和外界环境的联系。

重大工程全景式社会责任的综合性意味着不能仅仅从某一个局部情景或某个情景片段去认识社会责任，这只会得到社会责任的某个片段，而不是在重大工程全生命周期的完整情景意义下的社会责任。从这个角度来说，重大工程全景式社会责任是基于工程全生命时空、各类社会责任的综合。

2. 全景式社会责任的动态性

重大工程从立项设计、实施，直至最终完工和运营，这一系列的过程构成了工程的全生命周期。无论在工程生命周期的哪个阶段或时间点上，对于重大工程而言，现在、过去或未来都有情景的生成与演化，因此，重大工程社会责任的情景是一个连贯的、动态演化的过程，不但要关注社会责任现在的情景，而且要关注过去和未来的情景，即同时要关注社会责任情景的动态变化，考虑在工程全生命周期的大时间尺度意义下的情景。简言之，重大工程的全景式社会责任是全生命周期社会责任，内外部情景的演变使得重大工程全景式社会责任在工程生命周期各阶段发生动态变化。

随着工程生命周期的推进，重大工程社会责任的内涵会发生动态变化。在工程规划阶段，重大工程社会责任主要包括经济效益评价、物理可行性论证及生态环境影响等；在工程设计阶段，重大工程社会责任主要涉及绿色创新设计、环境友好设计等，而到了工程建设阶段，员工健康保护、现场安全管理、突发事故应急、环境保护等是社会责任的关键内容；污染预防及公共事件管理在运营阶段更为突出（曾赛星等，2018）。无论在工程生命周期的哪个阶段，重大工程都承担相应情景下的社会责任，阶段不同，情景不同，全景式社会责任的内涵也随之发生变化。

3. 全景式社会责任的复杂性

我们在 22.2.2 节曾提到，综合性是重大工程全景式社会责任的客观属性，对社会责任的认知应基于整体论思维。重大工程全景式社会责任是全生命周期时空内各类社会责任的综合。对这样一个综合概念，人们往往难以直接表述清楚"重大工程全景式社会责任是什么""具体包含哪些内容""应该怎样去实现"，因而工程管理者在面对重大工程全景式社会责任时会感受到一种直觉性的困难，这种直觉性的认知抽象就是全景式社会责任的"复杂性"。

重大工程全景式社会责任的交互性（曾赛星等，2018）进一步为其增加了复杂性。为降解全景式社会责任的复杂性，工程管理者一般会对重大工程全景式社会责任进行"维度"划分，将社会责任分解为经济责任、法律责任、环境责任、伦理责任等多个维度。重大工程的类型不同，对工程的认知不同，对全景式社会责任分解的结果也会不同。无论分解的最终结果如何，都能够很大幅度地降解全景式社会责任的复杂性，但降解之后的社会责任仍具有一定程度的复杂性，具体表现为社会责任的交互性。也就是说，降解之后的社会责任维度之间并不互相独立而是密切相关的。例如，重大工程的环境保护既属于法律责任，又属于环保责任。因此，不同社会责任维度之间仍然具有交互性。

重大工程利益相关者的异质性也是造就全景式社会责任复杂性的因素之一。重大工程具有范围较广的利益相关者，各自利益受到工程建设不同程度上的直接或间接影响。不同的利益主体对于同一决策问题基于自身立场会产生不同的决策观点，因而重大工程利益相关者管理的关键是实现各方利益均衡。从整体来说，政府在重大工程中占据主导地位，更加关注工程的综合价值与长远意义，项目管理者则偏重对财务成本与收益效率、资源与技术的分析，社会公众则往往从自身利益出发，强调公平与效率（曾赛星等，2018）。重大工程生命周期的每一阶段都和具有不同利益诉求的众多利益相关者紧密相关，工程决策及适应性不可避免地对利益相关者产生波及效应，同时，各方干系人的活动也将可能加剧对重大工程全景式社会责任复杂性的影响。

22.3 港珠澳大桥全景式社会责任的实现原理

22.3.1 全景式社会责任的复杂性降解

港珠澳大桥的全景式社会责任。具体地说，港珠澳大桥全景式社会责任是各利益相关者在工程全生命周期内的整体性和过程性情景意义下，其决策等活动对社会、经济、环境带来的影响而承担的责任。其全景式社会责任比一般工程社会责任在综合性、动态性与复杂性方面更为丰富和深刻。

具体来说，一方面，港珠澳大桥横跨伶仃洋河口，其跨越的水域是我国入海河口最多和水沙环境最复杂的河口海域之一，大桥的建设内容包括桥、岛、隧等多项工程，工程环境的复杂性与工程建设的复杂性导致港珠澳大桥工程环境或工程-环境复合系统由于大时间尺度的作用在整体层面上会发生独特的情景变动与演化。

另一方面，港珠澳大桥由粤港澳三地共建共管，工程主体即其全景式社会责任的责任主体，包括中央政府、粤港澳三地政府、业主、承包商、供应商等众多利益相关者，管理组织内部关联复杂，各利益相关方表现出各种复杂行为形态，因此，港珠澳大桥全景式社会责任的情景及情景的变动与演化呈现出高度复杂性，责任主体对践行社会责任的决策和管理活动也格外复杂。

另外，港珠澳大桥的全景式社会责任是全生命周期社会责任，在工程全生命周期的各个阶段，工程环境系统或工程-环境复合系统涌现出的复杂情景不同，需要实现的社会责任内涵也有所不同，因此，对全景式社会责任进行复杂性降解，最直接的方法是先将其分解为多个维度，使其结构化。换言之，从全景式社会责任到多维度社会责任，是港珠澳大桥全景式社会责任在操作层面上的实现路径。

基于此，对港珠澳大桥全景式社会责任进行复杂性降解，一般是根据责任内涵的不同分解为多个维度，并针对这些维度在其各自情景意义下分别进行分析与管理，设计相应的实施责任的制度与方案，体现了基于降解全景式社会责任的整体复杂性并在社会责任逐个单一维度范围内与相应情景意义下解决问题。

根据港珠澳大桥的战略目标及工程特性，在实践中将其全景式社会责任分解为以下五个维度：经济责任、政治责任、工程质量责任、法律责任和伦理责任。下面分别对这五个维度的社会责任进行解释，并对港珠澳大桥如何在各个维度上践行社会责任作简要阐述。

1. 经济责任

港珠澳大桥是用以满足社会公共需要的重大基础设施工程，除了自身能够获取经济利润外，更重要的是从多方面起着促进国家或区域经济协调发展的作用。港珠澳大桥的经济责任包含两个方面的内涵，一是从财务管理角度进行分析，考虑整个工程建设的资金投入与利润回收，事关工程的投融资决策与工程运营期间的通行收入及其他盈利业务扩展问题；二是从大区域范围与大时间尺度考虑工程建成后的宏观社会经济效益，即大桥建设对于国家或社会经济的促进与推动作用。对于港珠澳大桥而言，尽管可以用自身投资回收期的长短及获取利润的多少等直接经济指标来衡量其经济价值的大小，但港珠澳大桥更重要的经济责任体现在其产生的宏观经济效益方面。

为肩负起港珠澳大桥的经济责任，在工程前期立项决策阶段，政府及相关论证单位对港珠澳大桥开展了社会经济效益研究，以论证大桥项目建设的必要性和迫切性。具体研究内容包括：分析研究项目影响区域社会经济发展现状及未来发展趋势，预测项目影响区域社会经济发展及对交通运输的总需求；分析研究香港与澳门间、香港与内地间，特别是与珠江三角洲地区的经济贸易发展关系，预测香港、澳门、内地间经济发展水平、产业结构等的差异和互补性而产生的过境旅客、货物交流量；调查收集项目影响区域的综合交通运输现状及发展趋势，分析项目相关公路、水运、铁路、航空、城市道路及口岸的技术状况及存在的问题，以及相应的规划情况；从纵向和横向研究香港港口发展与香港和澳门及内地的社会经济发展的相关性。

国家发展和改革委员会基础产业司和香港的环境、运输及公路署共同委托综合运输研究所开展"香港与珠江西岸交通联系"的研究，研究结果认为，港珠澳大桥将大大缩短两地的行车距离和时间，达至多项宏观社会经济效益，包括推动珠江三角洲西岸地区社会经济发展，巩固香港国际航运、航空中心地位，促进地区旅游业发展及完善地区交通网络等。港珠澳大桥之后的可行性研究根据决策需求与决策环境做了进一步完善，最终认证建设港珠澳大桥具有多项宏观社会经济效益，项目应及早进行。

此外，政府及相关论证单位对港珠澳大桥开展了经济效益可行性分析，主要包括投资估算、投融资方案选择、经济评价等问题，最终形成的投融资方案如下：确定本项目桥隧主体采用"政府全部出资本金，资本金以外部分由粤港澳三方共同组建的项目管理机构通过贷款解决"的融资方式。大桥建成后，实行收费还贷，项目性质为政府出资收费还贷性公路，粤港澳三地政府分别负责口岸及连接线的投资。

在经济评价方面，工程可行性报告对经济费用与经济效益进行了识别与计算，对经济费用效益、区域宏观经济效果、经济风险进行了充分的分析。从香港、澳门和内地的经济费用效益分析结论看，各自的经济效益均大于各自的社会折现率，且均具有较强的经济抗风险能力。在区域宏观经济效果方面，港珠澳大桥对区域经济及宏观经济的影响，通过不同的机制进行传导。一方面通过交通量进行传递，表现为整个区域经济及宏观经济的综合效果；另一方面表现为港珠澳大桥作为当地的一项重大的基础设施，其固有的存在价值和选择权价值导致当地生产要素配置的选择范围扩大，并极大地提高人们对当地投资环境及区域竞争力的预期，从而有力地促进当地的经济资源配置改善，产业结构调整并升级，这不但使港珠澳大桥产生大量的诱增交通量，而且使当地的整个运输网络的交通流量流向及运输效率都发生变化，从而带来一系列的区域经济综合效益。

2. 政治责任

港珠澳大桥由政府作为决策与投资主体，且与国计民生密切相关，因此其政治责任远远高于一般的基础设施工程，影响范围也更广，具体包括提升国际形象、推动社会发展等。从宏观角度看，港珠澳大桥代表着国家形象，是国家在基础设施工程领域建设强国的象征，在国家发展大局中具有重要战略地位。"建设世界级跨海通道、为用户提供优质服务、成为地标性建筑"是港珠澳大桥的建设目标。港珠澳大桥作为世界级地标性建筑，将成为珠江三角洲新一轮改革开放和科学发展的象征，成为我国从桥梁大国走向桥梁强国的象征，成为中华民族实现大国崛起、和平崛起的象征。港珠澳大桥与珠三角改革和发展相融合，与珠三角城市群相融合，与世界经济相融合，是珠三角整体走向国际化的一个重要内生构件和标志（韦东庆，2011）。因而，港珠澳大桥肩负的政治责任十分重大。

从推动社会进步与发展的角度来说，港珠澳大桥的战略目标是促进粤港澳三地经济持续繁荣和稳定发展，提升大珠江三角洲地区的综合竞争力，因此工程必须在目标预期上持续释放出对区域社会经济环境的强大"正能量"。但是，若出现决策考虑不周或决策失误反而可能出现工程建设者意想不到的负面情景，而且由于港珠澳大桥生命周期长，对区域社会经济环境影响深远，一旦出现这种情况，极有可能会造成对区域社会经济环境的重大破坏，这种破坏一般是长时期的、不可逆的，会对社会、公众造成巨大损失，严重时甚至危及国家安全。

为避免由于决策失误而对区域社会经济环境造成重大破坏，为社会、公众带来不可逆的巨大损失，在前期规划和设计阶段，工程管理主体无比重视方案的决策质量，保证决策方案的作用与效果面对情景的变动与演化仍然保持稳健。港珠澳大桥的决策方案既不能由于情景变动与演化失去其效果的稳健性，更不能因工程决策在港珠澳大桥建成后而诱发新的危害情景。例如，港珠澳大桥所在的珠江口海域交通繁忙，每天的航运流量最高超过 4 000 艘/次。考虑到未来的可持续发展需求，航道至少要保证 30 万吨游轮的通航能力，需要相应的桥面高度大于 130 米，桥塔高度大于 200 米。同时，由于大桥与香港大屿山机场航线相交，限制了其建设高度最高为 120 米。为同时满足通航净空尺寸要求和机场航空航线限高要求，港珠澳大桥选择采用海底隧道的方案穿越伶仃西航道和铜鼓航道，避免大桥建成后对航道的未来通航及机场运作造成破坏，而且选用沉管隧道方案是为了减少人工岛长度，从而降低对珠江口阻水化的显著影响，保证伶仃洋之滩面槽的稳

定性。此外，为保证方案质量，工程管理主体对决策方案的选择过程是一个不断
比对与修正的迭代过程，从而使其逐渐逼近"最优方案"。简言之，港珠澳大桥
的管理主体在前期规划和设计阶段，通过保证决策质量，确保港珠澳大桥在目标
预期上能够持续释放出对区域社会经济环境的强大"正能量"，且避免因工程建
设而对社会造成危害情景。

3. 工程质量责任

港珠澳大桥建设的基本目的是实现通行功能，工程实体的物理质量直接关系
着工程基本功能能否实现，能否在整个生命周期内得以维持，因而保证工程实体
的质量是港珠澳大桥首要的社会责任。工程质量不等价于决策质量，工程决策质
量更多的是决策主体在工程虚体层面上的人造系统功能谱的设计质量，而工程质
量则更多的是主体在工程实体层面上的人造系统的物理质量。有了好的决策质
量，不一定能够保证好的工程质量。即使工程的决策质量高，也可能由于建设施
工的疏漏，建成"豆腐渣工程"。因此，要高品质地实现工程质量责任，使港珠
澳大桥的物理功能在整个工程生命周期内保持有效和稳健，除了需要好的决策质
量外，还需要在工程建设阶段严格控制工程质量。可以说，工程质量责任是港珠
澳大桥最为基础的社会责任。

港珠澳大桥有极高的质量目标，要求建成后的港珠澳大桥主体工程设计使用
寿命达到 120 年，工程严格满足国家及港珠澳大桥主体工程专用标准体系要求，
工程品质、质量管理、现场管理等方面均达到国际水准，确保将港珠澳大桥主体
工程建设成为粤港澳三地最优品质的跨海通道。

为全面保证施工质量，实现工程质量责任，港珠澳大桥管理局推行质量管
理，包括：①全面质量管理。对管理局和各参建单位的自身工作质量及所承担工
程的质量实行全面控制。②全过程质量管理。根据工程质量形成规律，从源头抓
起，对港珠澳大桥主体工程建设的各个环节（包括工可、勘察设计、采购、施
工、检测及验收过程）实行全程质量控制。③全员参与管理。将港珠澳大桥主体
工程的质量目标逐级分解，直达参与工程建设的最基本岗位，使每个岗位都承担
相应的质量控制职能，组织、动员全体参建人员履行各自的质量控制职能。

为从技术标准方面保证港珠澳大桥工程质量和设计使用寿命，管理局在内地
技术规范和质量标准的基础上，根据港珠澳大桥耐久性研究等科研成果，并吸纳
香港及澳门相关技术规范和标准，按"就高不就低"的原则，制定港珠澳大桥专
用技术规范和标准，并纳入招标文件，对港珠澳大桥主体工程施工及质量验收进
行控制。

港珠澳大桥的质量管理工作遵循 PDCA 方法进行。项目初期确定质量目标，
编制过程管理文件和实体工程质量控制文件；在项目建设过程中，管理局和各参

建单位严格按照目标、规范、合同、文件等要求进行工程建设，并监督检查有关要求的落实和执行情况，对存在问题予以分析和整改，保证项目建设质量始终处于受控状态。管理局还开发了港珠澳大桥综合信息管理系统（含质量信息管理系统），对质量情况进行统计和对比分析，确保工程质量责任的实现。

4. 法律责任

在港珠澳大桥全景式社会责任的践行过程中，组织行为须同国家法律及政府规制相一致，任何组织决策都离不开法律的约束，须在法律框架内进行。除此之外，港珠澳大桥工程还需遵守行业准则与国际标准，履行法律责任、符合规制要求是对港珠澳大桥建设的基本要求。法律责任是最具强制性的社会责任，在港珠澳大桥建设过程中，责任主体须具备超强的法律意识，全面分析工程建设面临的法律环境，大到工程立项审批与组织议事流程，小到行业技术标准与运营管理，使工程全生命周期各个阶段的组织决策都在法律允许的范围内，确保工程建设运营的全过程、全方位都合法守法。

港珠澳大桥在"一国两制"背景下跨越了粤港澳三个司法管辖区，工程建设的法律环境极为复杂。港珠澳大桥工程管理者强烈的法律意识、坚定不移地依法决策的做法，是港珠澳大桥实现法律责任的基本前提，也是港珠澳大桥能顺利推进的坚实基础之一。

港珠澳大桥在前期策划阶段就邀请法律界人士全面介入，对港珠澳大桥前期策划阶段各项法律事务问题进行研究，保证了港珠澳大桥的投融资模式、建设模式、口岸布设模式、管理模式等重大事项在最终决策前，获得及时、充分的法律参考意见及建议，在高层次的法律层面上保障了港珠澳大桥准备阶段、建设阶段的顺利进行。在建设阶段，法律需要与工程融合，法律的意见需要与工程的意见综合，才能设计出一个实际可行的解决问题的方案。港珠澳大桥在建设阶段采用法律意见与工程需求意见相结合的方法解决问题，实现法律与工程的融合（朱永灵和曾亦军，2019）。

港珠澳大桥作为"一国两制"下连接粤港澳三地的大型跨界工程，粤港澳三地政府是港珠澳大桥前期决策核心主体，三地在法律法规上存在较大的差异，因此在决策中面临法律依据的多样性，需要协调三地工程涉及区域相关法律制度的冲突与矛盾。基于此，港珠澳大桥实施了三地共建共管模式，形成了"三级架构、两级协调"的协调机制，其中"三级架构"是指中央层面的专责小组、粤港澳三地政府层面的协调小组或联合委员会以及实操层面的项目法人，"两级协调"是指中央层面的协调和粤港澳三地政府层面的协调。由粤港澳三地政府签署，经中央批准的《三地协议》是港珠澳大桥共建共管的"基本法"，明确了三地委会议决议的规定、争议解决机制和工作流程。粤港澳三地通过签署《三地协议》的方式，就一些重要事项，如投融资模式和三地出资比例、工程建设标准、招标及施工事宜，以及三地各自负责建设和共同建设部分的划分进行了明确的约定。可以说，三地共建共管的管理模式为港珠澳大桥法律责任的实现提供了最为坚实的组织保证。

5. 伦理责任

港珠澳大桥的伦理责任是指港珠澳大桥组织管理的一系列活动及行为均要符合社会大众的道德准则。根据大桥工程自身的建设理念，港珠澳大桥管理主体的伦理责任概括为三个方面：以人为本、廉政和环保。

"以人为本"是港珠澳大桥建设的基本管理理念，对安全的重视、对生命的尊重是以人为本的最根本体现。港珠澳大桥施工海域海洋气候多变、地质条件复杂，工程规模大、施工点多面广，安全管理难度大；海中桥隧工程穿越珠江主航道，海上通航环境繁忙。在复杂的自然环境下实施工程建设，必然对施工安全有极高的要求。坚持以人为本，确保工作人员的职业健康与安全，做好安全事故的防范，把现场施工人员的健康与安全问题放在首位，全面实施现场安全保障与监管体系，是港珠澳大桥工程伦理责任的重要内容。

例如，港珠澳大桥桥区水域交通流具有船舶流量大、船舶种类多、船舶吨位不一、航速快慢不等、呈网状分布等特点，桥梁防船撞工作压力巨大，因而保障现场船只的通航安全是履行安全责任的重中之重（段国钦和陈伟，2015）。

在工程安全责任问题上，港珠澳大桥现场存在三类不确定性：人的不确定性、环境的不确定性、设备的不确定性（朱永灵，2016），这三类不确定性给现场施工人员的安全带来极大威胁。港珠澳大桥从以下几方面保障现场工作人员的健康与安全：第一，保证现场物品安全，消除设备、物料等的不安全状态。第二，开展安全培训教育，消除人的不安全行为。港珠澳大桥通过安全培训，提高现场施工人员的安全意识、增加安全知识及安全技能（奚伟伟，2012）。第三，实施应急预案多重保障。编制现场安全应急预案，并定期进行应急安全演练（郭文宇和黄育波，2012）。第四，实施施工安全标准化，通过建立安全生产责任制，制定安全管理制度和操作规程，排查治理隐患和监控重大危险源，规范生产行为，使各生产环节符合有关安全生产法律法规和标准规范的要求（汪海，2013）。

反腐倡廉是港珠澳大桥伦理责任中的重要内容。传统的伦理道德文化包含了丰富的廉政文化，工程伦理是当今伦理道德文化发展的一个新的方向，也包含了对廉政文化建设的内在需求。把工程伦理与廉政文化有机结合起来，是港珠澳大桥工程廉政文化建设的有效途径（张海，2014）。对港珠澳大桥的全体工程建设者来说，确保工程廉洁是共同的心愿和目标。因而立志建设廉政工程，工程所有利益相关者通过廉洁自律、高效务实的实际行动，向社会不断发散、辐射其正面影响，向公众塑造积极正面、廉洁的形象，对港珠澳大桥的建设尤为重要。

为切实加强港珠澳大桥廉政建设，一是提出了"世纪大桥，廉洁同行"的核心理念和目标，确立一个共同目标并赢得社会的广泛认同。二是打造服务型监督模式，增进互信。大桥廉政建设工作严格遵循"不越位、不缺位、不错位、不添乱"的原则，实行监督、协调和服务有机结合。三是构建领导小组、派驻监察专员办、特聘监察专员及廉政监督员的四级廉政监督网络体系，形成多层级、全方位、职责明确、运转顺畅、协调有力的工作格局和监督合力。四是建立沟通互动机制，加强联系，提高大桥工程参与各方的风险意识和廉洁意识，有力推动有关问题的协调解决。

在当今社会日益重视可持续发展理念的背景下，实现环境责任是对工程建设的必然要求。港珠澳大桥既是民生工程，也必须是环境友好工程，必须肩负起环境保护的社会责任。环保主要包括绿色设计及施工、生态保护、污染防治等。实现环境责任，不仅是可持续发展背景下时代的要求，也是港珠澳大桥自我的社会价值追求。

在环保方面，港珠澳大桥在前期规划阶段就开展了工程环境影响分析，主要在对工程区域环境现状及环境保护目标充分认识的基础上，评价工程建设在勘测设计期、施工期及运营期对环境的影响，并针对生态环境及渔业资源保护、地表水环境和海洋水环境、声环境、环境空气保护、污染事故环境风险防范、固体废物环境保护、景观环境保护提出相应的措施和对策；并据此在项目设计、施工、运营过程中采取必要的措施，将港珠澳大桥建设对环境的影响降低到最低水平，实现经济发展与环境保护的双赢效果。

港珠澳大桥香港段的环境管理体现"全过程控制""生命周期"的理念，通过设计阶段的环境影响评价、建设施工期间的环境监察、运营期间的环境跟踪监管，实现了对项目"设计—建设—运营"的全过程环境监管。在内地的海洋工程的环境管理中，前期环境影响评价、建设施工与投产运营之间的竣工验收是两个重点（郑兆勇，2015）。为在工程建设和运营阶段全面实现职业健康、安全生产和环境保护目标，港珠澳大桥管理局专门成立了安全环保部，负责运营国内外较为系统、成熟的职业健康、安全与环境一体化管理体系。

综上所述，为在可操作层面上实现港珠澳大桥全景式社会责任，工程管理主体将港珠澳大桥全景式社会责任分解为多维度社会责任，具体包括经济责任、政治责任、工程质量责任、法律责任及伦理责任。对港珠澳大桥全景式社会责任进行维度分解是一种复杂性降解手段，不仅降解了全景式社会责任的复杂整体性，同时也降解了情景复杂性。由于全景式社会责任本身的整体性形态，故需要工程管理者综合看待社会责任的各个维度，并在整体性层次上分析社会责任问题。

此外，分解后的社会责任各个维度之间并不完全独立，而是有紧密的关联。由于社会责任的交互性，不同维度的社会责任之间存在相互影响。在工程管理过程中，有时工程管理主体对某个问题的决策行为会涉及多个维度的社会责任，需对多个维度的社会责任进行综合、均衡的分析。例如，港珠澳大桥的白海豚保护问题，既要承担法律责任，又需践行伦理责任。

22.3.2　全景式社会责任全生命周期的动态演变

港珠澳大桥的全景式社会责任贯穿于工程生命周期的各个阶段，其社会责任是全生命周期社会责任。工程生命周期的阶段变化性和社会责任的多维性，使港珠澳大桥全景式社会责任具有动态性。一方面，港珠澳大桥的工程生命周期十分漫长，在这过程中会不断发生情景的变动与演化；另一方面，其社会责任被分解为多个维度，工程管理主体要在工程全生命周期内保障港珠澳大桥社会责任的实现，须对各阶段的主要参与方、社会责任情景及社会责任维度进行合理规划与分析，从过程上、整体上保证港珠澳大桥全景式社会责任的实现。也就是说，港珠澳大桥的全景式社会责任的践行不是一蹴而就的，其分解后的各个维度在工程全生命周期内会发生动态演变，需要工程管理主体在工程生命周期各个阶段不同的情景意义下，分析不同的社会责任维度和相应的管理任务，有针对性地进行分类、分阶段管理。

具体地，在工程规划阶段，政府作为主体接受社会公众的委托，与相关论证单位对工程立项决策问题进行研究，分析工程建设的社会经济效益必要性和可行性、工程物理方案可行性、建设管理可行性、工程生态影响等重要问题，这主要关系到社会责任中的经济责任、政治责任、法律责任和伦理责任。在工程设计阶段，政府单位、相关论证单位及专业咨询单位等对具体决策方案进行分析和论证，这一阶段决定了大桥的决策质量，需要保证决策方案的功能面对未来情景的变动与演化保持有效和稳健，并防范对社会产生新的危害情景，避免决策失误对区域社会经济环境产生负面影响等。在分析和论证过程，法律和生态保护是决策的重要影响因素，因而法律责任和伦理责任仍十分突出。在工程建设阶段，工程管理者（业主）成为核心管理主体，该阶段最主要的社会责任是保证大桥实体的工程质量，这与承包商的建设管理、供应商的材料品质紧密相关。在施工过程中，各项施工流程与建设标准必然要遵守法律规范，因而法律责任不可忽视。同时要将施工人员的安全问题放在首位，且工程建设施工或多或少会对生态环境造成破坏，因此伦理责任在这一阶段仍需重视。最后在工程运营阶段，大桥投入使用并开始盈利，以实现经济责任。此外，公共事件管理及生态平衡维护等方面的管理事务是运营阶段的主要内容，因而伦理责任是运营阶段的重中之重。

图 22.1 显示了港珠澳大桥全景式社会责任全生命周期的动态演变。需要说明的是，本书所讲的全景式社会责任演变过程是较为普适性的理论概念，在工程生命周期内，港珠澳大桥的参与者和社会责任内容更为具体与丰富，并不仅限于图 22.1 中所列举的内容。

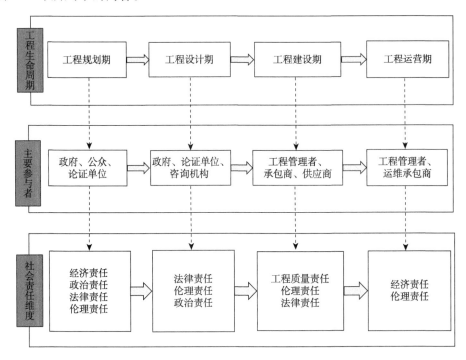

图 22.1　港珠澳大桥全景式社会责任全生命周期的动态演变

虽然不同的建设管理主体在生命周期各阶段承担的社会责任有所不同，但要明确的是，某个阶段的社会责任并不是在该阶段才开始思考和规划，而是在工程前期规划和设计阶段就需要安排。在前期规划和设计阶段，工程管理主体须从全局的角度出发，通过各种手段和方法对工程生命周期各阶段的情景进行关联或者因果分析，对未来情景进行预测，进而在相应情景意义下确定该阶段需要实现的社会责任任务，形成对工程全生命周期内全景式社会责任的整体预见和规划。对港珠澳大桥全景式社会责任进行规划时，需要明确各参与方在生命周期不同阶段应该完成的社会责任任务，并以系统性的思维确定相互之间的内在逻辑关系，实现参与者的良好分工协作，使其相互支持、共同作用，形成一个良性循环的统一整体（曾赛星等，2018）。

22.4　港珠澳大桥责任主体的全景式社会责任
协同管理

　　港珠澳大桥全景式社会责任在全生命周期内发生动态演变，对其进行规划时，需要明确在各阶段具有不同职能与社会责任的责任主体。具体来说，港珠澳大桥的责任主体是在港珠澳大桥全生命周期的各个阶段担负某一职能的主体组成的主体群，政府、业主（港珠澳大桥管理局）、论证单位、承包商、供应商、监理方等都是责任主体群中的重要成员，他们通过各自的职能在港珠澳大桥工程生命周期的不同阶段承担各自的社会责任。港珠澳大桥的责任主体通过对全景式社会责任的协同管理，在工程全生命周期内保障社会责任的整体践行。从系统角度而言，港珠澳大桥全景式社会责任的协同管理是指港珠澳大桥的责任主体通过资源共享、行为模式传导、内部施压等各种方式，产生出的超越个体单独作用并最终形成整个系统的联合作用，从而在整体上实现其全景式社会责任的行为过程（曾赛星等，2018）。

　　"协同"是指协调两个或者两个以上的不同资源或者个体，相互配合一致地完成某一目标的过程或能力。港珠澳大桥责任主体对全景式社会责任的协同管理是一个整体行为，它决定了港珠澳大桥践行社会责任的实际表现。在全景式社会责任的践行过程中，随着工程生命周期的推进，工程组织会发生适应性变化。由于工程阶段任务和组织职能的不同，工程建设的主要责任主体将发生柔性变化，以确保其职能与社会责任相匹配。在工程管理主体中，比其他管理主体具有更强的话语权与决定权，在对管理主体之间协调时具有更大权威与裁量权的管理主体被称为"序主体"（Sheng，2018）。从责任主体的视角来看，我们把对港珠澳大桥整个工程承担社会责任，比其他责任主体承担的责任更为重大的主体称为"序责任主体"。港珠澳大桥前期规划和设计阶段的序责任主体是政府，后期建设和运营阶段转变为业主，即港珠澳大桥管理局。港珠澳大桥是"一次性"的工程，具有生命周期长、责任主体多的特点，其全景式社会责任必须要通过序责任主体与其他责任主体的协同来实现。港珠澳大桥责任主体群通过全景式社会责任的协同管理，在总体上涌现出践行社会责任的能力，最终在整体上实现港珠澳大桥全景式社会责任的综合。

　　（1）港珠澳大桥的序责任主体利用其领导力，实现各责任主体在社会责任认知上的协同。港珠澳大桥责任主体众多，虽不同责任主体的职能有所不同，但对践行工程社会责任的认知须高度一致。责任主体对实现社会责任的认知反映了其对待社会责任的态度及把社会责任相关事务纳入决策方案规划的程度，强调了在制订和实施决策方案时，责任主体是否考虑社会责任问题并在实践中加以落实。政府在港珠澳大桥工程项目中的主导地位及其所拥有的特殊优势，使得它在促进各责任主体对社会责任的认知上起着关键性作用。

　　一方面，政府自身的社会责任践行是港珠澳大桥社会责任实际表现的引导与示范，政府对于社会责任的认知直接决定了港珠澳大桥是否致力于可持续发展。另一方面，作为制度的供给者，政府是其他责任主体履行社会责任的重要驱动力量（Aguilera et al.，2007）。在港珠澳大桥社会责任的实现过程中，政府通过其领导力，实现各责任主体在社会责任认知上的协同，促进各责任主体在积极践行社会责任时在理念上保持高度一致，从而奠定了责任主体群协同一致地完成社会责任目标的思想基础。

　　在实践中，港珠澳大桥序责任主体充分发挥其领导作用，加深各责任主体对社会责任的认知，提高其社会责任感。例如，要求设计方、承包商、监理方等责任主体严格执行国家有关政策、法律、法规和行业标准，强调依法建设，全方位履行法律责任；不管在工程生命周期的哪个阶段，无论是论证单位、咨询机构，还是承包商，都不可忽视工程建设对环境的影响，强调全过程实现环保责任。

　　（2）各责任主体之间的合作协同。随着港珠澳大桥建设环境和管理任务的变化，责任主体在序责任主体的更新协调下，发生调整与优化。不同的责任主体由于其职能不同，主要承担的社会责任有所差异。任何一个单一的责任主体都不完全具备并且能够独立完成各种社会责任事务的资源和能力。为实现港珠澳大桥社会责任，各个责任主体必须合作协调共享资源。同时，随着工程项目的推进，港珠澳大桥的责任主体相互之间会建立特定的联系，相互合作，共同担当，责任主体个体在践行自己社会责任的基础上，会给和自己存在关联和合作的其他责任主体压力，督促或者推动他们也去践行社会责任（曾赛星等，2018）。如此一来，责任主体之间通过信息与资源交换、内部相互监督等合作协同行为，保证了港珠澳大桥社会责任的践行是一个统一整体。

　　（3）序责任主体通过规制压力，对责任主体发挥驱动作用。基于制度理论，制度环境（包括国家法律政策、产业环境规章、相关组织监督等）对企业社会责任履行具有明显的促进作用（Campbell，2006）。规制压力与港珠澳大桥参与方社会责任的履行呈正相关关系，能够推动责任主体更好地实现社会责任而保证其社会政治合法性（曾赛星等，2018）。港珠澳大桥的序责任主体作为制度的供给者，通过规制压力来驱动其他责任主体践行社会责任。在实践中，为给践行港珠澳大桥社会责任提供制度保障，序责任主体对各责任主体建立问责制度，如在工程质量管理制度中明确提出，设计人参加工程质量事故分析，提出相应的技术处理意见，对因勘察设计原因造成的工程质量事故承担相应责任。监理人按有关规定参与工程质量事故调查处理，对因监理原因造成的工程质量事故承担相应责任。承包人是质量责任主体，对施工质量负直接责任。发生工程质量事故后，承包人对因施工原因造成的工程质量事故承担直接责任等。序责任主体通过规制压力的驱动作用，实现了港珠澳大桥社会责任的"耦合强化"。

22.5　港珠澳大桥社会责任专题：港珠澳大桥 HSE 管理体系

22.5.1　港珠澳大桥 HSE 管理体系背景

当今，政府与社会越来越重视"绿色交通、安全发展"。港珠澳大桥施工区域海洋气候多变、地质条件复杂，工程规模大、施工工艺复杂、施工点多面广，安全管理难度大；海中桥隧工程穿越珠江主航道和中华白海豚保护区，通航安全和环保要求高。同时，港珠澳大桥由内地与港澳共建共管，技术标准按照"就高不就低"的原则设计和建设，且要求具有 120 年的使用寿命。要建成"工程优质安全、环境优美和谐"的超百年工程，港珠澳大桥承担的社会责任重大。

在倡导可持续发展的时代背景下，港珠澳大桥深知其履行社会责任的必要性。港珠澳大桥追求经济、社会与环境协调发展，在建设的过程中，不仅考虑其经济目标，同时考虑自然环境保护、员工安全、社会稳定等多个目标。从社会责任的角度来说，港珠澳大桥对其全景式社会责任进行复杂性降解后，在考虑其经济责任、政治责任、工程质量责任及法律责任的同时，同样重视其伦理责任，关注大桥建设人员的职业健康与安全，注重环保意识。在工程实施阶段，职业健康、安全管理、环境保护、通航安全保障等工作对工程顺利实施具有重要意义。

在上述背景下，为达成世界一流品质、三地合作典范与绿色环保示范工程建设目标要求，同时也为实现港珠澳大桥伦理责任提供有力保障，2009 年 10 月港珠澳大桥管理局正式成立安全环保部，致力于在大桥建设期间，实施 HSE 管理体系一体化管理，这在国内属首创。

基于港珠澳大桥的建设目标及背景，港珠澳大桥管理局提出了"以人为本，全员参与；安全第一，预防为主；保护环境，清洁生产；科技创新，持续改进"的 HSE 方针，以及"追求零伤害、零污染、零事故，在健康、安全与环境管理方面达到国际同行业先进水平，为实现港珠澳大桥建设管理目标提供保障"的 HSE 管理目标，为实现伦理责任提供先进理念与体系保障。

22.5.2　港珠澳大桥 HSE 管理体系框架

1. 港珠澳大桥 HSE 管理体系要素

港珠澳大桥 HSE 管理体系由 7 个关键要素及相应的原则要求组成，见表 22.1。

表 22.1　HSE 管理体系关键要素及原则要求

关键要素	原则要求
领导和承诺	自上而下的承诺和企业文化是成功实施的基础和动力
健康、安全与环境方针	实施HSE的共同意图、行动原则和追求
策划	进行有效的HSE风险辨识、评价与控制
组织结构、资源和文件	实施HSE管理所需的人员组织、资源和文件
实施与运行	HSE管理体系有效实施的关键
检查与纠正	及时的监督、检查与检测，以及必要的纠正措施
管理评审	定期进行适宜性、充分性和有效性评价，持续改进

HSE 管理体系的实施要求各分项工程承包人在主体工程 HSE 管理体系框架下，依据工程关联的环境因素和危害因素，编制、发布 HSE 管理体系，监督、指导施工作业队伍对 HSE 管理的落实及实施情况。各承包人施工作业队伍根据管理局和承包人相关 HSE 管理体系文件要求，结合作业现场的 HSE 风险，对作业现场 HSE 管理进行实施。

2. 港珠澳大桥 HSE 管理策略

在 HSE 管理体系框架下，港珠澳大桥 HSE 管理的重点工作可归纳为"六位一体"，即"构建 HSE 组织保障体系，发挥其对工程建设 HSE 管理的协调指导作用；构建 HSE 制度保障体系，推进岗位责任制的深化完善；构建 HSE 培训教育体系，营造具有项目特色的 HSE 文化氛围；构建 HSE 预控防范体系，把握工程建设 HSE 工作的主动权；构建 HSE 检查考核体系，努力将各类事故隐患消除在萌芽状态；构建事故应急预案体系，强化应对突发事件的快速处置和保障能力"（余烈等，2012）。推动传统安全环保管理与 HSE 管理的融合，促成参建各方安全环保管理思路的转变和统一。

为提高管理效率，安全环保部实施了以下策略：一是统一制定 HSE 监督检查标准和工作流程，对施工现场实施监督检查，一旦发现问题，立刻当场发整改通知单，严格按照标准要求来检查；二是强化对 HSE 监理工作的督导，实时掌握各标段的 HSE 监理在现场监督检查中所发现的问题，并跟踪记录隐患整改情况，实现"闭环管理"；三是推行较大风险的施工作业许可制，强化驻地 HSE 监理管控力；四是定期召开 HSE 月度例会，要求各标段 HSE 管理负责人参加，这样可以避免 HSE 监督检查流于形式；五是引入安全环保专业顾问服务机制，发挥社会专业服务机构的技术优势和资源优势，并建立完善的顾问服务工作机制，以提高其工作主动性和服务专业性，为全方位提升 HSE 管理绩效水平做了充分准备（王婵铭，2016）。通过上述措施，安全环保部不仅利用其领导力，加强各责任主体对 HSE 管理体系的重视，促使责任主体对践行伦理责任的认知保持协同一致，而且作为制度的供给者，通过规制压力来驱动各责任主体积极践行"以人为本"与环境保护的社会责任，实现对伦理责任的协同管理。

22.5.3　港珠澳大桥 HSE 创新监管机制

在项目招标阶段，管理局组织专门人员进行招标文件、合同文件中的 HSE 管理要求和 HSE 管理协议的编制工作，确保 HSE 管理目标、原则和要求层层分解。同时，根据 HSE 风险控制"轻、重、缓、急"原则，将施工作业承包商与设备、材料、物质供应商进行 HSE 综合监管和直接监管区别对待，以保证在实施全面的 HSE 综合监管基础上，有效加强较大风险工程施工作业的直接监管力量和力度（余烈等，2012）。以岛隧工程为例，对于施工作业承包商，采取 HSE 合同管理与现场综合监管、直接监管并重的监管模式，即管理局实施综合监管、监理工程师代表管理局实施现场直接监管、承包商分级实施综合管理和现场管理；对设备、材料、物质供应商，采取以 HSE 合同管理和综合监管为主，监理、施工作业承包商对供应商进行入场教育、HSE 技术措施交底、日常巡查为辅的监管模式（余烈等，2012）。

为落实上述监管职责，实现监管目标，港珠澳大桥管理局实施了 5 级联动 HSE 监管机制（图 22.2），即设置专门的安全环保部，代行管理局 HSE 委员会的日常监督及指导职能，并对项目建设实施 HSE 综合监管；管理局其他部门按照"谁主管，谁负责"原则，对分管业务范围内的 HSE 工作实施监督；委托专门的 HSE 监理机构，赋予其对参建单位、作业现场进行 HSE 直接监管；引入环保及安全顾问服务机制，以指导并协助管理局严格按照国家、省（市）及行业法律法规、规范和规定来履行 HSE 监管职责；与环保、安监、海事、海洋、白海豚保护区管理局等政府部门、港澳相关部门建立长效联系机制，并定期汇报工程进展和 HSE 管理情况，指导各参建单位按照 HSE 法律法规要求和合同中关于 HSE 的条款约定，逐级建立专（兼）职 HSE 管理机构，配备足够的专（兼）职 HSE 管理人员（余烈等，2012）。

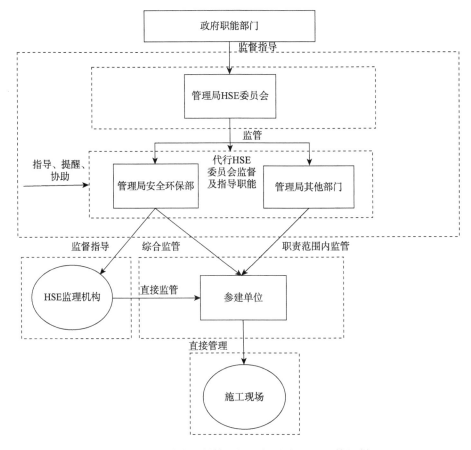

图 22.2　港珠澳大桥管理局 5 级联动 HSE 监管机制

22.5.4　港珠澳大桥现场健康与安全管理

港珠澳大桥工程施工规模大，工程内容主要包括海中桥梁、海中人工岛、海底隧道等，海上施工船舶/设备众多，海洋环境敏感，施工废弃物处理难度大。工程环境的海洋气候多变（包括热带风暴、气旋及季候风等）、地质水文条件复杂且施工地点的海上通航环境复杂、海洋环境保护要求高、环境敏感区域多。上述特点和因素，决定了港珠澳大桥作业现场的健康与安全管理是重中之重。港珠澳大桥通过以下措施对大桥现场进行健康与安全管理。

（1）加强领导层 HSE 法律意识和知识培训；加强对 HSE 管理人员上岗资格的培训，增强管理人员 HSE 管理知识并提高 HSE 管理技能；加强新入场人员"三级"教育培训和全员年度强化培训，提高作业人员 HSE 风险防范意识和现场操作、应急防范与处置技能。安全环保部为了全方位提升参建单位各级员工的

HSE 管理意识，组织了大量的宣传培训工作，不仅进行安全生产专家培训、船舶管理培训，还编制分发了一系列 HSE 宣传资料，如安全手册、防台手册等。

（2）以人为本，悉心呵护员工健康。夏季施工现场气温高，为保证现场工作人员的身体健康，港珠澳大桥岛隧工程沉管预制厂的每个部门都备有足够的防暑降温药物，厂区保证充足的饮用水。HSE 管理人员编写健康温馨提示，守护着职工们的健康。在厂房里的休息区，针对噪声、电焊弧光等施工中危害职工健康的因素，厂区内专门设置了健康防护知识牌，为一线员工解释按规定穿戴防护措施的必要性。

（3）安全第一，落实监管检查管理。珠澳口岸人工岛项目主要的施工地点在航道众多、天气情况复杂多变的珠江口，并且临近国家级中华白海豚保护区，对海洋生物和生态环保的要求也非常高，在很好地完成施工任务的同时，必须高标准地做好 HSE 的各项管理工作。每月制订安全检查计划，每周定期对各施工区域进行安全检查，对发现的安全隐患限期整改。在施工船舶的管理方面，要求所有进入该施工区域的船舶均需取得"水上水下施工许可证"，船舶在施工前进行一次安全检查，发现问题让其立即整改，整改合格后，方可开始作业。所有船舶均要在有效期内，方可进入施工现场作业，否则禁止进入；按照船舶证书最低配员要求，自航船舶要满足最低配员要求，并且船员的证书在有效期内；由施工单位向砂、石源地单位提出不得超载的相关要求，从源头上对超载情况进行管理。施工单位要求运输船舶必须按照海事局的要求进行装载，不允许运输船舶超载运输，由施工单位向各运输船舶船长提出要求，对每一来船进行登记（记录是否有超载现象、超载量等详细信息），发现超载船舶后即对所属项目部下发整改通知单，要求限期整改（李青山，2011）。

（4）标准化建设安全工地，牢牢控制 HSE 作业风险。例如，位于珠海市桂山镇牛头岛的港珠澳大桥岛隧工程沉管预制厂，是中国首次采用"工厂法"预制沉管构件的预制厂，占地面积达 56 000 平方米，其工程量之大、工艺之复杂，都增加了安全管理的难度。为标准化建设安全工地，HSE 管理人员坚守一线督查，实施领导现场带班制度，坚持每周一次安全检查和例会，每月一次综合检查和安全例会，及时纠正事故隐患，确保了现场的施工安全有序进行。根据《生产资源安全控制程序》，对进场机械设备、车辆等进行进场前的性能、安全状况自检，保证机械设备不带病进场，将风险消除在场外；根据工程施工项目内容，定期组织开展危险源辨识和环境因素识别工作，编制《危险源清单》《环境因素清单》，并编制相应管理方案，削减和控制现场的重大危险源（郭文宇和黄育波，2012）。

（5）建立应急救援管理体系，提高管理人员及作业人员对重大风险的控制和应对能力。例如，牛头岛沉管预制厂远离陆地，四面环海，夏天随时可能遭遇台风、暴雨、雷暴等紧急情况。为做好沉管预制厂应对火灾、中暑等急救抢险工作，减少事故损失，项目部编制了《应急救援综合预案》等11项应急预案，并对预案开展了培训学习。同时，认真开展应急演练活动，提高应急救援能力。为提升应急预案信息的准确性，沉管预制厂与当地气象部门建立了长期合作关系，随时掌握天气动向。在硬件上，对厂房认真加固，在不同施工地点选取机械设备避风、防洪位置，认真排查电气设备防雷、防漏电情况等。

22.5.5　港珠澳大桥现场环境管理

港珠澳大桥工程组成类型多、技术复杂，既包括人工岛、填海工程、跨海桥梁等海洋工程，又包含钻山隧道、高架桥梁等陆上工程，需要根据不同的工程类型，有针对性地开展环境管理工作。此外，大桥工程量巨大，工程范围大。接线工程香港口岸人工岛填海面积130公顷，接线工程长约12千米，香港国际机场东岸填海面积约23公顷，相应的环境保护工作周期长、工作量大。大桥地理位置特殊，周边环境敏感，目标众多，施工区域有中华白海豚分布。上述敏感特点，导致工程环境保护工作难度大增。

为全面做好环境管理工作，管理局在工程建设过程中引入环保顾问工作制度，通过环境保护措施落实情况监督、环境保护审核、环境监测与评估、环境保护技术的开发及引进等工作形式，在海洋生态环境保护与污染物控制等方面进行了有益实践。

在水环境保护方面，为保护工程周边海水环境，大桥工程现场有针对性地采取了一系列措施：采用隔泥幕减少人工岛填海过程中悬浮泥沙的扩散。隔泥幕的主要成分为聚丙烯编织袋。隔泥幕使用锚索，通过在聚乙烯结构壁管充填发泡塑料、水泥墩等方式来进行海洋水质的保护（郑兆勇，2015）。除此之外，还采取一系列措施如建立污水沉淀池、配置环保厕所等保证海洋水质安全。

在固体废弃物的处置方面，大桥现场施工期间会产生以下固体废弃物：隧道钻渣、海洋底泥、生活垃圾、化学废物（如废弃机械润滑油、废含油抹布等）。香港段大桥施工现场采取的处置措施主要如下：将钻爆法产生的山体碎石（钻渣），用于工程周边的填海工程；对固体废物进行减量化设计。例如，对于口岸人工岛，采用不挖掘底泥的大型钢圆筒工艺，避免产生挖掘底泥；对于屯门至赤角连接路的海底隧道，采用盾构式钻挖法进行施工，避免产生大规模的浚挖和填土；对于海洋底泥，处置之前先进行取样，仔细鉴定底泥的组分，对于符合海上倾倒的底泥，严格按照指定的海上倾倒区进行倾倒，不符合海上倾倒的，严格禁止在海上处置；对于化学废物妥善处置保管，防止泄漏造成水体污染。当达到一定数量后，委托具有处置许可的单位进行回收处理（郑兆勇，2015）。

在白海豚保护方面，环保顾问与各建设单位对中华白海豚保护与海洋环境保护分别设计了环保监督检查标准，并根据工程进度的推进不断进行更新。

例如，牛头岛沉管预制厂位于中华白海豚保护区，环保要求严格，对生产生活污水及废弃物，工区都进行专门处理，尽量减少对环境的影响，将安全与环保工作协同管理，建立了全方位的监控体系。为了在施工期间有效保护中华白海豚，工区认真学习白海豚的生理特征和活动特点，并对每艘作业船舶上的船员进行海豚观察和识别培训后，发放海豚观察员上岗证。在施工前和施工中，观察员通过肉眼并使用望远镜搜索施工点半径 500 米范围内的水面，监视附近海域是否有白海豚出没。4~8 月是白海豚的繁殖高峰期，工区要求船舶在施工前至少监视10 分钟，监视范围内没有出现中华白海豚方可开工；施工中，如果 500 米监视范围内出现中华白海豚，必须马上暂停作业并等待白海豚主动离开监视范围。若是白海豚不愿远离，那么经过培训的专业人士会根据白海豚听觉系统敏感的特点，实施无伤害驱赶，然后再继续作业，以减少对白海豚的打扰。

第 23 章　智慧赋能 与时俱进
——港珠澳大桥信息化管理

23.1　港珠澳大桥信息化管理概述

港珠澳大桥巨大的规模、漫长的建设周期及复杂的技术标准决定了大桥在项目全寿命周期内需要整合海量的信息，三地共建共管的模式及参与主体的多元化给大桥的信息化管理带了极大的挑战，只有通过构建和应用综合管理信息系统，才能满足粤港澳三地政府对工程综合管理的信息需求，以及复杂工程管理和社会公众的信息需求，实现工程高质量建设和运营的目标。

港珠澳大桥的信息化管理是运用先进的重大工程管理理论和信息技术，通过先进的信息系统的建设实现大桥多主体、多层次的全寿命周期的信息化管理。

23.1.1　港珠澳大桥信息化管理的背景

港珠澳大桥是当代我国交通工程建设技术最复杂、标准最高的工程之一，港珠澳大桥工程建设将产生大量的数据和信息，并需要进行各种类型高标准的处理和分析，这无疑给港珠澳大桥信息化体系建设提出了强烈的需求。

1. 需求背景

作为世界级的大型交通工程，港珠澳大桥具有投资大、建设周期长、项目施工难度高、技术设计和环保要求高、项目参与方众多、管理协调复杂等特点；同时，港珠澳大桥是在"一国两制"的体制背景下进行三地共建共管项目，三地的技术标准、法律法规、管理模式、思维方式、管理水平及信息技术应用水平都有较大的差别。因此，港珠澳大桥信息系统的建设需要体现出与大桥规模、标准、技术难度等方面相适应的一流水平。

　　港珠澳大桥作为特大型海中桥隧工程，其在项目全寿命周期内将产生、处理并使用海量的管理信息，且信息资源的开发及利用工作极其繁重。因此，港珠澳大桥工程的信息化支持，除了建好网络后分散引进工程管理软件外，还要在现代通信——计算机网络环境中运行的以共享数据库为核心的集成化管理信息系统，即港珠澳大桥综合管理信息系统。

　　2. 信息技术背景

　　港珠澳大桥综合管理信息系统作为一项复杂的大型信息系统工程，在实际建设过程中要满足多主体、多层次、多部门、全寿命周期的管理要求。要构建企业级的数据中心，实现平台化开发的建设目标，这就涉及网络环境、基础设施、数据库和集成化的应用系统建设，所以它必然是一项大型复杂的社会–技术系统工程，这已经不是一般单项功能性应用系统的建设问题，也不是直接购入一些成熟应用系统通过接口进行集成的问题，而是大型信息系统的建设与资源整合的问题。因此，要转变过去传统的"规划+选型"和"网络+软件"的信息化建设思路，做好总体规划设计，实现"规划—设计—实施"的有序衔接，确保信息化体系建设成功。

　　因此，对于港珠澳大桥的信息化建设，建设先进的管理信息系统，支撑并服务于高品质的管理是非常重要的，但是港珠澳大桥这种高标准的信息系统的成功案例与经验甚少，大量的建设和管理技术都需要在实践中不断创新，凭借超前的思维和先进的设计理念才能够实现。

23.1.2　港珠澳大桥信息化管理的目标

　　港珠澳大桥综合管理信息系统由数据库——数据中心/通信——计算机网络及集成化的应用系统组成。

　　港珠澳大桥综合管理信息系统的建设，充分借鉴了国内外工程建设管理信息化经验，结合港珠澳大桥建设和运营管理特点及业务需求，全程支持港珠澳大桥建设与运营管理全寿命周期管理现代化的系统建设目标要求，具体目标如下。

　　（1）实现多主体、全过程和跨部门的协同管理。港珠澳大桥综合管理信息系统要满足粤港澳三地政府对工程监管的信息需求，满足复杂工程管理和社会公众的信息需求，提高工程管理效率，实现工程高品质建设和运营的全寿命周期管理目标。

　　（2）建立以主题数据库/数据仓库为核心的统一的企业级数据中心。建立统一的数据标准和数据交换标准，实现内部系统集成和对外自动化交换；同时建立科学、完整、实用的系统运维管理体系、数据标准化管理规范和信息安全管理规范，确保系统的稳定安全运行。

（3）实现平台化支持。港珠澳大桥综合管理信息系统要能够实现即时通信、办公管理和个人桌面等现代协同办公管理平台功能，支持信息发布管理，实现信息门户集成，并能支撑跨部门、跨系统的综合查询与辅助决策分析系统建设，满足领导层决策分析需要。

23.1.3　港珠澳大桥信息化管理的复杂性

港珠澳大桥自身具有建设期长、建设规模巨大、施工难度高等特点，信息量庞大、信息品类繁多，这些都使大桥的信息化管理面临着巨大的挑战。根据工程的实际需求，港珠澳大桥管理者自建设项目立项之初就提出并致力于实现全寿命周期的高品质信息化管理。在管理信息系统的建设过程中，主要存在技术和管理等方面的复杂性。

1. 技术复杂性

港珠澳大桥工程项目建设期长、建设规模巨大。巨大的建设规模会产生资源、事件、进度等各类海量的信息，漫长的项目建设期会带来长周期数据存储、信息管理等问题，给大桥的信息化管理带来了复杂性。

港珠澳大桥施工难度大、环保要求高。港珠澳大桥的施工技术标准严格，同时受到环境对现场施工造成的影响，大量关键环节仅凭施工人员的技术无法达到技术标准，更需要实时监控、系统预测等信息化技术的辅助，这对大桥的信息化管理提出了更高的要求。

港珠澳大桥工程项目涉及的资源和信息量庞大，综合管理难度高。港珠澳大桥的建设标准和规格非常高，各类型的管理信息和综合分析信息量巨大，在多个主体参与协作的前提下，对各类资源进行合理有效的配置，进行综合管理难度极大。

这些业务管理上的特殊要求，均需要科学的管理信息系统作为支撑，这又需要凭借超前的思维和先进的设计理念才能够实现，这给港珠澳大桥的信息化管理带来了极大的技术复杂性。

2. 管理复杂性

港珠澳大桥工程项目参与方众多、管理协调难度大，需要工程管理信息及时准确地上传下达，并通过信息快速处理工程建设过程中的各种问题等。此外，粤港澳三地的管理模式、组织结构、思维方式和信息技术水平都不尽相同，这使得三地集成化的信息管理难度极高。港珠澳大桥的信息化管理需要在科学的项目管理体系下精心组织，并且加强沟通协作。

港珠澳大桥管理局作为港珠澳大桥建设及运营管理的主体，承担着建设、运营和综合管理职责，要求实现全过程、全寿命周期的信息化综合管理，这种业务特性决定了工程建设和运营管理信息的集中管控以及建管营的一体化管理。此外，港珠澳大桥的信息化管理要求实现项目全寿命周期的系统化管理，涉及多个阶段和多个部门，管理难度大、复杂性高。

23.2 港珠澳大桥信息化管理设计

23.2.1 总体规划设计原则

港珠澳大桥综合管理信息系统总体规划设计以信息资源规划为中心，按照大型工程建设项目管理信息化建设的具体要求，结合粤港澳三地政府协同监管及具体工程建设项目管理和运营管理的实际需要，对覆盖工程建设和运营管理两大核心管理业务进行信息化总体设计（顶层设计）。港珠澳大桥的信息化管理设计是适应国际化建设管理的需要，开发构建在统一信息平台之上的集成化、网络化的综合管理信息系统的基础性工程和先导工程。

为保证港珠澳大桥工程建设和运营管理的客观需求，大桥管理局坚持"科学、简明、实用"的理念，使总体规划设计成果能够有效衔接大桥的工程建设及管理，并且对综合管理信息系统的开发建设及运营管理提供指导。

在总体规划设计方案中，要求系统开发应保证在建设项目开工前，在统一的应用平台之上，开发完成协同办公管理、工程档案管理、设计科研管理、计划合同管理、招投标管理、质量管理、进度管理、采购管理、投资管理、职业健康和安全环保管理、现场监控管理、风险管理及后勤保障管理等核心应用系统，并在2015年底前开展并完成路政管理、养护管理、应急救援管理、设备管理、交通控制和综合运营服务等运营阶段的核心应用系统建设，要求能够实现两大阶段的应用系统的可重用、数据集成共享和应用集成。因此，港珠澳大桥信息化管理的总体规划设计和系统开发贯彻科学筹划、合理安排、精心实施的理念，在统一规划和统一标准的指导下快速推进。

基于港珠澳大桥自身特点及现实需求的考虑，在港珠澳大桥综合管理信息系统的总体规划设计过程中，确立了"统一规划，统一标准，分期实施，快见实效"的开发建设思路和总体设计原则，既做好总体规划设计，又兼顾到系统的开发建设，使规划成果尽早落地，同时使信息化建设及时满足工程项目管理要求。

港珠澳大桥综合管理信息系统总体规划设计主要分为信息资源规划和信息工程实施方案两大阶段，具体如图 23.1 所示。

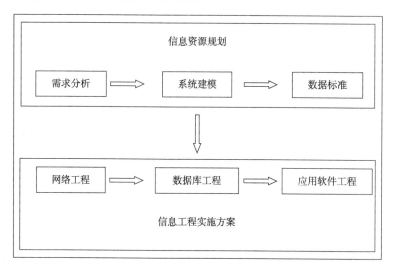

图 23.1　信息化管理总体设计工作图框

23.2.2　信息资源规划

信息资源规划是港珠澳大桥信息化管理总体规划设计的核心，涉及以信息资源规划为主体的信息化基础设施规划、信息化组织及人才规划、应用系统建设规划等方面，十分注重可操作性和实用性。

港珠澳大桥的信息资源规划不同于其他工程项目通常做规划的调研和编写，其本身就是一项工程，而且是强调发挥业主方中高层管理人员的经验和智慧，组织业务人员与信息技术人员密切合作的开发工程。管理人员以信息工程方法论为指导，采用信息资源规划的工程化方法，主要特点如下。

系统开发人员采用科学的方法，组织业务人员深度参与需求分析；同时建立一套简明、实用的标准规范，用以表达需求分析和系统建模的结果；使用成熟的软件支持工具，在帮助规划设计人员高效率、高质量分析整理调研资料、建立信息模型的同时，建立信息资源元库——计算机化技术文档，成为后续开发的核心机制。

1. 需求分析

港珠澳大桥信息资源规划工作先要对大桥工程建设和运营管理的核心业务进行全面的需求分析，梳理并优化业务流程，重点进行基于用户视图的数据流分析，建立统一的数据标准化体系，为全面开发利用信息资源奠定坚实的基础。

需求分析是信息资源规划工作的第一阶段任务，在此期间大桥管理局召开多次需求分析审核与系统建模研讨会。需求分析阶段的工作，主要包括高层构思、规划设计范围界定、关键业务流程分析、业务模型建立和优化、用户视图的收集整理和规范化、用户视图组成登记和流向分析、数据流分析等。

在需求分析阶段具体实施过程中，全面梳理及优化港珠澳大桥工程的业务流程，并建立应用系统的功能模型。开发人员对科研管理、运营管理等每一职能域分析识别业务过程，再对每一个业务过程识别定义业务活动，从而形成稳定的"职能域—业务过程—业务"的三层结构业务模型，再通过对每一个业务活动做计算机化可行性分析，得出稳定的"子系统—功能模块—程序模块"的三层结构的逻辑子系统功能模型。

需求阶段还包括调研并规范用户视图，进行数据流定性和定量分析。例如，港珠澳大桥的管理信息系统的"计划合同管理"职能域的用户视图包括"合同登记表""合同变更表""合同执行记录"等，有 100 多个用户视图；从"计划合同管理"职能域将"合同变更表"传到"设计管理"职能域，这就是"计划合同管理"职能域的一个输出数据流，或者是"设计管理"职能域的一个输入数据流。相关管理人员通过使用软件支持工具，对 20 个职能域的 1 000 多个用户视图做出规范化处理，并在此基础上通过一级流程图对数据流进行定性和定量分析，全面厘清各职能域之间及与外部应用系统之间的数据流关系。

港珠澳大桥工程项目的建设期、运营期很长，其信息化管理工作也经历了多个阶段和重要节点，每个阶段的信息化管理需求都不尽相同。大桥管理局交通工程部遵循"需求引导、顶层设计"的原则，根据不同时期不同阶段的实际需求和技术能力，及时更新信息化管理的需求，进行与时俱进的动态管理。

2. 系统建模

系统建模是港珠澳大桥信息资源规划工作的第二阶段任务，是对需求分析阶段成果进一步"定型"的过程，与需求分析阶段工作搭接实施。

系统建模是需求分析的延续和定型，是港珠澳大桥综合管理信息系统的物理数据库设计和系统开发实现的重要依据。系统建模阶段主要包括功能建模、数据建模和系统体系结构建模，同时建立数据标准、识别并定义信息分类编码等。在这个阶段的工作中，总体规划设计组将信息工程实施方案编制和系统开发招标准备等工作也提前并行推进，以加快总体规划设计工作。

从港珠澳大桥综合管理信息系统的兼容性和便于后续开发选型的角度出发，总体规划设计组先后和国内工程管理领域知名的软件开发商进行了深入的技术交流研讨，通过了解各方的软件产品功能特性，以期达到博采众长、提高总体设计成果质量的目的。同时，通过交流研讨全面了解了各方的综合能力，为大桥综合管理信息系统的开发选型做好准备。

在系统建模阶段的工作，需要较高的数据库设计和系统分析设计等IT方面的技能，因此本阶段的工作是以总体规划设计组人员为主体，将阶段性成果与业务代表或负责人进行交流，并将阶段成果提请审核确认。

数据建模是大桥信息资源规划的核心，也是难度最大的工作。系统建模阶段的具体工作主要包括基于用户视图分组和数据流分析建立的应用系统共享数据模型和基于数据存取分析建立的应用系统体系结构模型（C-U 矩阵）。借助于专业支持工具软件，设计组建立由约 60 个主题数据库、近 500 个基本表所构成的全域数据模型和各子系统数据模型，并采用 C-U 矩阵来表达数据库的共建共用关系和程序模块研发顺序的控制机制。

3. 数据标准

港珠澳大桥信息资源规划工作最后一个阶段的任务是建立统一的数据标准，以支持港珠澳大桥信息化建设的可持续发展。

在这一阶段，首先统一数据标准，建立数据标准化体系和数据交换标准体系。在港珠澳大桥主体工程管理信息系统建设过程中所涉及的数据标准规范，在采用和借鉴现有的国际、国家、行业标准的同时，还要根据粤港澳三地政府协同监管的实际需要，建立统一的数据标准化体系。根据理论研究和实践总结，主要包括数据元素标准、信息分类编码标准、用户视图标准、概念数据库标准、逻辑数据库标准共五项。

其次采用软件支持工具，建立信息资源元库系统。港珠澳大桥信息资源规划工作是由多个工作小组、众多业务人员与 IT 人员密切合作完成的一项信息化工程。因此，必须要有能够集"理论指导、标准规范和操作方法"为一体的专业软件工具的支持。由于自主研发能力有限，港珠澳大桥管理局根据实际需求选择适合的公司合作并定制了相关软件，由某专业化信息工程有限公司研发并具有自主知识产权的规划工具软件，能够把信息资源规划工作中的分析、建模和数据标准化过程和结果，都统一保存在信息资源元库之中。专门定制的软件很好地满足了建立信息资源元库系统的要求，并且为后续的实施方案编制工作提供了有力的支持。

23.2.3　信息工程实施方案

港珠澳大桥综合管理信息系统建设的信息工程实施方案，主要包括网络工程实施方案、数据库工程实施方案和应用软件工程实施方案。

1. 网络工程实施方案

网络工程实施方案，主要是以网络基础设施优化、硬件设备选型、应用系统运行支撑环境资源配置及运行调试等为重点。基于信息资源规划成果，特别是数据流量化分析结果，进行港珠澳大桥主体工程综合管理信息系统建设所需的先进的通信-计算机网络系统设计和实施，主要包括通信-计算机网络结构规划设计，配置局域网路由交换机、服务器、存储系统等软硬件设备与核心软件——数据库支持系统，构建业主单位内部及相关下属单位、项目参建单位等统一的网络平台，并与粤港澳三地政府部门的电子政务网络衔接，形成业主单位内部与上级和下级单位、部门网络互联互通、信息共享、安全有效网上办公、服务于内部工作人员的基础内网环境。

网络工程实施方案主要包括综合分析不同用户群对通信-计算机网络系统服务的需求、通信网与通信服务商资源整合方案、网络系统拓扑结构设计与配置方案、数据中心的网络支持方案、设备选型、投资概算，以及调研现有通信-计算机网络系统，对其性能与适应性进行评估。

2. 数据库工程实施方案

数据库工程的实施是以主题数据库为核心的高档次数据环境建设，建立统一的数据标准，修改和重建新的数据结构，继承已有数据库资源，加载新业务数据，建成数据共享和数据交换的统一平台，即统一的企业级数据中心，同时考虑到工程建设和运营管理过程中的基础数据库、专业数据库及数据仓库的建设。这是建设统一的信息平台的关键环节，也是港珠澳大桥综合管理信息系统建设的核心工程。

在数据库工程的实施过程中，将涉及对已建、在建和将要建设的各主题数据库，提出相应的物理设计、数据迁移和数据加载的具体的修订优化方案，确保主题数据库中所有基本表结构具有原子性、演绎性和规范性；制订支撑港珠澳大桥主体工程综合管理信息系统的统一数据中心核心业务数据逻辑集中—物理分布的存储方案，确保主题数据库的数据源能够一次一处输入系统、自动汇总和更新、多处共享使用，并制定数据仓库的建设策略，保障综合信息服务、数据挖掘和辅助决策；制订统一数据中心的交换平台建设方案，使业主方与粤港澳三地政府部门、外部业务单位实现自动化的数据交换。

数据库工程实施方案主要包括数据标准化体系建设方案、数据交换体系建设方案、现有数据库结构分析评估、基于数据模型的数据库设计、现有数据库改造方案、新建数据库实施方案、数据中心逻辑集中与物理分布方案，以及数据库和数据仓库产品对比分析、选型建议与投资概算。

3. 应用软件工程实施方案

应用软件工程的实施将侧重于基于信息资源规划的成果，进行应用系统的选型，包括以下两大类程序模块：新引进的需要进行适应性修改的程序模块和需要新研制的程序模块。通过模块分析、分类与评估，确定具体的各重点子系统的选型及开发方案。

应用软件工程的实施过程中，要在规划成果的指导下确保实现港珠澳大桥主体工程综合管理信息系统的集成化开发，即在相关数据库表统一设计和样本数据已加载的基础上，采用应用开发平台研制应用软件，实现各新建应用系统对主题数据库的共建共用，从根本上消除"信息孤岛"；对要引进的成熟应用软件系统，要以统一的数据模型和数据标准为依据，分析评估所要引进系统的数据结构和数据标准，处理好修改其数据结构或建立数据接口问题，避免引进"信息孤岛"；对外部信息系统（包括粤港澳三地政府部门的和业务关系单位的），通过统一的数据中心——数据交换平台和相应的应用软件建设综合信息平台，以整合现应用系统，为业主单位各业务部门、相关单位和内部工作人员提供快捷的综合信息服务。

应用软件工程实施方案主要包括成熟应用软件的对比分析、对系统功能模型全部程序模块的分类、对现有应用系统功能结构与可用性的分析评估、现有程序模块改造优化方案、新程序模块选择与定制开发方案、软件测试组织与应用系统调试措施、项目投资概算，以及软件开发项目管理与质量保证措施。

23.3 港珠澳大桥信息化管理实施

23.3.1 港珠澳大桥信息化管理方案实施概况

港珠澳大桥综合管理信息系统的总体设计阶段主要负责需求分析和规划设计，而信息化管理实施阶段的核心主要包括编码、测试和运行维护等工作，建模成果的运用和数据标准的贯彻落实，是将设计成果真正转化为应用的关键。

在港珠澳大桥信息化管理方案实施过程中，技术人员依据信息资源规划所确立的数据模型和数据标准，建设了完备的物理数据库和统一数据中心；根据信息资源规划所确立的功能模型，充分发挥参与总体规划设计人员的理解业务、熟悉需求的作用，建立了程序模块的联合应用；坚持新开发应用系统（模块）的内部信息共享、建立统一数据交换接口原则，并严格遵照港珠澳大桥管理局与其他参与方信息自动交换数据标准体系。

　　港珠澳大桥信息化管理实施方案包括多个应用系统实施方案，在实际中遵循"分步实施、统一协调"的原则，按照应用系统建设的进度分步骤实施。先开发的应用系统应该为将来实现的系统留有数据共享和交流机制，以及相关的文档资料；后开发的应用系统应该充分集成已有的功能，并通过主题数据库共享数据。

　　重视数据标准化体系建设、推进企业级数据中心建设，构建覆盖工程建设和运营管理全寿命周期的综合管理信息系统，以实现大型交通工程信息化建设的可持续发展。港珠澳大桥综合管理信息系统作为一项复杂的巨型信息系统工程，要满足多方、多层次、多部门及管理全寿命周期的管理要求，构建企业级的数据中心并实现平台化开发的建设目标。因此，在实施的过程中，管理人员要以港珠澳大桥的数据标准化体系、数据中心建设为基础，在总体规划设计成果的指导下，不断根据实际的需求而灵活地进行调整，实现信息化建设的可持续发展。

　　同时，作为世纪工程的信息化建设，港珠澳大桥的信息化管理需要不断创新、探索和实践。港珠澳大桥的宏伟建设目标和高品质的管理要求，对信息化提出了更高的要求，而要实现多方、多层次、全寿命周期的综合管理信息系统建设，实施难度非常高，这种"巨型"信息系统的建设经验在交通行业无先例可循，需要在实践中创新。因此，在实践的过程中，为了驾驭港珠澳大桥信息化管理中的多种复杂性并解决复杂性管理问题，管理人员逐步形成了适应性思维，在选择和管理的过程中不断通过自身的适应性学习行为积累经验、提高能力，针对问题的复杂性和实际的需求进行适当的创新和调整。例如，牛头岛和人工岛地理位置偏僻、远离大陆，难以进行信息传递，信息建设团队经过多次实地考察和反复论证，创新地选用了远距离无线网络加光纤作为网络连接的方案，实现了信息的全覆盖。港珠澳大桥自身的特点造就了信息化管理的独特性和复杂性，而这些问题的解决和创新过程正是港珠澳大桥信息化管理区别于其他交通过程信息化管理的独特之处，也是管理人员自适应选择的成果。

1. 全覆盖的信息网

　　在互联网发展的近三十年历程中，其逐渐与各行各业相结合，有效推动了传统行业的发展。港珠澳大桥的信息化建设将"互联网+"的工程管理理念上升为发展战略，陆续将云计算、人工智能等信息技术融入信息化管理的实施过程中。

　　港珠澳大桥建设规模巨大，地理跨度与信息传递距离远，给信息化管理的实施带来了极大的困难。网络基础设施是一切信息化的基础，只有建立全覆盖的稳定网络才可以实施更全面的信息化应用。在网络建设过程中，信息建设团队遇到了超远距离信息传递的棘手难题。作为大桥岛隧工程的施工区域，牛头岛及东、西人工岛基本处于信息通信盲区。四航局信息中心的研究团队经过多次实地考察及反复的模拟试验和论证，最终选用了远距离无线网络加光纤作为连接东、西人工岛及牛头岛的网络连接方案：在海平面上，采用点对点的超远距离无线宽带传输；在人工岛上，使用无线覆盖的方式建立岛上局域网；在大陆的无线发射/接收端，通过光纤线路连接总部营地，连接岛和总部的通信（陈志军等，2017）。该远程无线网络使得施工现场与总营地连接成一个巨大的局域网，能够在岛上很方便地使用办公自动化等业务系统，并顺畅地传输施工监测数据、视频监控图像、IP 电话通信信号等。

这种网络方案被用于港珠澳大桥工程的多个现场，如沉管浮运的全过程监控，这为后方的技术支撑提供了最及时的现场数据及前后方的实时联动。现场使用的都是工业级的高清摄像头，可以 360 度转动及远程控制变焦，清晰显示工地标志牌上的小字。监控系统通过实时传输及全天候自动记录，可全面追溯整个施工过程。实现信息网络的全覆盖，在任何地方登录账号后都可以看到现场的实际生产情况。港珠澳大桥建立的全覆盖信息网，为信息化管理提供了坚实的基础。

2. 智能化管理平台

为了更高效地处理信息和数据，同时将工程资料管理起来为国家和未来交通工程留下丰富、条目清晰的资料文档，一个集邮件系统、网关、收文、发文、会议、计划、天气预报、潮汐信息、海图、海浪信息、灾害信息等模块为一体的智能化办公操作管理平台应运而生，无纸化的办公节约了大量的成本，也让信息流转时间大大缩短。

智能化管理平台的应用是信息化系统的创新成果，大大提高了港珠澳大桥的管理效率。广东海事局的船舶自动识别系统具备电子海图、船舶分组、船舶跟踪等显示功能和船舶信息查询功能，对海上施工船舶的使用管理具有监控、调度、应急、信息传送等功能，不仅满足内部实时监控管理的需要（陈志军等，2017），同时巧妙地改善了第三方系统使用的简易程度和安全性。此外，智能化管理平台在机电养护和运维管理中起到了重要作用，管理人员建立了与港珠澳大桥机电系统维护相匹配的工作方法，应用成熟的智能维护技术、科学的巡检频率，有效提高了维护效率，保障设备运行完好，使维护作业智能化。

港珠澳大桥管理局运用信息化及大数据处理技术，建立了基于"互联网+"的智能化管理平台。

3. HSE 信息化管理系统

港珠澳大桥管理局注重 HSE 管理的实施，将信息化的创新管理手段融入 HSE 管理中，依托"智能化应急处置系统"和无线终端，构建全方位的 HSE 监管网络。根据"大监控、大安全"的安全监管模式，以视频监控和日常监督检查为主，对交通通行、养护作业、机电维护、现场作业等进行实时的 HSE 监督管理，通过现场巡查和监督对危险性较大工程、单项工程、作业许可项目等进行全天候的 HSE 监管。按照"零容忍"原则，以 HSE 管理体系为载体，结合"平安交通"建设要求建立标准化的 HSE 管理流程，开展 HSE 标准化管理；借助视频监控等工具实现现场安全的实时监控、问题的及时发现与上报、问题的快速整改与闭合，通过信息化手段保证全过程 HSE 管理的及时性、高效性；以应急演练和处置模拟系统、BIM（building information modeling，建筑信息模型）系统为依托，通过模拟突发事件过程开展 HSE 培训与考核、演练与检查，通过对各重点要害部位的实时监控与处置，实现智能化管控。

在港珠澳大桥海底隧道的施工中，隧道 HSE 管理员给每一个施工人员的安全帽上配置了一个"有源识别卡"，采用了世界领先的微波频段远距离射频识别技术。在系统中预先录入施工人员的基础信息（姓名、工种及班组等），施工人员一旦进入管道内，该识别卡会不断发射微波信号到系统中，沉管隧道门禁出入口处的 LED（light-emitting diode，发光二极管）显示屏上也会实时滚动显示隧道内的人员信息，实现对进出隧道的人员及其所处位置的动态掌握。每个管内作业人员的信息都清晰记录，解决了传统翻牌登记管理模式中存在的诸多弊端，确保了施工的安全和高效（黄育波，2016）。

23.3.2　港珠澳大桥现场施工中的信息化管理应用

港珠澳大桥的现场施工过程中大量采用信息化管理的手段，对现场的施工情况进行实时监管，从而实现现场质量和安全的动态控制；同时通过智能化、信息化管理，合理优化资源配置，节约成本的同时提高了工作效率。

港珠澳大桥现场施工中的信息化管理主要通过监控系统、计算机控制、智能化操作系统等技术来实现，如建立港珠澳大桥主体工程系统监测站，对主体工程的系统精度和可靠性实时监测，以保证精准的定位；沉管隧道运用航天科技，采用中航工业计量所的沉管运动姿态实时监测系统，并且建立预测模型，再把预测结果与实际数据对比，不断优化模型提高预测准确度；在钢结构焊接过程中，建立信息化焊接数据管理系统，让监测管理实现信息化并实时共享，有效提高焊接质量，同时也为焊接工作中焊丝等材料的库存、调配等环节提供了强有力的技术支撑，对不同供应厂商提供的各种材料都进行了有效的安排和配置。

在港珠澳大桥的建设过程中，沉管浮运、沉放和安装是核心环节，大桥的信息化管理在这些关键环节中发挥了至关重要的作用。其中沉管浮运最大的限制因素是所在海域的气象、海浪、海潮状态等。沉管浮运工作必须在合适的天气，海洋潮汐与海浪、海流的条件下才能进行施工，因此需要找到同时满足两个因素的作业保障"窗口期"，而一个月仅有一到两个短暂的"窗口期"。从 2011 年开始，岛隧工程就开始了对当地气象、波浪、洋流的观测与预测分析。一方面，参考施工海域的历史资料数据，再结合详细的现场观测记录积累的大量基础数据；另一方面，通过与专业机构建立综合模型，对小区域短时段作业窗口实现精度预报（陈志军等，2017）。基于此联合成立了施工作业气象窗口精确预报的专项研究，在北京设立了一个研究工作组，同时在项目部设立了一个现场工作组。研究数据既来自风云卫星数据基础，也包括现场长期的观测积累。远在北京的研究工作组动用了全国最大级别的超级计算机来建立预报模型，并通过现场数据不断校验模型的可靠性，实现了预报精准度 100%的目标，创造了零误差预报的奇迹（陈志军等，2017）。

港珠澳大桥海底隧道有 200 多个接头，如何保障沉管滴水不漏是一个世界级难题，沉管隧道的核心难题就是保证沉管密不透水。在沉管接头处有双重防水装置——OMEGA 密封和 GINA 止水带，这是 370 毫米厚的橡胶衬垫，当与前一节沉管对接时，衬垫会被挤压至 190 毫米。一个标准的沉管宽 38 米，对接精度的准确与否，直接关系到沉管水密的质量，这给现场施工带来了极大的挑战。巨大的沉管在海上浮运、沉放、对接，依靠的是两艘专用的沉放安装船，它们的中枢神经就是由传感器、测控系统和姿态控制系统等组成的一体化监控管理系统。沉管运动姿态的实时数据为分析决策提供了准确依据，保障了每一次沉管浮运的顺利完成。沉管浮运到位后，安装在沉管上的拉合系统开始发挥威力。这套全新的拉合系统集成了位移传感器，包含自动搭接、距离检测、拉力检测、水下视频监控等功能，可以全过程监控管节安装的距离。在沉管安装船上，工程师远程控制千斤顶拉合速度，千斤顶逐渐加力，沉管缓慢而精确地移动，最后与前一管节精确对接（张磊庆，2015）。港珠澳大桥沉管水下最终接头安装工作以毫米级的误差刷新世界纪录，具有里程碑的意义，其充分发挥了实时监控机制和信息化、标准化管理机制的作用，为后续的深水施工和信息化管理提供了重要参考（黄喆，2013）。

23.3.3 港珠澳大桥信息化管理中 BIM 的应用

港珠澳大桥是我国首个"桥、岛、隧一体化"的世界级交通集群工程，其主体工程包括收费、通信、监控、交通安全设施、供配电、照明、通风、消防等（江晓霞等，2018），每个专业所用设备的种类、功能都不同，系统之间数据相互交叉且设备之间的接口协议众多，且连接复杂。在项目实施过程中，管理联合设计、施工、运营维护的不同阶段的众多系统，都面临着巨大的困难。港珠澳大桥信息化管理中 BIM 的应用，很大程度地改善了这一现状，重新定义了整个建设过程。

港珠澳大桥基于 BIM 技术进行虚拟设计、建造、维护，实现动态、集成和可视化管理。

　　近年来，BIM 技术在工程行业内的应用得到高速发展，如北京奥运会水立方、上海中心大厦、广州珠江城大厦等都在不同阶段运用了 BIM 技术。不过就应用广度和深度而言，BIM 在我国的应用还只是刚刚起步，目前运用 BIM 技术的工程项目大多都只是在设计、模拟施工等环节，虽也有工程提出 BIM 全寿命周期管理的理念，但是尚不能系统化地应用。港珠澳大桥将 BIM 的应用贯穿于工程的全过程，真正做到基于 BIM 的全寿命周期管理，其成熟程度在国内外处于领先水平。

　　重大工程项目庞大的建设任务量会带来沟通和实施环节大量信息流失的弊端，港珠澳大桥交通工程在这方面或多或少地存在着缺憾。BIM 技术的信息整合功能有效地规避了这部分损失，使港珠澳大桥获益良多。同时，BIM 的应用也迎合了可持续发展的需要，在建筑工程全生命周期管理及绿色生态分析等的应用中，BIM 都发挥着非常重要的作用。经过整合后的数字信息更容易挑取和分析，因此 BIM 的应用是港珠澳大桥信息化管理的基础性工作。

　　BIM 技术的多重价值使得其在港珠澳大桥交通工程的多个阶段都有着重要的意义。在联合设计阶段，BIM 技术可以有效减少深化设计成本和时间，提高深化设计质量。在施工阶段，BIM 技术可以提供有关建筑质量、进度及成本的信息，并提供可视化模拟、可视化管理，有效减少施工过程的二次返工，提高施工质量和效率。BIM 技术还将提高施工单位的总承包总集成的能力、合理控制工程成本、提高施工效应、实现绿色环保施工的理念。在运维阶段，应用 BIM 能够对设备使用状态进行预警，提醒维护人员及时进行维护，也可准确定位虚拟建筑中相应的设备，并对设备是否正确运行提供信息。

　　港珠澳大桥中 BIM 的应用主要有工程全寿命周期信息管理、工程施工进度管理、工程三维系统集成运营管理等，实现对工程项目全过程的信息化、智能化管理。

　　1. 基于 BIM 的港珠澳大桥全寿命周期信息管理

　　国内没有桥-岛-隧集群工程系统集成方面可借鉴的案例，在高速公路行业应用 BIM 系统展示机电设备数据流、供电流路由关系属世界首次（马莹，2018）。中国铁建电气化局项目团队与港珠澳大桥管理局形成共识，首次将最先进的高铁四电系统集成技术移植到公路大桥的机电安装工程中，实现了高铁四电系统集成技术与公路大桥的首度"跨界合作"。

　　在港珠澳大桥 BIM 全寿命周期系统的研发过程中，交通工程项目团队组建了系统集成实验室，历经两年试验研究，攻克了 BIM 空间数据库和大桥工程全寿命周期数据库的海量存储及管理、高效查询和传输问题，数据异构和归一化问题，人机交互问题，BIM 模型轻量化及构件属性动态展示功能等问题，补充了数以万计的海量数据，逐步建立了专属于港珠澳大桥的交通工程全寿命周期集成 BIM 模型，生成了基于 BIM 的施工进度管理系统、三维监控系统和三维运营维护管理系统，实现了数据共享、系统联动、辅助决策和统一管理，形成了一个集中、高效、便利的系统集成管理平台，开启了交通工程建设管理的大数据模式，为国内超大型基础设施工程全寿命周期系统集成树立了标杆。项目团队利用三维模型，准确界定了各系统结构的空间关系，进行了三十多种类型共一千多次的碰撞检测，有效规避了碰撞风险和返工问题。通过强大的 BIM 系统，监控中心将随时捕捉险情，实时报警反馈，快速应急处置，实现运筹帷幄而决胜千里之外的高效管理。

港珠澳大桥 BIM 全寿命周期管理有着重要的意义。建立统一的 BIM 数据交换标准，使得不同业务单位之间信息共享成为可能，并贯穿整个项目建设过程；进度管理结合可视化 BIM 模型的展示，使得安装过程的跟踪检验更为直观清晰，同时为今后运维管理打下了翔实的数据基础，提供便捷的展示与分析手段；实现了与实时监控数据相结合，加入三维路由分析功能，提高事件、事故的响应处理效率（崔雪薇，2018）。

2. 基于 BIM 的港珠澳大桥施工进度管理

港珠澳大桥施工进度管理系统主要实现施工进度信息录入、导出，施工/投资进度的统计、分析、查询和图表展示、BIM 模型导入、BIM 模型与进度信息建立映射更新、4D 模拟展示的功能。结合动画回放、数据展示进行关联，可以更为直观地呈现整个大桥交通工程施工的进度。通过信息系统软件，实现从机电安装进度管理信息系统到机电 BIM 模型展示的一键关联，从而实现了 4D 机电安装过程的监控展示。

国内基于 BIM 的进度管理系统仍然主要围绕土建、基础施工方面的工作开展，港珠澳大桥是桥隧行业中率先利用 BIM 模型对机电安装进度实现系统化跟踪管理的项目。港珠澳大桥 BIM 进度管理系统的 4D 展示模型精度极高，交通工程 BIM 模型均采用了 LOD400 以上级别制作，细节展示呈现效果逼真，相关模型已经完全能够达到正式交付的范围。4D 展示模型范围全面，完全覆盖整个交通工程，模型文件尺寸大于 2.8GB，模型构建数量达 301 784 个之多。同时施工进度管理覆盖范围全面，进度管理精度达到三级子目号级别，涵盖全部 1 818 个机电安装设备大类。

港珠澳大桥 BIM 施工进度管理的应用，使施工情况得以形象而直观地展示，基于计算机技术，可以实现实施过程的动态回溯，还可以实现模型的整理与核查、工程量的过滤与分配，提供智能分析从而使决策更加科学合理。

3. 基于 BIM 的港珠澳大桥三维系统集成运营管理

基于 BIM 的三维监控主要实现三维模型中设备故障监视、监控设备动作仿真模拟、设备信号值的实时显示等功能。可以通过交互点击 BIM 三维模型，调阅该模型关联的 BIM 数据，如设备的编码、名称、型号、材质、位置等信息（张平，2019）。基于 BIM 的三维路由围绕设备的控制信号和供电信号流进行路由信息结构表构建，主要用于监控所和管理中心操作人员快速进行设备定位、故障报修、操作培训等，包含设备路由展示功能和设备三维定位功能（张平，2019）。运营管理能够在三维系统内实时显示设备状态，并允许进行相关操作交互，能够在二维与三维控制场景内自由切换。

BIM 三维系统集成运营管理实现了三维模型与实时监控的结合，通过轻量化三维模型，系统能够通过颜色、动画等多种效果，在三维模型内直观地展示机电设备和系统的运行状态、快速定位问题，并且能够直接进行操控；同时也实现了设备、数据流向、供电关系的多维信息整合，通过直观的展示，将设备空间位置、数据流向、供电关系实现了全面整合，有效提升监控管理信息量，增强管控效能（张平，2019）。

基于 BIM 的港珠澳大桥三维系统集成运营管理是首个应用 BIM 展示系统数据流、供电流路由关系的高速公路及桥隧行业的综合监控项目，为后续机电设备运维梳理完成了设备关键路由信息。该项目整理了上万条系统设备路由关系，涵盖交通工程监控系统的全部设备路由关系，为后续运维管理打好扎实的数据基础。此外，空间管理和设备维护检修方面所需的信息流和供电关系可以通过三维系统直观地展现，从而实现高效解决定位设备问题，进行问题分析与排查。

23.4 港珠澳大桥信息化管理应用成效

23.4.1 建立数字化、规范化的管理模式

港珠澳大桥信息化管理建设持续时间长，从 2005 年启动信息系统总体规划设计开始一直持续至今，并将继续不断改进。建设过程中秉承"以数据为中心"的理念，主要的软件和平台均采用定制化手段，根据需求专门设计、定制。最终，港珠澳大桥信息化管理项目成功建立了统一、完备的数据库和数据标准体系，从而树立起一套标准化、规范化的管理模式，为港珠澳大桥的管理和决策提供了强有力的技术支撑。

信息系统建设团队强调"以数据为中心"的集成化应用系统开发策略，通过

发掘稳定的数据结构来应对管理上的变化。在信息资源管理基础标准下构建数据标准化体系，并按照"统一规划、统一标准、分期实施"的思路和理念，构建从建设期到运营期的数据标准体系。数据管理基础标准体系包括数据元素标准、信息分类编码标准、用户视图标准、概念数据库和逻辑数据库标准等，在制定、贯彻和执行的过程中，管理人员充分吸纳、融合工程管理领域的国际标准、国家标准、行业标准，同时，由业务人员和 IT 人员协作完成标准的制定过程，充分满足业务和应用系统建设使用需求。因此，整个数据标准体系更加科学合理和有效实用。

在统一的数据库和数据标准体系基础上，港珠澳大桥的信息化管理逐渐形成了数字化、规范化的管理模式，创建了网络化、智能化的办公、操作平台。通过统一的智能办公平台，整合了各种专业的应用系统，既能够实现横向、纵向办公协同，也能够及时、准确地掌握施工过程中的外部环境、内部施工情况、现场施工情形，确保港珠澳大桥岛隧工程的有序开展（陈志军等，2017）。

港珠澳大桥信息化管理以需求为导向，以数据为中心，使业务数据高度整合，实现了建设期数据与营运期数据的无缝衔接。同时充分满足了港珠澳大桥的管理和工作需求，实现了各参与方的协同管理，极大地提高了管理和决策的效率。

23.4.2　实现全寿命周期的信息化管理

在港珠澳大桥信息化管理过程中，管理人员和技术人员共同研究开发了基于 BIM 架构的港珠澳大桥交通工程全寿命周期系统集成技术，使资源达到了充分共享，实现了各个系统之间的信息共享、协调互动和统一的信息管理，形成了一个集中、高效、便利的系统集成管理平台（崔雪薇，2018）。

港珠澳大桥的全寿命周期信息化管理实现了信息系统的完备性、关联性和一致性。系统涵盖大桥工程从建设到营运过程全寿命周期下的项目管理业务，以资金流运转为主线，以合同为中心，实现对进度流、资金流、信息流的数据关联的综合控制和管理。基于系统集成的管理理念，BIM 全寿命周期管理系统分别与施工进度管理系统、监控系统及运维系统三个系统实现了集成对接。建立了基于 BIM 的三维施工进度管理系统，实现施工进度 4D 展示及投资进度的统计分析；建立了基于 BIM 的三维监控平台，实现三维的运营管理展示和状态控制；建立了基于 BIM 的三维设备维护管理平台，实现直观的可视化运维，对机电设备维护进行智能化管理。

此外，港珠澳大桥工程项目涉及海量资源的管理工作，全寿命周期的信息化管理实现了各类资源在各参与方之间的信息共享，以及资源流转全过程的备案与实时信息共享，不仅优化了资源的配置，降低了成本，同时提高了决策和施工的效率，满足工期的要求。

23.5　专题：港珠澳大桥智能化运维管理

目前，港珠澳大桥已经正式进入运营阶段。为支撑大桥的运营管理，实现基础设施安全耐久、系统运行精细高效、交通运行优质服务的价值目标，港珠澳大桥管理局分别从感知、技术、决策控制维度着手分析大桥的需求，将人工智能技术广泛运用于工程维养和运营管理，构建智能化运维管理智联平台。

23.5.1　港珠澳大桥智能运维管理需求分析

港珠澳大桥在人工智能的应用方面有着良好的基础条件，信息化基础、科研基础、设备基础、人才基础等都比较完备，但是由于其自身特点也存在多方面复杂性。港珠澳大桥对于工程维养技术和方法的需求很高，同时运营服务质量要求高、操作界面复杂，管理系统的不确定性和风险高，这给港珠澳大桥人工智能的运营管理带来了巨大的困难。

当前，智能交通系统正面临大数据的严峻挑战，工程维养、运行服务等带来海量数据，无论是数据形式还是数据来源都呈现出多样性、异质性特征，港珠澳大桥的人工智能运营管理主要针对工程维养、运行服务和管理系统等方面的需求。

1. 工程维养

传统的工程维养方法无法匹配港珠澳大桥的需求，其检测手段以人工为主，可靠性低、效率低、风险大。维养工作存在大量死角，未形成标准化作业。此外，当前的结构评估工作遇到瓶颈，预埋传感器耐久性差、功能单一，缺乏系统、有效的综合评估方法，海量的数据无法有效分析结构损伤，评估系统综合性能不足，人工巡检主观随意性强，各类结构早期病害识别不明显。

相比现有的监测系统，港珠澳大桥"采、传、存"等环节实现技术提升，保障数据质量，并采用 Oracle 大型数据库，提升数据处理调用效率。设施状态的精准诊断评估与智能决策，采用结构服役状态全息仿真和 AI 技术分别进行实时仿真、智能评估和图像识别，以保证各类病害的早期识别。

港珠澳大桥的工程维养项目拟研发十余种"海-陆-空"全息立体状态感知装备，包括无人机巡检感知系统、水下检测智能机器人、隧道巡检机器人等，再辅以新材料、新工艺和先进感知技术，以满足项目的需求。

港珠澳大桥的养护维修管理将贯彻"核心业务自营，简单业务外委"的管理方针，对接国家路网大环境下智慧型养护的总体要求，推行"机械化、智能化、产业化、信息化"（高星林等，2017），实现"结构安全、设施完好、环境整洁，为社会提供安全、舒适的行车环境"的管理目标。

2. 运行服务

港珠澳大桥当前的运行服务存在一些现实问题，如交通应急事件的预防性不够强，主动管控手段比较弱；应急救援协同联动性不足，粤港澳三地跨境交通协同难度大；等等。

交通事故问题的处理是港珠澳大桥运行服务中的重要环节，传统的交通事故均为事后处置，事故预防手段不够，及时发现率低；事故发生后涉及联动单位多、救援到达现场时间长，易发生次生事故。大桥的运行需要开展预测预警工作，防患于未然，尽量减少应急事件；抢夺黄金救援时间，尽量降低事故损失。

港珠澳大桥的风险预警方面，要保障主动管控工作，包括交通事故预警、桥梁防船撞、隧道火灾预防等；应急救援方面，要实现突发事件的快速响应与智能联动；用户体验方面，要提供智能化服务，包括无人收费、智能客服、信息及时发布与共享等。

3. 管理系统

港珠澳大桥的运维管理会产生海量的数据，运维管理系统需要充分利用数据进行精细化的运营管理；同时要充分挖掘长期积累的数据的价值，从而提供智能化决策。

传统运维管理系统由于单点输入、输出的模式，仅产生单一价值，其效率较低。港珠澳大桥要建立人工智能运营管理模型，构建智能化运维管理智联平台，实现资源的合理配置和数据的有效利用，提高管理效率。

23.5.2　港珠澳智能化运维管理智联平台

随着科学技术的进步，数据的重要性和价值贡献已不言而喻，基于港珠澳大桥运营管理的系统现状及功能需求，智能化运维管理智联平台应运而生。建立一个开放、可扩展性强、支持海量多源异构的智能运维管理数据资源平台，能从根本上支持大桥在大数据环境下运营管理的需要。

港珠澳大桥智能化运营管理需要依托基础大数据资源的支撑才能得以实现，缺乏有效的数据资源平台就无法保证基础大数据资源的充分利用，因此，从宏观、整体的角度设计开展人工智能运营管理数据资源规划，构建智能化运维管理智联平台，将充分体现化零为整、单一集群、单一存储、统一服务和统一安全的架构思想，带来资源共享、数据共享、服务共享、安全保障、统一规则、易于使用等益处。

港珠澳大桥构建智能化运维管理智联平台的总体目标是结合大桥的特点梳理数据资源需求，建立系统功能与数据资源之间的映射关系，形成人工智能运营管理数据标准，进而整合相关数据资源，打造大数据基石，助力数据资产价值挖掘以拓展大桥大数据创新应用，在支撑实现大桥智能化运营管理战略目标的同时，成为智能交通领域大数据创新管理标杆。在构建平台的过程中，通过建立人工智能运营管理数据标准，形成一整套完善的数据治理体系。设计数据资源平台构建的技术路径，构建一个开放、可扩展性强、支持海量多源异构的数据资源平台，实现人工智能运营管理所需基础大数据的整合与集成。

当前，智能交通系统正面临大数据的严峻挑战，工程维养、运行服务等带来海量数据，无论是数据形式还是数据来源都呈现出多样性的特征。因此，智联平台按照"更多、更广、更好"的基本理念进行规划设计。港珠澳大桥智能化运维管理智联平台以数据为基础，以用户体验为核心，以需求场景为引导，以算法为支撑，以应用为落脚，全部应用场景可以记录、追溯、还原，同时可以分析、解构、优化、重构，是一个能够有效解决问题的智能平台，其形成过程主要包括分析、设计、构建三个阶段。

在分析和设计阶段，基于港珠澳大桥目前的业务、技术和数据现状，参考国内外大数据行业的领先实践，梳理数据获取的先后顺序，设计港珠澳大桥智能化运维管理智联平台的功能架构、数据架构、技术基础架构、运维架构和安全架构，提出数据资源体系建设的技术路径，包括现有系统的数据采集获取方式、数据分类方式、数据存储方式、数据共享交换方式、数据可视化展示等，形成大桥数据资源体系建设总体架构蓝图设计方案。

其中，数据资源体系功能架构包括数据资源层、储存层、处理与计算层、应用层；技术基础架构是基于现流行的 Hadoop 生态系统中的开源组件设计，分别为平台的数据接入与清洗、数据存储、数据共享与服务等功能提供相应的技术实现；运维管理应对主机、组件及服务从自动部署、监控告警及优化配置三方面进行架构设计；大数据安全架构的设计以 ISO 27001 标准为建设指导方针，以信息安全等级保护管理办法为指导办法，从管理、物理、网络、系统、数据、应用六个方面一次性解决安全问题。

在构建阶段，围绕总体架构分别设计数据的接入与抽取、数据存储、数据共享及大数据标准体系等功能模块。数据的采集与清洗实现了数据的接入和抽取，数据的接入与抽取需要考虑不同情形下的数据接入方案，根据数据的时效性与数据结构类型，分别采取实时数据抽取、全量数据抽取、增量数据抽取及手工上报方案，进而完成数据清理、数据集成、变换和规约；数据存储基于分布式文件系统、分布式关系数据库和分布式 NoSQL 数据库及内存数据库等相结合的存储方案，对结构化、半结构化和非结构化的数据均进行有效的存储，并同步交互；数据共享服务通过开放 API 提供对数据目录、服务数据的访问及开发软件包等方式实现；大数据标准体系规范了数据采集方式，建立系统功能与数据资源之间的映射关系及数据校验机制，使用统一的共享交换标准，实现数据采集、存储、应用的全生命周期标准化管理，确保数据的一致、准确与完整。

港珠澳大桥智能化运维管理智联平台为大桥的工程维养、运营服务和管理带来了极大的优化与提升，通过智联平台，港珠澳大桥节约了管理成本，有效整合了资源，建立了"六位一体"的联勤联动机制，初步实现了联合交叉巡查、信息互通、应急联动，并且能及时处理突发事件，确保大桥的运行安全和通行畅通（江晓霞等，2018）。港珠澳大桥的管理可进一步精细化，平台上人员信息库全面地记录人员的能力及优缺点，便于更好地进行人力规划、人员配置和补充优化，实现人才使用的合理化。同时，港珠澳大桥的业务可更加智能化，如路政业务前移，实行移动终端办公，利用"大数据、云服务"网络形态搭建路政互联网智能电子化服务平台，提高路政执法效力，也方便了公路用户；设立自助收费终端，使收费与税务连接，实行收费、发票一体化；实行电子文档与原始材料一体化，打造业内管理信息规范化平台，便于检查与调阅。

未来，港珠澳大桥智能化运维管理智联平台将继续为港珠澳大桥的运维管理带来便捷，为大桥持续性的智能化管理和决策提供更加广泛和深刻的支撑。

参 考 文 献

陈立通. 2017. 为深海"巨龙"点睛——港珠澳大桥岛隧工程最终接头诞生记. 港珠澳大桥, 38 (3): 9-13.

陈维仑. 2011. 世界最大振沉系统诞生记. 港珠澳大桥, (3): 12-15.

陈心羚. 2016. 一场为了120年的科技较量——解读国家科技支撑计划. 港珠澳大桥, (35): 15-19.

陈心羚. 2018. 建设的足迹 大桥的烙印. 港珠澳大桥, 43 (2): 26-29.

陈越. 2011. 沉管隧道在我国发展有感. 港珠澳大桥, 2 (2): 18-19.

陈志军, 申启杰, 黄育波. 2017. 信息化为超级工程建设保驾护航. 施工企业管理, (1): 92-93.

崔雪薇. 2018. 了不起的港珠澳 2018 中国港珠澳大桥信息化暨节能技术应用研讨会侧记. 中国交通信息化, (4): 30-36.

丁荣余. 2018. 创新力场：江苏创新生态系统的提升之道. 南京：江苏人民出版社.

段国钦, 陈伟. 2015. 防船撞：长期监测 长效管理 长防险情. 港珠澳大桥, 28 (5): 26-30.

段国钦, 胡敏涛. 2013. 应急管理——风险管理的最高阶段——港珠澳大桥主体工程建设期应急管理需求及对策研究. 港珠澳大桥, (17): 24-29.

范彬宇, 李正林. 2015. 筑玉. 港珠澳大桥, 29 (6): 22-24.

港珠澳大桥国家科技支撑计划项目课题四团队. 2017. 120 年的使用寿命可靠吗？港珠澳大桥, 41 (6): 8-11.

高星林, 张劲文, 江晓霞, 等. 2017. 港珠澳大桥主体工程运营模式构建及策划. 公路, 62 (12): 207-212.

高星林, 张鸣功, 方明山, 等. 2016. 港珠澳大桥工程创新管理实践. 重庆交通大学学报（自然科学版）, 35 (A1): 12-26.

广东省监察厅派驻港珠澳大桥工程监察专员办公室. 2013. 运用伙伴关系理念 助推大桥廉政建设. 港珠澳大桥, 16 (5): 22-23.

郭琦琳, 吴广定. 2013. 首梁成功架设——港珠澳大桥桥梁建设开启上部结构施工. 港珠澳大桥, 17 (6): 6-8.

郭文宇.2013.撼龙之力.港珠澳大桥,13（2）：18-19.

郭文宇,黄育波.2012.安全生产多重奏——港珠澳大桥岛隧工程沉管预制厂HSE管理侧记.港珠澳大桥,9（4）：30-31.

国务院发展研究中心企业研究所.2007.港珠澳大桥项目协调决策机制研究咨询报告.

贺宗富.2013.海底绣花:看不见的精耕细作——记港珠澳大桥岛隧工程沉管隧道基槽精确开挖.港珠澳大桥,12（1）：21-24.

胡广瑞.2012.打响板单元生产的攻坚战——机械自动化技术的应用.港珠澳大桥,（10）：46-47.

华兴.2013.焊接实时数据的监控器——港珠澳大桥信息化焊接数据管理系统简介.港珠澳大桥,（17）：36-38.

黄育波.2012.岛隧工程沉管预制足尺模型混凝土浇筑顺利完成.港珠澳大桥,7（2）：31.

黄育波.2015.探秘"大径流".港珠澳大桥,（27）：34-37.

黄育波.2016.超级工程的"互联网+".港珠澳大桥,（35）：6-9.

黄育波.2017."智"造超级沉管.港珠澳大桥,（36）：48-51.

黄喆.2013.里程碑之作.港珠澳大桥,（16）：8-13.

纪顺利.2015.世界级标准筑就港珠澳大桥"龙脊"——青州航道桥163米高塔傲立伶仃洋.港珠澳大桥,24（1）：18-21.

纪子骁.2015.千磨万击更坚劲——CB03标全部墩台吊装圆满完工.港珠澳大桥,28（5）：18-21.

江晓霞,朱永灵,张鸣功,等.2018.港珠澳大桥营运管理模式及理念.中国港湾建设,38（6）：74-78.

康平.2013.非通航孔桥承台及底节墩身首件制施工工法.港珠澳大桥,（15）：36-41.

李迁,朱永灵,刘慧敏,等.2019.港珠澳大桥决策治理体系:原理与实务.管理世界,35（4）：52-60,159.

李青山.2011.精细管理 打造精品 勇于挑战 承担重任.港珠澳大桥,4（4）：6-9.

李正林.2012.孤岛铸英雄 英雄谱传奇.港珠澳大桥,（10）：24.

林鸣.2012.建设超大型工程的标准化之路.港珠澳大桥,9（4）：4-6.

林鸣.2016.挑战深理沉管的日日夜夜.港珠澳大桥,30（1）：27-28.

林鸣.2017.超级工程的风险思维与方法——有感于港珠澳大桥岛隧工程.港珠澳大桥,（37）：23-24.

林彦臣,张志刚.2014.任尔暗流翻涌我自岿然不动——记港珠澳大桥沉管隧道基础施工.港珠澳大桥,23（6）：10-13.

刘亚平,陈维仑.2011.世界最大振沉系统诞生记.港珠澳大桥,3（3）：12-15.

刘哲铭,隋越,金治州,等.2018.国际视域下重大基础设施工程社会责任的演进.系统管理学报,27（1）：101-108.

鲁华英. 2019. 揭秘港珠澳大桥品质管理. 中国公路, （16）: 46-49.

罗豪才, 毕洪海. 2006. 通过软法的治理. 法学家, 89（1）: 1-11.

马莹. 2018. 天堑变通途 根基在管理 解析港珠澳大桥项目管理 DNA. 项目管理评论, （4）: 10-15.

米金升, 王士刚, 郭文宇, 等. 2013. "超级管"的前世今生. 港珠澳大桥, 14（3）: 18-21.

米金升, 王有祥. 2013. 12 米海底精准对接. 港珠澳大桥, 14（3）: 22-25.

朴泷. 2012. 实战训练 明确方向. 港珠澳大桥, （7）: 11-12.

钱仕程. 2016. 没有最好 只有更好——东人工岛敞开段清水混凝土施工侧记. 港珠澳大桥, （32）: 24.

钱学森, 于景元, 戴汝为. 1990. 一个科学新领域——开放的复杂巨系统及其方法论. 自然杂志, （1）: 3-10, 64.

人民网. 2017-04-19. 港珠澳大桥沉管隧道迎来最终接头 开了这些先河.

任明朝. 2014a. 入海堪比上天难——沉管隧道建设用上了航天科技. 港珠澳大桥, 21（4）: 16-20.

任明朝. 2014b. 玩泥巴的最高境界. 港珠澳大桥, 23（6）: 44-45.

尚乾坤, 傅秀萍, 朱岭, 等. 2018. 港珠澳大桥沉管隧道施工风险管理体系研究. 公路, 63（8）: 31-36.

沈岐平, 杨静. 2010. 建设项目利益相关者管理框架研究. 工程管理学报, 24（4）: 412-419.

盛昭瀚. 2009a. 大型复杂工程综合集成管理模式初探——苏通大桥工程管理的理论思考. 建筑经济, （5）: 20-22.

盛昭瀚. 2019b. 管理: 从系统性到复杂性. 管理科学学报, 22（3）: 2-14.

盛昭瀚, 薛小龙, 安实. 2019. 构建中国特色重大工程管理理论体系与话语体系. 管理世界, 35（4）: 2-16, 51, 195.

盛昭瀚, 游庆仲, 陈国华, 等. 2009a. 大型工程综合集成管理: 苏通大桥工程管理理论的探索与思考. 北京: 科学出版社.

盛昭瀚, 游庆仲, 程书萍, 等. 2009b. 苏通大桥工程系统分析与管理体系. 北京: 科学出版社.

盛昭瀚, 曾赛星. 2018a-06-22. 重大工程管理理论的中国话语体系建设. 光明日报.

盛昭瀚, 曾赛星. 2018b. 构建中国气派的重大工程管理理论——运用钱学森系统科学思想赢得学术自我主张和话语权. 文汇报论苑版.

盛昭瀚, 张劲文, 李迁, 等. 2013. 基于计算实验的工程供应链管理. 上海: 上海三联书店.

石军伟, 胡立君, 付海艳. 2009. 企业社会责任、社会资本与组织竞争优势: 一个战略互动视角——基于中国转型期经验的实证研究. 中国工业经济, （11）: 87-98.

宿发强. 2017. 超大型沉管浮运的风险管控. 中国海湾建设, 35（7）: 1-3, 73.

汪海. 2013. 让安全标准化成为习惯. 港珠澳大桥, 12（1）: 19-20.

王爱民. 2015. 基于社会责任的重大工程危机管理研究. 当代经济管理, 37（3）: 13-17.

王婵铭. 2016. 落红不是无情物 化作春泥更护花——记港珠澳大桥管理局安全环保部. 港珠澳大桥, 31（2）：42-45.

王胜年, 李克非, 范志宏, 等. 2012. 港珠澳大桥 120 年使用寿命的混凝土结构耐久性对策研究. 第八届全国混凝土耐久性学术交流会论文集：80-89.

韦东庆. 2011. 港珠澳大桥的意义及其对珠海城市发展的启示. 港珠澳大桥, 2（2）：16-17.

吴广定, 童志中. 2015. "风帆" 矗立伶仃洋. 港珠澳大桥, （26）：9-11.

吴广定, 许鸣. 2013. 微观挑战之防腐除锈记. 港珠澳大桥, 16（5）：27-29.

奚伟伟. 2012. 生命至高无上安全责任为天. 港珠澳大桥, 6（1）：19.

冼宪恒, 郑兆勇. 2014. 大桥建设的 "绿色参谋". 港珠澳大桥, 19（2）：8-10.

谢琳琳, 褚海涛, 韩婷, 等. 2018. 基于社会行动理论的重大工程社会责任行为选择. 土木工程与管理学报, 35（6）：57-64.

熊金海, 李书亮. 2012. 测量：为大桥建设撑起一把伞. 港珠澳大桥, 6（1）：21-23.

余烈, 段国钦, 曹汉江. 2012. 用 "绿色" 为桥梁护航——港珠澳大桥建设 HSE 一体化管理体系. 港珠澳大桥, 9（4）：20-25.

曾赛星, 陈宏权, 金治州, 等. 2019. 重大工程创新生态系统演化及创新力提升. 管理世界, 35（4）：28-38.

曾赛星, 林翰, 马汉阳. 2018. 重大基础设施工程社会责任. 北京：科学出版社.

张海. 2014. 当工程伦理遇到廉政建设. 港珠澳大桥, 18（1）：40-42.

张劲文, 盛昭瀚. 2014. 重大工程决策 "政府式" 委托代理关系研究——基于我国港珠澳大桥工程实践. 科学决策, （12）：23-34.

张劲文, 朱永灵. 2018. 复杂性管理：港珠澳大桥主体工程管理思想与实践创新. 系统管理学报, 27（1）：186-191.

张劲文, 朱永灵, 高星林, 等. 2012. 港珠澳大桥岛隧工程设计施工总承包模式构建. 公路, （1）：133-136.

张磊庆. 2015. 港珠澳大桥岛隧工程——沉管对接. 建筑机械化, 36（5）：18-24.

张平. 2015. BIM 技术助力港珠澳大桥交通集群工程. 港珠澳大桥, （26）：24-26.

张平. 2019. 基于 BIM 技术的三维监控系统应用研究. 铁路技术创新, （4）：97-101, 110.

张圣兵. 2013. 企业承担社会责任的性质和原因. 经济学家, （3）：49-52.

张兆国, 靳小翠, 李庚秦. 2013. 企业社会责任与财务绩效之间交互跨期影响实证研究. 会计研究, （8）：32-39.

郑兆勇. 2015. "全过程" 视角下的环境管理——2015 年港珠澳大桥香港段考察有感. 港珠澳大桥, 27（4）：15-17.

周光强, 李正林. 2012. 为了大桥 120 年的寿命——记三工区一分区沉管足尺模型试验. 港珠澳大桥, （8）：20-21.

周中胜, 何德旭, 李正. 2012. 制度环境与企业社会责任履行：来自中国上市公司的经验证据.

中国软科学，（10）：59-68.

朱永灵. 2013. 回首："感动"让我们更有担当未来："风险"需我们经住考验. 港珠澳大桥，
（12）：4-10.

朱永灵. 2015. 坚持，我们就能拥抱成功——朱永灵局长在 2014 年度总结表彰大会上的讲话.
港珠澳大桥，24（1）：5-15.

朱永灵. 2016. 心无旁骛扎扎实实做好 2016 年工作——朱永灵局长在 2015 年度总结表彰大会上
的讲话. 港珠澳大桥，30（1）：5-16.

朱永灵，苏权科. 2016. 不在能知乃在能行——港珠澳大桥主体工程建设理念与实践. 港珠澳大
桥，33（4）：5-9.

朱永灵，曾亦军. 2019. 融合与发展——港珠澳大桥法律实践. 北京：法律出版社.

Aguilera R V, Rupp D E, Williams C A, et al. 2007. Putting the S back in corporate social
responsibility: a multilevel theory of social change in organizations. Academy of Management
Review, 32（3）：836-863.

Campbell J L. 2006. Institutional analysis and the paradox of corporate social responsibility. American
Behavioral Scientist, 49（7）：925-938.

Gervásio H, Silva L S. 2012. A probabilistic decision-making approach for the sustainable assessment
of infrastructures. Expert Systems with Applications, 39（8）：7121-7131.

Holland J H. 1995. Hidden Order: How Adaptation Builds Complexity. London: Addison-Wesley.

Keeble J J, Topiol S, Berkeley S. 2003. Using indicator to measure sustainability performance at a
corporate and project level. Journal of Business Ethics, 44（2-3）：149-158.

Li W, Zhang R. 2010. Corporate social responsibility, ownership structure, and political
interference: evidence from China. Journal of Business Ethics, 96（4）：631-645.

Matten D, Moon J. 2008. "Implicit" and "explicit" CSR: a conceptual framework for a
comparative understanding of corporate social responsibility. Academy of Management
Review, 33（2）：404-424.

McWilliams A, Siegel D. 2001. Corporate social responsibility: a theory of the firm perspective.
Academy of Management Review, 26（1）：117-127.

Roberts R W. 1992. Determinants of corporate social responsibility disclosure: an application of
stakeholder theory. Accounting, Organizations and Society, 17（6）：595-612.

Rotmans J, Loorbach D. 2009. Complexity and transition management. Journal of Industrial
Ecology, 13（2）：184-196.

Salazar J, Husted B W, Biehl M. 2012. Thoughts on the evaluation of corporate social performance
through projects. Journal of Business Ethics, 105（2）：175-186.

Senden L A J. 2005. Soft law and its implications for institutional balance in the EC. Utrecht Law
Review, 1（2）：79-99.

Sheng Z H. 2018. Fundamental Theories of Mega Infrastructure Construction Management: Theoretical Considerations from Chinese Practices. New York: Springer.

Snyder F. 1994. Soft law and institutional practice in the European community. Natural Gas & Oil, 79 (5): 2400-2410.

Wang Y M, Elhag T M S. 2007. A fuzzy group decision making approach for bridge risk assessment. Computers & Industrial Engineering, 53 (1): 137-148.

Zhu Y L, Zhang J W, Gao X L. 2018. Construction management and technical innovation of the main project of Hong Kong-ZhuHai-Macao Bridge. Frontiers of Engineering Management, 5 (1): 128-132.

后　记

　　中国港珠澳大桥于 2018 年 2 月 6 日完成主体工程验收，同年 10 月 24 日开通运营。至此，轰轰烈烈的大桥工程建设大剧圆满落下帷幕。

　　大桥竣工后不久，港珠澳大桥管理局领导及时提出了要对工程建设与管理进行深度总结，在"一揽子"计划中围绕大桥工程管理出两部书，一部是港珠澳大桥工程管理"实践篇"，一部是港珠澳大桥工程管理"理论篇"。"实践篇"顾名思义，主要是讲好港珠澳大桥工程管理实践活动与过程的故事，而"理论篇"更要费些心思，因为港珠澳大桥工程管理活动与过程本身主要是实实在在的造物实践，而不是纯粹的理论或者学术研究。要对这么庞大复杂的实践活动与过程写理论，先要明确"理论篇"主要是揭示港珠澳大桥工程管理故事背后的理性思维层面上的道理，一般的零散的道理还不够，因为港珠澳大桥工程管理活动是一个庞大的复杂整体，所以道理一定要有整体性。要做到这一点，就要对港珠澳大桥工程管理活动与过程本质属性有科学认知，这本身就是基础性理论范畴的事情，因此，需要我们确立关于重大工程管理理论的逻辑起点，它提供了关于港珠澳大桥工程管理故事背后道理的普适性思维原则。

　　进一步，在这一普适性思维原则基础上，逐一嵌入港珠澳大桥工程管理活动情景与过程的特质与个性，才能够实现重大工程管理理论与港珠澳大桥工程管理活动与过程具体实践的深度融合，港珠澳大桥的"理论篇"的逻辑框架才能形成。

　　本书前言根据这一学术思想清楚诠释了本书书名为什么是《复杂工程系统管理理论与港珠澳大桥工程管理实践》，也指明了本书的基本特点与学术属性。历史给了我们完成这一重要使命的机会，这些在本书前言中都有所介绍，只要阅读一遍本书前言，一定不难理解本书形成过程背后的现实逻辑。

　　本书作者团队正是运用我们中国工程管理学界自主性构建的复杂工程系统管理基础理论来指导和诠释港珠澳大桥工程管理实践，其理论逻辑是因为这一理论体系主要源于我国重大工程管理实践，当然也包括港珠澳大桥工程实践，甚至理论体系中就有直接源于港珠澳大桥工程管理实践经验的凝练与升华，而理论体系作为知识的系统化与逻辑化，则充分保证了对港珠澳大桥工程管理实践整体性的覆盖和所蕴含理论内涵的普适性。

　　本书选择在科学出版社出版，是因为科学出版社在国内外学术界、出版界以其严谨的学术、规范的程序著称，科学出版社的这一主旨与本书对学术高质量追求的精神是一致的。科学出版社魏如萍编辑为本书编辑出版付出了辛勤的劳动。在此，作者对她表示深深的谢意。

　　万敏、郑磊、房淼、张燕如、毛凯楠、陶艳萍等在本书写作过程中协助做了许多工作，作者对他们表示衷心的感谢。

盛昭瀚
2022 年 2 月 2 日